PILOTES D'ESSAI

Le Guide de la Moto

LA BIBLE DES MOTOCYCLISTES

2011

LES GUIDES
MOTOCYCLISTES

Pour leur soutien et les divers services qu'ils ont rendus et qui ont aidé la réalisation du Guide de la Moto 2011, nous tenons à sincèrement remercier les personnes suivantes. Merci à tous et à toutes.

Christian Lafrenière, Christian Dubé, Jocelyne Béslile, Louise Coulombe, Jean Tardif, Stéphane Théroux, Daniel Viau, Aline Plante, Suzanne Gascon, Marc Bouchard, Sylvain Drouin, Nathalie Grégoire, Jacques Grégoire, Michel Boivin, Jacques Provencher, Laurent Trudeau, Karen Caron, Sonia Boucher, Marylène Fallon, Jean-Pierre Belmonte, Roger Saint-Laurent, John Campbell, John Maloney, Didier Constant, Pete Thibaudeau, David Booth, Raymond Calouche, Alfred Calouche, Ilka Michaelson, Daniel Chicoine, Jean Leduc, Kimberly Moore, Warren Milner, Jason Lee, Jean Deshaies, Michel Olaïzola, Michael Bissonnette, Ian McKinstray, Steeve Corrigan, Jeff Comello, Stéphane Nadon, André Leblanc, Jan Plessner, Karl Edmondson, Russ Brenan, Jeff Herzog, Greg Lasiewski, Agata Formato, Lauren Oldoerp, Joey Lombardo, Sean Alexander, Jon Rall, Julie Garry, Norm Wells, Vivian Scott, Rob Dexter, Chris Duff, Chris Ellis, Christine Ellis, Thais Toro, Marc R. Lacroix, José Boisjoli, Philippe Normand, Johanne Denault, Alex Carroni, Paul James, Jennifer Hoyer, Dana Wilke, John Bayliss, François Morneau, Steeve Bolduc, Natalie Garry, Martin Tejeda, Tim Kennedy, Bryan Hudgin, Luc Boivin, Robert Pandya, Steve Hicks, John Paolo Canton, Arrick Maurice, Tom Riles, Brian J. Nelson, Steven Graetz, Kinney Jones, Adam Campbell, Kevin Wing, Rob O'Brien, Tim Stover, Anthony Prowell.

Dépôt légal: Premier trimestre 2011
Bibliothèque nationale du Québec
Bibliothèque nationale du Canada
ISBN : 978-2-9809146-5-2
Imprimé et relié au Québec

Graphisme: CRI agence
Chargé de projet: Pascal Meunier
Coordonnatrice: Nathalie Guénette
Direction artistique: Philippe Lagarde, Anne-Marie Bergeron
Direction de l'infographie: Wolfgang Housseaux
Retouche photo: Claude Lemieux
Associé - directeur de la création: Christian Lafrenière
Révision linguistique: Anabelle Morante, Gilberte Duplessis
Révision technique: Ugo Levac
Envoyé spécial: Didier Constant
Rédacteur section hors-route: Claude Léonard
Éditeur, rédacteur en chef: Bertrand Gahel
Impression: Imprimerie Transcontinental
Représentant: Robert Langlois (514) 294-4157

LES GUIDES MOTOCYCLISTES

Téléphone : 1 (877) 363-6686
Adresse Internet : info@leguidedelamoto.com
Site Internet : www.leguidedelamoto.com

ÉDITIONS ANTÉRIEURES

Des éditions antérieures du Guide de la Moto sont offertes aux lecteurs qui souhaiteraient compléter leur collection. Les éditions antérieures peuvent être obtenues uniquement par service postal. Voici la liste des éditions que nous avons encore en stock ainsi que leur description :

- 2010 (français, 384 pages en couleurs)
- 2009 (français, 384 pages en couleurs)
- 2008 (français, 368 pages en couleurs)
- 2007 (français, 384 pages en couleurs)
- 2006 (français, 400 pages en couleurs)
- 2005 (français, 368 pages en couleurs)
- 2004 (épuisée)
- 2003 (français, 300 pages en couleurs)
- 2002 (français, 272 pages en couleurs)
- 2001 (français, 256 pages en noir et blanc avec section couleur)
- 2000 (français ou anglais, 256 pages en noir et blanc avec section couleur)
- 1995, 1996, 1997, 1998, 1999 (épuisées)

Pour commander, veuillez préparer un chèque ou un mandat postal à l'ordre de :
Le Guide de la Moto et postez-le au : C.P. 55011, Longueuil, QC. J4H 0A2. N'oubliez pas de préciser quelle(s) édition(s) vous désirez commander et d'inclure votre nom et votre adresse au complet écrits de manière lisible, pour le retour! Les commandes sont en général reçues dans un délai de trois à quatre semaines.

Coût total par Guide, donc incluant taxe et transport, selon l'édition :

- 30$ pour les éditions 2010, 2009, 2008, 2007, 2006, 2005 et 2003
- 25$ pour l'édition 2002
- 20$ pour l'édition 2001
- 15$ pour l'édition 2000

IMPORTANT : Les éditions antérieures du Guide de la Moto que nous offrons à nos lecteurs sont des exemplaires ayant déjà été placés en librairie. Il se peut donc qu'ils affichent certaines imperfections mineures, généralement des couvertures très légèrement éraflées. La plupart sont toutefois en excellent état.

NOUVEAU POUR 2011
GSX-R600 GSX-R750
SUZUKI
GSX
Dominez la piste
SUZUKI.CA
ous avez fait la liste et nous l'avons coché!
MODÈLE COMPARATIF
GSX-R600
PRODUIT-H
PRODUIT-Y
PRODUIT-K
Selle la plus basse
La plus légère dans sa classe
Freins Radiaux BREMBO
Fourche SHOWA Big Piston Forks
Amortisseur de direction Électronique
Cartographie d'injection programmable par le pilote
Repose-pieds ajustable à 3 positions
Indicateur de Sélection de Vitesse
Indicateur Programmable de Révolution du Moteur
Embrayage à contre-couple
Chronomètre Intégré
SUZUKI
Un mode de vie !
Spécifications, caractéristiques des produits et couleurs sujettes à changement sans avis préalable. Des frais de préparation et de livraison, de transport et d'administration s'appliquent. « Des frais de préparation et de livraison situés entre 220 $ et 528 $ selon le modèle, ainsi que des frais de transport situés entre 160 $ et 208 $ selon le modèle, sont en sus. » Veuillez lire attentivement votre manuel du propriétaire. Veuillez toujours porter un casque et des vêtements de protection lorsque vous pilotez votre moto Suzuki. Veuillez respecter en tout temps le Code de la route et tous les règlements de sécurité. Soyez un pilote responsable: suivez un cours de pilotage et respectez toujours l'environnement. Demandez tous les détails à votre concessionnaire. Suzuki. Un mode de vie!

KODAK 400NC-2
47
KODAK 400

TABLE DES MATIÈRES

AVANT-PROPOS 8
INDEX PAR MARQUE 10
INDEX PAR CATÉGORIE 12
INDEX DES PRIX 14
LÉGENDES 16

PROTOS 17
HORS-ROUTE 63

APRILIA 90
BMW 92
BRP 114
DUCATI 122
HARLEY-DAVIDSON 136
HONDA 164
HYOSUNG 186
KAWASAKI 190
KTM 218
SUZUKI 222
TRIUMPH 250
VICTORY 278
YAMAHA 290

ATLAS 324
INDEX DES CONCESSIONNAIRES 357

DUCATI

Lorsqu'on ne dispose que de quelques paragraphes pour s'adresser directement à son lectorat, et lorsque ces quelques mots doivent faire le point sur la situation de la moto pour l'année, c'est aujourd'hui excessivement difficile de le faire honnêtement sans presque tout de suite tomber dans des constats liés à l'économie. Je sais, quand on fait de la moto, on le fait par plaisir et non pour discourir sur les conséquences qu'a eues l'effondrement du système financier sur les constructeurs. Et l'on est probablement encore moins intéressé, lorsqu'on fait de la moto pour le plaisir, à entendre parler du profil démographique des motocyclistes. Mais la réalité, c'est que le monde de la moto est en train de changer autour de nous et qu'on le veuille ou pas, si l'on roule sur deux roues, on sera touché par ces changements. En tant que rédacteur d'un ouvrage dont le but pourrait se résumer à dresser, une fois l'an, le portrait le plus exact possible de l'ensemble de cette industrie, il est donc assez difficile d'aborder un avant-propos sans toucher ces sujets. L'ironie de la situation, c'est que même si plusieurs constructeurs éprouvent encore beaucoup de difficulté à se remettre de la crise financière et que tout n'est donc pas rose pour tout le monde, il s'agit probablement de la meilleure période de l'histoire de l'univers pour acquérir une nouvelle moto, et voici pourquoi. Ça fait maintenant des années que tous les manufacturiers se livrent une lutte sans merci dans le seul but de vous séduire, vous, l'acheteur, même potentiel. Or, cette lutte a littéralement transformé les modèles qui s'offrent à vous en buffet de rêve, car les produits que les manufacturiers vous proposent, et j'en sais quelque chose, sont d'une qualité absolument extraordinaire. Comme les affaires ne tournent pas aussi rond qu'ils le souhaiteraient, ceux-ci accordent régulièrement d'importants rabais, toujours pour vous séduire, vous, l'acheteur. Et attendez, ça ne finit pas là. Parce que le nombre de motos vendues a diminué et que la tarte s'est rétrécie, chaque manufacturier regarde maintenant la part de ses rivaux. La conséquence directe des récentes baisses de ventes sera donc un tout nouveau souffle donné à l'escalade de qualité, de performance et de caractéristiques qui ont marqué la dernière décennie. Il n'y a pas d'autres façons de le dire : pour les constructeurs, vous séduire, vous, l'acheteur, est maintenant une affaire de survie. Ce qui est fascinant, c'est que les motocyclistes sont déjà complètement gâtés par les manufacturiers et que ceux-ci devront donc largement surpasser l'attrait actuel de leurs modèles pour arriver à capter suffisamment votre attention. Quand je vous disais que ça risque de devenir très intéressant, très vite, pour ceux et celles qui envisagent l'acquisition d'une nouvelle monture. Allez, leçon d'économie terminée, en espérant qu'elle n'a pas fait trop mal. Il ne me reste qu'à vous offrir les traditionnels vœux de bonne lecture, de bon magasinage de rêve et, surtout, de bonne route, puis à filer, puisque j'ai une ou deux motos à rouler. On fait le désert ou les montagnes, aujourd'hui...

Bertrand Gahel

Crédit photo : Riles & Nelson

INDEX PAR MARQUE

APRILIA
RSV4 Factory APRC SE 90
Dorsoduro 1200 91

BMW
K1600GTL 92
K1600GT 92
R1200RT 96
K1300S 98
K1300R 98
S1000RR 100
F800ST 102
R1200R 104
F800R 106
R1200GS 108
R1200GS Adventure 108
F800GS 112
F650GS 112

BRP CAN-AM
Spyder RT Limited 114
Spyder RT-S 114
Spyder RT A&C 114
Spyder RT 114
Spyder RS-S 116
Spyder RS 116

DUCATI
1198SP 122
1198 122
848 EVO 122
Multistrada 1200 S 124
Multistrada 1200 124
Diavel Carbon 126
Diavel 126
Streetfighter S 130
Streetfighter 130
Monster 1100 ABS 132
Monster 796 ABS 132
Monster 696 ABS 132
Monster 696 Dark 132
Hypermotard 1100 EVO SP 134
Hypermotard 1100 EVO 134
Hypermotard 796 134

HARLEY-DAVIDSON
Tri Glide Ultra Classic 136
Street Glide Trike 136
Electra Glide Ultra Limited 136
Road Glide Ultra 136
Ultra Classic Electra Glide 136
Electra Glide Classic 136
Street Glide 136
Street Glide 103 136
Road Glide Custom 136
Road Glide Custom 103 136
Road King Classic 103 136
Road King 136
Fat Boy 140
Fat Boy Lo 140
Heritage Softail Classic 140
Softail Deluxe 140
Softail Cross Bones 140
Rocker C 144
Super Glide Custom 146
Street Bob 146
Wide Glide 148
Fat Bob 148
V-Rod Muscle 150
Night Rod Special 150
Sportster XR1200X 152
Sportster 1200 Forty-Eight 154
Sportster 1200 Nightster 154
Sportster 1200 Low 154
Sportster 883 Iron 156
Sportster 883 SuperLow 156
CVO Ultra Classic Electra Glide 158
CVO Road Glide Ultra 158
CVO Street Glide 158
CVO Softail Convertible 158

HONDA
VFR1200F DCT 164
VFR1200F 164
CBF1000 168
CBF600 168
CBR1000RR ABS Repsol 170
CBR1000RR ABS 170
CBR600RR ABS 172
CBR600RR 172
CBR250R ABS 174
CBR250R 174
CBR125R 174
CB1000R 178
Fury ABS 180
Stateline ABS 180
Sabre ABS 180
Interstate ABS 180
Shadow Aero ABS 184
Shadow Phantom 184

HYOSUNG
GT 650 R 2 tons 186
GT 650 R 186
GT 650 186
GT 250 R 2 tons 187
GT 250 R 187
GT 250 187
ST-7 Deluxe 188
ST-7 188
Aquila V-80 188
Aquila 250 189

KAWASAKI
Vulcan 1700 Voyager ABS 190
Vulcan 1700 Voyager 190
Concours 14 ABS 192
Ninja ZX-14 194
Ninja ZX-10R ABS 196
Ninja ZX-10R 196
Ninja 1000 200
Z1000 200
Ninja ZX-6R 204
Ninja 650R 206
Ninja 400R 206
Ninja 250R Édition Spéciale 208
Ninja 250R 208
Versys 210
Vulcan 1700 Vaquero 212
Vulcan 1700 Nomad 212
Vulcan 1700 Classic 212
Vulcan 900 Classic LT 216
Vulcan 900 Classic Édition Spéciale 216
Vulcan 900 Custom Édition Spéciale 216
Vulcan 900 Custom 216

KTM
990 Supermoto T 218
990 Supermoto R 218
990 Adventure Dakar 30e Édition 219
990 Adventure 219

SUZUKI
GSX1300R Hayabusa 222
GSX-R1000 224
GSX-R750 226
GSX-R600 226
GSX1250FA ABS 230
GSX650F ABS 232
SV650S ABS 234
Gladius ABS 234
V-Strom 1000 236
V-Strom 650 ABS 238
Boulevard M109RZ 240
Boulevard M109R 240
Boulevard C109RT 242
Boulevard C50T 244
Boulevard C50 244
Boulevard M50 244
Boulevard S40 246
TU250 247
Burgman 650 ABS 248
Burgman 400 ABS 249

TRIUMPH
Sprint GT 250
Daytona 675R 252
Daytona 675 252
Speed Triple ABS 254
Speed Triple 254
Street Triple R 256
Street Triple 256
Thruxton 258
Bonneville T100 260
Bonneville T100 noir 260
Bonneville SE 2 tons 260
Bonneville SE 260
Bonneville 260
Scrambler 262
Tiger 1050 SE ABS 264
Tiger 1050 ABS 264
Tiger 800XC ABS 266
Tiger 800XC 266
Tiger 800 ABS 266
Tiger 800 266
Rocket III Touring 2 tons 270
Rocket III Touring 270
Rocket III Roadster 270
Thunderbird Storm 272
Thunderbird ABS 2 tons 272
Thunderbird ABS 272
Thunderbird 2 tons 272
Thunderbird 272
America 276
America (noir) 276
Speedmaster 276

VICTORY
Vision Tour 278
Vision 8-Ball 278
Arlen Ness Vision 278
Cross Country 278
Cory Ness Cross Country 278
Cross Roads 278
Kingpin 284
Kingpin 8-Ball 284
Jackpot 284
Vegas 284
Vegas 8-Ball 284
Zach Ness Vegas 284
High-Ball 284
Hammer S 288
Hammer 288
Hammer 8-Ball 288

YAMAHA
Royal Star Venture S 290
FJR1300A 292
YZF-R1 294
YZF-R6 296
FZ1 298
Fazer 8 300
FZ8 300
FZ6R 302
Super Ténéré 304
VMAX 308
Raider S 310
Raider 310
Road Star Silverado S 312
Road Star S 312
Stryker 314
V-Star 1300 Tourer 316
V-Star 1300 Classic 316
V-Star 1100 Silverado 320
V-Star 1100 Classic 320
V-Star 1100 Custom 320
V-Star 950 Tourer 318
V-Star 950 318
V-Star 650 Silverado 321
V-Star 650 Classic 321
V-Star 650 Custom 321
V-Star 250 322
Majesty 323

TOURISME DE LUXE
BMW K1600GTL 92
H-D Electra Glide Ultra Limited 136
H-D Electra Glide Classic 136
H-D Ultra Classic Electra Glide 136
H-D Screamin'Eagle
Ultra Classic EG 158
Kawasaki Vulcan 1700 Voyager 190
Victory Vision Tour 278
Victory Vision 8-Ball 278
Yamaha Royal Star Venture 290

TOURISME LÉGER
H-D Heritage Softail Classic 140
H-D Road Glide Custom 136
H-D Road King 136
H-D Road King Classic 136
H-D Screamin'Eagle
Street Glide 158
H-D Screamin'Eagle
Softail Convertible 158
H-D Street Glide 136
Honda Interstate 180
Kawasaki Vulcan
900 Classic LT 216
Kawasaki Vulcan
1700 Classic LT 212
Kawasaki Vulcan 1700 Nomad 212
Kawasaki Vulcan 1700 Vaquero 212
Suzuki Boulevard C109R T 242
Suzuki Boulevard C50 T 244
Victory Cross Roads 278
Victory Cross Country 278
Yamaha Road Star Silverado S 312
Yamaha V-Star 1100 Silverado 320
Yamaha V-Star 1300 Tourer 316
Yamaha V-Star 950 Tourer 318

SPORT-TOURISME
BMW K1600GT 92
BMW R1200RT 96
Kawasaki Concours 14 192
Triumph Sprint GT 250
Yamaha FJR1300 292

ROUTIÈRE SPORTIVE
BMW K1300S 98
BMW F800ST 102
Honda CBF1000 168
Honda CBF600 168
Honda CBR125 174
Honda CBR250R 174
Honda VFR1200F 164
Honda VFR1200F DCT 164
Hyosung GT 650R 186
Hyosung GT 250R 187
Kawasaki Ninja 1000 200
Kawasaki Ninja 250R 208
Kawasaki Ninja 400R 206
Kawasaki Ninja 650R 206
Suzuki GSX1250FA ABS 230
Suzuki GSX1250FA SE ABS 230
Suzuki GSX650F ABS 232
Yamaha Fazer 8 300
Yamaha FZ8 300
Yamaha FZ1 298
Yamaha FZ6R 302

ROUTIÈRE CROSSOVER
Ducati Multistrada S 124
Kawasaki Versys 210
KTM 990 Supermoto T/R 218
Triumph Tiger 1050 264
Triumph Tiger 1050 SE 264

ROUTIÈRE AVENTURIÈRE
BMW R1200GS 108
BMW R1200GS Adventure 108
BMW F650GS 112
BMW F800GS 112
KTM 990 Adventure 220
KTM 990 Adventure Dakar 220
Suzuki V-Strom 1000 236
Suzuki V-Strom 1000 SE 236
Suzuki V-Strom 650 ABS 238
Suzuki V-Strom 650 SE ABS 238
Triumph Tiger 800 266
Triumph Tiger 800XC 266
Yamaha Super Ténéré 304

SPORTIVE
Ouverte
BMW K1300S 98
Kawasaki Ninja ZX-14 194
Suzuki GSX1300R Hayabusa 322

Twin
Ducati 1198SP 122
Ducati 1198 122
Ducati 1198S 122
Ducati 848EVO 122
Suzuki SV650S ABS 234

Pure
Un litre
Aprilia RSV4 Factory APRC SE 90
BMW S1000RR 100
Honda CBR1000RR ABS 170
Kawasaki Ninja ZX-10R 196
Suzuki GSX-R1000 224
Yamaha YZF-R1 294

750 cc
Suzuki GSX-R750 226

600 cc
Honda CBR600RR ABS 172
Kawasaki Ninja ZX-6R 204
Suzuki GSX-R600 226
Triumph Daytona 675 252
Triumph Daytona 175R 252
Yamaha YZF-R6 296

CUSTOM
Performance
H-D Night Rod Special 150
H-D V-Rod 150
H-D V-Rod Muscle 150
Suzuki Boulevard M109R 240
Triumph Rocket III Roadster 270
Victory Hammer 288
Victory Hammer S 288
Victory Hammer 8-Ball 288
Yamaha Raider 310
Yamaha Raider S 310
Yamaha Roadliner 310
Yamaha Road Star Warrior 310

Poids lourd
H-D Blackline 140
H-D Fat Bob 148
H-D Fat Boy 140
H-D Fat Boy Lo 140
H-D Rocker C 144
H-D Softail Cross Bones 140
H-D Softail Deluxe 140
H-D Street Bob 146
H-D Super Glide Custom 146
H-D Wide Glide 148
Kawasaki Vulcan 1700 Classic 212
Triumph Thunderbird 272
Triumph Thunderbird Storm 272
Victory Vegas 284
Victory Vegas 8-Ball 284
Victory High-Ball 284
Victory Jackpot 284
Victory Kingpin 284
Victory Kingpin 8-Ball 284
Yamaha Road Star 312

Poids mi-lourd
H-D Sportster 1200 Custom 154
H-D Sportster 1200 Low 154
H-D Sportster 1200 Nightster 154
Honda Fury 180
Honda Sabre ABS 180
Honda Stateline ABS 180
Yamaha Stryker 314
Yamaha V-Star 1100 Classic 320
Yamaha V-Star 1100 Custom 320
Yamaha V-Star 1300 316

Poids moyen
H-D Sportster 883 Iron 156
H-D Sportster 883 Low 156
Honda Shadow Aero ABS 184
Honda Shadow Phantom 184
Honda Shadow RS 184
Honda Shadow Spirit 184
Hyosung Aquila V-80 & ST-7 188
Kawasaki Vulcan 900 Classic 216
Kawasaki Vulcan 900 Custom 216
Suzuki Boulevard C50 244
Suzuki Boulevard M50 244
Triumph America 276
Triumph Speedmaster 276
Yamaha V-Star 650 Classic 321
Yamaha V-Star 650 Custom 321
Yamaha V-Star 950 318

Poids léger
Suzuki Boulevard S40 246

Poids plume
Hyosung Aquila 250 189
Yamaha V-Star 250 322

STANDARD
BMW K1300R 98
BMW R1200R 104
BMW R1200R Touring Edition 104
BMW F800R 106
BMW F800R Chris Pfeiffer SE 106
Ducati Diavel 126
Ducati Diavel Carbon 126
Ducati Monster 1100 132
Ducati Monster 796 132
Ducati Monster 696 132
Ducati Monster 696 Dark 132
Ducati Streetfighter 130
Ducati Streetfighter S 130
Honda CB1000R 178
H-D Sportster XR1200 152
Hyosung GT 250 187
Hyosung GT 650 186
Kawasaki Ninja Z1000 200
Suzuki Gladius 234
Suzuki TU250X 247
Triumph Bonneville 260
Triumph Bonneville T100 260
Triumph Bonneville SE 260
Triumph Scrambler 262
Triumph Speed Triple 254
Triumph Street Triple 256
Triumph Street Triple R 256
Triumph Thruxton 258
Yamaha VMAX 308

SUPERMOTO
Aprilia Dorso Duro 1200 91
Ducati Hypermotard
1100 EVO SP 134
Ducati Hypermotard
100 EVO 134
Ducati Hypermotard 796 134

3 ROUES
BRP CAN-AM Spyder RS 116
BRP CAN-AM Spyder RS-S 116
BRP CAN-AM Spyder RT 114
BRP CAN-AM Spyder RT (A&C) 114
BRP CAN-AM Spyder RT-S 114
BRP CAN-AM Spyder
RT Limited 114
H-D Tri Glide 136
H-D Tri Glide Ultra Classic 136

SCOOTER
Suzuki Burgman 650 248
Suzuki Burgman 400 249
Yamaha Majesty 323

HORS-ROUTE
Section Hors-route 63

APRILIA

Modèle	Variation	Prix
RSV4 Factory APRC SE	NM	26495
Dorsoduro 1200	NM	13995

BMW

Modèle	Variation	Prix
K1600GTL	NM	27225
K1600GT	(+2200)	24100
R1200RT	(+250)	20450
K1300S	(+0)	16990
S1000RR	(+350)	17650
F800ST	(+50)	12550
K1300R	(+0)	16850
R1200R	(+150)	15100
F800R	(+110)	10100
R1200GS	(+200)	17850
R1200GS Adventure	(+300)	20600
F800GS	(+220)	12750
F650GS	(+75)	9850

BRP CAN-AM

Modèle	Variation	Prix
Spyder RT Limited	NM	32449
Spyder RT-S	(+1250)	29749
Spyder RT A&C	(+1250)	27749
Spyder RT	(+1250)	25749
Spyder RS-S	(-450)	21349
Spyder RS	(+850)	20149

Note : les prix BRP incluent les frais de transport et de préparation.

DUCATI

Modèle	Variation	Prix
1198SP	(+0)	26995
1198	(+0)	19995
848 EVO	NM	16495
Multistrada 1200 S	(+0)	20995
Multistrada 1200	(+0)	17495
Diavel Carbon	NM	20995
Diavel	NM	18995
Streetfighter S	(+0)	22495
Streetfighter	(+0)	17495
Monster 1100 ABS	(+0)	13495
Monster 796 ABS	NM	11495
Monster 696 ABS	(+0)	9995
Monster 696 Dark	NM	9495
Hypermotard 1100 EVO SP	(+0)	17495
Hypermotard 1100 EVO	(+0)	14995
Hypermotard 796	(+0)	11495

HARLEY-DAVIDSON

Modèle	Variation	Prix
Tri Glide Ultra Classic	(-1890)	34 799
Street Glide Trike	(-1620)	31 489
Electra Glide Ultra Limited	(-3130)	26 209
Road Glide Ultra	NM	24 889
Ultra Classic Electra Glide	(-1720)	23 229
Electra Glide Classic	(-1570)	20 999
Street Glide	(-1570)	20 999
Street Glide 103	NM	23 219
Road Glide Custom	(-1570)	20 999
Road Glide Custom 103	NM	23 219
Road King Classic 103	NM	21 559
Road King	(-1 390)	18 799
Fat Boy	(-1 300)	17 699
Fat Boy Lo	(-1 340)	18 029
Heritage Softail Classic	(-1 550)	18 799
Softail Deluxe	(-1 620)	18 579
Softail Cross Bones	(-1 390)	18 799
Rocker C	(-1 840)	21 559
Super Glide Custom	(-1 220)	14 379
Street Bob	(-1 070)	14 379
Wide Glide	(-1 180)	16 039
Fat Bob	(-1 230)	16 589
V-Rod Muscle	(-3 850)	16 589
Night Rod Special	(-3 710)	16 249
Sportster XR1200X	(+220)	13 049
Sportster 1200 Forty-Eight	(-880)	11 599
Sportster 1200 Nightster	(-820)	11 059
Sportster 1200 Low	(-840)	10 949
Sportster 883 Iron	(-620)	8 839
Sportster 883 SuperLow	NM	8839
CVO Ultra Classic Electra Glide	(-2 400)	40 369
CVO Road Glide Ultra	NM	39 819
CVO Street Glide	(-880)	35 949
CVO Softail Convertible	(-520)	32 739

HONDA

Modèle	Variation	Prix
VFR1200F DCT	(+500)	20499
VFR1200F	(+400)	18699
CBF1000	(+0)	12999
CBF600	(+100)	9999
CBR1000RR ABS Repsol	NM	17799
CBR1000RR ABS	(+800)	17199
CBR600RR ABS	(+800)	14599
CBR600RR	NM	13599
CBR250R ABS	NM	4999
CBR250R	NM	4499
CBR125R	(+0)	3499
CB1000R	NM	13999
Fury ABS	(+500)	15999
Stateline ABS	(+500)	13799
Sabre ABS	(+500)	13899
Interstate ABS	(+550)	14999
Shadow Aero ABS	(+200)	9999
Shadow Phantom	(+500)	9599

HYOSUNG

Modèle	Variation	Prix
GT 650 R 2 tons	(-700)	7295
GT 650 R	(-900)	6995
GT 650	(-1000)	6295
GT 250 R 2 tons	(-200)	4995
GT 250 R	(-200)	4795
GT 250	(-400)	4295
ST-7 Deluxe	NM	10995
ST-7	NM	8295
Aquila V-80	(-1100)	7795
Aquila 250	(-400)	4495

KAWASAKI

Modèle	Variation	Prix
Vulcan 1700 Voyager ABS	(+0)	22549
Vulcan 1700 Voyager	(+0)	21049
Concours 14 ABS	(+0)	20199
Ninja ZX-14	(+0)	16099
Ninja ZX-10R ABS	NM	17299
Ninja ZX-10R	(+500)	16499
Ninja 1000	NM	13699
Z1000	(+0)	13199
Ninja ZX-6R	(+0)	13199
Ninja 650R	(+0)	8699
Ninja 400R	NM	7499
Ninja 250R Édition Spéciale	(+0)	5199
Ninja 250R	(+0)	4999
Versys	(+0)	8999
Vulcan 1700 Vaquero	NM	19999
Vulcan 1700 Nomad	(+0)	18699
Vulcan 1700 Classic	(+0)	15999
Vulcan 900 Classic LT	(+0)	11399
Vulcan 900 Classic Édition Spéciale	(+100)	9699
Vulcan 900 Custom Édition Spéciale	(+0)	10299
Vulcan 900 Custom	(+100)	9999

KTM

Modèle	Variation	Prix
990 Supermoto T	(+300)	15598
990 Supermoto R	NM	15398
990 Adventure Dakar 30e Édition	NM	17698
990 Adventure	(+100)	16798

SUZUKI

Modèle	Variation	Prix
GSX1300R Hayabusa	(+0)	16299
GSX-R1000	(+0)	16599
GSX-R750	(+100)	13999
GSX-R600	(+100)	13399
GSX1250FA ABS	(+0)	11799
GSX650F ABS	(+0)	9299
SV650S ABS	(+0)	9499
Gladius ABS	(+0)	9399
V-Strom 1000	(+0)	12299
V-Strom 650 ABS	(+0)	9699
Boulevard C109RT	(+0)	19299
Boulevard M109RZ	(+0)	17299
Boulevard M109R	(+0)	16799
Boulevard C50T	(+0)	10799
Boulevard C50	(+0)	9299
Boulevard M50	(+0)	9499
Boulevard S40	(+0)	6799
TU250	NM	5299
Burgman 650 ABS	(+0)	11899
Burgman 400 ABS	(+0)	8599

TRIUMPH

Modèle	Variation	Prix
Sprint GT	(+700)	14699
Daytona 675R	NM	13999
Daytona 675	(+400)	11999
Speed Triple ABS	NM	14295
Speed Triple	(+745)	13495
Street Triple R	(+0)	11199
Street Triple	(+0)	9999
Thruxton	(+200)	10199
Bonneville T100	(+200)	10199
Bonneville T100 noir	NM	9839
Bonneville SE 2 tons	(+200)	9899
Bonneville SE	(+200)	9599
Bonneville	(+200)	8899
Scrambler	(+200)	10199
Tiger 1050 SE ABS	(+0)	14599
Tiger 1050 ABS	(+0)	13999
Tiger 800XC ABS	NM	13099
Tiger 800XC	NM	12199
Tiger 800 ABS	NM	11699
Tiger 800	NM	10799
Rocket III Touring 2 tons	(+0)	19199
Rocket III Touring	(+0)	18699
Rocket III Roadster	(+1000)	17999
Thunderbird Storm	NM	16299
Thunderbird ABS 2 tons	(+100)	16499
Thunderbird ABS	(+100)	15999
Thunderbird 2 tons	(+100)	15499
Thunderbird	(+100)	14999
America	(-1100)	9199
America (noir)	(-1000)	8999
Speedmaster	(-1100)	9199
Speedmaster (noir)	(-1000)	8999

VICTORY

Modèle	Variation	Prix
Vision Tour	(-555)	25869
Vision 8-Ball	(+0)	20069
Arlen Ness Vision	(+3345)	31219
Cross Country	(+0)	20069
Cory Ness Cross Country	NM	27879
Cross Roads	(-1110)	16729
Kingpin	(-70)	16729
Kingpin 8-Ball	(+0)	14499
Jackpot	(+3)	20629
Vegas	(-30)	16169
Vegas 8-Ball	(-60)	13939
Zach Ness Vegas	NM	21189
High-Ball	NM	15059
Hammer S	(+3)	20629
Hammer	(-1335)	19849
Hammer 8-Ball	(+3)	16169

YAMAHA

Modèle	Variation	Prix
Royal Star Venture S	(+0)	23899
FJR1300A	(+0)	20199
YZF-R1	(+100)	16899
YZF-R6	(+0)	13299
FZ1	(+0)	13199
Fazer 8	NM	10999
FZ8	NM	10499
FZ6R	(+0)	8899
VMAX	(+0)	22999
Raider S	(+0)	19999
Raider	(+0)	19599
Road Star Silverado S	(+0)	19199
Road Star S	(+0)	16999
Stryker	NM	12599
V-Star 1300 Tourer	(+0)	14199
V-Star 1300 Classic	(+0)	12599
V-Star 1100 Silverado	(+0)	12899
V-Star 1100 Classic	(+0)	11099
V-Star 1100 Custom	(+0)	10499
V-Star 950 Tourer	(+0)	12099
V-Star 950	(+0)	10099
V-Star 650 Silverado	(+0)	9899
V-Star 650 Classic	(+0)	8499
V-Star 650 Custom	(+0)	8099
V-Star 250	(+0)	5499
Majesty	(+0)	8499

Légende

- PND = prix non déterminé
- (-100) = coûte 100 $ de moins qu'en 2010
- (+100) = coûte 100 $ de plus qu'en 2010
- (+0) = aucune variation de prix par rapport à 2010
- NM = nouveau modèle

Les prix indiqués sont les prix de base et n'incluent aucune option.

LES LÉGENDES

Toutes les données figurant dans les fiches techniques proviennent de la documentation de presse des constructeurs. Elles sont mises à jour avec les modèles courants et changent donc occasionnellement même si la moto n'a pas été modifiée. Les puissances sont toujours mesurées en usine par les constructeurs et représentent donc des chevaux «au moteur» et non à la roue arrière. Les performances représentent des moyennes générées par Le Guide de la Moto. Il s'agit d'attributs qui peuvent toutefois être dupliqués par un bon pilote, dans de bonnes conditions. Les vitesses de pointes sont mesurées et non lues sur les instruments de la moto, qui sont habituellement optimistes par une marge de 10 à 15 pour cent. Selon la mention, les poids sont soit donnés à sec, ce qui signifie sans essence, huile, liquide de frein, liquide de batterie, liquide de refroidissement, etc., soit donnés avec tous pleins faits. Enfin, les prix indiqués sont les prix de détail suggérés par les manufacturiers. Les prix en magasin peuvent varier selon la volonté de l'établissement de baisser ou hausser ce montant, ou encore en raison d'une hausse ou d'une baisse dictée par le constructeur.

Voir légende en page 16

GÉNÉRAL

Catégorie	Tourisme de luxe
Prix	21 049 $ (ABS: 22 549 $)
Immatriculation 2011	633,55 $
Catégorisation SAAQ 2011	«régulière»
Évolution récente	introduite en 2009
Garantie	3 ans/kilométrage illimité
Couleur(s)	noir et anthracite
Concurrence	Harley-Davidson Electra Glide, Victory Vision Tour, Yamaha Royal Star Venture

DONNÉES SAAQ

Les données concernant les coûts d'immatriculation ainsi que la catégorisation établie par la SAAQ proviennent des renseignements les plus à jour fournis par la SAAQ au moment d'aller sous presse. Lorsqu'un nouveau modèle n'a pas encore été catégorisé par la SAAQ, une mention NC (non catégorisé) apparaît à côté d'une catégorie qui devrait logiquement être celle que la SAAQ finira par adopter si ses propres critères ne changent pas. Il est important de réaliser que la catégorisation de la SAAQ n'est pas fixe et qu'une moto catégorisée «à risque» une année peut devenir «régulière» l'année suivante, et vice versa. Ces situations devraient toutefois être rares, selon la Société. Le Guide de la Moto établit sa propre catégorisation et se détache complètement des critères de catégorisation de la SAAQ ainsi que de sa logique de tarification.

RAPPORT VALEUR/PRIX

Le Rapport Valeur/Prix du Guide de la Moto indique la valeur d'un modèle par rapport à son prix. Une moto peu dispendieuse et très généreuse en caractéristiques se mérite la plus haute note, tandis qu'une moto très dispendieuse qui n'offre que peu de caractéristiques intéressantes mérite une note très basse. Une évaluation de 7 sur 10 représente «la note de passage». Tout ce qui est au-dessus représente une bonne valeur, et tout ce qui est en dessous une mauvaise valeur, à plusieurs degrés.

La note de **10/10** n'est donnée que très rarement au travers du Guide. Elle représente une valeur imbattable à tous les points de vues. Elle est généralement accordée à des montures affichant un prix budget, mais qui offrent des caractéristiques très généreuses.

La note de **9/10** est donnée à des montures de très haute valeur, soit parce que leur prix est peu élevé pour ce qu'elles ont à offrir, soit parce qu'elles offrent un niveau de technologie très élevé pour un prix normal, comme c'est le cas pour plusieurs sportives, par exemple.

La note de **8/10** est donnée aux montures qui représentent une valeur supérieure à la moyenne. Le prix n'est pas nécessairement bas, mais la qualité et les caractéristiques de ce qu'on achète restent élevées.

La note de **7/10** est donnée aux montures qui affichent un prix plus ou moins équivalent à leur valeur. On paie pour ce qu'on obtient, pas plus, pas moins.

La note de **6/10** est donnée aux modèles qui, sans nécessairement être de mauvaises motos, sont trop chères par rapport à ce qu'elles ont à offrir.

La note de **5/10** est donnée aux modèles dont la valeur est médiocre, soit parce qu'ils sont carrément trop chers, soit parce qu'ils sont simplement désuets. À ce stade, ils ne sont pas recommandés par *Le Guide de la Moto*.

INDICE D'EXPERTISE

L'indice d'expertise du Guide de la Moto est un indicateur illustrant l'intensité ou la difficulté de pilotage d'un modèle, donc le niveau d'expérience que doit détenir son pilote. D'une manière générale, plus les graduations «allumées» sont élevées et peu nombreuses dans l'échelle, plus il s'agit d'une monture destinée à une clientèle expérimentée, comme une Suzuki GSX-R1000. À l'inverse, plus les graduations «allumées» sont peu nombreuses et basses sur l'échelle, plus il s'agit d'une monture destinée à une clientèle novice, comme une Yamaha V-Star 250. Il est à noter qu'il n'existe aucune étude liant directement la puissance ou la cylindrée aux accidents. En raison de leur nature pointue, certaines sportives peuvent toutefois surprendre un pilote peu expérimenté, tandis que le même commentaire est valable pour une monture peu puissante, mais lourde ou haute. De telles caractéristiques ont pour conséquence de repousser l'étendue des graduations «allumées» vers le côté Expert de l'indice. À l'inverse, certaines montures, même puissantes, ont un comportement général relativement docile, comme une Honda CBF1000. D'autres ont une grosse cylindrée, mais sont faciles à prendre en main, comme une Yamaha V-Star 1100. De telles caractéristiques ont pour conséquence d'élargir l'étendue des graduations «allumées» vers le côté Novice de l'indice, puisqu'il s'agit à la fois de modèles capables de satisfaire un pilote expérimenté, mais dont le comprtement relativement calme et facile d'accès ne devrait pas surprendre un pilote moins expérimenté. Ainsi, chaque graduation vers le haut indique des réactions un peu plus intenses ou un niveau de difficulté de pilotage un peu plus élevé, tandis que chaque graduation vers le bas indique une plus grande facilité de prise en main et une diminution du risque de surprise lié à des réactions inhérentes au poids ou à la performance. L'information donnée par l'indice d'expertise en est donc une qu'on doit apprendre à lire, et qui doit être interprétée selon le modèle.

PROTOS

BMW
concept C

BMW
concept C

CONCEPT C

Le dévoilement du Concept C démontre l'intention de BMW de revenir dans le marché du scooter. Peu d'informations techniques sont connues à propos du prototype, mais selon le constructeur, il serait animé par un bicylindre. Connaissant la volonté de BMW de s'imposer comme le meneur de chaque catégorie où il offre des produits, et à en juger par le stade assez avancé de l'étude de style, nous ne serions certainement pas étonnés de voir le Concept C être mis en production en 2012 et être propulsé par le Twin parallèle des F800.

HONDA MID CONCEPT

Le Mid Concept n'est pour le moment qu'un prototype, mais compte tenu du fait que sa mission —rendre les deux-roues plus accessibles— est chère à Honda, sa mise en production ne serait pas du tout surprenante. En effet, le Mid Concept tente de créer un nouveau genre de monture qui allierait les sensations d'une moto au confort d'un scooter, le but ultime étant d'offrir un véhicule facile à piloter. La transmission automatique de la VFR1200F serait d'ailleurs utilisée.

HONDA

V4 CROSSTOURER CONCEPT

Le terme Concept est utilisé, mais la V4 Crosstourer est très probablement la remplaçante de la Varadero. Il s'agit d'une machine de type aventurière surtout orientée vers une conduite routière et dont la mécanique provient de la VFR1200F, ce qui en ferait la première moto de ce genre animée par un V4. La transmission automatique serait aussi offerte. Compte tenu de ses nombreux détails typiques des modèles dont le développement en est au stade de la production, nous croyons que ces images sont ni plus ni moins que celles du modèle 2012 qui, d'ailleurs, pourrait très bien porter le même nom.

Face à un véhicule qui tourne à gauche,
rouler à la vitesse permise,
c'est augmenter ses chances d'être vu.

ON EST TOUS RESPONSABLES DE NOTRE CONDUITE

Société de l'assurance automobile Québec

STATELINE SLAMMER

Née de l'inspiration du designer Erik Dunshee, la Slammer est dérivée d'une Stateline de production. L'une de trois créations réalisées à la demande de Honda dans le but d'illustrer les possibilités de personnalisation de sa nouvelle plateforme VT1300, la Slammer joue de manière très élégante sur le thème «Low». Elle est munie d'une suspension pneumatique capable de varier la garde au sol, affiche une immense roue avant de 23 pouces et possède même un système audio de 500 watts avec haut-parleur de fréquences graves de 10 pouces. L'instrumentation est remplacée par un système de navigation.

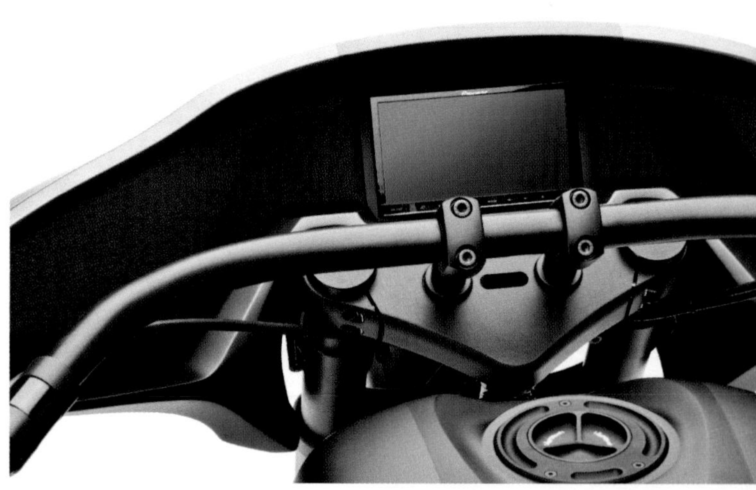

PRO
HONDA
HONDA
Continental

HONDA

brembo

Continental
HELLA

SABRE SWITCHBLADE

Construite à partir de la Sabre de série par le designer Edward Birtulescu du centre américain de recherche et de développement de Honda, la Switchblade prend son thème «Pro Drag» très au sérieux, comme en témoignent d'ailleurs les suspensions Öhlins et les magnifiques roues en fibre de carbone. Le bras oscillant à double branche a été échangé pour un monobranche tandis que l'entraînement est désormais par chaîne plutôt que par cardan. Étonnamment, compte tenu de l'apparence extrême de la création, le cadre, le moteur et le réservoir d'essence sont tous des éléments d'origine.

FURY FURIOUS

Pousser davantage le thème chopper de la Fury d'origine fut une direction évidente pour Nick Renner, le troisième designer du centre américain de recherche et de développement de Honda à qui le constructeur a demandé de modifier une VT1300. Dans ce cas, la transformation est profonde, puisque le cadre a perdu sa suspension arrière et que la longue fourche est maintenant ouverte à 45 degrés. Les roues font 20 pouces à l'arrière et 23 à l'avant tandis qu'un effort considérable a été déployé afin de cacher toute tuyauterie et tout filage. N'oublions pas qu'il s'agit de moteurs refroidis par liquide. Honda n'annonce aucun plan qui pourrait laisser croire à l'éventuelle mise en production de ces modèles. Ceux-ci ont surtout la mission de piquer la curiosité des motocyclistes ainsi que de leur montrer que Honda sait aussi s'amuser et qu'il n'est pas toujours sérieux.

JUNKYARD PHANTOM

SHINYA KIMURA

❯ Nous ne connaissions pas Shinya Kimura avant de voir, complètement par hasard, l'une de ses créations. Il s'agissait clairement d'une custom modifiée, mais quelque chose était différent. En fait, tout était différent et nous nous sommes très rapidement épris de son art en voyant l'ensemble de son œuvre dont seulement quelques exemples sont illustrés dans cette édition du Guide de la Moto. Cela fait maintenant quelques années que nous suivons l'évolution des lignes custom et le genre de stagnation stylistique de laquelle le créneau commence à peine à sortir. De toute évidence, voilà quelqu'un qui saurait transformer les customs de production en machines complètement différentes.

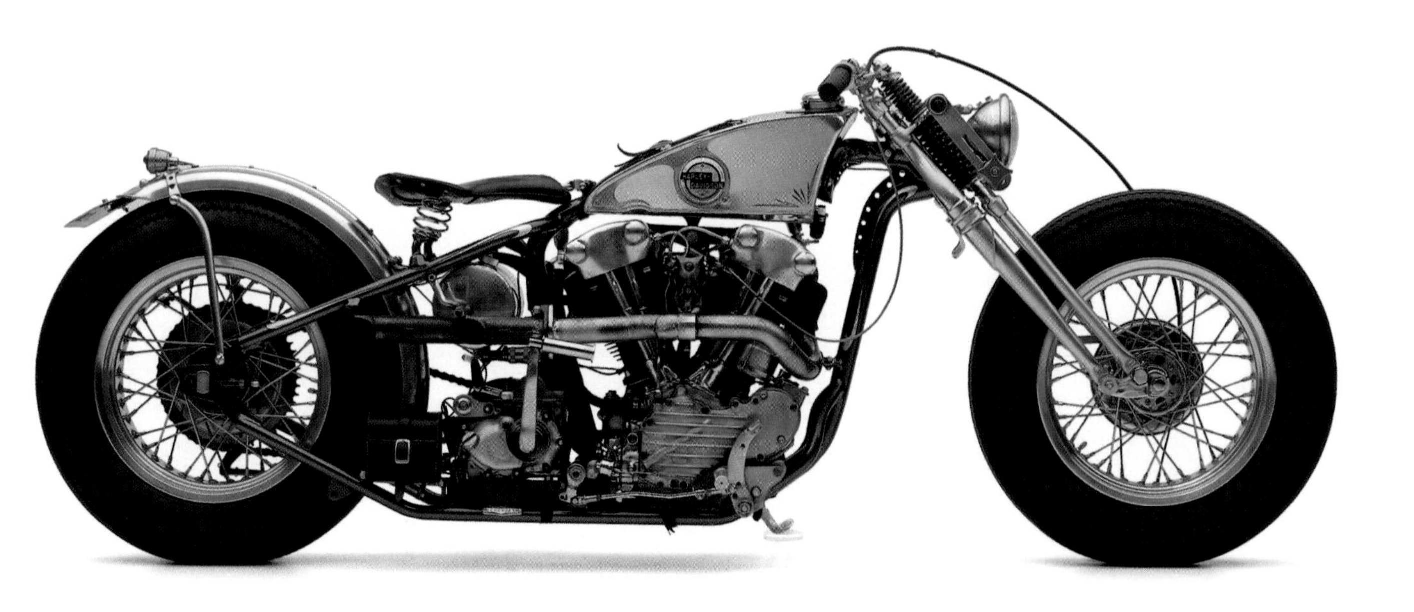

L'ARTISTE SHINYA

Selon Shinya Kimura, le terme artiste est beaucoup trop facilement donné en Amérique. Au Japon, où il est né en 1962, il s'agit d'un statut convoité que peu méritent. Kimura affirme d'ailleurs qu'il espère l'atteindre un jour. Sans le dire directement, c'est à la horde de « bike builders » qui ont dernièrement défilé au petit écran ou vendu à prix d'or leurs clinquants choppers qu'il fait référence. Il n'adhère pas à l'idée qu'une pièce polie à la perfection est attrayante et suggère plutôt que ce sont les signes de son âge et de son vécu qui font sa beauté. Il explique le succès des choppers typiques par le fait que le public est conditionné à aimer ce genre de choses, à réagir à ce qui est brillant et bruyant.

Lorsqu'il crée, Shinya explique que chaque aspect de son design est lié au suivant et dépendant de celui-ci. Les éléments non essentiels sont éliminés. Les couleurs criardes sont effacées. L'asymétrie est utilisée pour suggérer la nature imparfaite de la beauté. Les pièces usées servent à célébrer la maturité, une qualité qui ne peut être acquise qu'avec le passage du temps. Shinya explique qu'exercer une certaine retenue face à l'attente de résultats rapides et laisser plutôt le temps faire son œuvre permet à l'excellence de se révéler au moment approprié.

Il est donc très clair que le lien qu'entretient Shinya Kimura avec les motos qu'il construit va bien au-delà de la simple relation mécanique. Il s'agit d'un art qu'il prend très au sérieux et pour lequel il est d'ailleurs reconnu, puisqu'il compte parmi ses clients des très gros noms du gratin d'Hollywood.

Après avoir quitté Zero Engineering, qu'il avait fondé au Japon et d'où sont nées toutes les créations présentées sur ces pages sauf la Spike, Shinya a ouvert l'atelier studio Chabott Engineering à Azusa, en Californie. Leur site Internet, www.chabottengineering.com, permet aux intéressés de découvrir le reste de son extraordinaire travail.

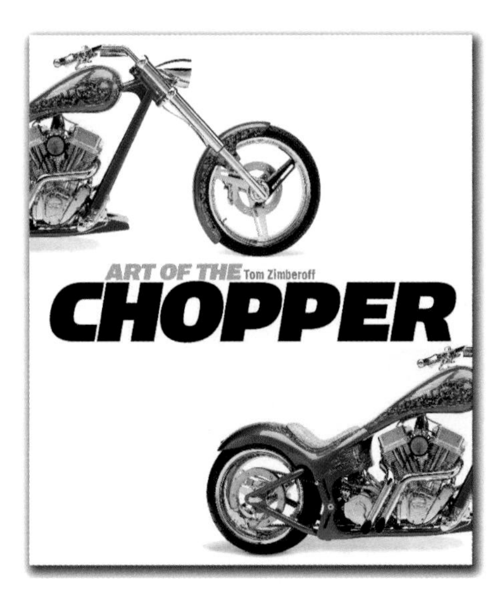

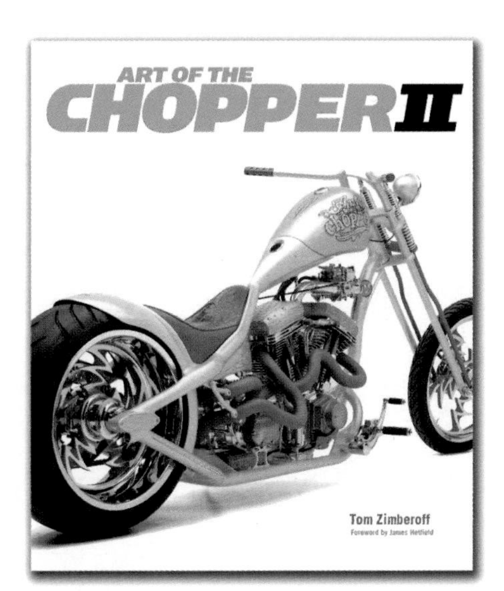

MERCI TOM

Si l'art de Shinya Kimura a pu être présenté dans les pages du Guide de la Moto, c'est grâce à la générosité du photographe Tom Zimberoff qui nous a aimablement laissé utiliser les magnifiques photos provenant de ses livres *Art of the Chopper*. Tom, qui a un attrait beaucoup plus artistique que mécanique pour les choppers, ne nous a rien demandé d'autre que d'informer notre lectorat du fait qu'il organise une exposition au Kansas sur le thème du chopper, et ce, dans un musée, rien de moins. C'est donc avec plaisir que nous vous faisons savoir que se tiendra l'exposition :

Haut Moteur : Art of the Chopper
Du 24 juin au 1er octobre 2011
Au Kansas City Museum at Union Sation

Votre hôte:

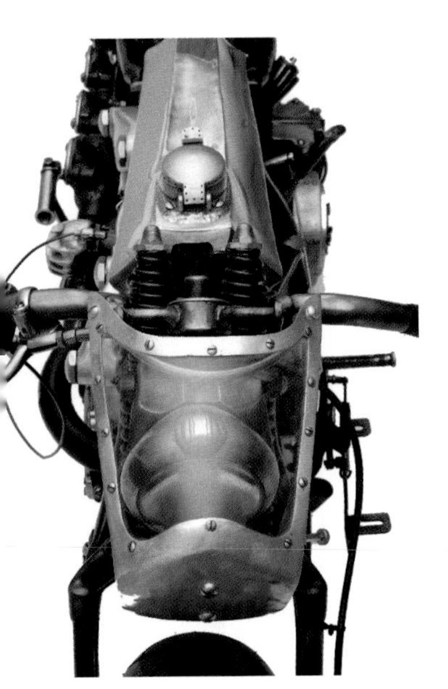

SPIKE

Construite en 2007, la Spike tient davantage de la sculpture que de la moto, mais elle est bel et bien fonctionnelle, puisque son concepteur, Shinya Kimura, est aussi un mécanicien chevronné. Elle est basée sur une Harley-Davidson 1946.

AMBER TROPHY & BULLET BUG

➤ Basée sur une Harley-Davidson 1934 et réalisée en 2004, l'Amber Trophy (à gauche) illustre parfaitement la philosophie minimaliste de l'esprit créatif de Kimura, tout comme la Bullet Bug (à droite), elle aussi, d'ailleurs, conçue sur base de Harley.

MASAMUNE

❯ Nommée en l'honneur d'un légendaire fabricant d'épées japonais, la Masamune est, comme la plupart des premières réalisations de Shinya Kimura, basée sur une vieille Harley-Davidson. Il s'agit d'une œuvre typique de l'artiste, puisqu'elle possède cette étrange particularité qui force presque ceux qui la voient à l'observer longuement afin de tenter de la comprendre.

AMD WORLD CHAMPIONSHIP OF CUSTOM BIKE BUILDING

❯ Chaque année, des artisans de partout dans le monde assistent à une compétition organisée aux États-Unis appelée World Championship of Custom Bike Building. Comme son nom l'indique, on y participe dans le but de remporter la palme de la plus belle création de sa classe. Les motos qui suivent se veulent un aperçu des plus belles réalisations qui s'y sont présentées.

THE MACHINE

❯ Construction 2010 - Belarus - Moteur 4-cylindres Boxer Suralimenté

STAGE II

Construction 2010 - Allemagne - Moteur V-Twin S&S suralimenté de 124 pouces cubes

AFTERTHOUGHT

Construction 2010 - États-Unis - Moteur S&S de 93 pouces cubes

QUANTOM LEAP

Construction 2010 - États-Unis - S&S de 101 pouces cubes

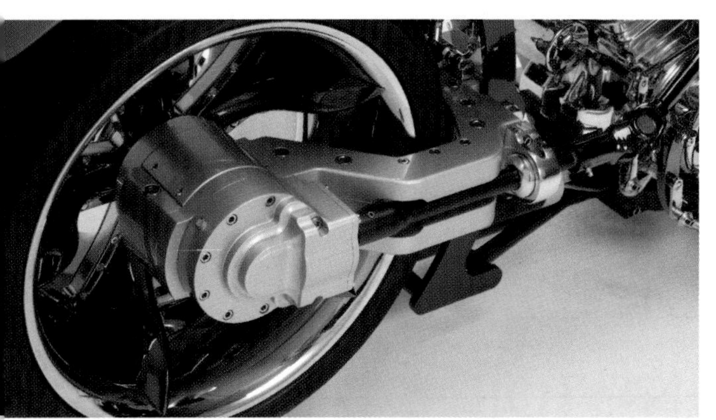

NORTON

› Construction 2010 - États-Unis - Norton de 850 cc

PINKALICIOUS

› Construction 2010 - États-Unis - Moteur Harley-Davidson de 1 340 cc

KCOSMODRIVE

› Construction 2010 - Italie - Moteur TP 124 pouces cubes

VEON

Construction 2010 - Belgique - Moteur Harley-Davidson V-Rod

BEEZERKER

Construction 2010 - États-Unis - Moteur BSA 1965 de 650 cc

BLACK JACK

Construction 2010 - États-Unis - Moteur radial à 7 cylindres de 2800cc

MOSCOW

Construction 2010 - Russie - Moteur Ultima 120 pouces cubes

DUNLOP
DUNLOP

ROLAND SANDS DESIGN
SPY
BELL
VICTORY
PERFORMANCE
VANCE HINES
DUNLOP
Performance Machine
PARTS UNLIMITED
DUNLOP

MISSION 200

Les motocyclistes ont des projets. Certains veulent restaurer une vieille machine, d'autres aimeraient voir l'Europe sur deux roues et d'autres encore pensent tout simplement à leur prochaine monture. Chez Victory, on a eu l'idée de confier à l'atelier Roland Sands Design le projet d'amener l'une de leur custom jusqu'à 320 km/h, ou 200 mph, l'idée étant de battre officiellement le record de vitesse dans une classe spécifique. Le projet, très beau d'ailleurs, avance bien, puisque de la centaine de chevaux du modèle original, on a maintenant atteint les 215 chevaux et un couple monstre de 234 lb-pi, grâce, entre autres, à un turbo et beaucoup, beaucoup de travail.

CR&S DUU

Construite sur une base très similaire à la dernière DUU (deux), la version 2011 se veut essentiellement une variante stylistique du modèle original. Mais quelle gueule ! Le petit constructeur italien confie toujours l'aspect mécanique de sa chose à un puissant V-Twin S&S X-Wedge qu'il marie à une transmission Baker. Tout le reste de la partie cycle est de première classe.

HOREX VR6 ROADSTER

➤ Le petit fabricant allemand Horex n'est pas sans moyens, mais il ne profite certainement pas des ressources de Honda non plus. Mais comment une entreprise de cette taille peut-elle arriver à concevoir une telle mécanique? Si le reste des caractéristiques de la VR6 Roadster s'avère relativement commun, son moteur, lui, ne l'est décidément pas, puisqu'il s'agit d'un six-cylindres en V rapproché qui produirait jusqu'à 200 chevaux grâce à un compresseur monté juste en arrière des cylindres. Impressionnant.

Trois accidents de moto sur quatre impliquent une collision avec un autre véhicule, généralement une automobile. Dans la majorité des cas l'automobiliste affirmera ne pas avoir vu la motocyclette. Arrangez-vous pour vous faire voir. Comportez-vous en tout temps comme si vous étiez invisible.

ATTENTION MOTOCYCLISTES

Dans les accidents n'impliquant pas d'autre véhicule, on retrouve deux types d'erreur de la part du pilote de la motocyclette; soit un mauvais freinage, soit une trop grande vitesse à l'amorce d'un virage.

Le mauvais freinage. Trois motocyclistes sur quatre n'ont pas utilisé leur frein avant. Ce dernier est pourtant responsable de la majeure capacité de freinage d'une motocyclette. Apprenez à vous servir de votre frein avant avec efficacité.

L'amorce de virage. Ayant l'impression d'être rentré trop vite dans un virage, le motocycliste fige et déborde de sa trajectoire. Dans la majeure partie des cas, la motocyclette disposait d'assez d'adhérence et de garde au sol pour prendre le virage à la vitesse en question. Dans une telle situation, inclinez d'avantage la motocyclette.

Dans presque un cas sur trois, le motocycliste n'a entrepris aucune manoeuvre pour éviter l'accident. Vous disposez de moins de deux secondes pour détecter, analyser et réagir lors d'une situation d'accident. Soyez toujours prêt même à faible vitesse. Trois accidents de motocyclettes sur quatre surviennent à moins de 50 km/h. Un seul sur 20 se produit à 100 km/h ou plus.

L'amorce de freinage

Les études en matière de sécurité exposent clairement un sérieux problème d'exécution de la part de l'ensemble des motocyclistes au niveau du freinage d'urgence. Ce problème est caractérisé par un sous-freinage de la roue avant et un sur-freinage entraînant un blocage de la roue arrière.

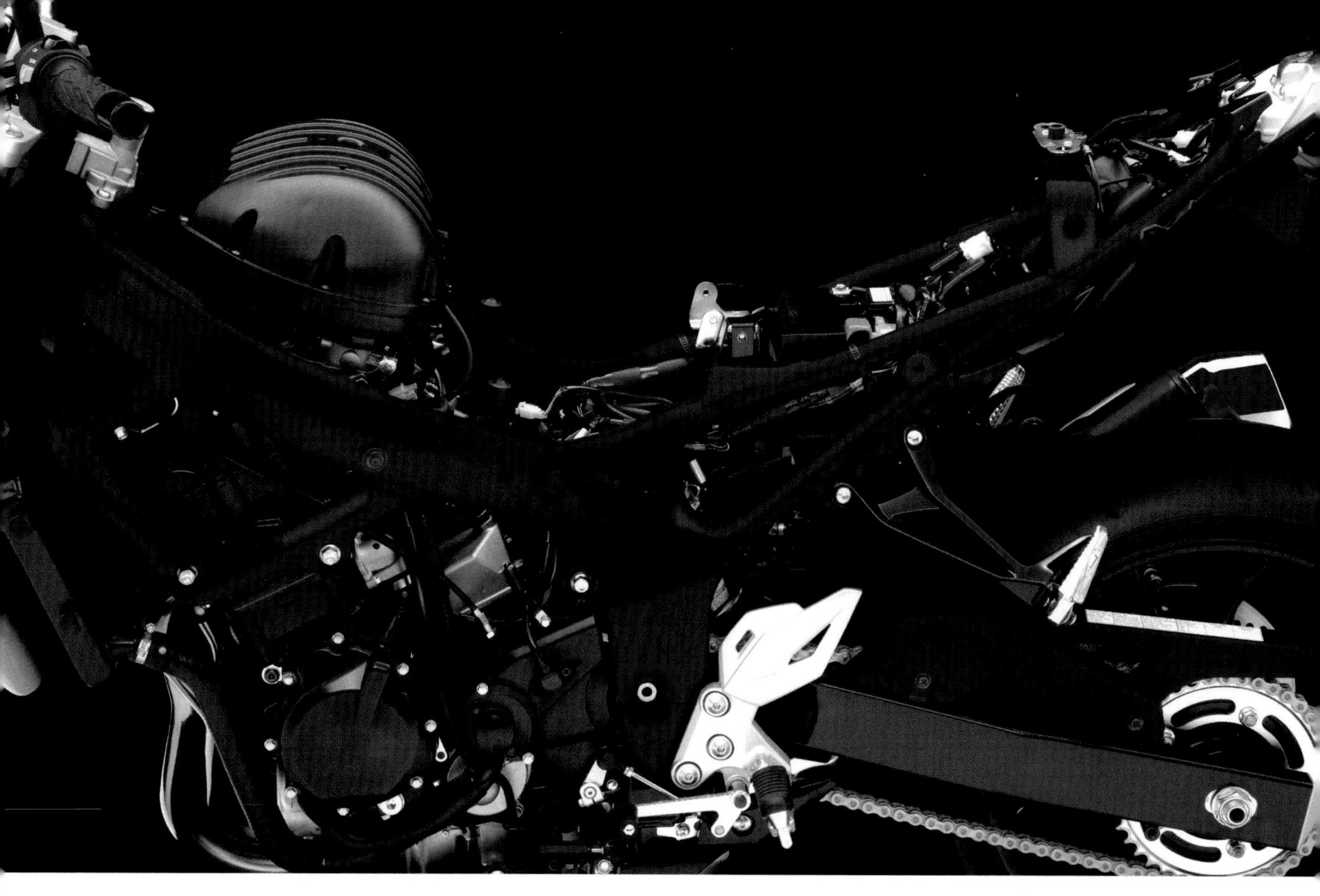

SUZUKI GSR750

Les motocyclistes européens sont extrêmement friands de standards de ce type. Au Canada, la Yamaha FZ8 est ce qui s'en rapproche le plus. L'attrait vient surtout d'un prix très intéressant, et ce, malgré l'utilisation d'une mécanique dérivée, dans ce cas, de celle de la GSX-R750. D'une façon générale, tout est d'excellente qualité, mais sans être à la fine pointe, ce qui permet de conserver à la fois l'intégrité du comportement et un bas prix. Chez nous bientôt?

INDIAN

Indian, c'est la marque qui ne veut pas mourir, c'est le mythe éternel. Rachetée il y a quelques années par une compagnie disant se spécialiser dans la restructuration de marques en détresse, la plus vieille marque de motos américaine offre aujourd'hui une gamme de modèles qui sont en fait tous des variantes d'une plateforme commune. Les prix sont, comme la tradition le veut, assez élevés et les styles sont exactement ceux qu'on s'attend de retrouver sur une moto portant ce nom. Selon les propriétaires actuels, qui ont acquis les droits de la marque en 2004, environ quatre ans ont été passés, entre autres, à repenser le V-Twin PowerPlus de 105 pouces cubes (1 720 cc) afin d'en élever la qualité jusqu'à un niveau jugé suffisant pour commencer à reconstruire la réputation de la marque. La production débutait en 2008. Les motos sont assemblées à l'usine de Kings Mountain en Caroline du Nord et le réseau de concessionnaires se forme doucement, l'un d'eux étant même installé à Québec. Les intéressés pourront choisir entre la Chief Classic, la Chief Dark Horse, la Chief Blackhawk, la Chief Roadmaster et la Chief Vintage.

CROSSRUNNER

Honda explique que le cheminement qui l'a amené à produire sa Crossrunner s'appuie sur des études exhaustives démontrant que les motocyclistes aiment la position dégagée des aventurières, mais qu'ils ne sont pas nécessairement à l'aise avec leur hauteur. La solution, selon le constructeur, est la Crossrunner. Elle serait un genre de pont entre une routière sportive et une aventurière. Sur papier, la Crossrunner ressemble à une VFR800 habillée d'une bien étrange robe, munie de suspensions un peu plus hautes et dotée d'une position dégagée d'aventurière. D'ailleurs, le V4 avec VTEC, le bras oscillant monobranche et le châssis périmétrique en aluminium semblent être exactement les composantes de la VFR. La CrossRunner est présentement en vente en Europe, mais pas en Amérique.

MV AGUSTA F3

Tout comme la F4, la F3, que MV Agusta produira en 2012, est une moto absolument sublime. Contrairement à la F4 qui est animée par un quatre-cylindres en ligne, la F3 fait appel à un tricylindre de 675 cc qui continue présentement son développement et dont la puissance aurait déjà dépassé les 135 chevaux. Votée plus belle moto lors du Salon de Milan où elle a été dévoilée, elle devrait arriver sur le marché à l'automne 2011. Quant à la marque, elle fut rachetée de Harley-Davidson pour un montant symbolique en 2010 par Claudio Castiglioni. Le distributeur de pièces Motovan a d'ailleurs annoncé qu'il serait l'importateur officiel de la célèbre marque italienne pour le Canada.

Norge GT 8V

V7 Racer

Stelvio 1200

MOTO GUZZI EN 2011

Au Canada, la distribution des marques du groupe Piaggio n'a jamais été effectuée par un importateur officiel. La situation change, puisque c'est l'organisation américaine, Piaggio Group Americas qui se chargera dorénavant de remplir ce rôle. Un nouveau réseau de concessionnaires est en train de prendre forme et, selon PGA, les modèles V-7 Classic, Griso 8V SE, Norge GT 8V et Stelvion 1200 seront offerts au pays en version 2011.

GOLD WING 2012

Honda n'offrira pas de version 2011 de la Gold Wing, mais il annonce déjà le modèle 2012. Plusieurs croyaient que son retrait de la gamme Honda en 2011 annonçait potentiellement une refonte profonde, mais le modèle 2012 se veut finalement une révision de la version précédente. Parmi les améliorations, on note un carénage révisé, plus particulièrement au niveau des panneaux latéraux afin d'offrir une meilleure protection au vent pour les jambes, des valises plus volumineuses, une généreuse boîte à gants sur la version sans coussin gonflable, un système audio mis à jour et une interface de navigation revue.

HORS-ROUTE

PAR CLAUDE LÉONARD

KTM mène la danse des nouveautés en 2011 avec une révision majeure de ses gammes 4-temps SX et XC incluant, évidemment, la sortie de l'inédite 350. Le changement qui saute aux yeux est l'adoption d'une suspension arrière à biellettes. Conçue pour le mx, la 350 risque néanmoins de s'imposer surtout dans sa version XC d'enduro-cross.

UN DYNAMISME DE CIRCONSTANCE

Si ça bouge quand même un peu du côté européen, dans son ensemble, l'année 2011 se présente plutôt timide sur le plan des nouveautés. Vous pouvez blâmer l'économie.

Il n'y a pas de recette précise régissant le sujet, mais règle générale, il faut compter quelque deux ou trois ans pour développer et mettre sur le marché une nouvelle moto. Cela vaut pour la création d'un tout nouveau modèle comme pour une révision majeure d'un modèle existant. Cette obligatoire période de gestation ajoute nécessairement une dimension d'incertitude à tout projet du genre. Entre le dessin des plans initiaux de la nouveauté et le moment où les premiers acheteurs du modèle de production relâchent l'embrayage, il peut se passer beaucoup de choses. Par exemple, un modèle concurrent peut surgir et relever la barre technologique au-delà de ce qui avait été prévu. Ou, pire encore, le système financier mondial peut subitement passer par-dessus le guidon…

Ce dernier scénario explique pourquoi l'année 2011 est pour le moins timide en termes de nouveautés, surtout du côté des quatre grands fabricants japonais qui ne proposent aucune révision majeure, se contentent de mises à jour de certains modèles de motocross, et laissent complètement au point mort l'évolution de leurs modèles hors-route, récréatifs et double-usage. Pourtant, pas plus tard que l'an dernier, malgré la crise économique, on a vu Honda complètement réviser sa 250 de motocross, Suzuki lancer une toute nouvelle 450 d'enduro, Kawasaki repenser sa petite 110 récréative et Yamaha brasser la cage de tout le monde avec une 450 de motocross révolutionnaire. Cet étonnant dynamisme, malgré un marché en sérieuse dégringolade, était dû à une chose: le processus de développement de ces machines avait tout simplement été lancé avant que la crise ne frappe. Tout comme les gourous de l'économie mondiale, les constructeurs n'avaient vu venir cette importante récession. Ils planchaient donc déjà sur des projets de nouveautés pour les années 2009 et 2010 quand le pneu financier a éclaté. Cela ne tient toutefois plus en 2011: les fabricants ont eu le temps de rajuster leur tir et de temporairement placer le développement de nouveaux modèles en veilleuse.

L'ÉTAT DU MARCHÉ DES ÉTATS

Pour bien comprendre la situation, il faut examiner ce qui se passe sur le très important et déterminant marché américain de la moto. Selon les chiffres dévoilés par l'industrie, les ventes de machines hors-route ont chuté de 23 % aux États-Unis en 2010, poursuivant une forte tendance à la baisse amorcée en 2007. Après avoir connu un sommet de l'histoire récente en 2006, avec un total de 252 140 unités vendues, le marché hors-route américain a entrepris une périlleuse glissade, n'atteignant qu'un maigre 80 962 unités en 2010. Comme tout le monde, les fabricants ont d'abord interprété les premières baisses comme un simple rajustement à l'intérieur d'un cycle de ventes normal, sans se douter de la crise qui se pointait à l'horizon. Le développement de nouveaux modèles a donc poursuivi sa route, ce qui explique l'arrivée de nouveautés importantes en 2009 et 2010. Mais les effets de la crise financière ont fini par faire tache d'huile. La glissade du marché s'est transformée en chute libre: au total, les ventes de motos hors-route aux É.-U. ont baissé de quelque 60 % en quatre petites années. Les fabricants ont donc été forcés de revoir radicalement leurs plans de contrôle des stocks et de développement. Et puisque la relance économique se fait toujours à pas de tortue aux États-Unis, il serait étonnant que l'année 2012 soit beaucoup plus fertile en nouveautés.

La bonne nouvelle, c'est que l'activité hors-route demeure solide. Partout en Amérique, la participation aux événements est excellente et on constate même de la croissance dans certains secteurs. C'est le cas de l'enduro-cross au Québec, où la FMSQ a enregistré une augmentation de 10 % de la participation en 2010. Le principal effet de la crise économique, particulièrement aux États-Unis, c'est que les gens conservent leur vieille moto plutôt que de la changer pour une nouvelle. Le pari des fabricants, c'est que le marché va reprendre là où il était dès que le creux de vague économique sera passé.

LES EUROS SU'L'GAZ

Étonnamment, c'est exclusivement chez les deux principaux fabricants européens, KTM et Husqvarna, que se danse la valse des nouveautés en 2011. Ces spécialistes du hors-route exploitent en effet des situations qui leur sont propres pour consolider leur place sur le marché en continuant de lancer des nouveaux modèles.

KTM est de loin le fabricant le plus dynamique en 2011. La vague orange s'appuie évidemment sur la toute nouvelle 350 SX-F de motocross qui avait toutefois été dévoilée il y a un an et foulait déjà les circuits l'été dernier. Le développement de la 350 a entraîné une importante révision de toute la gamme motocross 4-temps, marquée par l'apparition d'un nouveau châssis à suspension arrière à biellettes jugée essentielle pour permettre à la marque orange de progresser aux plus hauts niveaux de compétition. KTM poursuit par ailleurs le développement de sa gamme motocross à moteur 2-temps. Cette dernière a aussi droit à un châssis repensé qui demeure toutefois fidèle à la suspension PDS sans biellettes. Les modèles XC enduro-cross, tant 4T que 2T, bénéficient des avancées des machines de motocross. Les modèles enduro XC-W conservent l'ancien châssis, mais ont tout de même droit à certaines améliorations.

Après avoir lancé son tout nouveau moteur 250 4T l'an dernier, Husqvarna profite de son récent rachat par BMW pour frapper du côté des grosses cylindrées en 2011. Une panoplie de nouveaux modèles (motocross, cross-country et enduro) héritent en effet du moteur 4T récemment développé par BMW pour son défunt projet G450X. Husqvarna dit avoir appris de l'aventure G450X et affirme que le moteur a été révisé pour corriger les lacunes d'efficacité et de fiabilité de la version originale. Husky continue d'offrir une gamme hors-route 2T incluant une nouvelle 150 en plus de se distinguer par sa politique de prix très agressive. Cette stratégie, qui vise à gagner des parts de marché, est mondiale, puisque les prix des modèles Husqvarna sont également plus alléchants que la concurrence en Europe et aux États-Unis.

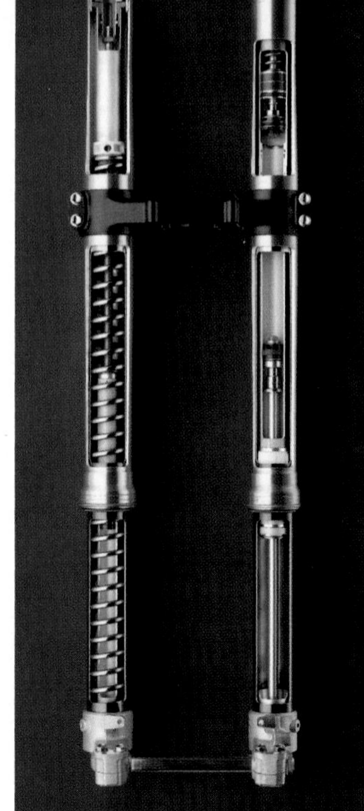

LES NIPPONS SUR UN FILET DE GAZ

Du côté des fabricants japonais, l'action se limite au secteur motocross 4T en 2011. Kawasaki est le plus actif du groupe, apportant des modifications assez poussées tant à sa 450 qu'à sa 250. La KX250F mène la charge en passant à l'injection et en adoptant une toute nouvelle fourche logeant le ressort d'un côté et l'amortissement hydraulique de l'autre. Honda poursuit le raffinement de ses 450 et 250, respectivement complètement repensées en 2009 et 2010. Suzuki poursuit aussi le raffinement de ses deux RM-Z qui atteignent un niveau impressionnant d'efficacité en 2011. Quant à Yamaha, après le coup majeur porté par la toute nouvelle YZ450F l'an dernier, l'année 2011 en est une de consolidation. Le fait que la YZ250F, dont le moteur est le plus «ancienne génération» de sa catégorie, revienne inchangée est sans doute une conséquence directe d'un rajustement causé par la crise économique.

À gauche : Husqvarna lance en 2011 une nouvelle lignée de classe ouverte utilisant des versions du moteur de la défunte BMW G450X. Ci-contre : La Kawasaki KX250F reçoit cette année une nouvelle fourche logeant un ressort ajustable en précharge d'un côté, et l'amortissement hydraulique de l'autre.

À PROPOS DE L'ILLUSTRE AUTEUR

Comme l'illustre cette photo prise lors d'une épreuve du championnat Extrême-cross de la FMSQ, le poussiéreux, mais coloré, auteur de la section hors-route du Guide de la Moto est un Pro de haut niveau. Ou peut-être un Yo qui en met trop. À moins qu'il ne soit tout simplement daltonien. Son explication ? «Quand cette photo a été prise, je portais une tenue prototype expérimentale ultra-secrète qui avait été camouflée côté couleurs pour confondre les observateurs. Quant à la poussière, c'est parce que je m'apprêtais à prendre un tour à mon fils.» Mettons…

Reste que jusqu'à récemment, notre homme était régulièrement reconnu par bon nombre des observateurs sur les pistes du Québec, conséquence de sa vaste expérience. «Le #971 ? C'est Claude Léonard. Y'a longtemps été rédacteur en chef de Moto Journal, a conçu et construit les pistes au Stade Olympique, a couru Pro en motocross et a déjà porté la plaque #2 en enduro et enduro-cross au Québec. Pas vraiment un gros talent sur une moto, mais y connaît ça. Et il écrit bien.»

Puis, dernièrement, la renommée de Léonard a connu un essor aussi appréciable qu'inattendu, pour atteindre un sommet inespéré. À un point tel que sur 100 observateurs questionnés au hasard lors d'une épreuve l'été dernier, tous l'ont reconnu. Deux d'entre eux ont spontanément répondu «C'est pas chose binne ça? Tsé, le gars qui fait la section hors-route du Guide à Gahel?». Quant aux 98 autres, ils ont tous affirmé sans hésitation «Le #971 ? C'est le père de Loïc Léonard. Hey, lui y roule, le jeune!». Non, c'pas drôle…

TRI-COUNTY
810
118
906

LE CHOC EXTRÊME

Lorsqu'on examine l'évolution récente de la moto hors- route, disons au cours des 40 dernières années, on constate avec surprise que certaines des innovations les plus marquantes, tant sur le plan du design que du côté technologique, sont attribuables aux idées folles de promoteurs de courses visionnaires. Le cas du supercross est sans doute le plus spectaculaire. Né dans la tête du promoteur américain Mike Goodwin dans les années 70, le supercross a carrément révolutionné le monde du hors-route, influençant directement tant le sport du motocross lui-même que le développement des motos. Lancé peu de temps après, le supermotard, littéralement inventé par un grand réseau de télé américain pour permettre la création d'une émission inédite, a changé la donne à son tour, créant une nouvelle catégorie de motos de route tout en ayant une influence stylistique marquée à une échelle plus large. Quelque chose de semblable pourrait très bien se produire avec la plus récente «nouvelle vague» de la compétition moto: l'enduro-cross extrême.

UNE HISTOIRE DE MISÈRE

L'Extrême, comme le nomment les initiés, se décline en deux variantes selon le lieu où il se déroule. L'origine remonte à des épreuves extérieures à caractère spécial conçues pour être «extrêmement» difficiles et sélectives, comme la légendaire Gilles Lalay Classique en France, puis ses diverses dérivées que sont l'Erzberg Rodéo, les Romaniacs et autre Last Man Standing. Disputées sur de longues distances sur terrain naturel, ces «enduros de la grande misère» empilent les franchissements plus ou moins impossibles, genre montées très pentues et accidentées, pierriers à n'en plus finir, marécages... L'attrition fait littéralement partie du concept: sur 500 inscrits, on peut habituellement s'attendre à ce qu'une douzaine de pilotes seulement réussissent à joindre l'arrivée.

Parallèlement, au cours des années 90, un promoteur espagnol, influencé par le trial indoor alors sur une lancée, eut l'idée de combiner en quelque sorte trial, enduro et supercross en créant un enduro-cross en stade disputé sur des obstacles créés artificiellement. Son idée a pris racine et même les épreuves extérieures comptent de nos jours des sections artificielles – allant jusqu'à des immeubles industriels désaffectés – ajoutées pour bonifier le spectacle et rendre l'action plus accessible aux spectateurs.

Il fallut attendre 2004 avant qu'un premier enduro-cross extrême en stade soit présenté aux États-Unis, sous l'appellation commerciale Las Vegas Endurocross. Le succès obtenu amena une double répétition, puis mena à la création d'une série en 2007. En 2011, le championnat US Endurocross compte six épreuves et servira à nouveau à couronner un #1 AMA chez les pros.

Le premier enduro-cross extrême au Québec se déroula à Vaudreuil en 2007 et mena à son tour à la création d'une série reconnue par la Fédération des motocyclistes de sentier du Québec, la FMSQ. Depuis deux ans, l'enduro-cross extrême fait partie du plus célébré événement moto de l'histoire du Canada, le Supermotocross du Stade olympique.

Champion du Québec Pro Extrême-cross et pilote d'essai hors-route pour *Le Guide de la Moto*, Loïc Léonard (# 906) «pousse» son embrayage automatique Rekluse à fond lors des essais du SuperMotocross.

Au Québec, la FMSQ présente des épreuves Extrême, avec obstacles artificiels sur un circuit condensé depuis 2007. Très apprécié des spectateurs parce que spectaculaire et imprévisible, l'Extrême combine entre autres des pierriers et des billots qui exigent un pilotage mariant les techniques du trial à celles du supercross.

OBSTACLES POSTAPOCALYPTIQUES

Les épreuves en stade tentent de reproduire l'essence de l'approche des classiques extrêmes extérieures en l'associant au concept du supercross, celui-ci consistant à concentrer l'aspect spectaculaire d'un sport extérieur dans une enceinte conçue pour privilégier l'agrément et le confort des spectateurs.

La série américaine Endurocross se déroule habituellement dans des amphithéâtres de dimensions plus modestes que celles des grands stades, ce qui impose des circuits plus courts et serrés. Mais puisque l'enduro-cross extrême est une discipline qui à la base se déroule à relativement basse vitesse, un circuit serré se prête très bien au spectacle et ajoute même à l'intensité de la compétition.

L'obstacle de base est d'origine biologique : le bon vieux tronc d'arbre. On le dispose habituellement en travers de la piste, mais il peut aussi être placé en diagonale ou de façon parallèle. En choisissant des arbres de diamètre intimidant, puis en en ajoutant de plus petits pour créer des enchaînements plus ou moins serrés, on reproduit en quelque sorte les difficultés d'un bout de sentier en forêt frappé par une tornade. Les troncs peuvent aussi être empilés ou étendus sur des bosses en terre, de façon à créer des sauts de type simple, multiple, en escaliers, etc.

L'autre élément classique de la construction d'une piste extrême est d'origine géologique. Des pierriers sont créés en empilant quantité de roches et cailloux de forme arrondie ou cassante et dont les dimensions peuvent varier du melon au réfrigérateur. Ils sont souvent disposés dans des virages en épingle, ce qui complique considérablement la tâche des pilotes qui ne peuvent se fier à la vitesse pour passer et doivent plutôt s'arrêter pour changer de direction, puis repartir.

Puisant dans le petit côté postapocalyptique de la discipline, les énormes pneus de machinerie lourde sont devenus des incontournables en enduro-cross extrême. Ils peuvent être installés debout pour créer des obstacles en élévation ou des sauts ou encore être couchés sur leur flanc, afin de créer d'intimidantes sections rappelant un champ de mines explosées.

Et pour reproduire les passages à guet si bucoliques en forêt, les concepteurs incorporent souvent des bassins remplis d'eau qui ajoutent à la fois un nouveau type de difficulté et un élément spectaculaire. L'éclaboussement peut favoriser l'apparition de boue, réduisant la motricité avant le prochain obstacle et compliquant le choix des pneus.

L'assemblage de tous ces éléments donne une piste qui, en plus de constituer un défi considérable pour les pilotes, se présente comme visuellement plus divertissante et stimulante pour les spectateurs qu'un simple circuit en terre. La nature même de la piste ajoute donc une dimension spectaculaire à l'événement.

MOTOS ET MODIFICATIONS

Côté motos, l'enduro-cross extrême adopte la philosophie de la classe ouverte au sens large. Au départ d'une finale pro, on peut voir des machines d'enduro ou de cross, deux-temps ou quatre-temps, de 250 à 450 cc. Les plus petites cylindrées sont permises, mais sont peu populaires à cause de leur manque de couple. En Endurocross US, la plupart des pilotes optent pour une 250, les deux-temps étant populaires chez ceux dont le commanditaire en produit une. Le Polonais Taddy Blazusiak domine d'ailleurs la série sur une KTM 250 XC deux-temps. Au début, il n'était pas rare de voir des machines de trial, mais l'évolution tendant plus vers la philosophie supercross a rendu leur utilisation dépassée.

Le pneu «knobby» de type intermédiaire est souvent favorisé, mais cela peut changer selon le type de terre utilisée. Les pneus arrière de trial, populaires au début, ont été interdits, sans doute en partie parce que peu

de fabricants de pneus — donc de commanditaires potentiels… — en offrent. Les chambres à air sont remplacées par des mousses de faible densité offrant une large empreinte d'allure basse pression tout en éliminant les crevaisons. Certains bardent leur moto de divers boucliers de protection en cas de chute, d'autres acceptent les risques au profit d'une plus grande légèreté.

Comme dans d'autres disciplines, le réglage des suspensions est affaire de science, d'expérience, d'intuition et de magie noire. Les suspensions doivent être suffisamment souples pour négocier un pierrier à basse vitesse sans dévier, mais assez fermes pour absorber les impacts violents en fonçant sur de gros troncs d'arbres. Certains optent pour des ressorts souples et un réglage hydraulique costaud, d'autres y vont costaud devant et plus souple derrière. L'avant doit absorber les gros impacts tout en demeurant vivant, tandis que l'arrière doit se conformer au micro relief dans les pierriers et sur les billots.

Les modifications au moteur sont habituellement peu nombreuses et visent à favoriser le couple et les reprises franches, mais contrôlées. Il est par contre important que le tirage final soit bien adapté à chaque circuit. Une des modifications les plus populaires est sans doute l'ajout d'un embrayage automatique, comme ceux de la firme Rekluse. D'abord développé pour l'enduro, l'embrayage Rekluse a trouvé une nouvelle niche en extrême. Fonctionnant comme l'embrayage automatique d'une petite Honda CRF50 ou 70, il permet de rouler sans se soucier de l'embrayage, tout en conservant un contrôle au levier lorsque désiré. Son plus grand avantage est qu'il évite que le moteur ne cale en cas de chutes, qui sont fréquentes et même inévitables en extrême. Il permet aussi de pousser la moto et de repartir plus facilement lorsque le pilote se retrouve en position précaire sur un obstacle.

VERS DE NOUVELLES MOTOS ?

Il semble inévitable que l'influence de la vague extrême se fasse sentir d'ici peu sur le design de futures motos de série. Le championnat US sert de banc d'essai à l'atelier américain Christini qui commercialise un système mécanique d'entraînement à deux roues motrices. L'ancien multiple champion de trial américain Geoff Aaron a même remporté quelques finales sur sa Christini deux roues motrices. On pourrait aussi s'attendre à l'arrivée éventuelle de machines d'enduro d'allure plus « trialisante », possiblement plus basses et sveltes, un peu dans le style de la Bultaco Alpina, une hybride trial/balade offerte dans les années 70.

Le changement qui semble le plus probable, c'est l'introduction d'un embrayage automatique en équipement de série. L'enduro-cross extrême lui a donné une vitrine incroyable et de plus en plus d'adeptes de hors-route, tant compétiteurs que simples randonneurs, sont déjà convertis et ne jurent plus que par l'embrayage automatique.

Selon leur disposition, les pneus de machinerie lourde se sautent ou se « flottent » en Extrême. Les obstacles y sont conçus pour provoquer des erreurs, même de la part des meilleurs pilotes de la planète. Le #111, ici en difficulté au SuperMotocross, est Jason Thomas, champion britannique et vice-champion Pro XC2 de la relevée série américaine GNCC.

MX 450 4T

HONDA CRF450R

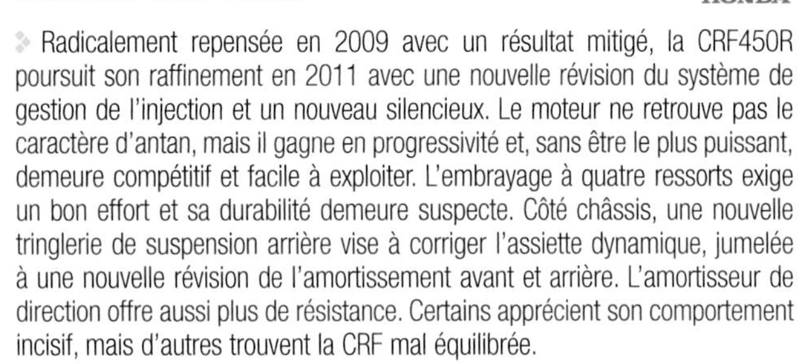

Radicalement repensée en 2009 avec un résultat mitigé, la CRF450R poursuit son raffinement en 2011 avec une nouvelle révision du système de gestion de l'injection et un nouveau silencieux. Le moteur ne retrouve pas le caractère d'antan, mais il gagne en progressivité et, sans être le plus puissant, demeure compétitif et facile à exploiter. L'embrayage à quatre ressorts exige un bon effort et sa durabilité demeure suspecte. Côté châssis, une nouvelle tringlerie de suspension arrière vise à corriger l'assiette dynamique, jumelée à une nouvelle révision de l'amortissement avant et arrière. L'amortisseur de direction offre aussi plus de résistance. Certains apprécient son comportement incisif, mais d'autres trouvent la CRF mal équilibrée.

Moteur-refroidissement	monocylindre 4-temps de 449 cc - liquide
Transmission-embrayage	5 rapports - manuel
Cadre-roues avant/arrière	aluminium - 21 pouces / 19 pouces
Poids-selle-réservoir	106,5 kg - 954 mm – 5,7 litres
Prix-garantie	9499$ - aucune

MX 450 4T

NOUVEAUTÉ

HUSQVARNA TC449

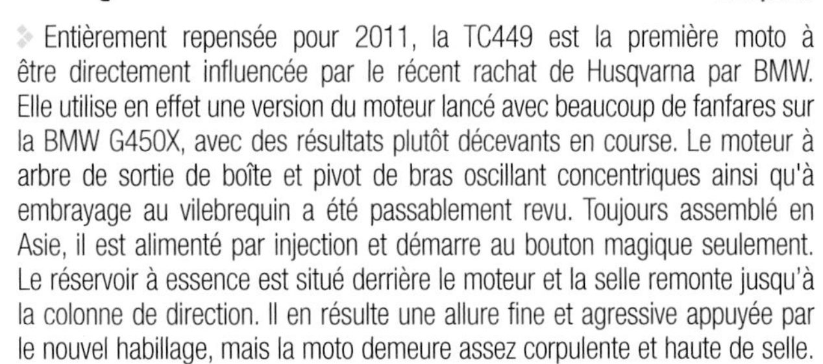

Entièrement repensée pour 2011, la TC449 est la première moto à être directement influencée par le récent rachat de Husqvarna par BMW. Elle utilise en effet une version du moteur lancé avec beaucoup de fanfares sur la BMW G450X, avec des résultats plutôt décevants en course. Le moteur à arbre de sortie de boîte et pivot de bras oscillant concentriques ainsi qu'à embrayage au vilebrequin a été passablement revu. Toujours assemblé en Asie, il est alimenté par injection et démarre au bouton magique seulement. Le réservoir à essence est situé derrière le moteur et la selle remonte jusqu'à la colonne de direction. Il en résulte une allure fine et agressive appuyée par le nouvel habillage, mais la moto demeure assez corpulente et haute de selle.

Moteur-refroidissement	monocylindre 4-temps de 449 cc - liquide
Transmission-embrayage	5 rapports - manuel
Cadre-roues avant/arrière	acier - 21 pouces / 19 pouces
Poids-selle-réservoir	108 kg - 963 mm – 8,5 litres
Prix-garantie	8699$ - aucune

MX 450 4T

KAWASAKI KX450F

L'an dernier, Kawasaki a révisé le moteur de sa KX450F et le résultat fut assez spectaculaire. Trop, même, pour certains qui en avaient plein les bras après quelques tours de piste. Pour 2011, Kawasaki a revu l'injection et l'échappement et le résultat est probant. Le moteur est moins brutal en bas et a gagné en linéarité tout en demeurant parmi les, sinon le plus puissant de la catégorie. Les suspensions ont de nouveaux réglages et ont gagné en souplesse, ce qui rend aussi la moto plus facile à maîtriser. Mais la KX450F demeure une grosse moto, plutôt corpulente côté poids et ergonomie. Elle affiche une bonne stabilité en ligne droite, mais les changements de direction ne sont pas son point fort. L'embrayage demeure un point faible.

Moteur-refroidissement	monocylindre 4-temps de 449 cc - liquide
Transmission-embrayage	5 rapports - manuel
Cadre-roues avant/arrière	aluminium - 21 pouces / 19 pouces
Poids-selle-réservoir	113,4 kg - 960 mm - 7 litres
Prix-garantie	9299$ - aucune

MX 450 4T

RÉVISION

KTM 450SX-F

La 450SX-F a droit à une révision importante en 2011 avec l'arrivée d'un nouveau cadre doté d'un nouveau bras oscillant relié à l'amortisseur par des biellettes, une grande nouveauté pour KTM. Pourtant, une fois en piste, c'est toujours le moteur qui vole la vedette. Il est maintenant le seul de sa catégorie à être muni d'un carburateur, mais peu de pilotes se plaindront de l'absence d'injection. Le moteur est probablement le plus plaisant et le plus efficace de la catégorie. Il se ramasse avec aplomb en bas, répond avec brio au milieu et pousse comme une fusée en haut. Et avec le démarreur électrique, il est toujours prêt à prendre vie. Le comportement du nouveau châssis n'est pas très différent de celui de l'ancien, ce qui est un compliment.

Moteur-refroidissement	monocylindre 4-temps de 449 cc - liquide
Transmission-embrayage	5 rapports - manuel
Cadre-roues avant/arrière	acier - 21 pouces / 19 pouces
Poids-selle-réservoir	106,9 kg - 992 mm – 7,5 litres
Prix-garantie	9649$ - 1 mois

MX 450 4T
NOUVEAUTÉ

KTM 350SX-F

En lançant sa toute nouvelle 350SX-F, dont la cylindrée se situe en plein centre entre une 450 et une 250 4T, KTM veut offrir une alternative plus facile à maîtriser et à exploiter que les 450. Mais pour la plupart des coureurs, la 350 doit se mesurer aux 450 en course et à ce niveau, la dizaine de chevaux qu'elle concède représente un handicap important, surtout que son poids n'est inférieur que par environ 2,5 kilos à celui de la 450SX-F. Pour un pilote vétéran ou un spécialiste des pistes de pratique qui opterait normalement pour une 250 4T, la 350 devient un choix très intéressant, puisque son moteur a le comportement d'un 250 4T, avec un gros bonus de chevaux en haut. Malgré son poids, la 350SX-F demeure joueuse et facile à mener à fond.

Moteur-refroidissement	monocylindre 4-temps de 349,7 cc - liquide
Transmission-embrayage	5 rapports - manuel
Cadre-roues avant/arrière	acier - 21 pouces / 19 pouces
Poids-selle-réservoir	104 kg - 992 mm – 7,5 litres
Prix-garantie	9499$ - 1 mois

MX 450 4T

SUZUKI RM-Z450

L'an dernier, Suzuki a apporté plusieurs changements au moteur et surtout au châssis de sa 450 qui lui ont donné une nouvelle vie et l'ont mené au cœur de la lutte dans la catégorie. En 2011, l'évolution se poursuit avec des changements aux arbres à cames, à l'échappement et à l'injection. Le résultat est un moteur toujours aussi présent et bien modulé en bas, qui pousse fort à mi-régime et qui offre une allonge plus importante. Il n'est pas spectaculaire, mais il est efficace et génère une très bonne motricité. La rigidité du châssis et les réglages des suspensions ont aussi été revus pour 2011. La RM-Z450 est parfois un peu confuse dans le défoncé, mais la stabilité demeure généralement bonne. Sa géométrie incisive la fait briller en virage.

Moteur-refroidissement	monocylindre 4-temps de 449 cc - liquide
Transmission-embrayage	5 rapports - manuel
Cadre-roues avant/arrière	aluminium - 21 pouces / 19 pouces
Poids-selle-réservoir	112 kg - 955 mm – 6,2 litres
Prix-garantie	8799$ - aucune

MX 450 4T

YAMAHA YZ450F

L'an dernier, Yamaha a créé l'événement en lançant une YZ450F radicalement différente de la norme. Cette même machine revient essentiellement inchangée en 2011. Étonnamment, malgré son design inédit, la Yamaha se confond presque anonymement dans la masse des 450 côté comportement général. Le moteur répond avec force et empressement en bas, pousse fort à mi-régime mais tombe vite à plat. L'excellent module Power Tuner offert en option permet d'adoucir la réponse en bas, mais pas de vraiment ajouter à l'allonge. Côté suspensions, les éléments Kayaba SSS sont à la fine pointe côté efficacité. La roue avant de la 450 s'inscrit en virage avec beaucoup de précision, mais ce trait de personnalité peut causer une sensation d'instabilité chez certains.

Moteur-refroidissement	monocylindre 4-temps de 449 cc - liquide
Transmission-embrayage	5 rapports - manuel
Cadre-roues avant/arrière	aluminium - 21 pouces / 19 pouces
Poids-selle-réservoir	108,3 kg - 989 mm - 7 litres
Prix-garantie	9499$ (9599$ en noir) - aucune

MX 250 2T

KTM 250SX

Il n'y a pas si longtemps, la classe 250 2T était reine en motocross. Maintenant, la 250SX est la seule rescapée qui refuse de s'enliser dans le passé. Sa constante évolution se poursuit en 2011 avec l'arrivée d'un nouveau cadre, d'un nouveau bras oscillant, d'une suspension révisée et de quelques autres changements mineurs. Son moteur est plus puissant qu'un 250 4T et offre une vivacité à rendre un 450 4T jaloux. La 250SX constitue une excellente alternative aux machines 4T pour ceux qui cherchent une moto abordable, performante, amusante et facile d'entretien pour aller s'amuser dans des parcs de motocross. La 250SX est vraiment typée motocross : si vous cherchez plus de polyvalence, KTM offre aussi sa 250 2T en versions XC et XC-W.

Moteur-refroidissement	monocylindre 2-temps de 249 cc - liquide
Transmission-embrayage	5 rapports - manuel
Cadre-roues avant/arrière	acier - 21 pouces / 19 pouces
Poids-selle-réservoir	95,4 kg - 985 mm – 8 litres
Prix-garantie	7999$ - 1 mois

MX 250 2T

YAMAHA YZ250

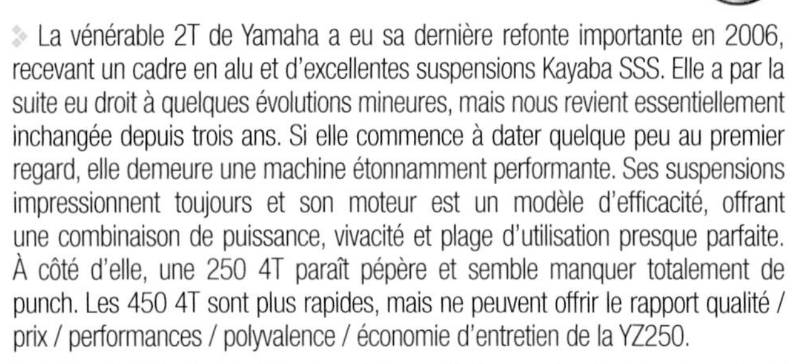

La vénérable 2T de Yamaha a eu sa dernière refonte importante en 2006, recevant un cadre en alu et d'excellentes suspensions Kayaba SSS. Elle a par la suite eu droit à quelques évolutions mineures, mais nous revient essentiellement inchangée depuis trois ans. Si elle commence à dater quelque peu au premier regard, elle demeure une machine étonnamment performante. Ses suspensions impressionnent toujours et son moteur est un modèle d'efficacité, offrant une combinaison de puissance, vivacité et plage d'utilisation presque parfaite. À côté d'elle, une 250 4T paraît pépère et semble manquer totalement de punch. Les 450 4T sont plus rapides, mais ne peuvent offrir le rapport qualité / prix / performances / polyvalence / économie d'entretien de la YZ250.

Moteur-refroidissement	monocylindre 2-temps de 249 cc - liquide
Transmission-embrayage	5 rapports - manuel
Cadre-roues avant/arrière	aluminium - 21 pouces / 19 pouces
Poids-selle-réservoir	105 kg - 997 mm – 8 litres
Prix-garantie	8399$ - aucune

MX 250 4T

HONDA CRF250R

En 2010, Honda a complètement revu sa CRF250R en lui donnant un nouveau moteur à injection et une partie cycle repensée, selon la même philosophie qui avait animé la révision de la CRF450R l'année précédente. Le résultat est une machine nettement plus radicale que la précédente, ce qui n'a pas fait l'unanimité. L'injection a corrigé les problèmes d'hésitation qui affectaient l'ancienne version à carburateur, mais la bande de puissance a perdu du caractère. Pour 2011, Honda a recalibré l'injection pour rendre la bande de puissance un peu plus virile, sans tout à fait éliminer le plafonnement en haut. Afin d'améliorer l'assiette et la stabilité, l'amortissement avant et arrière a été revu et l'amortisseur de direction offre plus de résistance.

Moteur-refroidissement	monocylindre 4-temps de 249 cc - liquide
Transmission-embrayage	5 rapports - manuel
Cadre-roues avant/arrière	aluminium - 21 pouces / 19 pouces
Poids-selle-réservoir	102,5 kg - 955 mm – 5,7 litres
Prix-garantie	8499$ - aucune

MX 250 4T

HUSQVARNA TC250

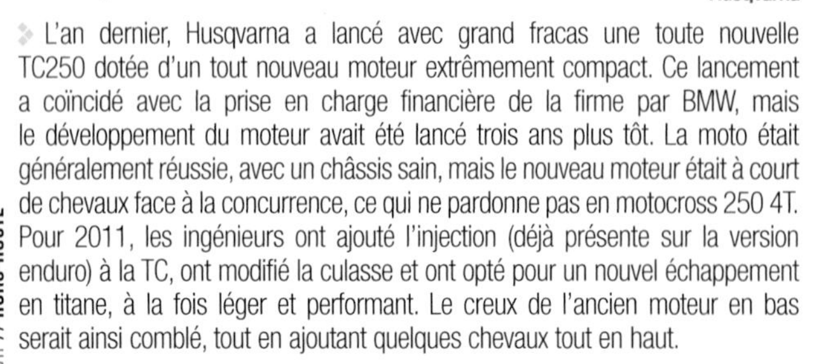

L'an dernier, Husqvarna a lancé avec grand fracas une toute nouvelle TC250 dotée d'un tout nouveau moteur extrêmement compact. Ce lancement a coïncidé avec la prise en charge financière de la firme par BMW, mais le développement du moteur avait été lancé trois ans plus tôt. La moto était généralement réussie, avec un châssis sain, mais le nouveau moteur était à court de chevaux face à la concurrence, ce qui ne pardonne pas en motocross 250 4T. Pour 2011, les ingénieurs ont ajouté l'injection (déjà présente sur la version enduro) à la TC, ont modifié la culasse et ont opté pour un nouvel échappement en titane, à la fois léger et performant. Le creux de l'ancien moteur en bas serait ainsi comblé, tout en ajoutant quelques chevaux tout en haut.

Moteur-refroidissement	monocylindre 4-temps de 249 cc - liquide
Transmission-embrayage	5 rapports - manuel
Cadre-roues avant/arrière	aluminium - 21 pouces / 19 pouces
Poids-selle-réservoir	97 kg - 985 mm – 6,5 litres
Prix-garantie	7599$ - aucune

MX 250 4T

KAWASAKI KX250F

La KX250F s'est maintenue dans le peloton de tête de sa classe ces dernières années grâce à un moteur agressif et efficace, logé dans un châssis peu spectaculaire, mais compétent. Pour 2011, elle passe à l'injection et reçoit une toute nouvelle fourche. L'injection n'arrive pas seule: le moteur a aussi reçu diverses modifications à la culasse, au piston, au vilebrequin et au cylindre. Le moulin injecté a perdu un peu de punch à mi-régime mais gagne en linéarité et pousse un peu plus fort en haut. La nouvelle fourche se distingue en ce qu'elle loge son seul ressort dans le poteau droit et concentre l'amortissement hydraulique dans celui de gauche. La nouvelle KX est nettement dans le coup, mais le réglage des suspensions devra être apprivoisé.

Moteur-refroidissement	monocylindre 4-temps de 249 cc - liquide
Transmission-embrayage	5 rapports - manuel
Cadre-roues avant/arrière	aluminium - 21 pouces / 19 pouces
Poids-selle-réservoir	105,7 kg - 945 mm – 7,2 litres
Prix-garantie	8699$ - aucune

MX 250 4T

RÉVISION

KTM 250SX-F

La 250SX-F est transformée pour 2011. Le moteur passe à l'injection et reçoit une culasse retravaillée et un échappement modifié. Tout ceci apporte des reprises plus franches en bas et à mi-régime, là où l'ancien moulin avait tendance à attendre la cavalerie des hauts régimes. Le moteur a ainsi gagné en coffre sans trop sacrifier l'allonge dévastatrice qui le caractérisait. Mais alors que sa petite sœur à vocation enduro-cross, la 250XC-F, hérite en 2011 d'un démarreur électrique (comme la nouvelle 350SX-F), la 250SX-F démarre toujours au kick. Elle hérite par ailleurs de la nouvelle partie cycle de KTM qui ne change pas radicalement son comportement, mais corrige l'errance du train arrière sur les bosses de freinage. La direction se montre incisive.

Moteur-refroidissement	monocylindre 4-temps de 249 cc - liquide
Transmission-embrayage	6 rapports - manuel
Cadre-roues avant/arrière	acier - 21 pouces / 19 pouces
Poids-selle-réservoir	99,9 kg - 992 mm – 7,5 litres
Prix-garantie	8 699 $ - 1 mois

MX 250 4T

SUZUKI RM-Z250

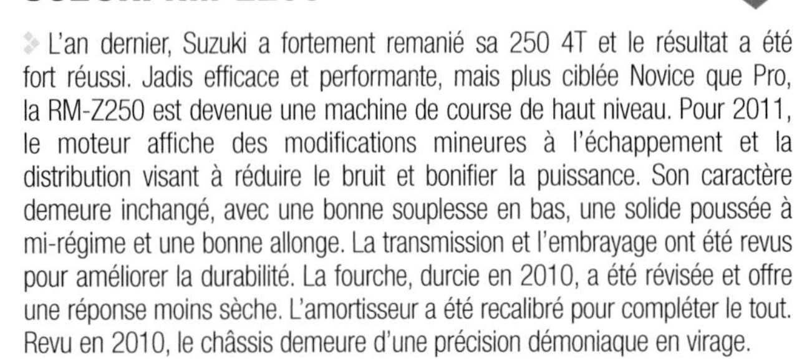

L'an dernier, Suzuki a fortement remanié sa 250 4T et le résultat a été fort réussi. Jadis efficace et performante, mais plus ciblée Novice que Pro, la RM-Z250 est devenue une machine de course de haut niveau. Pour 2011, le moteur affiche des modifications mineures à l'échappement et la distribution visant à réduire le bruit et bonifier la puissance. Son caractère demeure inchangé, avec une bonne souplesse en bas, une solide poussée à mi-régime et une bonne allonge. La transmission et l'embrayage ont été revus pour améliorer la durabilité. La fourche, durcie en 2010, a été révisée et offre une réponse moins sèche. L'amortisseur a été recalibré pour compléter le tout. Revu en 2010, le châssis demeure d'une précision démoniaque en virage.

Moteur-refroidissement	monocylindre 4-temps de 249 cc - liquide
Transmission-embrayage	5 rapports - manuel
Cadre-roues avant/arrière	aluminium - 21 pouces / 19 pouces
Poids-selle-réservoir	104,5 kg - 955 mm – 6,5 litres
Prix-garantie	7 999 $ - aucune

MX 250 4T

YAMAHA YZ250F

Son trait le plus distinctif en 2011 est qu'elle est maintenant la seule 250 4T de cross à loger un carburateur entre son cylindre et son filtre à air. Ce n'est pas un défaut, puisque la puissance du moteur demeure très compétitive malgré l'absence d'injection. Il répond vite et bien en bas et pousse fort à mi-régime, puis s'essouffle un peu tôt en haut, mais la YZ450F qui, elle, est injectée, affiche le même comportement. Essentiellement inchangée pour 2011, la YZ250F demeure dans le coup, sa révision poussée de l'an dernier ayant donné d'excellents résultats. Le châssis plus incisif, le moteur plus volontaire et la ligne plus fine l'ont alors ramenée à l'avant-scène. Le design du moteur se fait vieux, mais sa fiabilité est éprouvée.

Moteur-refroidissement	monocylindre 4-temps de 249 cc - liquide
Transmission-embrayage	5 rapports - manuel
Cadre-roues avant/arrière	aluminium - 21 pouces / 19 pouces
Poids-selle-réservoir	102,8 kg - 984 mm – 7 litres
Prix-garantie	7 999 $ (8 099 $ en noir) - aucune

MX 125 2T

RÉVISION

HUSQVARNA CR150

Présentée l'an dernier sous l'appellation CR125, la petite Husqvarna 2T change de nom cette année pour indiquer que son moteur a gagné une vingtaine de centimètres cubes. La CR125 n'avait pas une plage de puissance aussi fournie que la Yamaha YZ125, mais la nouvelle version 150 devrait s'imposer facilement face à la japonaise. Husqvarna a en effet suivi l'approche de KTM et a modifié à la fois l'alésage et la course du piston afin d'obtenir un gain de puissance généralisé. La suspension Kayaba de la CR150 est moderne et dans le coup. Le gros avantage de la Husky se situe au niveau du prix : à 6 599 $, elle est presque 1 000 $ moins chère que ses deux rivales directes. Elle est aussi beaucoup moins chère à acheter et à réparer qu'une 250 4T.

Moteur-refroidissement	monocylindre 2-temps de 144 cc - liquide
Transmission-embrayage	6 rapports - manuel
Cadre-roues avant/arrière	acier - 21 pouces / 19 pouces
Poids-selle-réservoir	95 kg - 985 mm – 7 litres
Prix-garantie	6 599 $ - 1 mois

MX 125 2T

KTM 150SX

Pour la plupart des jeunes coureurs de motocross qui quittent la classe Écoliers pour passer à la classe 250F, la 150SX est probablement le choix le plus logique qui soit. Elle est passablement plus légère et maniable qu'une 250 4T, ce qui facilite la transition vers une machine pleine grandeur. Son moteur est même plus puissant en pointe que les 4T, mais demeure moins efficace, puisque sa bande de puissance est beaucoup moins large. Néanmoins, la quasi-totalité des pros qui ont connu les 125 2T affirment qu'une machine de cette catégorie est un outil d'apprentissage incroyable que la plupart des jeunes auraient avantage à expérimenter. La 150SX étrenne un tout nouveau châssis en 2011 et affiche une facture considérablement plus basse que celle d'une 4T.

Moteur-refroidissement	monocylindre 2-temps de 143 cc - liquide
Transmission-embrayage	6 rapports - manuel
Cadre-roues avant/arrière	acier - 21 pouces / 19 pouces
Poids-selle-réservoir	90,8 kg - 985 mm – 8 litres
Prix-garantie	7 449 $ - 1 mois

MX 125 2T

YAMAHA YZ125

La seule survivante de la dynastie japonaise des 125 2T nous revient à nouveau inchangée pour 2011. En termes de puissance, elle est en retrait par rapport à la KTM 150SX, ce qui n'en fait pas le meilleur choix pour un pilote qui vise la compétition. Mais son moteur demeure vif et efficace, et si vous débutez ou vous vous limitez à rouler sur des pistes de pratique pour le plaisir, les quelques centimètres cubes de moins ne paraîtront pas vraiment. La YZ125 est toujours une excellente petite moto, légère, nerveuse et très agréable à piloter. Malgré les années, ses suspensions demeurent à la fine pointe et côté comportement, elle est un véritable vélo par rapport à une 250 4T. Elle est moins chère qu'une YZ250F et sa mécanique est beaucoup plus facile à réparer.

Moteur-refroidissement	monocylindre 2-temps de 124 cc - liquide
Transmission-embrayage	6 rapports - manuel
Cadre-roues avant/arrière	aluminium - 21 pouces / 19 pouces
Poids-selle-réservoir	94 kg - 998 mm – 8 litres
Prix-garantie	7 499 $ - aucune

MX ÉCOLIERS

KTM 105SX

La 105SX est la machine de référence en compétition Super Mini. Même si elle nous revient inchangée pour 2011, elle demeure tout à fait actuelle puisque pas plus tard qu'en 2009, elle a eu droit à une fourche plus costaude, à un nouvel amortisseur et à quelques retouches au moteur et à la transmission. Conçue pour briller sur une piste de motocross, la 105SX demeure une machine très polyvalente, ce qui en fait aussi un bon choix pour l'enduro-cross ou comme hors-route à tout faire pour un pilote de petite taille. L'épine au pied de la 105SX est la Kawasaki KX100 qui, pour un grand nombre de pilotes, est tout aussi rapide, mais coûte un rondelet 1 000 $ de moins. Notons que la version XC typée enduro-cross offerte en 2009 ne l'est plus.

Moteur-refroidissement	monocylindre 2-temps de 104 cc - liquide
Transmission-embrayage	6 rapports - manuel
Cadre-roues avant/arrière	acier - 19 pouces / 16 pouces
Poids-selle-réservoir	68 kg - 899 mm – 5 litres
Prix-garantie	5 999 $ - 1 mois

MX ÉCOLIERS

KAWASAKI KX100

Absente chez les concessionnaires Kawasaki l'an dernier pour une raison qui demeure un mystère, l'excellente KX100 est de retour. À notre humble avis, malgré son design vieillot, la KX100 demeure une des meilleures hors-route sur le marché. L'auteur de cette section peut témoigner de sa robustesse et de son potentiel, puisque son fils, Loïc Léonard, a brassé une 2007 de série pendant deux ans en enduro-cross FMSQ (incluant les Extrêmes), a tout gagné, et n'a jamais réussi à briser quoi que ce soit d'important. En 2009, il a gagné le championnat américain Super Mini d'enduro-cross sur une KX100 2009 légèrement modifiée, sans aucun pépin. Du jeune en évolution à la femme de petite taille, la conviviale KX100 est un excellent achat.

Moteur-refroidissement	monocylindre 2-temps de 98 cc - liquide
Transmission-embrayage	6 rapports - manuel
Cadre-roues avant/arrière	acier – 19 pouces / 16 pouces
Poids-selle-réservoir	68 kg - 870 mm – 5,6 litres
Prix-garantie	4 999 $ - aucune

MX ÉCOLIERS

KAWASAKI KX85

Même si son développement est pour ainsi dire figé dans le temps depuis plusieurs années, la KX85 demeure une machine intéressante. Réputée pour sa fiabilité, elle est performante sans être intimidante, ce qui fera le bonheur d'un jeune pilote qui débute dans cette catégorie. Son moteur à valve d'échappement KIPS se ramasse proprement en bas et prend sérieusement vie à mi-régime, mais demeure assez facile à exploiter. L'ergonomie plutôt ramassée convient particulièrement aux jeunes de petite taille, tout comme les suspensions efficaces, mais relativement souples. Ces dernières se prêtent par ailleurs très bien à une utilisation variée incluant du sentier. La KX85 a une riche histoire en course et répond particulièrement bien à diverses modifications.

Moteur-refroidissement	monocylindre 2-temps de 84 cc - liquide
Transmission-embrayage	6 rapports - manuel
Cadre-roues avant/arrière	acier – 17 pouces / 14 pouces
Poids-selle-réservoir	65 kg - 840 mm – 5,6 litres
Prix-garantie	4 699 $ - aucune

MX ÉCOLIERS

KTM 85SX

De toutes les machines de la catégorie 85 cc, la KTM est de loin la plus moderne et la plus évoluée. Cela ne fait pas d'elle un choix automatique, puisqu'il y a un fort prix à payer pour cette supériorité technologique. La 85SX coûte en effet quelque 1 000 $ de plus que ses rivales japonaises, soit environ 20 pour cent. Ce prix supérieur se justifie par la présence de composantes exclusives comme son système de refroidissement à double radiateur, son guidon en aluminium, son embrayage à commande hydraulique et son cadre arrière amovible en aluminium. La 85SX est jolie et bien équipée, mais sur la piste, elle n'est pas 20 pour cent plus rapide que ses concurrentes. Plus typée course, elle exige aussi un entretien plus suivi que les Kawa et Yamaha.

Moteur-refroidissement	monocylindre 2-temps de 84 cc - liquide
Transmission-embrayage	6 rapports - manuel
Cadre-roues avant/arrière	acier - 17 pouces / 14 pouces
Poids-selle-réservoir	68 kg - 865 mm – 5 litres
Prix-garantie	5 799 $ - 1 mois

MX ÉCOLIERS

MODÈLE 2010

SUZUKI RM85

Officiellement, Suzuki n'a plus de moto 2T dans sa gamme puisque la RM85 ne figure pas au catalogue 2011. Elle demeure toutefois offerte en tant que modèle 2010 reconduit. Inchangé depuis plusieurs années, le design de la RM85 montre quelque peu son âge, mais demeure dans le coup grâce surtout à son petit monocylindre à admission dans le carter et valve à l'échappement qui offre une puissance compétitive, se distinguant par la générosité de sa plage d'utilisation dès les bas régimes. La RM s'extirpe plus facilement d'un virage serré et est plus facile à exploiter à fond que certaines rivales plus pointues. Son moteur plus convivial en fait un excellent choix pour un débutant qui appréciera aussi sa sensation de légèreté.

Moteur-refroidissement	monocylindre 2-temps de 85 cc - liquide
Transmission-embrayage	6 rapports - manuel
Cadre-roues avant/arrière	acier – 17 pouces / 14 pouces
Poids-selle-réservoir	65 kg - 850 mm – 4,9 litres
Prix-garantie	4 599 $ - aucune

MX ÉCOLIERS

YAMAHA YZ85

En termes de performances pures, la YZ85 est la plus «course» des machines de sa catégorie grâce surtout à la puissance impressionnante de son moteur 2T à haut régime. Démuni d'une valve à l'échappement, le moteur de la petite Yamaha se montre plutôt creux en bas, une sensation accentuée par une transition assez brusque quand les chevaux se mettent à arriver à mi-régime, pour ensuite déchirer l'air — et la piste — en haut. Ajoutez une suspension assez ferme et une ergonomie relativement généreuse, surtout avec le pilote debout, et vous obtenez une 85 plutôt intense qui vise surtout les jeunes pilotes plus habiles et expérimentés. Le moteur difficile à contrôler à basse vitesse et la suspension dure limitent la polyvalence de la moto.

Moteur-refroidissement	monocylindre 2-temps de 85 cc - liquide
Transmission-embrayage	6 rapports - manuel
Cadre-roues avant/arrière	acier - 17 pouces / 14 pouces
Poids-selle-réservoir	71 kg - 864 mm – 5 litres
Prix-garantie	4 799 $ - aucune

MX ÉCOLIERS

MODÈLE 2010

KAWASAKI KX65

La petite KX65 n'est pas au catalogue Kawasaki pour 2011, mais elle demeure offerte en tant que modèle 2010 reconduit. Moins moderne et performante que la KTM 65SX, la KX65 demeure un excellent choix pour un jeune pilote prêt à passer d'une mini avec embrayage automatique à une vraie machine de motocross avec embrayage manuel. Elle offre un moteur performant et des suspensions efficaces tout en demeurant conviviale. De plus, moyennant un entretien normal, elle se montre très robuste et durable, permettant d'accumuler les heures en selle sans faire sauter la banque. La KTM est plus «hot», tant visuellement que côté performances, mais la KX65 se montre moins chère à l'achat et à l'entretien, et s'avère une excellente machine d'apprentissage.

Moteur-refroidissement	monocylindre 2-temps de 65 cc - liquide
Transmission-embrayage	6 rapports - manuel
Cadre-roues avant/arrière	acier – 14 pouces / 12 pouces
Poids-selle-réservoir	57 kg - 760 mm – 3,8 litres
Prix-garantie	4049$ - aucune

MX ÉCOLIERS

KTM 65SX

Acheter une 65SX ne vous assure pas de rouler en avant en catégorie 65... pour la bonne raison que la plupart des autres compétiteurs vont aussi être assis sur une 65SX. Et la petite KTM va continuer de dominer sa catégorie même si elle revient pratiquement inchangée en 2011. Elle a eu droit à une refonte poussée il y a seulement deux ans, recevant un tout nouveau moteur totalement repensé à cylindre et vilebrequin repositionnés verticalement afin d'optimiser la centralisation des masses et la performance de l'admission. Le tout a par ailleurs été logé dans un nouveau cadre doté de nouvelles suspensions plus efficaces. Pour la compétition de niveau élevé, sous la gouverne d'un pilote doué, la 65SX est nettement l'arme de choix dans sa catégorie.

Moteur-refroidissement	monocylindre 2-temps de 65 cc - liquide
Transmission-embrayage	6 rapports - manuel
Cadre-roues avant/arrière	acier – 14 pouces / 12 pouces
Poids-selle-réservoir	55,4 kg - 750 mm – 3,5 litres
Prix-garantie	4748$ - 1 mois

MX ÉCOLIERS

KTM 50SX

Regardez une ligne de départ en catégorie mini pour enfants et vous aurez l'impression que la couleur orange est dictée par le règlement. KTM est en effet le seul des grands fabricants à offrir une machine de compétition taillée sur mesure pour un tout jeune pilote. Et le fabricant autrichien prend son rôle très au sérieux puisqu'il a complètement revu sa petite 50SX en 2009. Le nouveau moteur à trois arbres réalignés est doté d'un embrayage automatique entraîné par l'arbre intermédiaire afin de minimiser les pertes de puissance et d'améliorer la durabilité. Le design particulier du moteur permet par ailleurs de mieux centraliser les masses et de minimiser l'effet de couple de la chaîne, facilitant le travail de la suspension arrière.

Moteur-refroidissement	monocylindre 2-temps de 49 cc - liquide
Transmission-embrayage	1 rapport - automatique
Cadre-roues avant/arrière	acier – 12 pouces / 10 pouces
Poids-selle-réservoir	39,8 kg - 684 mm – 2,3 litres
Prix-garantie	3799$ - 1 mois

HR 500 4T

HONDA CRF450X

Révisée en 2008 quand Honda lui a apporté une série de modifications qui ont radicalisé sa personnalité, la CRF450X est depuis essentiellement inchangée et demeure basée sur la Honda 450 de motocross d'ancienne génération. Il faudra donc patienter encore une autre année au moins avant d'avoir droit à une X basée sur la dernière 450R à injection. Auparavant reconnue comme une machine de sentier agréable, mais plus corpulente qu'athlétique, la CRF450X est plus sportive depuis 2008. Amincie sur le plan de l'ergonomie, plus aiguisée en termes de géométrie et dotée d'un pratique amortisseur de direction, elle affiche depuis un comportement nettement plus incisif en sentier. Elle demeure moins typée course que ses rivales chez KTM.

Moteur-refroidissement	monocylindre 4-temps de 449 cc - liquide
Transmission-embrayage	5 rapports - manuel
Cadre-roues avant/arrière	aluminium - 21 pouces / 18 pouces
Poids-selle-réservoir	113 kg - 962 mm – 8,7 litres
Prix-garantie	8999$ - aucune

HR 500 4T

NOUVEAUTÉ

HUSQVARNA TE449 / TXC449

La toute nouvelle TE449 est en quelque sorte une seconde incarnation de la BMW G450X. En effet, elle est propulsée par une version évoluée du moteur à sortie de boîte et pivot de bras oscillant concentriques ainsi qu'à embrayage en bout de vilebrequin de l'ancienne BMW. Les TE/TXC sont en fait basées de près sur la nouvelle TC449 de motocross incluant le nouveau châssis avec réservoir à essence monté derrière le moteur. La TE est la version enduro: le guidon est doté de protège-mains, la suspension est assouplie et la roue arrière mesure 18 pouces. Pour rendre le moteur plus convivial en sentier, le rapport volumétrique a été réduit et l'injection a reçu un système à deux papillons. La TXC est la version cross-country, plus dépouillée et plus proche de la TC.

Moteur-refroidissement	monocylindre 4-temps de 449 cc - liquide
Transmission-embrayage	6 rapports - manuel
Cadre-roues avant/arrière	acier - 21 pouces / 18 pouces
Poids-selle-réservoir	113 kg - 963 mm – 8,5 litres
Prix-garantie	9 499 $ (8 748 $) - 1 mois

HR 500 4T

MODÈLE 2010

KAWASAKI KLX450

La KLX450 n'est pas officiellement au catalogue 2011, mais demeure offerte en tant que modèle 2010. Apparue sur le marché canadien en 2008, un an après sa sortie aux États-Unis, et essentiellement inchangée depuis, la KLX450 repose sur la même approche que celle privilégiée par Honda pour sa 450X et Yamaha pour sa WR450, à savoir un adoucissement poussé de la 450 de motocross. Son moteur est efficace et agréable, avec une large plage de puissance, mais il gagnerait à être un peu plus viril. La suspension souple et progressive affiche un bel équilibre et, jumelée à une direction précise, rend la KLX amusante et étonnamment compétente en sentier. Mais comme ses deux rivales japonaises, la grosse Kawa demeure plus promenade que compétition.

Moteur-refroidissement	monocylindre 4-temps de 449 cc - liquide
Transmission-embrayage	5 rapports - manuel
Cadre-roues avant/arrière	aluminium - 21 pouces / 18 pouces
Poids-selle-réservoir	115 kg - 940 mm – 8 litres
Prix-garantie	9 499 $ - aucune

HR 500 4T

KTM 530XC-W / 450XC-W

Pour 2011, les machines à suffixe XC-W de KTM n'ont pas droit aux changements majeurs des SX et XC. Les 450 et 530XC-W Six Days se contentent donc de nouveaux ressorts de soupapes, d'un réservoir à essence translucide et de protège-mains en plastique. La 450 est une machine d'enduro éprouvée capable de négocier en finesse, sur un filet de gaz, un sentier défoncé, puis de s'élancer à fond de train sur une spéciale rapide. La 530 est essentiellement la même moto, avec un moteur réalésé à 510 cc. Ce dernier pousse encore plus fort, mais son inertie additionnelle ajoute une sensation de lourdeur à la moto qui réduit la maniabilité. Les amateurs de sensations fortes pardonneront. On note en passant que la 400XC-W n'est pas au catalogue 2011.

Moteur-refroidissement	monocylindre 4-temps de 510 (449) cc - liquide
Transmission-embrayage	6 rapports - manuel
Cadre-roues avant/arrière	acier - 21 pouces / 18 pouces
Poids-selle-réservoir	112 kg - 985 mm – 9 litres
Prix-garantie	10 198 $ (9 998 $) - 1 mois

HR 500 4T

NOUVEAUTÉ

KTM 350XC-F

KTM

Quelque temps après avoir officialisé sa gamme et sa liste de prix 2011, KTM a annoncé l'ajout à son catalogue de l'anticipée version cross-country de sa nouvelle 350 de motocross. La nouvelle 350XC-F est basée de très près sur la 350SX de motocross. Le moteur est pratiquement identique, avec les mêmes arbres à cames, rapport volumétrique, système d'injection et échappement. Il gagne un levier et un mécanisme de kick qui viennent appuyer le démarreur électrique. La boîte à 5 rapports est remplacée par une boîte à 6 rapports espacés. La suspension a droit à un assouplissement de l'amortissement et à des ressorts de fourche plus mous. Un réservoir plus volumineux, une roue arrière de 18 pouces et une béquille complètent la transformation.

Moteur-refroidissement	monocylindre 4-temps de 349,7 cc - liquide
Transmission-embrayage	6 rapports - manuel
Cadre-roues avant/arrière	acier - 21 pouces / 18 pouces
Poids-selle-réservoir	nd - nd - 9,5 litres
Prix-garantie	nd - 1 mois

HR 500 4T

MODÈLE 2010

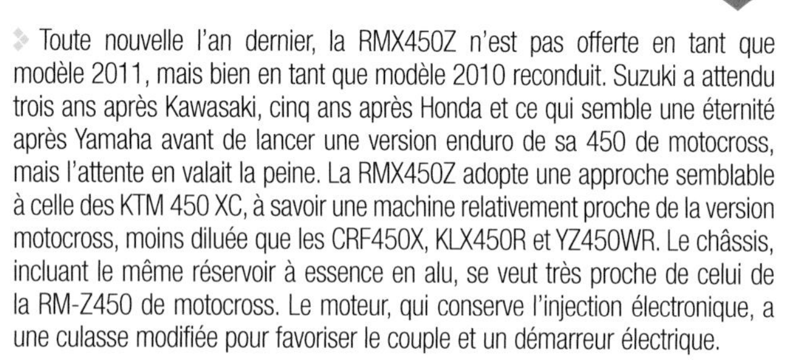

SUZUKI RMX450Z

Toute nouvelle l'an dernier, la RMX450Z n'est pas offerte en tant que modèle 2011, mais bien en tant que modèle 2010 reconduit. Suzuki a attendu trois ans après Kawasaki, cinq ans après Honda et ce qui semble une éternité après Yamaha avant de lancer une version enduro de sa 450 de motocross, mais l'attente en valait la peine. La RMX450Z adopte une approche semblable à celle des KTM 450 XC, à savoir une machine relativement proche de la version motocross, moins diluée que les CRF450X, KLX450R et YZ450WR. Le châssis, incluant le même réservoir à essence en alu, se veut très proche de celui de la RM-Z450 de motocross. Le moteur, qui conserve l'injection électronique, a une culasse modifiée pour favoriser le couple et un démarreur électrique.

Moteur-refroidissement	monocylindre 4-temps de 449 cc - liquide
Transmission-embrayage	5 rapports - manuel
Cadre-roues avant/arrière	aluminium - 21 pouces / 18 pouces
Poids-selle-réservoir	124 kg - 980 mm - 8 litres
Prix-garantie	9 599 $ - aucune

HR 500 4T

YAMAHA WR450F

L'an dernier, des compétiteurs ont converti avec succès la toute nouvelle et radicale YZ450F de motocross en machine d'enduro-cross, mais Yamaha ne semble pas pressé de rendre le même type de transformation disponible chez les concessionnaires. Pour 2011, la WR450F demeure donc basée sur la YZ450F d'il y a cinq ans, ce qui n'est pas une mauvaise nouvelle en soi puisqu'elle est reconnue comme une machine de sentier efficace et agréable affichant en prime un très bon bilan sur le plan de la durabilité. Avec son moteur fort en couple, sa direction précise et sa suspension souple et bien amortie, la grosse WR est surtout à l'aise en mode promenade. Dans des conditions « course », son poids élevé et ses suspensions molles refroidissent les ardeurs.

Moteur-refroidissement	monocylindre 4-temps de 449 cc - liquide
Transmission-embrayage	5 rapports - manuel
Cadre-roues avant/arrière	aluminium - 21 pouces / 18 pouces
Poids-selle-réservoir	124 kg - 980 mm - 8 litres
Prix-garantie	9 549 $ - aucune

HR 300 2T

HUSQVARNA WR 300 / 250 / 150

Avec l'arrivée officielle de la marque Husqvarna au Canada, les amateurs de machines de sentier 2T ont un nouveau choix qui vaut la peine qu'on s'y attarde. En plus d'être beaucoup plus abordables que les 4T, les Husky 2T se vendent entre 1 000 $ et 1 500 $ de moins, selon le modèle, que les 2T de KTM. C'est un argument de vente important. Les moteurs Husqvarna sont de la vieille école et sont moins sophistiqués, plus rugueux et un peu moins puissants que ceux de la marque orange, mais ils demeurent efficaces. La partie cycle est par contre moderne et se montre saine. La 300 devrait être plus populaire que la 250 chez la clientèle visée par ce type de moto. La 150 gagnerait à être un peu moins haute sur pattes, mais son bas prix demeure alléchant.

Moteur-refroidissement	monocylindre 2-temps de 293 (249) (144) cc -liquide
Transmission-embrayage	6 rapports - manuel
Cadre-roues avant/arrière	acier - 21 pouces / 18 pouces
Poids-selle-réservoir	103 (103) (96) kg - 975 mm – 9,5 litres
Prix-garantie	7 699 $ (7 499 $) (7 099 $) - 1 mois

HR 300 2T

KTM 300XC / XC-W

Jadis un peu rustre, la KTM 300 est devenue une moto très raffinée. Elle offre la légèreté d'une 250 2T avec un moteur doté d'une bande de puissance large et costaude qui se ramasse avec fougue dès le ralenti et pousse fort jusqu'à haut régime. Pour 2011, le moteur a eu droit à des changements au piston et au cylindre qui bonifient encore la puissance. La version XC est possiblement la hors-route la plus polyvalente sur le marché, aussi à l'aise en sentier que sur une piste de cross. Si vous êtes surtout un « gars de bois », que ce soit pour le loisir ou la compétition, la 300XC-W est nettement mieux adaptée avec sa transmission plus étagée et surtout sa suspension plus souple. Le moteur a un couple d'enfer qui se joue des difficultés en sentier.

Moteur-refroidissement	monocylindre 2-temps de 293 cc - liquide
Transmission-embrayage	5 rapports - manuel
Cadre-roues avant/arrière	acier - 21 pouces / 18 pouces
Poids-selle-réservoir	98 (100,4) kg - 985 mm – 11,5 litres
Prix-garantie	9 099 $ (9 099 $) - 1 mois

KTM 250XC / XC-W

Comme pour la 300, la différence entre la XC et la XC-W s'accentue quelque peu cette année, puisque la XC a droit au nouveau châssis de la 250SX. Sur les deux, le moteur est légèrement retravaillé côté piston, cylindre et échappement, tandis que la boîte passe à six vitesses. Il y a aussi un nouveau réservoir à essence translucide qui facilite la vérification du niveau. Le changement le plus radical est l'arrivée d'un démarreur électrique. La KTM 250 était déjà reconnue comme la meilleure machine d'enduro pure et dure de la planète, et la cuvée 2011 relève la barre. La version XC-W demeure probablement le meilleur choix pour un grand nombre de randonneurs ou compétiteurs amateurs. Pour un pilote rapide et agressif, la version XC est l'arme de choix.

Moteur-refroidissement	monocylindre 2-temps de 249 cc - liquide
Transmission-embrayage	5 rapports - manuel
Cadre-roues avant/arrière	acier - 21 pouces / 18 pouces
Poids-selle-réservoir	97,6 (100,4) kg - 985 mm – 11,5 litres
Prix-garantie	8 999 $ (8 999 $) - 1 mois

KTM 200XC-W

Depuis l'an dernier, la 200 est offerte uniquement en version XC-W, le modèle XC à saveur cross-country ayant été remplacé par la 150XC. Ce n'est pas un drame, puisque pour la majorité des adeptes de sentier, la version enduro XC-W de la 200 a toujours représenté l'option la plus efficace. Dans des conditions difficiles, elle permet de tirer pleinement profit des avantages de l'approche 200, soit un poids à la 125 et du muscle à la 250. Pour 2011, elle a droit à un nouveau réservoir à essence translucide et des retouches à la carburation et l'échappement. Le moteur affiche une bonne souplesse à bas et mi-régimes, et pousse assez fort en haut. La suspension souple avale roches et racines avec aplomb. La 200 fonce sans défoncer son pilote.

Moteur-refroidissement	monocylindre 2-temps de 193 cc - liquide
Transmission-embrayage	6 rapports - manuel
Cadre-roues avant/arrière	acier - 21 pouces / 18 pouces
Poids-selle-réservoir	95 kg - 925 mm –11 litres
Prix-garantie	8 098 $ - 1 mois

KTM 150XC

Quand KTM a modifié sa 125SX pour créer la 150, le moteur a été revu tant du côté de l'alésage que de la course. Il en a résulté une bande de puissance plus large que ce qui se produit quand on ne fait que réaléser un 125, et cette approche convient particulièrement bien à la version XC. Le moteur est puissant et très vivant à haut régime, mais demeure suffisamment efficace en bas pour se ramasser proprement dans des passages plus difficiles. Pour être efficace, la 150XC exige un pilotage relativement agressif, typique d'une 125, mais son poids plume et son comportement facile et incisif permettent de demeurer agressif sans se brûler. La XC se distingue de la SX par son gros réservoir, son volant moteur plus lourd et sa suspension plus souple.

Moteur-refroidissement	monocylindre 2-temps de 143 cc - liquide
Transmission-embrayage	6 rapports - manuel
Cadre-roues avant/arrière	acier - 21 pouces / 18 pouces
Poids-selle-réservoir	94,4 kg - 985 mm –11,5 litres
Prix-garantie	8 098 $ - 1 mois

HONDA CRF250X

Absente en 2010, la petite randonneuse de Honda effectue un retour au catalogue en tant que modèle 2011, sans réel changement si elle est comparée au modèle 2009. Comme sa grande sœur la CRF450X, la 250X est une version assouplie côté moteur et suspensions de la CRF250R de motocross de génération précédente. Ses suspensions privilégiant la souplesse avalent sans broncher roches et racines, alors que son moteur à démarreur électrique livre un couple généreux à bas régime qui le rend étonnamment efficace dans le serré et lorsque l'adhérence est précaire. Mais autant la CRF250X excelle dans le serré, autant elle n'est pas une machine de grands espaces: son moteur s'essouffle assez rapidement et sa suspension molle devient imprécise quand ça brasse trop.

Moteur-refroidissement	monocylindre 4-temps de 249 cc - liquide
Transmission-embrayage	5 rapports - manuel
Cadre-roues avant/arrière	aluminium - 21 pouces / 18 pouces
Poids-selle-réservoir	102 kg - 957 mm – 8,3 litres
Prix-garantie	8 899 $ - aucune

HR 250 4T

HUSQVARNA TE250 / TE310 / TXC250

Lancée l'an dernier, la TE250 de nouvelle génération à nouveau moteur compact était une machine plutôt saine côté comportement, mais un peu décevante côté puissance. Pour 2011, elle a droit à une nouvelle boîte à air et à deux nouvelles cartographies d'injection qui améliorent la situation. Un réservoir à essence plus gros bonifie aussi l'autonomie. En fait, le changement le plus impressionnant est l'arrivée en 2011 d'une TE310 de nouvelle génération. Le moteur gonflé à 302 cc demeure aussi compact, mais relève la puissance à un niveau compétitif avec les 250 4T typées course. La version 2011 du cadre a été changée sur le plan de la rigidité et la suspension se voit revue pour mieux mater le défoncé. La TXC se situe entre la TE et la TC de cross.

Moteur-refroidissement	monocylindre 4-temps de 249 cc - liquide
Transmission-embrayage	6 rapports - manuel
Cadre-roues avant/arrière	acier - 21 pouces / 18 pouces
Poids-selle-réservoir	106 kg - 950 mm – 8,5 litres
Prix-garantie	8399$ (8999$) (7999$) - 1 mois

HR 250 4T

RÉVISION

KTM 250XC-F / XCF-W

L'an dernier, ces deux KTM n'étaient pas officiellement au catalogue, mais les modèles 2009 (il s'agissait en fait de deux versions de la même machine) étaient toujours offerts. Les deux XCF reviennent en 2011, mais la différence entre elles est maintenant beaucoup plus marquée. La XCF-W demeure basée de près sur la machine de motocross de génération précédente, avec en prime un démarreur électrique, une boîte 6 vitesses et une suspension plus souple. C'est une vraie hors-route de compétition, mais à vocation enduro. La toute nouvelle XC-F est une version à peine amadouée de la nouvelle 250SX-F de cross, avec le cadre à biellette et le moteur injecté. Elle ajoute un démarreur électrique et une boîte plus étagée.

Moteur-refroidissement	monocylindre 4-temps de 249 cc - liquide
Transmission-embrayage	6 rapports - manuel
Cadre-roues avant/arrière	acier - 21 pouces / 18 pouces
Poids-selle-réservoir	nd (103) kg - 985 mm – 9,5 (9,2) litres
Prix-garantie	nd (9399$) - 1 mois

HR 250 4T

YAMAHA WR250F

Comme sa grande rivale cotée X chez Honda, la WR250F est plus axée sur l'agrément en sentier que la course. Sa suspension souple est idéale pour négocier un sentier serré et accidenté, tout en se montrant un peu plus ferme et efficace que celle de la CRF250X à plus haute vitesse. Le moteur à démarreur électrique n'a pas tout à fait le coffre de celui de la X en bas, mais il lui est légèrement supérieur à haut régime. Essentiellement inchangée pour 2011, la WR250F demeure presque identique à la version 2007, année de sa dernière révision majeure qui l'a vu adopter un châssis en alu. Ce dernier, qui allie par ailleurs une direction précise et une excellente stabilité, avait relégué aux oubliettes les problèmes d'ergonomie de la première WR250F.

Moteur-refroidissement	monocylindre 4-temps de 249 cc - liquide
Transmission-embrayage	5 rapports - manuel
Cadre-roues avant/arrière	aluminium - 21 pouces / 18 pouces
Poids-selle-réservoir	117 kg - 980 mm - 8 litres
Prix-garantie	8699$ - aucune

RÉCRÉATIVES

HONDA CRF230F

Fière descendante de la légendaire gamme XR qui a arpenté les sentiers de la planète et même remporté des enduros pendant plus de 25 ans, la CRF230F est le modèle pleine grandeur de la gamme récréative Honda et est conçue pour un pilote de taille adulte. Absente du catalogue l'an dernier, elle revient en 2011 pratiquement inchangée par rapport au modèle 2009. Propulsée par un convivial moteur refroidi à l'air, elle bénéficie d'un démarreur électrique et d'une boîte à six rapports. Il y a trois ans, elle a eu droit à une selle et à un réservoir plus sveltes et bas qui ont amélioré le confort et l'ergonomie et réduit la sensation de lourdeur. Abordable et facile d'approche, la CRF230F n'en demeure pas moins une initiatrice relativement lourde.

Moteur-refroidissement	monocylindre 4-temps de 223 cc – air
Transmission-embrayage	6 rapports - manuel
Cadre-roues avant/arrière	acier - 21 pouces / 18 pouces
Poids-selle-réservoir	113 kg - 866 mm – 7,2 litres
Prix-garantie	4499$ - 6 mois

RÉCRÉATIVES

YAMAHA TT-R230

Pour un pilote de taille adulte désirant découvrir le merveilleux monde du hors-route sur une moto pleine grandeur à la fois abordable et facile d'accès, la TT-R230 joue à merveille le rôle de machine d'initiation. Son classique moteur 4T refroidi à l'air est doté d'un pratique démarreur électrique et d'une boîte à six rapports. Tant côté prix que fiche technique, elle est très proche de la CRF230F décrite précédemment. La Yamaha est un tantinet plus conviviale tandis que la Honda est très légèrement plus poussée côté suspension et puissance maxi. Mais la différence est mince. Aimez-vous mieux le bleu ou le rouge ? Rhabillée de façon à rappeler les YZ de motocross en 2008, la TT-R230 poursuit son chemin sans changement notable en 2011.

Moteur-refroidissement	monocylindre 4-temps de 223 cc – air
Transmission-embrayage	6 rapports - manuel
Cadre-roues avant/arrière	acier - 21 pouces / 18 pouces
Poids-selle-réservoir	107 kg - 870 mm – 8 litres
Prix-garantie	4699$ - 90 jours

RÉCRÉATIVES

HONDA CRF150F

Avec ses roues de 19 et 16 pouces de type «mini à grandes roues», la CRF150F est plus petite qu'une moto pleine grandeur. Elle est donc parfaite pour initier un adolescent ou un adulte de petite taille. À plusieurs égards, elle est très proche de la CRF100 côté vocation, mais la 150 est plus évoluée et performante, se distinguant par son moteur plus puissant, son frein avant à disque et ses débattements de suspension supérieurs. Elle est par contre plus lourde et plus dispendieuse que la 100. Tout en demeurant peu intimidant, son moteur est assez fort en couple pour sa taille ce qui, avec la suspension relativement ferme, rend la CRF150 passablement polyvalente. Elle peut servir de moto d'initiation ou de jouet pour un pilote expérimenté.

Moteur-refroidissement	monocylindre 4-temps de 149 cc – air
Transmission-embrayage	5 rapports - manuel
Cadre-roues avant/arrière	acier - 19 pouces / 16 pouces
Poids-selle-réservoir	101 kg - 825 mm – 8,3 litres
Prix-garantie	3999$ - 6 mois

RÉCRÉATIVES

KAWASAKI KLX140 (L)

Pendant des années, Kawasaki s'est fié à la polyvalence de sa légendaire KDX200 hors-route pour faire le travail dans la catégorie des récréatives. Puis, en 2008, il a enfin lancé une petite 4T moderne et conviviale, la KLX140, offerte en deux versions afin d'accommoder des pilotes de tailles variées. Celle de base a des petites roues de 17 et 14 pouces, tandis que la version L a des grandes roues de 19 et 16 pouces et un amortisseur arrière plus évolué à réservoir externe. Les deux sont équipées de freins à disque avant et arrière. Doté d'un démarreur électrique, son moteur a une large plage de puissance, mais ne pousse pas beaucoup plus qu'un 125. Avec sa transmission à cinq rapports un peu longs, il semble donc plus vivant sur la version à petites roues.

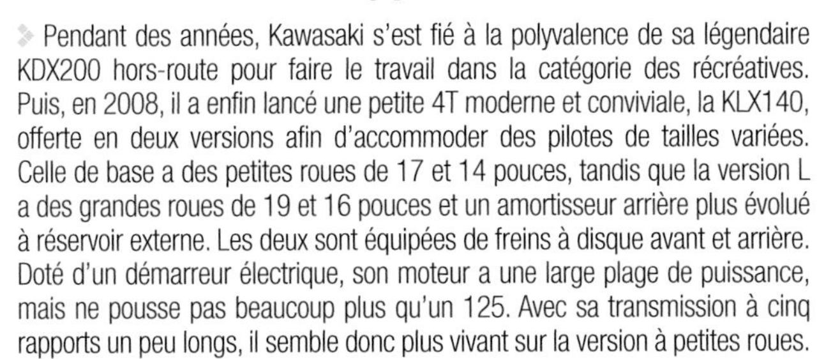

Moteur-refroidissement	monocylindre 4-temps de 144 cc – air
Transmission-embrayage	5 rapports - manuel
Cadre-roues avant/arrière	acier – 17(19) pouces / 14(16) pouces
Poids-selle-réservoir	89 (90) kg – 780 (800) mm – 5,7 litres
Prix-garantie	3599$ (3999$) - 6 mois

RÉCRÉATIVES

MODÈLE 2010

SUZUKI DR-Z125 (L)

Elle n'est pas très évoluée mécaniquement, ses origines remontant à plusieurs années, mais sa fiabilité est éprouvée. La DR-Z est offerte en version de base à petites roues de 17 et 14 pouces et en version L à grandes roues de 19 (avec frein à disque) et 16 pouces lui permettant d'accueillir différents gabarits. Malgré une paresse relative à bas régime, son petit 4T est souple et agréable. L'habillage est moderne, l'ergonomie est bonne et l'amortissement limité de ses suspensions passe inaperçu pour un débutant. L'absence d'un démarreur électrique peut en limiter l'attrait pour certains. Cette absence confère par contre à la Suzuki un certain avantage côté poids et prix. Pour 2011, elle est offerte seulement en tant que modèle 2010 reconduit.

Moteur-refroidissement	monocylindre 4-temps de 124 cc – air
Transmission-embrayage	5 rapports - manuel
Cadre-roues avant/arrière	acier – 17(19) pouces / 14(16) pouces
Poids-selle-réservoir	79 (81) kg – 775 (805) mm – 6,2 litres
Prix-garantie	3099$ (3499$) - 6 mois

RÉCRÉATIVES

YAMAHA TT-R125 LE

À son lancement il y a déjà plus de 10 ans, la TT-R125 était la bonne moto au bon moment. Offerte dès le début en deux hauteurs grâce à des versions «petites roues» et «grandes roues», elle était prête à accueillir une nouvelle vague de débutants. Yamaha a par la suite ajouté en option un démarreur électrique sur chaque version, portant l'offre à quatre modèles. En 2011, seule la TT-R125 LE, soit la version haut de gamme à grandes roues et démarreur électrique, est offerte, mais il y a encore moyen de trouver des exemplaires des autres versions chez des concessionnaires. La TT-R125 demeure une petite initiatrice efficace, durable et agréable à piloter. Elle a un peu plus de moteur que la 125 de Suzuki, mais un peu moins que les Kawa 140 et Honda 150.

Moteur-refroidissement	monocylindre 4-temps de 124 cc – air
Transmission-embrayage	5 rapports - manuel
Cadre-roues avant/arrière	acier – 19 pouces / 16 pouces
Poids-selle-réservoir	84 kg – 805 mm – 6,1 litres
Prix-garantie	3 999 $ – 90 jours

RÉCRÉATIVES

KAWASAKI KLX110 (L)

Avec son moteur de plus de 100 cc et ses roues de 14 et 12 pouces, la KLX110 a dès sa sortie pris place à l'extrémité supérieure de la catégorie des mini motos, tant côté gabarit que puissance. Sans surprise, en plus de faire saliver les jeunes pilotes, elle s'est dès le début montrée populaire auprès d'adultes à la recherche d'un nouveau jouet. L'an dernier, Kawasaki a officiellement reconnu cette nature schizophrénique de la KLX110 en lançant, en plus du modèle de base pour enfants, une nouvelle version L pour adultes. Les deux versions ont eu droit à un moteur 15 % plus puissant, à une nouvelle boîte à quatre rapports plutôt que trois et à un démarreur électrique. La version L ajoute une suspension à long débattement et un embrayage manuel.

Moteur-refroidissement	monocylindre 4-temps de 111 cc – air
Transmission-embrayage	4 rapports – automatique (manuel)
Cadre-roues avant/arrière	acier – 14 pouces / 12 pouces
Poids-selle-réservoir	64 kg - 650 (730) mm – 3,8 litres
Prix-garantie	2 649 $ (2 799 $) - 6 mois

RÉCRÉATIVES

YAMAHA TT-R110E

Un peu comme sa grande sœur la TT-R125, la TT-R90 a connu un succès immédiat à son lancement au tournant du millénaire. Son petit moteur 4T, jumelé à une boîte à trois rapports et un embrayage automatique, avait du caractère tout en demeurant docile et facile à maîtriser. La petite TT-R s'est dès le départ imposée comme une machine idéale pour les enfants un peu plus vieux, pour lesquels les minis de 50 cc sont un peu trop petites. En 2008, Yamaha a fait passer son moteur de 89 à 110 cc, ajouté un quatrième rapport à sa boîte semi-automatique et greffé un démarreur électrique. Les changements ont rendu une très bonne petite moto encore meilleure. Efficace, amusante et fiable, la TT-R110E nous revient inchangée pour 2011.

Moteur-refroidissement	monocylindre 4-temps de 110 cc – air
Transmission-embrayage	4 rapports – automatique
Cadre-roues avant/arrière	acier – 14 pouces / 12 pouces
Poids-selle-réservoir	69 kg - 670 mm – 3,8 litres
Prix-garantie	2 699 $ – 90 jours

RÉCRÉATIVES

HONDA CRF100F

La CRF100F fait le bonheur de jeunes pilotes depuis une éternité. Après une très longue carrière sous l'appellation XR100, Honda lui a refait une beauté il y a quelques années, lui a greffé des suspensions plus modernes et l'a rebaptisée CRF. Très semblable à la CRF150F côté dimensions, la 100 est moins évoluée sur le plan technique, mais bénéficie de deux avantages non négligeables: elle est plus légère de quelque 25 kg et coûte environ 1 000 $ de moins. Son moteur est loin d'être une fusée, mais il a du caractère et, avec un minimum d'entretien, est quasi indestructible. Ses freins à tambour n'aiment pas l'eau ni la boue, mais la CRF100 est une moto bien équilibrée qui permet à un jeune de développer de saines techniques de pilotage.

Moteur-refroidissement	monocylindre 4-temps de 99 cc – air
Transmission-embrayage	5 rapports – manuel
Cadre-roues avant/arrière	acier – 19 pouces / 16 pouces
Poids-selle-réservoir	75 kg - 825 mm – 5,7 litres
Prix-garantie	2 999 $ - 6 mois

HONDA CRF80F

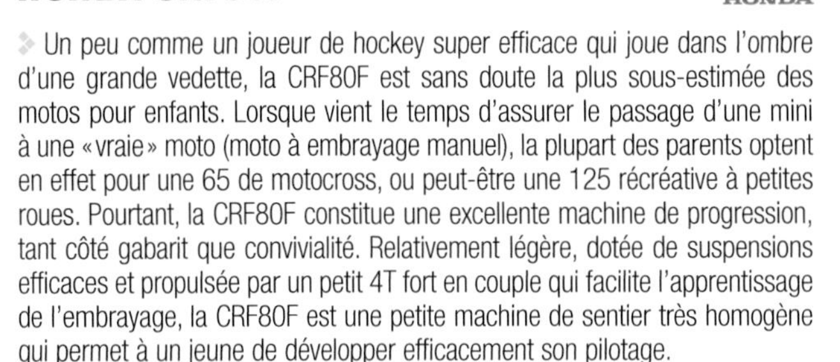

Un peu comme un joueur de hockey super efficace qui joue dans l'ombre d'une grande vedette, la CRF80F est sans doute la plus sous-estimée des motos pour enfants. Lorsque vient le temps d'assurer le passage d'une mini à une «vraie» moto (moto à embrayage manuel), la plupart des parents optent en effet pour une 65 de motocross, ou peut-être une 125 récréative à petites roues. Pourtant, la CRF80F constitue une excellente machine de progression, tant côté gabarit que convivialité. Relativement légère, dotée de suspensions efficaces et propulsée par un petit 4T fort en couple qui facilite l'apprentissage de l'embrayage, la CRF80F est une petite machine de sentier très homogène qui permet à un jeune de développer efficacement son pilotage.

Moteur-refroidissement	monocylindre 4-temps de 80 cc – air
Transmission-embrayage	5 rapports – manuel
Cadre-roues avant/arrière	acier – 16 pouces / 14 pouces
Poids-selle-réservoir	70 kg - 734 mm – 5,7 litres
Prix-garantie	2749$ - 6 mois

HONDA CRF70F

La CRF70F est une copie quasi conforme, mais agrandie d'un cran, de la légendaire CRF50F. De sa suspension arrière à bras oscillant triangulé à ses caches de réservoir stylisés en passant par son classique petit monocylindre 4T horizontal et sa transmission à trois vitesses et embrayage automatique, la CRF70F reprend fidèlement le design de la 50, en une version à roues un peu plus grosses et selle un peu plus haute visant un enfant un peu plus grand. Sans être intimidante, la 70 est plus puissante que la 50 et offre un comportement plus stable et sécurisant grâce à son empattement plus long, à sa suspension plus généreuse et à ses plus grosses roues. Offerte en tant que 2009 l'an dernier, elle revient inchangée au catalogue Honda pour 2011.

Moteur-refroidissement	monocylindre 4-temps de 72 cc – air
Transmission-embrayage	3 rapports – automatique
Cadre-roues avant/arrière	acier – 14 pouces / 12 pouces
Poids-selle-réservoir	58 kg - 663 mm – 5,7 litres
Prix-garantie	2099$ - 6 mois

SUZUKI DR-Z70

La cylindrée de la DR-Z70 peut porter à confusion. Même si son nom semble la confronter à la Honda CRF70F, la Suzuki s'attaque plutôt à la petite CRF50F qu'elle rappelle par l'allure, l'architecture générale et surtout les dimensions. Comme cette dernière, elle est dotée d'un petit monocylindre 4T à cylindre horizontal, d'une transmission à trois rapports, d'un embrayage automatique, d'un bras oscillant arrière triangulé et de roues de 10 pouces de diamètre. La DR-Z ajoute toutefois un démarreur électrique. Son moteur plus gros et légèrement plus puissant compense pour le poids supérieur du démarreur et donne à la DR-Z un très léger avantage en tant que mini pour adulte. Pour 2011, elle est offerte seulement en tant que modèle 2010 reconduit.

Moteur-refroidissement	monocylindre 4-temps de 67 cc – air
Transmission-embrayage	3 rapports – automatique
Cadre-roues avant/arrière	acier – 10 pouces / 10 pouces
Poids-selle-réservoir	52,5 kg - 560 mm – 3 litres
Prix-garantie	2099$ - 6 mois

HONDA CRF50F

Lorsque Honda a lancé sa légendaire petite Mini Trail dans les années 1960, il a créé un véritable engouement, et parfois même des conflits générationnels. Tous les «ti-culs» de l'époque en rêvaient, mais même les chanceux qui en avaient une devaient souvent supplier leur père de descendre de selle afin de pouvoir la rouler. Au fil des ans, la Mini Trail fut renommée QA50, puis Z50R. En 2008, Honda l'a modernisée en lui donnant une suspension arrière à monoamortisseur, une selle plus basse, une allure rajeunie et l'appellation XR50. Récemment rebaptisée CRF50R, la petite Honda est, sur les plans mécanique et philosophique, virtuellement identique à l'increvable Mini. Malgré son âge, elle demeure la plus sportive des «petites» minis à moteur 4T.

Moteur-refroidissement	monocylindre 4-temps de 49 cc – air
Transmission-embrayage	3 rapports – automatique
Cadre-roues avant/arrière	acier – 10 pouces / 10 pouces
Poids-selle-réservoir	47 kg - 549 mm – 3 litres
Prix-garantie	1799$ - 6 mois

RÉCRÉATIVES

YAMAHA TT-R50E

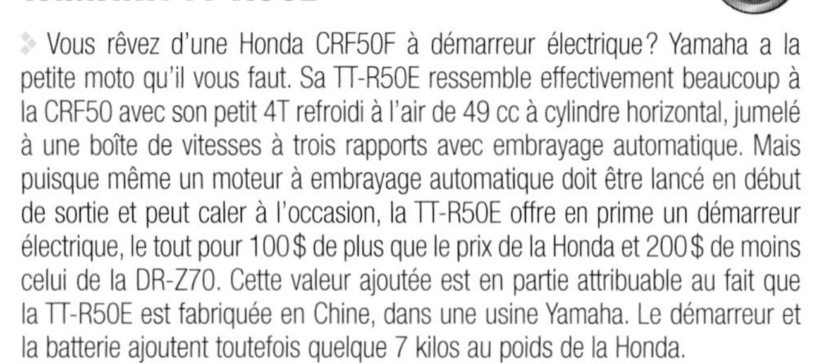

Vous rêvez d'une Honda CRF50F à démarreur électrique? Yamaha a la petite moto qu'il vous faut. Sa TT-R50E ressemble effectivement beaucoup à la CRF50 avec son petit 4T refroidi à l'air de 49 cc à cylindre horizontal, jumelé à une boîte de vitesses à trois rapports avec embrayage automatique. Mais puisque même un moteur à embrayage automatique doit être lancé en début de sortie et peut caler à l'occasion, la TT-R50E offre en prime un démarreur électrique, le tout pour 100$ de plus que le prix de la Honda et 200$ de moins celui de la DR-Z70. Cette valeur ajoutée est en partie attribuable au fait que la TT-R50E est fabriquée en Chine, dans une usine Yamaha. Le démarreur et la batterie ajoutent toutefois quelque 7 kilos au poids de la Honda.

Moteur-refroidissement	monocylindre 4-temps de 49,5 cc – air
Transmission-embrayage	3 rapports – automatique
Cadre-roues avant/arrière	acier – 10 pouces / 10 pouces
Poids-selle-réservoir	54 kg - 555 mm – 3,1 litres
Prix-garantie	1 899$ - 90 jours

RÉCRÉATIVES

YAMAHA PW50

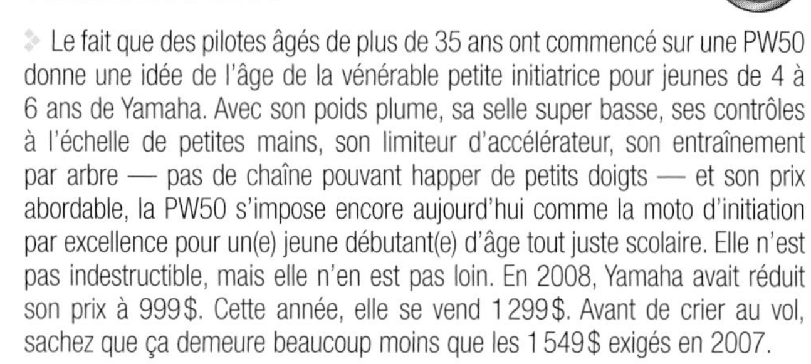

Le fait que des pilotes âgés de plus de 35 ans ont commencé sur une PW50 donne une idée de l'âge de la vénérable petite initiatrice pour jeunes de 4 à 6 ans de Yamaha. Avec son poids plume, sa selle super basse, ses contrôles à l'échelle de petites mains, son limiteur d'accélérateur, son entraînement par arbre — pas de chaîne pouvant happer de petits doigts — et son prix abordable, la PW50 s'impose encore aujourd'hui comme la moto d'initiation par excellence pour un(e) jeune débutant(e) d'âge tout juste scolaire. Elle n'est pas indestructible, mais elle n'en est pas loin. En 2008, Yamaha avait réduit son prix à 999$. Cette année, elle se vend 1 299$. Avant de crier au vol, sachez que ça demeure beaucoup moins que les 1 549$ exigés en 2007.

Moteur-refroidissement	monocylindre 2-temps de 49 cc – air
Transmission-embrayage	1 rapport – automatique
Cadre-roues avant/arrière	acier – 10 pouces / 10 pouces
Poids-selle-réservoir	37 kg - 485 mm – 2 litres
Prix-garantie	1 299$ - 90 jours

DOUBLE-USAGE

KTM 690 ENDURO R

L'une des grandes nouvelles chez KTM en 2011 est l'adoption d'une suspension arrière à biellettes sur les machines de motocross. C'est loin d'être une première chez la marque orange, puisque la 690 Enduro R est équipée d'une telle suspension depuis des années. Plus représentative de la classique grosse monocylindre double-usage à penchant routier que les 450 et 530EXC, la 690 n'affiche pas moins une forte affinité pour les grands espaces et le terrain meuble. Une coque porteuse en plastique renforcé combine le réservoir à essence, le cadre arrière, le garde-boue arrière et la boîte à air. Le moteur de 654 cc produit des chevaux «à la tonne» et se montre doux et agréable. Elle est un peu lourde, mais tout de même compétente en sentier.

Moteur-refroidissement	monocylindre 4-temps de 654 cc – liquide
Transmission-embrayage	6 rapports - manuel
Cadre-roues avant/arrière	acier – 21 pouces / 18 pouces
Poids-selle-réservoir	138,5 kg – 930 mm – 12 litres
Prix-garantie	11 398$ - 1 an ou 20 000 km

DOUBLE-USAGE

BMW G650GS

Vous vous souvenez des BMW G650 Xcountry, Xmoto et Xchallenge? Il y a quatre ans, ce trio de grosses monocylindres apprêtées à la sauce moderne a chassé la mono F650GS du catalogue BMW. Le concept derrière les X n'a toutefois pas fait fureur et dès 2010, le trio X au complet avait disparu du marché. BMW a donc ressorti des boules à mites son ancienne monocylindre F650GS la même année, modèle qui fut rebaptisé G650GS, puisque la désignation F650GS avait entre-temps été appliquée à une nouvelle moto propulsée par un bicylindre de 800 cc. Comme en 2007, la G650GS est avant tout une petite routière polyvalente pour amateurs de BMW. Le drapeau aventurier était porté par la version Dakar qui n'a pas été ressuscitée.

Moteur-refroidissement	monocylindre 4-temps de 652 cc – liquide
Transmission-embrayage	5 rapports - manuel
Cadre-roues avant/arrière	acier - 19 pouces / 17 pouces
Poids-selle-réservoir	175,4 kg - 780 mm – 17,3 litres
Prix-garantie	8 800$ - 3 ans/kilométrage illimité

DOUBLE-USAGE

HONDA XR650L

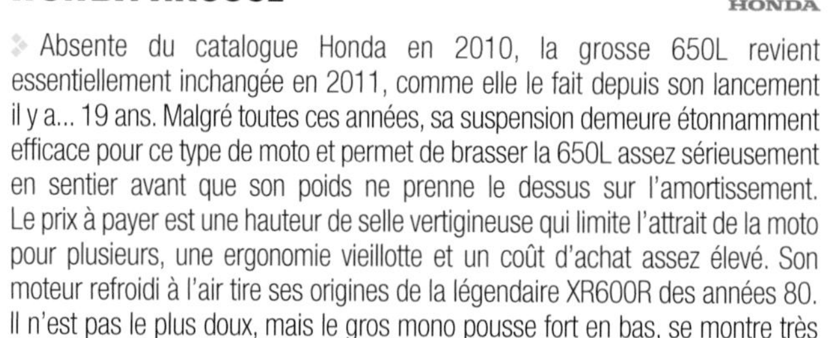

Absente du catalogue Honda en 2010, la grosse 650L revient essentiellement inchangée en 2011, comme elle le fait depuis son lancement il y a... 19 ans. Malgré toutes ces années, sa suspension demeure étonnamment efficace pour ce type de moto et permet de brasser la 650L assez sérieusement en sentier avant que son poids ne prenne le dessus sur l'amortissement. Le prix à payer est une hauteur de selle vertigineuse qui limite l'attrait de la moto pour plusieurs, une ergonomie vieillotte et un coût d'achat assez élevé. Son moteur refroidi à l'air tire ses origines de la légendaire XR600R des années 80. Il n'est pas le plus doux, mais le gros mono pousse fort en bas, se montre très fiable et est facile à lancer avec le démarreur électrique.

Moteur-refroidissement	monocylindre 4-temps de 644 cc – air
Transmission-embrayage	5 rapports - manuel
Cadre-roues avant/arrière	acier - 21 pouces / 18 pouces
Poids-selle-réservoir	147 kg - 940 mm – 10,5 litres
Prix-garantie	8199$ - 1 an/kilométrage illimité

DOUBLE-USAGE

KAWASAKI KLR650

Au fil de son quart de siècle d'existence, la KLR650 est devenue une véritable machine culte et un retentissant succès commercial. Réputée pour sa compétence générale et sa grande fiabilité, que ce soit pour se déplacer économiquement en ville ou pour partir en expédition autour du monde, la KLR est une machine abordable, simple et efficace qui n'a pas peur des kilomètres. Elle poursuit sa route sans changement notable pour 2011. Sa seule refonte importante remonte à 2008. Son robuste moteur a alors été révisé et est devenu plus doux et plus fort en couple. Une nouvelle suspension plus ferme, à débattement réduit, a amélioré son comportement sur la route. Côté hors-route, c'est comme toujours : la KLR est conçue pour passer, pas performer.

Moteur-refroidissement	monocylindre 4-temps de 651 cc – liquide
Transmission-embrayage	5 rapports - manuel
Cadre-roues avant/arrière	acier - 21 pouces / 17 pouces
Poids-selle-réservoir	175 kg - 890 mm – 22 litres
Prix-garantie	7149$ - 1 an/kilométrage illimité

DOUBLE-USAGE

SUZUKI DR650S

Lorsqu'elle a été lancée il y a une douzaine d'années déjà, la DR650S se voulait une grosse mono double-usage tout à fait classique affichant un penchant marqué pour le bitume. Puisqu'elle n'a pour ainsi dire pas changé depuis, la définition tient toujours. Plutôt légère pour une routière, la grosse DR se montre agile en ville et amusante à piloter vivement sur une petite route sinueuse tout en ayant le coffre pour attaquer une autoroute. Son moteur refroidi à l'air et à l'huile est assez fort en couple et relativement doux. La hauteur de selle raisonnable est un atout. Ses capacités hors-route, quoique réelles, demeurent limitées. Elle n'est pas très sophistiquée, mais son bas prix est vraiment intéressant pour une moto de ce calibre.

Moteur-refroidissement	monocylindre 4-temps de 644 cc – air et huile
Transmission-embrayage	5 rapports - manuel
Cadre-roues avant/arrière	acier - 21 pouces / 18 pouces
Poids-selle-réservoir	147 kg - 885 mm – 13 litres
Prix-garantie	6899$ - 1 an/kilométrage illimité

DOUBLE-USAGE

NOUVEAUTÉ

HUSQVARNA TE630 (TE511)

Ces deux grosses Husky double-usage sont aussi différentes que leurs vocations. Lancée l'an dernier, la TE630 est plus près de la grosse double-usage classique, même si elle affiche un penchant pour le côté poussiéreux de la force. Son gros mono de 600 cc est une version révisée du moteur 570 offert précédemment sur le marché européen. Il est alimenté par injection et est muni d'un double échappement à catalyseur. Toute nouvelle, la TE511 est pour sa part une machine d'enduro légale pour la route, comme les KTM EXC. Elle est basée sur la nouvelle TC449 de motocross et profite d'une version améliorée du moteur de la BMW G450X de l'an dernier. Elle est presque identique à la TE449, avec un moteur un peu plus gros, donc plus fort sur la route.

Moteur-refroidissement	monocylindre 4-temps de 600 (477) cc – liquide
Transmission-embrayage	6 rapports - manuel
Cadre-roues avant/arrière	acier - 21 pouces / 18 pouces
Poids-selle-réservoir	150 (113) kg - 945 (963) mm – 12 (8,5) litres
Prix-garantie	9799$ (9799$) – 6 mois ou 10 000 km

DOUBLE-USAGE

NOUVEAUTÉ

HUSQVARNA SM630 (SM511)

Husqvarna a une longue et riche tradition dans la compétition de catégorie supermoto. Ces versions supermoto des TE630 et TE511 décrites précédemment sont donc tout à fait dans la note. Lancée l'an dernier, la SM630 se veut avant tout, de l'avis du fabricant lui-même, une routière bien équipée pour une utilisation variée. C'est une moto confortable et dotée de repose-pieds pour un passager. Son moteur est fort en couple tout en offrant un rendement solide à haut régime. La SM511 est, quant à elle, nettement plus radicale et généralement plus performante. En fait, elle est basée d'assez près sur la toute nouvelle TC449 de motocross, avec une version plus grosse de l'ex-moteur de la BMW G450X dans un châssis léger, apprêté à la sauce supermoto.

Moteur-refroidissement	monocylindre 4-temps de 600 (477) cc – liquide
Transmission-embrayage	6 rapports - manuel
Cadre-roues avant/arrière	acier - 21 pouces / 18 pouces
Poids-selle-réservoir	158 (118) kg - 910 (915) mm – 12 (8,5) litres
Prix-garantie	9 799 $ (9 499 $) – 6 mois ou 10 000 km

DOUBLE-USAGE

APRILIA SVX 5.5

Possiblement la machine la plus « route » de cette section double-usage, l'Aprilia SVX 5.5 n'en demeure pas moins une moto conçue pour performer tant sur la terre que sur l'asphalte. Dérivée de près des célèbres machines de compétition supermoto de la firme italienne, la SVX est animée par un moteur bicylindre en V à 77 degrés, boulonné dans un cadre mixte en treillis et en aluminium, doté d'un bras oscillant massif pouvant accepter un pneu de 6,5 pouces de large. Les roues sont des 17 pouces en avant et en arrière. Le freinage est de qualité course, avec des étriers FTE à disques de 320 mm devant et un disque de 240 mm derrière. Le moteur injecté offre deux cartographies choisies par interrupteur au guidon.

Moteur-refroidissement	bicylindre 4-temps de 477 cc – liquide
Transmission-embrayage	5 rapports - manuel
Cadre-roues avant/arrière	acier - 17 pouces / 17 pouces
Poids-selle-réservoir	nd - 918 mm – 7,8 litres
Prix-garantie	11 495 $ - 6 mois

DOUBLE-USAGE

KTM 530EXC (450EXC)

Essentiellement des motos d'enduro rendues légales pour la route, ce duo dynamique de KTM a redéfini la catégorie double-usage en 2007. Elles ont maintenant de la concurrence, mais demeurent au haut de la liste. Elles combinent le moteur enduro à SACT et une partie cycle utilisée il n'y a pas si longtemps sur les modèles de motocross. La 450 et la 530 sont essentiellement identiques, exception faite des dimensions internes du moteur. La 530 jouit d'un avantage de puissance sur la route et de couple en sentier qui en font généralement une machine plus polyvalente et amusante. Mais pour le pilote surtout intéressé par le côté poussière de l'équation double-usage, la 450 est plus maniable en sentier et s'avère l'arme de choix.

Moteur-refroidissement	monocylindre 4-temps de 510 (449) cc – liquide
Transmission-embrayage	6 rapports - manuel
Cadre-roues avant/arrière	acier - 21 pouces / 18 pouces
Poids-selle-réservoir	114 (113,5) kg - 985 mm – 9 litres
Prix-garantie	10 569 $ (10 399 $) – 6 mois ou 10 000 km

DOUBLE-USAGE

SUZUKI DR-Z400S

Originalement conçue comme pure hors-route à suffixe R, la DR-Z400 a été modifiée en version double-usage S il y a des lunes. Longtemps considérée comme la plus hors-route des double-usage, elle a glissé au classement poussiéreux avec l'arrivée des plus radicales KTM EXC et, depuis peu, Husqvarna TE. Malgré cela, elle demeure un excellent choix pour celui qui cherche une machine double-usage compétente à tous les niveaux, à l'aise tant sur l'asphalte qu'en sentier. Elle combine un moteur qui sait se tirer d'affaire sur la route à une partie cycle suffisamment légère et maniable pour être amusante et efficace en sentier, surtout avec de meilleurs pneus. Plus agile que les 650 et plus puissante que les 250.

Moteur-refroidissement	monocylindre 4-temps de 398 cc - liquide
Transmission-embrayage	5 rapports - manuel
Cadre-roues avant/arrière	acier - 21 pouces / 18 pouces
Poids-selle-réservoir	132 kg - 935 mm – 10 litres
Prix-garantie	7 999 $ - 1 an/kilométrage illimité

DOUBLE-USAGE

SUZUKI DR-Z400SM

Suzuki a été le premier des grands japonais à s'intéresser officiellement au créneau supermoto en lançant sa DR-Z400SM en 2005. Essentiellement une DR-Z400S double-usage légèrement transformée par l'ajout de roues de 17 pouces, de pneus sport, d'un frein avant plus puissant et de réglages de suspension plus fermes, la SM s'est vite taillé une place limitée, mais appréciée, sur le marché. Comparée aux sportives classiques, sa minceur, sa légèreté et sa vivacité la placent dans une classe à part côté maniabilité. Son moteur relativement fort en couple est amusant dans la circulation ou pour s'extirper d'un virage serré, mais sa puissance demeure modeste pour une routière. Inchangée en 2011, la SM offre toujours un excellent rapport plaisir-prix.

Moteur-refroidissement	monocylindre 4-temps de 398 cc - liquide
Transmission-embrayage	5 rapports - manuel
Cadre-roues avant/arrière	acier - 17 pouces / 17 pouces
Poids-selle-réservoir	134 kg - 890 mm – 10 litres
Prix-garantie	8 399 $ - 1 an/kilométrage illimité

DOUBLE-USAGE

KAWASAKI KLX250S

Sa sœur plus basique, la Super Sherpa, n'est plus au catalogue, mais la KLX250S continue sa route en 2011. Lancée en 2008, cette dernière version de la KLX250 cultive un peu plus son jardin routier que l'édition précédente. Le cadre et la suspension ont ainsi été revus afin d'améliorer la stabilité et de réduire la hauteur de la selle. Confortable et efficace sur la route, la suspension se débrouille correctement en sentier, à condition de ne pas trop pousser l'allure. Le moteur est plaisant, privilégiant le couple à bas et moyen régimes, mais s'essouffle assez vite. Essentiellement inchangée depuis, la KLX est plus lente que la Suzuki DR-Z400S et moins sophistiquée que la Yamaha WR250R, mais elle coûte considérablement moins cher que celles-ci.

Moteur-refroidissement	monocylindre 4-temps de 249 cc – liquide
Transmission-embrayage	6 rapports - manuel
Cadre-roues avant/arrière	acier - 21 pouces / 18 pouces
Poids-selle-réservoir	119 kg - 884 mm – 7,2 litres
Prix-garantie	6 299 $ - 1 an/kilométrage illimité

DOUBLE-USAGE

YAMAHA WR250R

Même si elle rappelle la WR250F hors-route tant par son allure que par son appellation, la WR250R est une moto complètement différente. Lancée en 2008, elle est propulsée par un moteur alors inédit qui est logé dans son propre cadre en alu. L'alimentation est confiée à un système d'injection Mikuni et l'échappement est doté d'un catalyseur réduisant les émissions polluantes. Le moteur répond bien et se montre enthousiaste, surtout quand poussé à haut régime, mais sa petite cylindrée limite malheureusement sa puissance. La suspension à orientation hors-route, comme l'habillage et l'ergonomie, d'ailleurs, est assez évoluée et fonctionne plutôt bien. La technologie est là, mais le déficit de puissance, pour le même prix, fait bien paraître la DR-Z400S.

Moteur-refroidissement	monocylindre 4-temps de 249 cc – liquide
Transmission-embrayage	6 rapports - manuel
Cadre-roues avant/arrière	aluminium – 21 pouces / 18 pouces
Poids-selle-réservoir	125 kg - 930 mm – 7,6 litres
Prix-garantie	7 999 $ - 1 an/kilométrage illimité

DOUBLE-USAGE

YAMAHA WR250X

Comme le démontre de façon évidente sa photo, la WR250X est la version supermoto de la WR250R double-usage. Lancée en même temps que sa jumelle quasi identique, la version X se distingue surtout par ses roues de 17 pouces chaussées de pneus radiaux sport, par son frein avant plus puissant et par ses réglages de suspension raffermis. Très légère et super maniable, la WR250X est fort amusante dans la circulation, sur une petite route sinueuse et, pourquoi pas, une piste de karting. Mais encore plus que sur la version double-usage, la puissance somme toute modeste de son moteur de seulement 249 cc limite son attrait. Son côté bonbon technique (cadre alu, injection, suspensions sophistiquées...) est attrayant, mais 100 cc de plus ne nuiraient pas.

Moteur-refroidissement	monocylindre 4-temps de 249 cc – liquide
Transmission-embrayage	6 rapports - manuel
Cadre-roues avant/arrière	aluminium – 21 pouces / 18 pouces
Poids-selle-réservoir	136 kg - 895 mm – 7,6 litres
Prix-garantie	8 599 $ - 1 an/kilométrage illimité

DOUBLE-USAGE

YAMAHA XT250

Avec son moteur refroidi à l'air, son réservoir bombé et ses soufflets de fourche, la XT250 fait plus 1990 que 2000. Pourtant, elle a été lancée il y a seulement trois ans, en remplacement de la vénérable XT225, une double-usage tranquille et facile à apprivoiser, mais plutôt fade, lancée en 1992. La XT250 fait appel à de la technologie moderne, même si son moteur 4T à SACT et deux soupapes est refroidi à l'air pour des raisons de simplicité et de coût. Il fournit une plage de puissance satisfaisante pour une utilisation tranquille, mais on peut se demander pourquoi Yamaha n'a pas opté pour une cylindrée un peu plus forte, question d'amplifier le couple. La XT250 demeure agréable en promenade, en ville ou à la campagne, et son prix est dans le coup.

Moteur-refroidissement	monocylindre 4-temps de 249 cc – air
Transmission-embrayage	6 rapports - manuel
Cadre-roues avant/arrière	acier – 21 pouces / 18 pouces
Poids-selle-réservoir	123 kg - 810 mm – 9,8 litres
Prix-garantie	5899$ - 1 an/kilométrage illimité

DOUBLE-USAGE

HONDA CRF230L

En lançant sa CRF230L en 2008, Honda a effectué un retour remarqué, bien que peu spectaculaire, dans le créneau des petites double-usage 4T, une catégorie qu'il a jadis dominée, mais qu'il avait longtemps abandonnée. Son nom, son allure générale et son moteur refroidi à l'air de 223 cc rappellent la CRF230F hors-route, mais son cadre est différent et le débattement des suspensions est plus court, abaissant la selle de 56 mm. La CRF230L se veut d'abord une machine d'entrée de gamme, conçue pour être abordable et peu intimidante sur route comme en sentier. Le moteur à démarreur électrique se montre souple et peu gourmand, mais sa puissance est modeste. Sans surprise, la version typée supermoto à roues de 17 pouces, lancée en 2009, n'est plus offerte.

Moteur-refroidissement	monocylindre 4-temps de 223 cc – air
Transmission-embrayage	6 rapports - manuel
Cadre-roues avant/arrière	acier – 21 pouces / 18 pouces
Poids-selle-réservoir	121 kg - 810 mm – 8,7 litres
Prix-garantie	5899$ - 1 an/kilométrage illimité

DOUBLE-USAGE

SUZUKI DR200S

Le petit air vieillot de la DR200S ne ment pas: cette moto a du vécu. Le bon côté, c'est qu'elle est éprouvée et qu'elle est offerte à un prix qui en fait la plus abordable de toutes les motos à vocation route et sentier. C'est une machine peu évoluée et pas très performante, mais grâce à sa nature conviviale, elle demeure attrayante comme petite monture d'initiation et de promenade tranquille, sur route comme en sentier. Son petit monocylindre 4T refroidi à l'air est plutôt timide, mais grâce à la présence d'un démarreur électrique, il est toujours prêt à poursuivre. Relativement basse, peu intimidante, maniable et plutôt légère, la petite DR peut facilement initier un débutant à la route un jour, puis aux joies du hors-route le lendemain.

Moteur-refroidissement	monocylindre 4-temps de 199 cc – air
Transmission-embrayage	5 rapports - manuel
Cadre-roues avant/arrière	acier - 21 pouces / 18 pouces
Poids-selle-réservoir	113 kg - 810 mm – 13 litres
Prix-garantie	4999$ - 1 an/kilométrage illimité

DOUBLE-USAGE

YAMAHA TW200

Avec ses gros pneus rappelant vaguement ceux d'un VTT, l'énigmatique TW200 évolue dans son propre univers. Elle tire ses origines d'une moto hors-route des années 80 nommée BW200, équipée de deux gros pneus ballon à basse pression. La BW a connu une carrière brève et anonyme, mais envers et contre tous, la version double-usage de ce concept, la TW200 à gros pneus, a trouvé un marché sur la route. Basse et facile à apprivoiser avec son démarreur électrique, la TW est une machine d'initiation rassurante. Ses gros pneus ajoutent un effet coussin qui améliore légèrement le confort et dégagent sans doute un petit air réconfortant, mais côté efficacité, c'est discutable. Il y a une raison pour laquelle la TW est seule à rouler sur de tels beignets.

Moteur-refroidissement	monocylindre 4-temps de 196 cc – air
Transmission-embrayage	5 rapports - manuel
Cadre-roues avant/arrière	acier - 18 pouces / 14 pouces
Poids-selle-réservoir	118 kg - 780 mm – 7 litres
Prix-garantie	5199$ - 1 an/kilométrage illimité

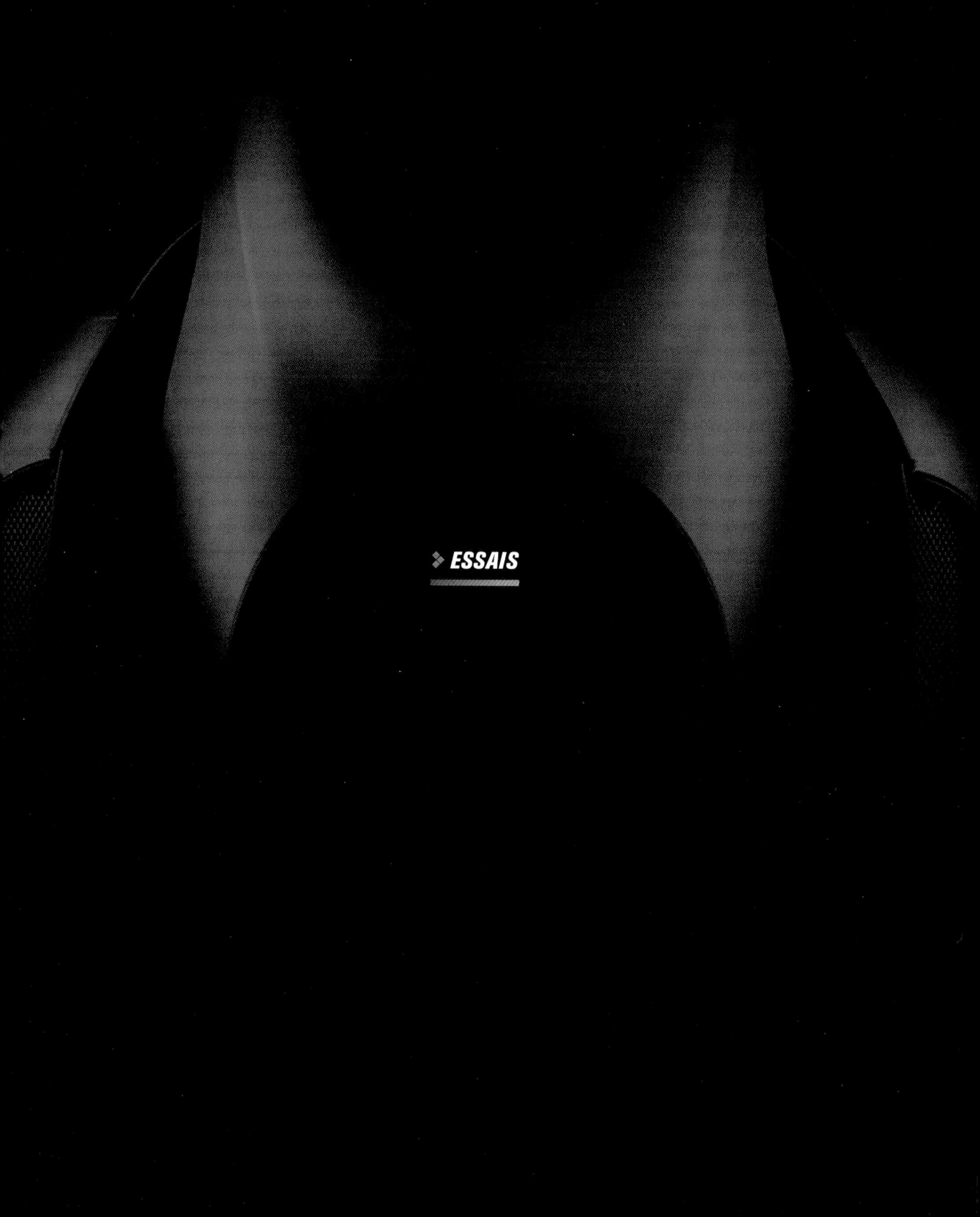

ESSAIS

CHAMPIONNE... //

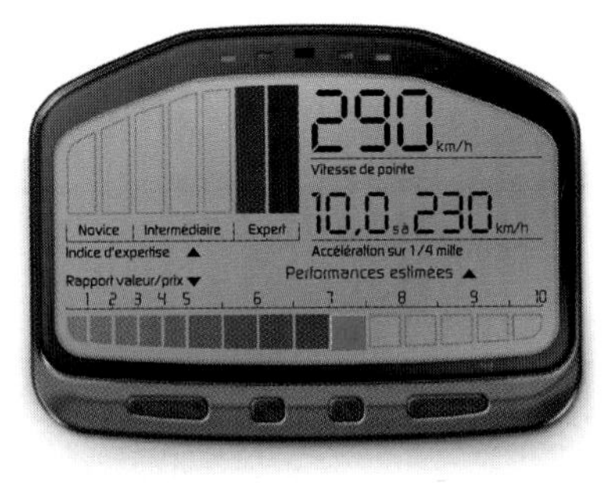

Dès sa première année sur le marché, la RSV4 a permis au pilote italien Max Biaggi de remporter le convoité titre mondial de Superbike, ce qui représente un exploit qui n'est certainement pas banal. Il s'agit de la remplaçante de la RSV1000 dont la production a aujourd'hui été arrêtée. Elle se distingue des autres montures de la catégorie que sont les GSX-R1000, ZX-10R, S1000RR et compagnie par ses proportions très compactes et, surtout, parce qu'elle est la seule qui est propulsée par un V4.

Technique

La RSV4 Factory APRC SE représente l'évolution de la RSV4 Factory présentée l'année dernière. Toutes les données techniques sont les mêmes, à une très importante exception près. En effet, la version 2011 est livrée avec un système que le constructeur italien appelle Aprilia Performance Ride Control, ou APRC. Il s'agit d'un système de gestion du comportement qui inclut le contrôle de traction, le contrôle de wheelie et le contrôle de l'accélération à partir d'un arrêt. À ce jour, cette quantité d'électronique embarquée est la plus grande sur une moto de production. Comme l'effet de toutes ces aides au pilotage peut considérablement changer le comportement de la moto par rapport à un modèle qui n'en est pas équipé, il ne serait pas étonnant que la version équipée de l'ARPC fasse preuve de différences notables avec la RSV4 originale. Comme c'est la coutume sur les versions Factory, des suspensions Öhlins font partie de l'équipement.

GÉNÉRAL

Catégorie	Sportive
Prix	26 495 $
Immatriculation 2011	1 425,55 $
Catégorisation SAAQ 2011	« à risque »
Évolution récente	introduite en 2010
Garantie	2 ans/kilométrage illimité
Couleur(s)	rouge, noir et vert
Concurrence	Honda CBR1000RR, Kawasaki Ninja ZX-10R, Suzuki GSX-R1000, Yamaha YZF-R1

MOTEUR

Type	bicylindre 4-temps en V à 65 degrés, DACT, 4 soupapes par cylindre, refroidissement par liquide
Alimentation	injection à 4 corps de 48 mm
Rapport volumétrique	13:1
Cylindrée	999,6 cc
Alésage et course	78 mm x 52,3 mm
Puissance	180 ch @ 12 250 tr/min
Couple	84,8 lb-pi @ 10 000 tr/min
Boîte de vitesses	6 rapports
Transmission finale	par chaîne
Révolution à 100 km/h	n/d
Consommation moyenne	n/d
Autonomie moyenne	n/d

PARTIE CYCLE

Type de cadre	périmétrique, en aluminium
Suspension avant	fourche inversée de 43 mm ajustable en précharge, compresion et détente
Suspension arrière	monoamortisseur ajustable en précharge, compresion et détente
Freinage avant	2 disques de 320 mm de Ø avec étriers radiaux à 4 pistons
Freinage arrière	1 disque de 220 mm de Ø avec étrier à 2 pistons
Pneus avant/arrière	120/70 ZR17 & 200/55 ZR17
Empattement	1 420 mm
Hauteur de selle	845 mm
Poids à vide	179 kg
Réservoir de carburant	17 litres

MAXI MOTARD... //

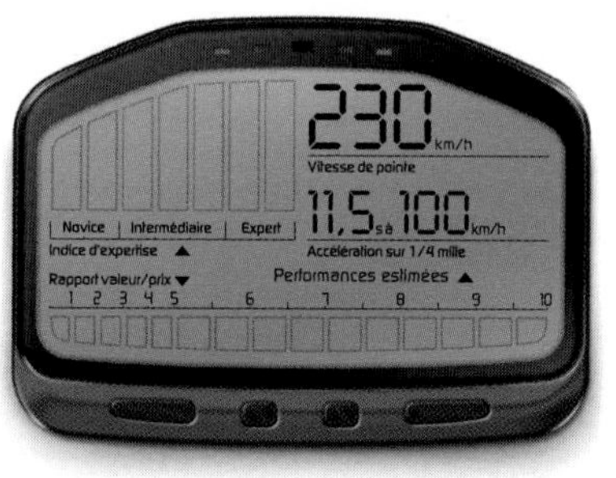

La Dorsoduro 1200 vient rejoindre en 2011 le modèle de 750cc du même nom dans la gamme Aprilia. Elle est propulsée par un tout nouveau V-Twin ouvert à 90 degrés que le constructeur annonce à 130 chevaux, ce qui devrait valoir des sensations plutôt fortes aux intéressés. Ni la KTM 990 Supermoto R ni la Ducati Hypermotard ne produisent une puissance aussi élevée. Notons qu'un sélecteur offrant le choix de trois cartographies de puissance fait partie de l'équipement de série. Comme c'est le cas chez ses rivales, la Dorsoduro affiche une partie cycle extrêmement sérieuse.

Technique

À un moment où certains des modèles rivaux ressentent un ralentissement des ventes dans ce créneau très particulier qu'est celui des modèles supermoto de forte cylindrée, il est un peu étrange de voir une compagnie venir s'y joindre. Une chose est sûre, ces montures n'ont pas été conçues pour les motocyclistes nord-américains, puisqu'il s'agit tout au plus d'une niche pour eux. Créneau populaire ou pas, la Dorsoduro 1200 est sérieusement construite et bénéficie d'une mécanique très puissante qui, en plus, vient tout juste d'être développée. Il s'agit d'un ensemble de caractéristiques qui devrait presque garantir aux acheteurs potentiels des sensations extrêmes.

GÉNÉRAL

Catégorie	Supermoto
Prix	13995$
Immatriculation 2011	NC - probabilité: 633,55$
Catégorisation SAAQ 2011	NC - probabilité: «régulière»
Évolution récente	introduite en 2011
Garantie	2 ans/kilométrage illimité
Couleur(s)	noir, blanc
Concurrence	Ducati Hypermotard 1100EVO KTM 990 Supermoto R

MOTEUR

Type	bicylindre 4-temps en V à 90 degrés, DACT, 4 soupapes par cylindre, refroidissement par liquide
Alimentation	injection à 2 corps
Rapport volumétrique	12,0:1
Cylindrée	1197 cc
Alésage et course	106 mm x 67,8 mm
Puissance	130 ch @ 8700 tr/min
Couple	84,8 lb-pi @ 7200 tr/min
Boîte de vitesses	6 rapports
Transmission finale	par chaîne
Révolution à 100 km/h	n/d
Consommation moyenne	n/d
Autonomie moyenne	n/d

PARTIE CYCLE

Type de cadre	treillis en aluminium et en acier
Suspension avant	fourche inversée de 43 mm ajustable en précharge, compresion et détente
Suspension arrière	monoamortisseur ajustable en précharge et détente
Freinage avant	2 disques de 320 mm de Ø avec étriers radiaux à 4 pistons
Freinage arrière	1 disque de 240 mm de Ø avec étrier à 1 piston
Pneus avant/arrière	120/70 ZR17 & 180/55 ZR17
Empattement	1528 mm
Hauteur de selle	870 mm
Poids à vide	n/d
Réservoir de carburant	15 litres

K1600GTL

NOUVEAUTÉ 2011

DEUX FOIS SIX... // Bien que la marque allemande ait toujours été associée avec le monde du tourisme, elle n'a jamais vraiment offert une monture de tourisme de luxe avant de présenter la K1200LT en 1999. Une rivale directe de la Honda Gold Wing, elle a bien servi le constructeur de Munich jusqu'à son retrait récent de la gamme. Des rumeurs à l'effet qu'une remplaçante à huit cylindres était en développement furent entendues, mais lorsque fut présenté l'an dernier le Concept 6, un prototype construit autour d'un «hypothétique» six-cylindres en ligne qui a d'ailleurs fait la couverture du Guide 2010, le type de mécanique auquel on devait s'attendre devenait très clair. Le choix d'un six-cylindres en ligne est d'autant plus logique qu'il est lié de manière très intime à l'histoire du constructeur allemand qui en produit pour ses voitures depuis plus de 70 ans.

Technique

Si une chose est immédiatement claire à propos de cette paire de nouvelles K1600GT et K1600GTL, c'est que ni l'une ni l'autre ne représente la remplaçante de la K1200LT. Ni l'une ni l'autre ne constitue non plus une rivale de la Honda Gold Wing. En fait, leur positionnement est plutôt très particulier, puisque la K1600GT, qui remplacerait logiquement la K1300GT, est considérablement plus massive que cette dernière alors que la GTL, elle, est nettement moins massive qu'une K1200LT ou qu'une Gold Wing. Il semblerait donc que BMW soit venu s'insérer entre les classes de tourisme de luxe et de sport-tourisme en termes de gabarit, ce qui est non seulement unique, mais très intrigant. Le résultat visé par le constructeur semble donc être celui d'offrir une genre de super sport-tourisme avec la GT et une sorte de version allégée et nettement plus dynamique d'une monture de tourisme de luxe avec la GTL.

LES K1600GT ET GTL PARTAGENT UNE BASE IDENTIQUE EN TOUS POINTS SAUF DEUX : L'ERGONOMIE ET L'ÉQUIPEMENT.

Ce positionnement apparaît très intelligent, puisque d'un côté, il dégage complètement la GTL de l'ombre de la Gold Wing en la déplaçant dans une nouvelle sous-catégorie où elle se retrouve toute seule, et de l'autre, parce que ce positionnement reflète beaucoup mieux les valeurs dynamiques de la marque allemande qu'une véritable concurrente de la Gold Wing ne le ferait.

Le cas de la K1600GT est très similaire, puisque cette dernière se distingue déjà complètement de tous les autres modèles de la classe, et ce, avant même d'avoir fait ses premiers tours de roues. Or, l'une des difficultés de la K1300GT était qu'elle peinait justement à se distinguer dans sa classe et qu'elle devait donc toujours justifier son prix plus élevé. Bref, personne ne se demandera pour quelle raison une K1600GT à six cylindres coûte plus cher qu'une FJR ou une Concours.

Les deux K1600 partagent une base en tous points identique, mais elles se distinguent à deux niveaux : l'ergonomie et l'équipement. La GTL étant la variante de tourisme, ses repose-pieds sont plus bas et plus avancés que ceux de la GT tandis que son guidon recule davantage vers le pilote que celui de la GT. Un siège monobloc équipe la GTL au lieu d'une selle en deux morceaux sur la GT. Enfin, la GTL est équipée d'un top case jouant aussi le rôle de dossier pour le passager. Tout le reste est identique.

Le moteur qui propulse les K1600GT et GTL est évidemment la pièce maîtresse du concept. Il s'agit d'un six-cylindres extrêmement compact, de seulement 55 cm de large tandis qu'il pèse à peine plus de 100 kilos. Sa puissance maximale est de 160 chevaux alors que, selon BMW, 70 pour cent du couple de 129 lb-pi serait disponible à partir d'à peine 1 500 tr/min.

En termes d'équipements, on s'en doute, toutes les technologies de BMW y passent. Freinage ABS Semi-Integral, ordinateur de bord à grand écran numérique, régulateur de vitesse, ajustement des suspensions ESA II, contrôle de traction, poignées et selles chauffantes, pare-brise étudié en soufflerie et à réglage électrique avec mémoire, système audio prêt pour accueillir un iPod, et la liste s'allonge. Le clou du spectacle au chapitre de l'équipement est toutefois le phare avant qui s'oriente en fonction de l'inclinaison afin d'illuminer les courbes la nuit.

La K1600GTL ne s'annonce pas comme une rivale directe de la Gold Wing en termes de masse et la K1600GT pourra enfin clairement se distinguer des autres sport-tourisme grâce à ses six cylindres. Il s'agit de positionnements très intelligents.

K1600GT

❖ *AIR DE FAMILLE*

Si la vue des toutes nouvelles K1600GT et GTL laisse percevoir un certain air de famille, c'est que celui-ci existe. Non seulement les suspensions Duolever à l'avant et Paralever à l'arrière sont des éléments connus, mais le type de cadre retenu est aussi très semblable à celui qui équipe les K1300S/R actuelles. Il ne s'agit toutefois pas du tout de la même pièce. Quant au six-cylindres de 1,6 litre, son architecture générale est proche de celle du quatre-cylindres de 1,3 litre des K1300 tandis que les deux partagent aussi la très particulière inclinaison forte vers l'avant des cylindres.

K1600GT

Voir légende en page 16

QUOI DE NEUF EN 2011 ?

Nouveaux modèles

PAS MAL

Des concepts dont le positionnement bouscule les normes tant chez les montures de tourisme de luxe que chez les sport-tourisme; il s'agit d'un pari audacieux et surtout très intéressant de la part de BMW

Une mécanique qui n'est pas que nouvelle, mais qui ouvre aussi la porte à un univers inédit de sensations moteur, puisqu'il y a une éternité qu'un constructeur n'a pas produit un six en ligne; celui-ci est en plus à la fine pointe

Une partie cycle similaire à celle des K1300 et construite avec rigueur ainsi qu'un niveau d'équipement très élevé dont les bénéfices en mode tourisme ne sont pas du tout difficiles à imaginer

BOF

Un positionnement intéressant, mais qui semble aussi un peu risqué; dans le cas de la K1600GTL, par exemple, les attentes normales sont celles d'un niveau de confort au moins aussi élevé que celui de l'ancienne K1200LT; or, il semble qu'on a davantage affaire à une K-GT avec un dossier de passager, ce qui est différent

Une mécanique complètement nouvelle et un niveau de technologie embarquée qui rivalise presque avec celui d'une voiture de luxe; on ne peut qu'espérer que BMW ait fait ses devoirs

Un poids qui est inférieur à la moyenne pour la GTL, mais qui s'avère au contraire supérieur à la norme pour la GT; or, les motos de cette classe sont déjà assez lourdes

Une différence de prix étonnamment grande entre ces modèles qui comptent pourtant de très nombreuses similitudes

CONCLUSION

Parce qu'elles bousculent l'ordre des choses dans leur catégorie, les nouvelles K1600 sont de très intéressantes nouveautés et des motos que nous attendons de pouvoir enfin piloter avec beaucoup d'intérêt. L'idée de se retrouver aux commandes d'une machine de tourisme beaucoup plus légère et agile que ne le veut la coutume dans cette classe, ce que semble offrir la K1600GTL, est effectivement très intrigante. Quant à celle de piloter une K-GT de sport-tourisme propulsée par une mécanique absolument unique, ce qui apparaît être la mission de la K1600GT, elle n'est certes pas désagréable non plus à envisager. Évidemment, l'attrait des deux versions est intimement lié à ce tout nouveau et extrêmement intéressant moteur qu'est le six-cylindres en ligne conçu spécifiquement pour ce projet. Certaines nouveautés se portent bien à la spéculation, mais pas celles-là, car ce que propose BMW est sans précédent.

K1600GT

GÉNÉRAL

Catégorie	Tourisme de luxe/Sport-Tourisme
Prix	GTL : 27 225 $; GT : 24 100 $
Immatriculation 2011	633,55 $
Catégorisation SAAQ 2011	« régulière »
Évolution récente	introduite en 2011
Garantie	3 ans/kilométrage illimité
Couleur(s)	GTL : argent, bleu GT : rouge, blanc
Concurrence	GTL : Honda Gold Wing GT : Kawasaki Concours 14, Yamaha FJR1300

MOTEUR

Type	6-cylindres en ligne 4-temps, DACT, 4 soupapes par cylindre, refroidissement par liquide
Alimentation	injection à 6 corps de 52 mm
Rapport volumétrique	12,2:1
Cylindrée	1 649 cc
Alésage et course	72 mm x 67,5 mm
Puissance	160,5 ch @ 7 750 tr/min
Couple	129 lb-pi @ 5 250 tr/min
Boîte de vitesses	6 rapports
Transmission finale	par arbre
Révolution à 100 km/h	n/d
Consommation moyenne	n/d
Autonomie moyenne	n/d

PARTIE CYCLE

Type de cadre	périmétrique, en aluminium
Suspension avant	fourche Duolever avec monoamortisseur non ajustable (ajustable avec l'ESA II optionnel)
Suspension arrière	monoamortisseur ajustable en précharge et détente (ajustable avec l'ESA II optionnel)
Freinage avant	2 disques de 320 mm de Ø avec étriers à 4 pistons et système ABS Semi Integral
Freinage arrière	1 disque de 320 mm de Ø avec étrier à 2 pistons et système ABS Semi Integral
Pneus avant/arrière	120/70 ZR17 & 190/55 ZR17
Empattement	1 618 mm
Hauteur de selle	GTL : 810/830 mm; GT : 750 mm
Poids tous pleins faits	GTL : 348 kg; GT : 319 kg
Réservoir de carburant	GTL : 24 litres; GT : 26,5 litres

UNITÉ DE MESURE... // Unique modèle de la très exclusive classe des machines de sport-tourisme qui n'a pas recours à un gros quatre-cylindres en guise de mécanique, mais plutôt à une version spécifiquement adaptée du Twin Boxer refroidi par air et huile du constructeur allemand, la R1200RT se veut un modèle d'efficacité. Légèrement revue l'an dernier, lorsqu'elle recevait une évolution du même moteur et un carénage redessiné, elle incarne l'esprit de la routière peut-être mieux que n'importe quelle autre deux-roues sur le marché. Beaucoup moins imposante que les purs modèles de tourisme que sont les Gold Wing et K1600GTL, bien plus adaptée aux longs trajets que même la meilleure routière sportive et un peu moins encombrante que ses rivales à quatre cylindres, elle est, d'une certaine façon, dans sa propre classe.

Tout, dans l'univers du tourisme sportif, est une affaire d'équilibre, de choix et de compromis entre la quantité d'équipements embarqués et l'encombrement du produit final. Le constructeur n'ayant pas assez de retenue et optant pour une liste d'accessoires trop longue terminera avec une machine très confortable, mais dont l'encombrement pénalisera inévitablement le côté sportif et agile de l'équation. À l'inverse, accentuer les performances au détriment de l'équipement nuira à l'agrément sur long trajet, ce qui illustre bien l'importance cruciale de ce fameux équilibre pour une monture de cette classe.

La R1200RT représente probablement le modèle pour lequel BMW a déployé le plus d'efforts de toute son histoire dans le but unique d'atteindre un équilibre parfait entre sport et tourisme. Parce qu'il réduit le poids de l'ensemble, le Twin Boxer de la RT représente un élément inhérent à l'atteinte de ce but. Il permet, par exemple, l'installation de plus d'équipements que sur n'importe quelle autre machine rivale sans que la masse affecte le comportement. Le pilote de la RT profite ainsi d'un véritable « cockpit » lui permettant de gérer le système audio, la hauteur et l'angle du pare-brise, les poignées et les selles chauffantes, le régulateur de vitesse, le système de navigation, les réglages des suspensions, et plus. Notons que certains de ces équipements représentent des options.

PLUS QUE POUR TOUT MODÈLE DE SON HISTOIRE, BMW A TENTÉ DE DONNER À LA RT UN ÉQUILIBRE PARFAIT ENTRE SPORT ET TOURISME.

Les performances de la R1200RT ne sont pas aussi élevées que celles des montures rivales à quatre cylindres. Il s'agit toutefois ici de l'un des rares cas où des performances légèrement moindres n'empêchent pas le plaisir de conduite de s'avérer supérieur, et ce, surtout pour les motocyclistes amateurs de caractère, puisqu'ils ne pourront qu'adorer le tempérament du Twin Boxer. Il s'agit d'une mécanique très attachante dont la sonorité feutrée et le doux tremblement agrémentent chaque instant de conduite. Également digne de mention est la souplesse exemplaire de ce moteur qui doit absolument figurer tout en haut de la liste des raisons pour lesquelles on devrait s'intéresser à une R1200RT. L'arrivée en 2010 d'une version de cette mécanique empruntée à la HP2 Sport en a encore adouci le fonctionnement en plus de légèrement améliorer le couple, la rapidité des montées en régimes et la sonorité, mais elle n'a ni transformé la nature de la R1200RT ni le niveau de performances de cette dernière. D'ailleurs, la transmission se montre encore parfois bruyante et l'agaçant jeu du rouage d'entraînement, qu'on ressent surtout à la fermeture et à l'ouverture des gaz sur les rapports inférieurs, est toujours aussi notable qu'auparavant.

La R1200RT se distingue également du reste de la classe au niveau de sa facilité de prise en main et de son agilité, puisqu'elle se manie avec plus d'aisance et de précision qu'on le croirait possible pour une machine de ce gabarit. La partie cycle est construite de manière très rigoureuse et propose un comportement solide et stable en toutes circonstances. Si une R1200RT ne peut évidemment pas rivaliser avec l'agilité pure d'une sportive pointue, il reste qu'avec un pilote enclin à explorer les limites remarquables de la partie cycle à ses commandes, le rythme et les inclinaisons peuvent atteindre des niveaux très impressionnants.

QUOI DE NEUF EN 2011 ?

Aucun changement

Coûte 250 $ de plus qu'en 2010

PAS MAL

Un niveau d'équipements parmi les plus complets et fonctionnels du marché

Une efficacité aérodynamique extrêmement poussée qui se traduit par un écoulement de l'air exempt de turbulences à toutes les vitesses; la R1200RT possède probablement le meilleur pare-brise de toute l'industrie de la moto

Un moteur dont le caractère est aussi unique que charmant et dont le niveau de performances suffit à divertir un pilote exigeant

Une partie cycle admirablement efficace dans toutes les circonstances, surtout lorsqu'il s'agit de rouler vite et longtemps

Une option très intéressante d'abaissement approuvée par l'usine

BOF

Un poids considérable; la R1200RT est une moto assez lourde qui demande une bonne attention dans les manœuvres lentes et serrées ou à l'arrêt

Une boîte de vitesses qui fonctionnait bien lorsqu'il s'agissait de passer les rapports en accélération, mais qui se montre parfois bruyante lors d'autres opérations

Un jeu excessif du rouage d'entraînement qui rend la conduite saccadée dans certaines circonstances, surtout en ouvrant et fermant les gaz à basse vitesse

Un système audio dont la qualité sonore est médiocre

CONCLUSION

Depuis la toute première version du modèle, la R-RT a établi un genre de barème de qualités et d'équilibre en matière de tourisme sportif qui est finalement devenu l'unité de mesure de la catégorie. Étrangement, elle a toujours été un peu tenue à l'écart de la classe en raison de sa mécanique à deux cylindres, ses rivales en ayant toutes quatre. La R1200RT, dont la révision de l'an dernier a encore peaufiné les qualités sans toutefois en transformer la nature, est effectivement la moins puissante de sa catégorie, mais la manière dont elle livre les chevaux qu'elle produit s'avère tellement plaisante et intelligente qu'une fois en route, toute différence en termes de performances devient le dernier des soucis du pilote et de son passager. Ceux-ci profitent plutôt d'un environnement qui doit être considéré comme le meilleur qui soit chez ces motos.

214 km/h
Vitesse de pointe

12,6 s à 174 km/h
Accélération sur 1/4 mille

Novice | Intermédiaire | Expert
Indice d'expertise

Rapport valeur/prix
1 2 3 4 5 6 7 8 9 10

Voir légende en page 16

GÉNÉRAL

Catégorie	Sport-Tourisme
Prix	20 450 $
Immatriculation 2011	633,55 $
Catégorisation SAAQ 2011	« régulière »
Évolution récente	introduite en 1996, revue en 2001, en 2005 et en 2010
Garantie	3 ans/kilométrage illimité
Couleur(s)	titane, noir, bleu, gris
Concurrence	Kawasaki Concours 14, Yamaha FJR1300

MOTEUR

Type	bicylindre 4-temps Boxer, DACT, 4 soupapes par cylindre, refroidissement par air et huile
Alimentation	injection à 2 corps de 47 mm
Rapport volumétrique	12,0:1
Cylindrée	1 170 cc
Alésage et course	101 mm x 73 mm
Puissance	110 ch @ 7 750 tr/min
Couple	88,5 lb-pi @ 6 000 tr/min
Boîte de vitesses	6 rapports
Transmission finale	par arbre
Révolution à 100 km/h	environ 3 200 tr/min
Consommation moyenne	5,9 l/100 km
Autonomie moyenne	423 km

PARTIE CYCLE

Type de cadre	treillis en acier, moteur porteur
Suspension avant	fourche Telelever de 41 mm non ajustable
Suspension arrière	monoamortisseur ajustable en précharge et détente
Freinage avant	2 disques de 320 mm de Ø avec étriers à 4 pistons et système ABS Semi Integral
Freinage arrière	1 disque de 265 mm de Ø avec étrier à 2 pistons et système ABS Semi Integral
Pneus avant/arrière	120/70 ZR17 & 180/55 ZR17
Empattement	1 485 mm
Hauteur de selle	820/840 mm
Poids tous pleins faits	259 kg
Réservoir de carburant	25 litres

K1300S

SŒURS AU GROS CŒUR... // Partageant une base en tous points identique depuis leur révision de 2009, la sportive K1300S et la standard K1300R font partie des modèles les plus puissants et les plus rapides de leur catégorie respective, un fait dû aux quelque 175 chevaux générés par leur gros quatre-cylindres de 1,3 litre. Il s'agit néanmoins, dans les deux cas, de routières accomplies dont le comportement est digne de l'excellente réputation du constructeur allemand en matière de machines de route. Elles sont aussi de dignes BMW en termes de technologie embarquée, puisqu'elles peuvent être équipées de l'ABS, de l'antipatinage, de l'ajustement électronique des suspensions et d'un sélecteur de vitesses assisté, entre autres. La variante S possède quelques rivales, mais la R a très peu de concurrence directe. Il faudrait quelque chose comme une VFR1200F «naked» pour y arriver...

On pourrait résumer de manière assez juste la nature de ces sœurs germaniques en disant que ni l'une ni l'autre ne fait dans la dentelle. Elles sont longues, grosses et plutôt massives pour des montures de nature sportive, surtout à l'arrêt, mais ne semblent aucunement gênées par ces proportions généreuses. Se distinguant par l'angle très incliné des cylindres, la mécanique qui les anime est une interprétation moderne du bon vieux quatre-cylindres en ligne de fort cubage. Grâce aux quelque 175 chevaux dont profite chacune des versions, les performances sont époustouflantes et figurent parmi les plus élevées du marché pour chacune des catégories respectives des modèles. Outre des accélérations absolument grisantes, c'est surtout le couple qui étonne tellement il est élevé et accessible à partir de régimes bas, juste comme on l'aime en pilotage quotidien.

L'AJUSTEMENT ÉLECTRONIQUE DES SUSPENSIONS, L' ESA II, EST TRÈS PRATIQUE ET BIEN PLUS QU'UN GADGET.

Sans que ce soit du tout leur mission première, tant la K1300S que la R se veulent, en quelque sorte, des vitrines technologiques pour BMW, un fait surtout lié à la grande quantité de particularités techniques qui les définissent. L'excellent ABS Semi Integral est à la fois presque complètement transparent et très performant, arrivant à immobiliser la S comme la R avec aplomb et puissance. Les systèmes de suspensions alternatifs que sont le Duolever à l'avant et le Paralever à l'arrière restent uniques à BMW et fonctionnent sans le moindre reproche. L'ajustement électronique des suspensions, dans ce cas le ESA II de seconde génération, représente probablement le genre de technologie qui sera un jour très répandu tellement il est logique et pratique. Même la boîte de vitesses a son gadget, une assistance électrique permettant de monter les rapports sans l'embrayage. Non seulement on s'y attache après s'y être habitué, mais elle camoufle aussi complètement la rudesse de la transmission des modèles 1200 précédents. La seule exception à l'aspect positif de ce débordement de technologie est un système appelé Automatic Stability Control qui se sert des données recueillies par les capteurs de l'ABS pour détecter un patinage de l'arrière en calculant la différence de vitesse entre les roues avant et arrière, en accélération. Ça fonctionne, mais pas toujours bien. Par exemple, la coupure de puissance est beaucoup trop rude lorsqu'une glissade du pneu arrière, même légère, est détectée. Le système réagit également de façon perfectible lorsque le pneu avant quitte le sol en pleine accélération, ce qui arrive presque inévitablement sur le premier rapport, surtout sur la R dont l'avant est plus léger. La roue avant tournant à ce moment plus lentement que la roue arrière, l'ASC coupe la puissance de manière tout aussi rude, ce qui jette l'avant par terre, en pleine accélération. Comme la puissance est instantanément rétablie dès que la roue avant touche le sol, celle-ci se soulève à nouveau, et ainsi de suite. Décidément perfectible.

Outre ce côté irritant de l'ASC, on saisit éventuellement que la combinaison de toute cette technologie et du côté puissant, mais commun des K1300 est exactement ce qui fait leur charme. Il s'agit de la version moderne des motos qu'on roulait autrefois, des motos confortables et pratiques avec de gros moteurs et de généreuses dimensions. Un genre de motos qui s'est malheureusement éteint.

QUOI DE NEUF EN 2011 ?

Aucun changement

Aucune augmentation

PAS MAL

Un moteur extrêmement puissant, mais aussi très coupleux dans les bas régimes utilisés au jour le jour

Une tenue de route solide et précise qui permet de s'amuser dans une enfilade de virages et de prendre plaisir à avaler une longue courbe rapide, ainsi qu'un niveau d'agilité qui surprend compte tenu du gabarit assez imposant des deux variantes

Un sélecteur de vitesses assisté qui fonctionne très bien et qui semble camoufler le problème du passage de vitesses rude des 1200 précédentes

Un niveau de confort qui n'est pas mauvais du tout

BOF

Un comportement qui se dégrade si l'on exagère et qu'on les traite comme des sportives pures; leur tenue de route est excellente, mais les lois de la physique continuent de s'appliquer quand même

Un système antipatinage ASC à revoir, puisqu'il fonctionne parfois de manière très abrupte, surtout lors de fortes accélérations

Une facture assez élevée dans le cas de la K1300R, du moins par rapport à ce que coûtent les modèles rivaux

Une identité un peu confuse dans le cas de la K1300S qui, d'un côté, semble vouloir se mesurer aux modèles de très hautes performances que sont les Hayabusa et ZX-14 et de l'autre, affiche une apparence relativement sobre et presque routière

CONCLUSION

Tant qu'on n'envisage pas de les utiliser d'une manière qui ne correspond pas à leur nature, les deux K1300 de BMW représentent des machines plutôt intéressantes. La S est un monstre de puissance qui ne traîne pas trop loin derrière les Hayabusa et compagnie, ce qui n'est pas peu dire. Elle propose néanmoins un côté routier qui la positionne bien plus proche de la nouvelle VFR1200F, ce qui est aussi un très beau compliment à l'égard de l'allemande. Quant à la R, on ne lui trouve presque pas d'équivalent sur notre marché, puisqu'il s'agit d'une standard avec un cœur exceptionnellement gros et dont le niveau de confort élevé rend la conduite quotidienne très plaisante. Toutes deux offrent par ailleurs une série de technologies alternatives qui permettent d'expliquer le prix d'entrée.

K1300R

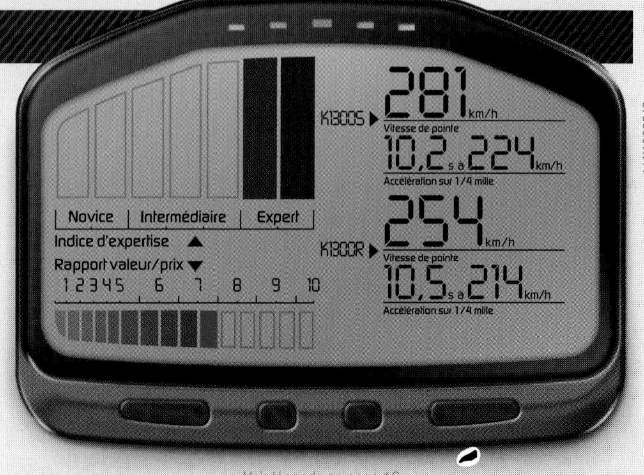

Voir légende en page 16

GÉNÉRAL

Catégorie	Routière Sportive/Standard
Prix	K1300S: 16 990$; K1300R: 16 850$
Immatriculation 2011	K1300S: 1 425,55$; K1300R: 633,55$
Catégorisation SAAQ 2011	K1300S: «à risque»; K1300R: «régulière»
Évolution récente	introduites en 2005, revues en 2009
Garantie	3 ans/kilométrage illimité
Couleur(s)	K1300S: gris, bleu, rouge K1300R: gris, vert, noir
Concurrence	K1300S: Honda VFR1200F, Kawasaki Ninja ZX-14, Suzuki GSX1300R Hayabusa K1300R: Kawasaki Z1000, Triumph Speed Triple

MOTEUR

Type	4-cylindres en ligne 4-temps, DACT, 4 soupapes par cylindre, refroidissement par liquide
Alimentation	injection à 4 corps de 46 mm
Rapport volumétrique	13,0:1
Cylindrée	1 293 cc
Alésage et course	80 mm x 64,3 mm
Puissance	175 ch (R: 173 ch) @ 9 250 tr/min
Couple	103 lb-pi @ 8 250 tr/min
Boîte de vitesses	6 rapports
Transmission finale	par arbre
Révolution à 100 km/h	environ 3 800 tr/min
Consommation moyenne	6,7 l/100 km
Autonomie moyenne	283 km

PARTIE CYCLE

Type de cadre	périmétrique, en aluminium
Suspension avant	fourche Duolever avec monoamortisseur non ajustable (ajustable avec l'ESA II optionnel)
Suspension arrière	monoamortisseur ajustable en précharge et détente (R: en précharge et compression)
Freinage avant	2 disques de 320 mm de Ø avec étriers à 4 pistons et système ABS Semi Integral
Freinage arrière	1 disque de 265 mm de Ø avec étriers à 2 pistons et système ABS Semi Integral
Pneus avant/arrière	120/70 ZR17 & 190 (R:180) /55 ZR17
Empattement	1 585 mm
Hauteur de selle	820 mm (790 mm avec selle basse optionnelle)
Poids tous pleins faits	254 kg (R: 243 kg)
Réservoir de carburant	19 litres

POINT TOURNANT... // Propulsée par un quatre-cylindres incroyablement puissant, dotée d'une partie cycle non seulement à la fine pointe de la technologie en matière de sportives pures, mais aussi admirablement bien maniérée et bénéficiant d'excellents systèmes électroniques d'aide au pilotage, la BMW S1000RR représente peut-être la plus grande surprise de l'histoire récente chez ces motos. Contre toute attente, elle a, en effet, complètement écrasé les joueurs nippons, eux qu'on croyait pourtant absolument intouchables dans cette classe qui leur était d'ailleurs exclusive jusqu'à l'arrivée de la BMW. Comme s'il craignait que le niveau de performances supérieur de la S1000RR ne soit pas suffisant pour garantir son succès, le constructeur allemand s'est assuré qu'aucun argument financier ne puisse être utilisé contre elle en lui donnant un prix concurrentiel. Une garantie de 3 ans avec ça?

Pour les constructeurs japonais, les impacts de la S1000RR sont nombreux et profonds. Il n'existe aucun moyen de le dire plus gentiment, ils ont été vaincus, et ce, dans LA catégorie où tout le monde, nous y compris, les croyait complètement invincibles. À ce niveau, elle se veut donc à la fois un affront, une leçon d'humilité et un immense défi pour Honda, Kawasaki, Suzuki et Yamaha. Il aurait été très possible que la BMW arrive à ce résultat par «chance», en frappant une année où aucun des constructeurs ne présentait une nouvelle 1000. Mais ce scénario semble beaucoup moins crédible en 2011, alors que la seule nouveauté annoncée dans ce créneau, la ZX-10R, pourrait à la rigueur être considérée comme l'équivalente de l'allemande en termes de technologie embarquée et d'efficacité autour d'un circuit. Le fait est que l'allemande n'a pas seulement frappé durant une année lente chez les japonais, elle l'a aussi fait durant une période où les ressources des constructeurs nippons sont mises à rude épreuve. La suite des événements dans ce créneau sera extrêmement intéressante, puisqu'il en va, jusqu'à un certain point, de la réputation des japonais, un aspect que ces manufacturiers prennent extrêmement au sérieux. Mais d'ici là, la S1000RR continue d'incarner la machine de ce type la plus puissante qu'on puisse acheter, et ce, facilement. Il va de soit qu'un circuit, et un long, est absolument nécessaire pour faire l'expérience de cette supériorité, car sur la route, dans un contexte légal, la plus grande différence entre l'allemande et ses rivales est sa ligne asymétrique. Nous exagérons peut-être un peu, mais la réalité reste quand même très proche ce cette affirmation. De retour sur piste, la supériorité de la BMW devient évidente à tous les égards. La puissance, par exemple, est fabuleuse, formidable. La S1000RR possède à la fois la capacité d'accélérer de manière furieuse et celle de paraître totalement calme et posée en le faisant. Il s'agit d'un outil de vitesse de la plus belle et de la plus pure espèce, d'une machine conçue non seulement pour boucler des tours rapides, mais aussi, et surtout, pour maîtriser la vitesse. Sur papier, les 193 chevaux annoncés ne représentent pas un avantage marqué sur les puissances que génèrent les machines japonaises, mais sur le terrain, la supériorité de l'allemande est ahurissante. En pleine accélération, là où une 1000 japonaise se «contente» d'accélérer, la S1000RR se soulève, puis est ramenée au sol grâce à son système anti-wheelie, puis se soulève encore. À l'exception de la nouvelle ZX-10R qui affiche un comportement semblable, la BMW est à ce point dominante face aux 1000 classiques en ligne droite.

À PLEINS GAZ, LÀ OÙ UNE 1000 JAPONAISE SE «CONTENTE» D'ACCÉLÉRER, LA S1000RR SE SOULÈVE.

Les qualités de la S1000RR s'étendent aussi jusqu'à son châssis et aux aides électroniques au pilotage, puisque leur combinaison permet à toute cette puissance d'être passée au sol de façon à la fois extrêmement efficace et étonnamment civilisée. L'antipatinage, dont le degré d'intervention peut être ajusté à la volée selon quatre réglages différents, permet littéralement d'enrouler complètement les gaz en pleine inclinaison, tandis qu'un système ABS très avancé et conçu pour la conduite sur piste donne à des pilotes de tous calibres la capacité d'effectuer des ralentissements d'une force ahurissante.

QUOI DE NEUF EN 2011 ?

Aucun changement

Coûte 350 $ de plus qu'en 2010

PAS MAL

Une réalisation extrêmement impressionnante de la part de BMW dont la réputation vient de sérieusement s'élever; il a tout simplement changé le monde des sportives

Un comportement exceptionnel en piste; même les pilotes les plus rapides n'ont que de bons mots pour elle dans l'environnement du circuit

Un moteur qui n'est peut-être pas un monstre de couple à bas régime, mais qui s'avère fabuleux entre les mi-régimes et la zone rouge où l'accélération est furieuse

Une garantie de 3 ans sans limite de kilométrage

Une accessibilité de pilotage remarquable en raison des superbes manières du châssis, mais aussi grâce à l'ABS de course et au contrôle de traction

BOF

Une certaine nervosité de direction lorsque l'avant retombe au sol à haute vitesse, ce qui pointerait vers la nécessité d'un amortisseur de direction plus évolué

Un freinage qui perd un peu de son endurance après des heures en piste

Une puissance disponible surtout à haut régime, comme pour le reste de la classe

Un niveau de performances tellement élevé qu'une utilisation routière « légale » n'apporte qu'un plaisir très limité par rapport au plein potentiel de la moto

Des aides électroniques qui doivent être bien comprises et bien utilisées afin que leurs apports au pilotage s'avèrent positifs

CONCLUSION

Durant chaque entrée de courbe, chaque choix de ligne, chaque correction de trajectoire, chaque freinage et chaque accélération représentant un tour de piste, la S1000RR se montre sublime, majestueuse, exceptionnelle, incroyable. La réalité, c'est que son arrivée a fait reculer les sportives japonaises rivales d'une bonne génération. La preuve, un an plus tard, la toute nouvelle ZX-10R représente une concurrente pour la S1000RR, mais elle ne la relègue certainement pas au niveau de bonne deuxième. Quant aux autres modèles... Afin de confirmer tout ce que nous avions conclu dans l'environnement contrôlé du lancement officiel du modèle, nous avons remis la S1000RR en piste à deux reprises en 2010, une fois à Mosport face à une Aprilia RSV4 Factory et autre une fois à Calabogie à l'occasion d'un comparatif organisé par le site motoplus.ca et qui incluait aussi une Honda CBR1000RR, une KTM RC8R et une Ducati 1198. La BMW n'a pas dominé tous les modèles à tous les niveaux, mais de manière générale, elle a quand même absolument confirmé son statut de leader chez les 1000 classiques.

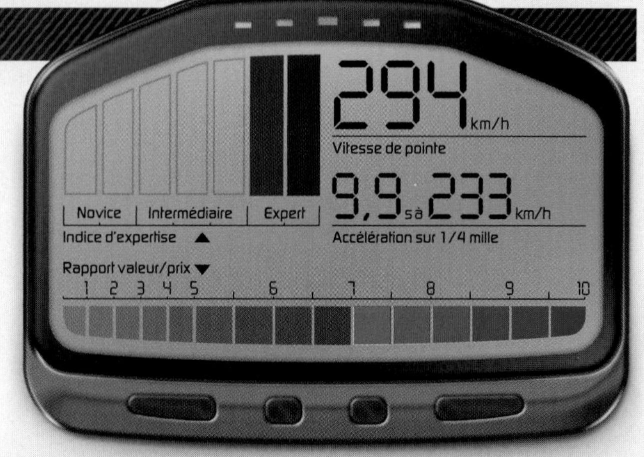

Voir légende en page 16

GÉNÉRAL

Catégorie	Sportive
Prix	17 650 $
Immatriculation 2011	1 425,55 $
Catégorisation SAAQ 2011	« à risque »
Évolution récente	introduite en 2010
Garantie	3 ans/kilométrage illimité
Couleur(s)	jaune, noir, bleu et blanc, gris
Concurrence	Honda CBR1000RR, Kawasaki Ninja ZX-10R, Suzuki GSX-R1000, Yamaha YZF-R1

MOTEUR

Type	4-cylindres en ligne 4-temps, DACT, 4 soupapes par cylindre, refroidissementpar liquide
Alimentation	injection à 4 corps de 48 mm
Rapport volumétrique	13,0:1
Cylindrée	999 cc
Alésage et course	80 mm x 49,7 mm
Puissance	193 ch @ 13 000 tr/min
Couple	83 lb-pi @ 9 750 tr/min
Boîte de vitesses	6 rapports
Transmission finale	par chaîne
Révolution à 100 km/h	environ 4 200 tr/min
Consommation moyenne	6,3 l/100 km
Autonomie moyenne	277 km

PARTIE CYCLE

Type de cadre	périmétrique, en aluminium
Suspension avant	fourche inversée de 46 mm ajustable en précharge, compression et détente
Suspension arrière	monoamortisseur ajustable en précharge, compression et détente
Freinage avant	2 disques de 320 mm de Ø avec étriers radiaux à 4 pistons et systèmes ABS et DTC
Freinage arrière	1 disque de 220 mm de Ø avec étrier à 1 piston et systèmes ABS et DTC
Pneus avant/arrière	120/70 ZR17 & 190/55 ZR17
Empattement	1 432 mm
Hauteur de selle	820 mm
Poids tous pleins faits	206,5 kg
Réservoir de carburant	17,5 litres

MODÈLE RÉDUIT... // Tous les motocyclistes avides de route et de confort ne veulent pas nécessairement débourser plus de 20 000 $ pour une 1400 tout équipée et tous ne veulent pas non plus avoir à se contenter d'une cylindrée aussi petite que 600 cc, même si un tel choix coupait la facture en deux. Avec un niveau d'agilité semblable, voire supérieur à celui de petits modèles japonais comme la Suzuki GSX650F et une mécanique de 800 cc juste assez grosse pour divertir une clientèle relativement avancée, la F800ST de BMW représente l'une des très rares options dans ce format. En fait, à l'exception possible de la nouvelle Yamaha Fazer 8, on ne trouve rien de directement concurrent sur le marché. Seule monture du constructeur ayant recours à un entraînement final par courroie, elle peut être équipée de l'ABS et d'une série d'équipements de tourisme en option.

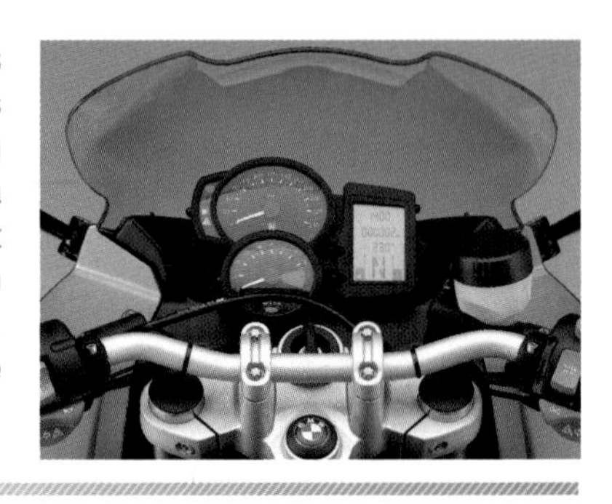

Les motocyclistes cherchant à faire tourner les têtes trouveront très facilement plus efficace que la sympathique, mais très sobre BMW F800ST. L'aspect discret du modèle ne l'empêche pas, toutefois, de réserver l'une des propositions les plus particulières du marché en matière de routières sportives. Propulsée par un bicylindre parallèle de 800 cc nettement plus intéressant que les mécaniques de 600 ou 650 cc des quelques produits similaires et affichant des dimensions beaucoup plus accessibles que celles de routières sportives de plus grosse cylindrée, la F800ST affiche un très intéressant format.

D'abord vendue aux côtés d'une version S un peu plus sportive qui n'est aujourd'hui plus offerte au Canada, la F800ST se veut une monture légère, compacte et étonnamment mince dont l'appétit pour les routes sinueuses n'a d'égale que son aisance à les négocier. En fait, même si la ST n'a décidément rien d'une machine de course, elle étonne franchement en offrant une qualité de tenue de route qui la rend tout à fait capable de boucler des tours de piste. Dotée d'une agilité très impressionnante et offrant une facilité de pilotage déconcertante, il s'agit d'un excellent outil d'initiation à la conduite sportive.

LÉGÈRE, COMPACTE ET ÉTONNAMMENT MINCE, ELLE FAIT PREUVE D'UN GRAND APPÉTIT POUR LES ROUTES SINUEUSES.

Dans la besogne quotidienne, cette nature se traduit par une grande légèreté de direction et par le genre d'aisance à s'engager en virage qui rend ce type d'exercice très plaisant. En pleine inclinaison, le solide châssis se montre précis et communicatif tandis que l'excellent système de freinage peut être couplé, en option, à l'ABS. Grâce à tous ces facteurs, la F800ST devient une monture capable de faire sérieusement sourire son pilote sur une route sinueuse, et ce, sans égard au niveau d'expérience de ce dernier.

Une bonne partie du grand agrément de pilotage de la F800ST est attribuable au vigoureux Twin parallèle qui l'anime. Même si sa puissance de 85 chevaux n'a rien de très impressionnant selon les normes sportives — et même routières sportives — actuelles, la réalité est qu'on se surprend à ne rien réclamer de plus tellement les chevaux et le couple disponibles sont bien exploités. À bas et moyen régimes, la poussée est si bonne qu'elle permet de se faire plaisir sans devoir grimper dans les tours, ce qui n'empêche pas l'accélération d'être agrémentée d'un amusant punch à l'approche de la zone rouge. Les vibrations ne gênent jamais tandis que l'entraînement final par courroie fait de la F800ST l'une des rares BMW qui ne sont pas affectées par un agaçant jeu dans le rouage d'entraînement, une qualité qui rend son pilotage d'autant plus plaisant.

La F800ST fait honneur à la réputation de BMW en matière de montures à l'aise sur long trajet puisque le confort qu'elle offre est très respectable. La position de conduite est compacte et relevée, les suspensions sont admirablement bien calibrées et la selle, sans qu'elle soit exceptionnelle, reste confortable même après plusieurs heures de route. D'autres éléments comme un pare-brise offrant une bonne protection au vent et des poignées chauffantes installées de série ne font que renforcer ce point. BMW offre d'ailleurs plusieurs équipements optionnels qui la rendent encore plus apte aux voyages.

QUOI DE NEUF EN 2011 ?

Aucun changement

Coûte 50$ de plus qu'en 2010

PAS MAL

Une tenue de route superbe; la F800ST est extrêmement agile, précise et facile à piloter dans un contexte sportif qui peut aller de la route sinueuse jusqu'à une séance en piste, où elle pourrait d'ailleurs laisser perplexe bien des proprios de sportives

Un format pratiquement unique sur le marché pour ce type de routière sportive

Un bon niveau de confort permettant d'envisager de parcourir véritablement de bonnes distances

Une option d'abaissement considérable de la selle offerte par BMW

BOF

Un prix relativement élevé qui place la F800ST non seulement nez à nez avec des routières de bien plus grosse cylindrée, comme la GSX1250FA ou la Honda CBF1000, mais qui l'amène aussi dangereusement près de la facture de modèles supérieurs; elle devrait coûter moins cher

Un niveau de performances amusant, mais seulement pour les motocyclistes capables d'apprécier les avantages du format compact du modèle; pour les amateurs de machines de sport-tourisme de gros calibre, elle est probablement inappropriée

Une ligne qui n'a rien de laid ou de dérangeant, mais qui est anonyme et ne génère que très peu d'émotions chez les observateurs; de nombreux modèles de la gamme allemande révèlent clairement que BMW pourrait faire beaucoup mieux à ce chapitre

CONCLUSION

La présence de la F800ST sur le marché n'est étonnamment pas le fruit d'un effort délibéré de la part de BMW, puisqu'elle n'est en fait qu'un produit à saveur routière dérivé de la F800S plus sportive dévoilée en 2007. Tout aussi agile que la S, mais nettement plus confortable et pratique, la ST s'est immédiatement définie comme la plus populaire des deux, du moins sur notre marché où elle est aujourd'hui la seule version offerte. La F800ST est destinée aux motocyclistes intéressés soit par une routière sportive agile, compacte et sans prétention —autre que celle d'être une BMW...—, soit à ceux qui recherchent une monture capable de tourisme sportif dans un format beaucoup moins encombrant que les «vrais» modèles du genre. Il s'agit d'une charmante petite moto qui n'a de véritable défaut qu'une facture trop élevée. Elle devrait logiquement être plus basse. La F800R, qui est techniquement presque sa jumelle, est d'ailleurs bien moins chère.

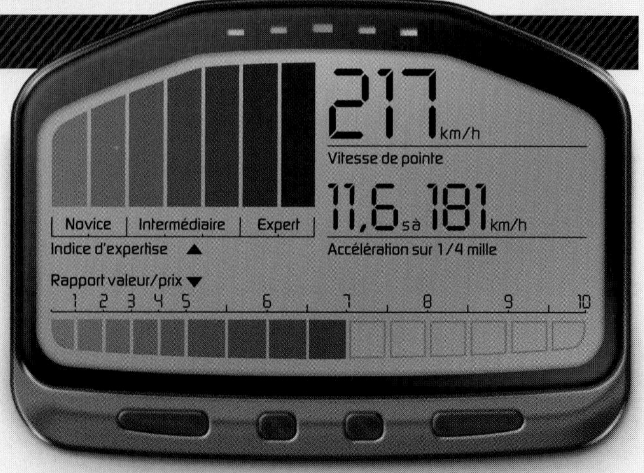

Voir légende en page 16

GÉNÉRAL

Catégorie	Routière Sportive
Prix	12550$
Immatriculation 2011	633,55$
Catégorisation SAAQ 2011	«régulière»
Évolution récente	introduite en 2007
Garantie	3 ans/kilométrage illimité
Couleur(s)	noir, gris
Concurrence	Suzuki GSX650F, Yamaha Fazer 8

MOTEUR

Type	bicylindre parallèle 4-temps, DACT, 4 soupapes par cylindre, refroidissement par liquide
Alimentation	injection à 2 corps de 46 mm
Rapport volumétrique	12,0:1
Cylindrée	798 cc
Alésage et course	82 mm x 75,6 mm
Puissance	85 ch @ 8000 tr/min
Couple	63,4 lb-pi @ 5800 tr/min
Boîte de vitesses	6 rapports
Transmission finale	par courroie
Révolution à 100 km/h	environ 3500 tr/min
Consommation moyenne	5,6 l/100 km
Autonomie moyenne	285 km

PARTIE CYCLE

Type de cadre	périmétrique, en aluminium
Suspension avant	fourche conventionnelle de 41 mm non ajustable
Suspension arrière	monoamortisseur ajustable en précharge
Freinage avant	2 disques de 320 mm de Ø avec étriers à 4 pistons
Freinage arrière	1 disque de 265 mm de Ø avec étrier à 1 piston
Pneus avant/arrière	120/70 ZR17 & 180/55 ZR17
Empattement	1466 mm
Hauteur de selle	820 mm
Poids tous pleins faits	209 kg
Réservoir de carburant	16 litres

R1200R Classic

RÉVISION 2011

À DÉCOUVRIR ABSOLUMENT... // Le côté émotif de la moto n'est pas toujours bénéfique, puisqu'il pousse régulièrement les acheteurs à faire leur choix principalement en fonction d'un style. Or, celui-ci leur plaît souvent tellement qu'ils s'avouent prêts à accepter les désavantages liés à certains types de montures, comme une sportive pure ou une custom extrême. Le problème de cette attitude c'est que les modèles affichant un style plus sobre comme la R1200R passent souvent inaperçus, et ce, même si ces mêmes acheteurs vivraient probablement une révélation en en prenant les commandes. Entièrement renouvelée en 2007, elle gagnait alors 24 chevaux et perdait 20 kilos par rapport à sa sympathique devancière, la R1150R. Pour 2011, le modèle évolue en adoptant la mécanique de la HP2 Sport, exactement comme l'ont fait les R1200GS et R1200RT l'an dernier.

Les motocyclistes ont très souvent tendance à juger les modèles en se basant sur l'emballage. On devine qu'une sportive sera rapide et inconfortable, qu'une custom sera coupleuse et décontractée et qu'une moto comme la R1200R sera pratique et équilibrée. Mais l'expérience que réserve la standard de BMW au pilote qui l'enfourche va bien au-delà de la simple efficacité. En l'allégeant et en la tonifiant comme il l'a fait lors de sa récente refonte de 2007, le constructeur l'a transformée en véritable machine à sensations.

L'un des plus grands attraits du modèle est le Twin Boxer qui l'anime, puisqu'il s'agit d'un pur délice mécanique. Grondant juste assez pour rappeler qu'il ne s'agit pas d'un moteur commun et tremblant juste ce qu'il faut en pleine accélération pour chatouiller les sens, il s'adoucit presque complètement à vitesse constante, que ce soit en ville ou sur autoroute, au point d'en devenir velouté.

LA R1200R AFFICHE UNE STABILITÉ ABSOLUE, PEU IMPORTE LES CIRCONSTANCES.

Exceptionnellement souple, il accepte sans broncher d'accélérer sur tous les rapports supérieurs à partir de régimes aussi bas que 1 500 tr/min. Dans la majorité des situations, le couple qu'il génère entre le ralenti et 4 500 tr/min s'avère plus que suffisant. Mais faites monter les tours jusqu'à la zone rouge qui passe à 8 500 tr/min cette année et il accélérera avec assez d'intensité pour soulever l'avant. Sans qu'elle ait la capacité de générer des accélérations époustouflantes, la R1200R reste ainsi suffisamment rapide pour distraire et amuser un pilote très expérimenté. Elle offre l'une des livrées de couple et de puissance les plus réussies et intelligentes du motocyclisme. L'un des rares défauts de ce moteur se situe au niveau du rouage d'entraînement qui est encore et toujours affligé de cet agaçant jeu malheureusement présent sur bien des BMW et qu'on ressent surtout à la fermeture/ouverture des gaz sur les premiers rapports. Le passage au moteur de la HP2 Sport cette année raffine un peu la sonorité et améliore la rapidité des montées en régimes, mais il ne transforme pas la moto.

La R1200R affiche une stabilité absolue, peu importe les circonstances. Une direction légère, mais jamais nerveuse ainsi qu'une magnifique impression de solidité et de précision en pleine inclinaison sont autant de qualités qui en font un outil aussi redoutable qu'agréable sur une route sinueuse. Les suspensions ont une grande part de responsabilité dans ce beau comportement, puisqu'elles se montrent à la fois assez souples pour offrir un excellent niveau de confort sur une route en mauvais état et capables de supporter un rythme plutôt rapide dans une série de virages. Si le freinage offre une puissance importante, il se montre quelque peu difficile à moduler avec précision en raison de sa nature « tout ou rien ».

Bien que le niveau de confort diminue à mesure que la vitesse augmente en raison de l'absence de protection au vent, cet aspect reste tolérable tant qu'on demeure autour des limites légales. Grâce à une position de conduite droite et naturelle ainsi qu'à une selle excellente sur tous les parcours, sauf les plus longs, la R1200R se montre par ailleurs capable d'abattre d'impressionnantes distances sans le moindre problème.

QUOI DE NEUF EN 2011 ?

Moteur emprunté à la HP2 Sport; silencieux plus court et valve d'échappement améliorant la sonorité

Nouvelle instrumentation; diverses pièces redessinées

Variante Classic avec roues à rayons et peinture spéciale

R1200R coûte 150 $ de plus qu'en 2010

PAS MAL

Un Twin Boxer génial qui se montre non seulement merveilleusement doux et coupleux, mais aussi étonnamment rapide; le passage au moteur de la HP2 raffine le tout d'un autre cran

Une tenue de route exceptionnelle; la R1200R est assez stable, précise et agile pour impressionner les connaisseurs les plus difficiles

Un niveau de confort élevé qui découle d'une position joliment équilibrée, de suspensions judicieusement calibrées et d'une très bonne selle

BOF

Une ligne élégante et classique, mais certes pas spectaculaire; ceux qui choisissent la R1200R ne le font pas pour faire tourner les têtes; cela dit, force est d'admettre que la version Classic est particulièrement chic

Une transmission qui fonctionne correctement, mais qui a une nature bruyante pas toujours flatteuse lors de certaines opérations

Un rouage d'entraînement affligé d'un jeu qui rend la conduite saccadée à basse vitesse sur les rapports inférieurs

Un système de freinage très efficace, mais qui n'est pas le plus communicatif qui soit

CONCLUSION

La sobriété de la ligne de la R1200R ne le laisse pas prévoir, mais il s'agit d'une monture remarquable. Légère, précise, agile, confortable, rapide, coupleuse et merveilleusement caractérielle, elle propose à son pilote de vivre l'expérience de la conduite d'une moto à son état le plus pur. Une expérience qui est d'ailleurs intimement liée à la nature et à la présence mécanique très particulière de l'emblématique Twin Boxer qui l'anime. Ses multiples qualités lui donnent le potentiel de plaire à un grand nombre de motocyclistes, mais ce sont les connaisseurs friands de mécaniques hors normes qui l'apprécieront le plus. Sans l'ombre d'un doute, l'une des motos les plus plaisantes et les plus équilibrées du marché.

R1200R Classic

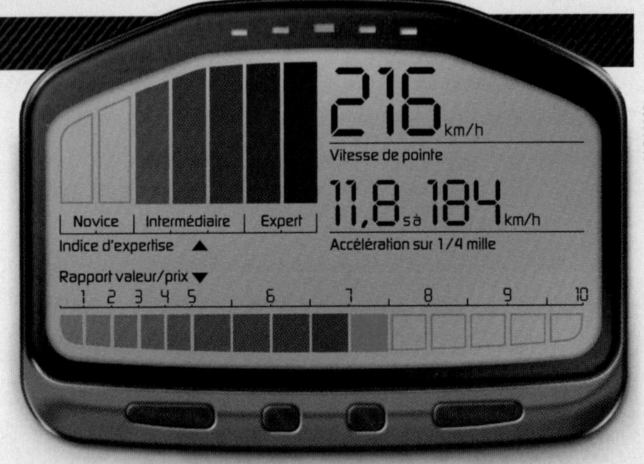

Voir légende en page 16

GÉNÉRAL

Catégorie	Standard
Prix	15 100 $
Immatriculation 2011	633,55 $
Catégorisation SAAQ 2011	« régulière »
Évolution récente	introduite en 1995, revue en 2001, en 2007 et en 2011
Garantie	3 ans/kilométrage illimité
Couleur(s)	charbon, argent, rouge, noir
Concurrence	Ducati Monster 1100, Triumph Speed Triple

MOTEUR

Type	bicylindre 4-temps Boxer, DACT, 4 soupapes par cylindre, refroidissement par air et huile
Alimentation	injection à 2 corps de 50 mm
Rapport volumétrique	12,0:1
Cylindrée	1 170 cc
Alésage et course	101 mm x 73 mm
Puissance	110 ch @ 7 750 tr/min
Couple	87,8 lb-pi @ 6 000 tr/min
Boîte de vitesses	6 rapports
Transmission finale	par arbre
Révolution à 100 km/h	environ 3 400 tr/min
Consommation moyenne	5,7 l/100 km
Autonomie moyenne	316 km

PARTIE CYCLE

Type de cadre	treillis en acier, moteur porteur
Suspension avant	fourche Telelever de 41 mm non ajustable
Suspension arrière	monoamortisseur ajustable en précharge et détente
Freinage avant	2 disques de 320 mm de Ø avec étriers à 4 pistons
Freinage arrière	1 disque de 265 mm de Ø avec étrier à 2 pistons
Pneus avant/arrière	120/70 ZR17 & 180/55 ZR17
Empattement	1 495 mm
Hauteur de selle	800 mm
Poids tous pleins faits	223 kg
Réservoir de carburant	18 litres

LA BONNE AFFAIRE... // Présentée l'an dernier, la F800R est le cinquième modèle développé à partir de la plateforme F800 lancée par BMW en 2007. Elle suit donc les S et ST originales et les 650 et 800GS introduites en 2008. Reprenant le cadre et le bicylindre parallèle Rotax des S/ST, la R se distingue surtout de ces dernières, d'un point de vue technique, par sa fourche plus costaude, son bras oscillant double branche plutôt que monobranche et son entraînement final par chaîne plutôt que par courroie. Offerte pour environ 10 000 $, elle représente une bonne valeur, puisqu'il s'agit d'une somme assez proche de celle que les japonais demandent pour des modèles de plus petite cylindrée. Fait intéressant, la F800R est la monture utilisée par le cascadeur professionnel Chris Pfeiffer pour effectuer ses inimaginables spectacles.

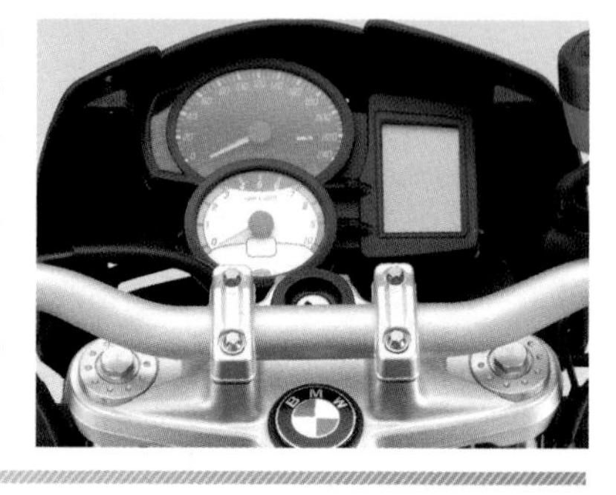

En marge de ses prestations sur la route, la F800R possède un côté très particulier, puisqu'il s'agit probablement de la première moto de route officiellement liée au milieu des cascades professionnelles à moto. Comme plusieurs compagnies l'ont fait ces dernières années, BMW a choisi d'engager un cascadeur, dans ce cas Chris Pfeiffer, pour effectuer des spectacles et amuser les foules partout à travers le monde aux commandes d'une moto de Munich. Or, toutes les incroyables figures réalisées par Pfeiffer le sont sur une F800R. BMW offrait d'ailleurs l'an dernier une édition spéciale à cette occasion.

S'il s'agit d'une intéressante parenthèse, il reste que la F800R est avant tout une petite routière dont l'arrivée en 2010 était assez prévisible, puisqu'elle complète la famille F800 en lui amenant un membre «naked». Il s'agit donc de l'équivalent de la K1300R chez les K1300 et de la R1200R chez les R1200.

Comme c'est le cas avec la plupart des autres montures de la série F de BMW, la F800R se trouvait l'an dernier dans une classe où elle avait relativement peu de concurrence directe. Mais le créneau 800 semble en plein essor et cette situation est actuellement en train de changer avec l'arrivée d'une Monster 796 de Ducati et d'une FZ8 de Yamaha. Jusqu'à un certain point, la Street Triple de Triumph se veut aussi une rivale de la F800R.

Très mince sous le pilote, relativement basse de selle et assez compacte, surtout au niveau des jambes, la F800R rend instantanément à l'aise grâce à son gabarit minimaliste et à sa position de conduite à la fois relevée et dominante.

SON AGILITÉ EST EXCEPTIONNELLE ET ELLE ENCAISSE SANS BRONCHER UNE ENFILADE DE COURBES PRISES À FOND DE TRAIN.

Sur la route, on met très peu de temps à se rendre compte des raisons pour lesquelles BMW l'a choisie comme base pour une moto destinée à réaliser des cascades d'une difficulté extrême. La F800R fait partie de ces montures qui vous donnent l'impression de pouvoir accomplir n'importe quoi, de ces motos sur lesquelles vous êtes convaincus d'arriver à toujours vous tirer d'affaire. Son niveau d'agilité est extrêmement élevé et la partie cycle encaisse les abus sans broncher, peu importe qu'il s'agisse d'une enfilade de courbes prises à fond de train ou d'une quelconque cascade, pour ceux qui en ont le talent. Solidité et précision en courbe tout comme puissance et facilité de modulation du freinage sont dans toutes les circonstances excellentes.

La F800R n'est pas du tout une mauvaise routière. L'exposition au vent sur l'autoroute est évidemment considérable, mais ça reste tolérable, surtout compte tenu du fait que le vent qui frappe le casque est complètement exempt de turbulences. C'est toutefois en ville que la plus petite des BMW de type R semble se retrouver dans son élément, puisque c'est dans ce genre d'environnement que toutes ses qualités ressortent. La très grande agilité permise par le poids faible et la minceur de l'ensemble ainsi que le bon couple généreusement distribué sur la plage de régimes du Twin parallèle se combinent pour en faire une arme urbaine pratiquement idéale. Le confort s'avère meilleur dans ce genre de conduite réalisée sur des distances relativement courtes que sur de longs trajets, où l'on découvre une selle qui n'est pas la meilleure qui soit.

QUOI DE NEUF EN 2011 ?

Aucun changement

Coûte 110$ de plus qu'en 2010

PAS MAL

Un ensemble qui séduit immédiatement par son format léger, mince et compact, et dont l'agilité est telle qu'elle donne l'impression de pouvoir tout faire

Une mécanique qui ne mérite pratiquement que des compliments, puisque sa puissance est intelligemment produite et que même sa sonorité n'est pas désagréable du tout à écouter; on a par ailleurs affaire à un moteur nettement plus intéressant qu'un Twin de 650 cc, puisqu'un pilote expérimenté s'en satisfait

Une valeur élevée provenant d'un ensemble sur lequel rien n'est réalisé de manière économique et d'un niveau de performances très correct, le tout étant offert pour un prix très raisonnable

BOF

Une puissance suffisante pour pleinement satisfaire les pilotes amateurs de machines compactes et légères, mais qui pourrait être juste pour les plus gourmands

Un entraînement final par chaîne et un bras oscillant double branche qui auraient pu être remplacés par la courroie sans entretien et le très désirable bras monobranche de la F800ST; d'un autre côté, ces ajouts feraient grimper le prix

Une ergonomie qui pourrait paraître serrée pour les pilotes grands en raison de la courte distance séparant la selle des repose-pieds et qui coince leurs jambes

Une exposition totale au vent dont on doit être conscient à l'achat, puisqu'elle limite le niveau de confort sur l'autoroute

CONCLUSION

La F800R fait partie de ces motos qu'on sent abouties dès les premiers tours de roues et sur lesquelles on trouve immédiatement beaucoup à aimer et très peu à critiquer. Les intéressés doivent avant tout réaliser que malgré le lien de famille visuel avec la K1300R, il ne s'agit pas du tout d'une machine s'adressant à la même clientèle, puisque celle-ci trouvera le niveau de performances de la 800 anémique. Mais pour les motocyclistes qui arrivent à se passer de 175 chevaux, tout particulièrement ceux qui apprécient les qualités d'une monture mince et agile, le niveau de puissance du Twin parallèle ne devrait pas causer de problèmes. Une chose est certaine, on est loin des prestations et du caractère bien plus timides d'une 650 japonaise, mais on reste étonnamment près en termes de coût, ce qui fait décidément de la F800R une bonne affaire.

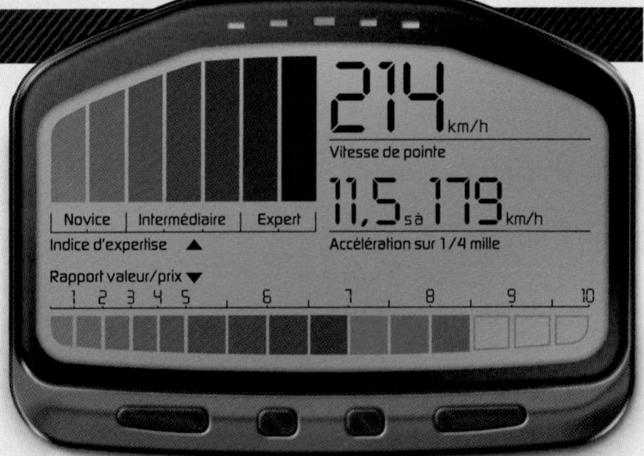

Voir légende en page 16

GÉNÉRAL

Catégorie	Standard
Prix	10 100 $
Immatriculation 2011	633,55 $
Catégorisation SAAQ 2011	« régulière »
Évolution récente	introduite en 2010
Garantie	3 ans/kilométrage illimité
Couleur(s)	jaune, blanc, gris, bleu et blanc
Concurrence	Ducati Monster 796, Triumph Street Triple, Yamaha FZ8

MOTEUR

Type	bicylindre parallèle 4-temps, DACT, 4 soupapes par cylindre, refroidissement par liquide
Alimentation	injection à 2 corps de 46 mm
Rapport volumétrique	12,0:1
Cylindrée	798 cc
Alésage et course	82 mm x 75,6 mm
Puissance	87 ch @ 8 000 tr/min
Couple	63,4 lb-pi @ 6 000 tr/min
Boîte de vitesses	6 rapports
Transmission finale	par courroie
Révolution à 100 km/h	environ 4 000 tr/min
Consommation moyenne	5,8 l/100 km
Autonomie moyenne	276 km

PARTIE CYCLE

Type de cadre	périmétrique, en aluminium
Suspension avant	fourche conventionnelle de 43 mm non ajustable
Suspension arrière	monoamortisseur ajustable en précharge et détente
Freinage avant	2 disques de 320 mm de Ø avec étriers à 4 pistons
Freinage arrière	1 disque de 265 mm de Ø avec étrier à 1 piston
Pneus avant/arrière	120/70 ZR17 & 180/55 ZR17
Empattement	1 520 mm
Hauteur de selle	800 mm
Poids tous pleins faits	199 kg
Réservoir de carburant	16 litres

R1200GS Adventure accessoirisée

CONQUISTADOR... // Compte tenu de la nature aventurière de la R1200GS, l'allusion aux explorateurs qu'étaient les conquistadors est particulièrement appropriée, mais le parallèle avec ces derniers va encore plus loin. En effet, selon BMW, la R1200GS est LE modèle de sa gamme qui réussit plus que n'importe quel autre à «voler» des clients aux autres marques, particulièrement dans les créneaux sportif et custom. D'où l'importance pour la compagnie allemande de maintenir la grosse GS à son plus haut niveau de compétitivité, ce qu'elle faisait d'ailleurs l'an dernier en lui apportant nombre d'améliorations, la plus importante étant l'adoption du moteur de la HP2 Sport. Une version Adventure équipée, entre autres, d'un réservoir d'essence surdimensionné, de suspensions à plus grand débattement et d'une selle plus rembourrée est toujours offerte.

Les bonnes motos abondent ces jours-ci, mais la vénérable R1200GS fait partie d'une rare race de produits qui sont simplement supérieurs, merveilleusement à point, presque intouchables. Elle représente un immense succès pour BMW, ce qui a poussé nombre de marques à tenter d'imiter la formule inventée par la grosse aventurière allemande. Certains, dont KTM avec sa 990 Adventure et Yamaha avec sa nouvelle Super Ténéré, arrivent même à des résultats tout à fait décents, voire impressionnants à certains égards. Toutefois, cette sensation de machine aboutie qui semble si évidente sur la GS, tout comme cette sérénité presque absolue dont elle fait preuve dans une variété tellement large de conditions, sont absentes sur toutes les rivales. En fait, et c'est probablement là la plus grande preuve de la nature extraordinairement polyvalente de la GS, c'est que chaque fois que nous en reprenons les commandes, elle nous étonne plus. À ce moment précis, durant les tout premiers instants de conduite, et ce, peu importe les motos roulées précédemment, nous sommes inévitablement et invariablement de nouveau surpris par la qualité de l'expérience, par la cohérence du tout qu'est la GS, par la sensation d'unité, d'efficacité et d'harmonie qui se dégage de cet ensemble de pièces. Aucune autre moto n'a la capacité de passer de la terre à la route asphaltée, du voyage à la randonnée sportive ou même aux déplacements urbains de manière si naturelle et transparente.

N'EN DÉPLAISE AUX FIERS PROPRIÉTAIRES, LA VERSION ADVENTURE N'EST PAS UNE MEILLEURE MOTO HORS-ROUTE QUE LA GS DE BASE.

S'il est un genre d'environnement où la GS n'échappe toutefois pas aux lois de la physique, c'est en pilotage hors-route extrême, où son poids et sa hauteur demandent un degré d'expérience extraordinaire pour être maîtrisés. Cela dit, grosse ou pas, même en terrain très abîmé, la GS surprend en arrivant toujours à passer, et ce, surtout si elle est chaussée de pneus appropriés pour ce type de conduite. Notons que la version Adventure est un véritable monstre dans de telles circonstances et qu'elle ne constitue tout simplement pas une meilleure moto hors-route que la 1200GS, et ce, n'en déplaise aux fiers propriétaires. La sérénité de la grosse GS refait néanmoins surface dès que l'on s'en tient à des routes non pavées en terre ou en gravier. Assis bien droit sur une excellente selle, profitant de l'étonnante protection au vent générée par l'un des rares pare-brise ne causant pas de turbulences et choyé par l'action stupéfiante des suspensions tant à haute vitesse que sur des routes sans le moindre revêtement, aux commandes de la GS, on plane.

Les belles qualités de l'allemande dépassent l'environnement poussiéreux et se retrouvent toutes une fois de retour sur les chemins pavés, une transition que l'ajustement électronique des suspensions Enduro ESA facilite grandement en permettant de varier les réglages grâce à la simple poussée d'un bouton. Notons qu'il s'agit d'une option.

Le généreux couple et le caractère charmeur du moteur Boxer font partie intégrante de l'attrait du modèle. Montant en régime légèrement plus vite et produisant une sonorité plus propre depuis l'évolution de 2010, ce moteur est un exemple de souplesse et propose une puissance qui, sans être immense, suffit amplement à amuser en plus de correspondre parfaitement à la nature du modèle.

› LE CALME AVANT LA TEMPÊTE...

Même si la R1200GS n'était qu'une évolution du modèle précédent, BMW a tenu à organiser un spectaculaire lancement en son honneur dans le parc national de Yosemite en Californie. Alors que le photographe Kevin Wing demande à l'auteur de bien vouloir prendre la pose prévue, ce dernier est plutôt préoccupé par un douteux nuage. Il avait raison de l'être, puisque la suite des événements allait prendre une tournure sérieusement différente de l'image qu'on a habituellement d'une randonnée dans un parc national américain.

32 DEGRÉS

Les panoramas féeriques de Yosemite, un itinéraire prévoyant des sentiers de tous calibres, des photographes réputés et une quantité incroyable de R1200GS toutes chaussées de pneus à crampons... BMW avait décidément choisi de faire les choses en grand pour lancer sa GS révisée. Ni le personnel de l'organisation ni un seul des journalistes invités n'avaient toutefois la moindre idée de l'aventure —c'est le cas de le dire— qui les attendait. Quelques instants après avoir quitté la séance de photos de la page précédente, une pluie diluvienne se mit à tomber. Et quelques instants après que l'indicateur de température ambiante de la GS se mit à clignoter en affichant 32 degrés Fahrenheit, cette pluie se transforma de façon instantanée en un mur de neige. Le groupe s'arrêta, puis, après une brève discussion et la constatation que la neige s'accumulait au sol à vue d'œil, décida de rentrer à l'hôtel. Le trajet devait normalement prendre une heure et l'espoir était qu'en descendant à une altitude plus faible, la neige se transformerait en pluie. Quelques très glissants kilomètres plus loin, roulant toujours sur un tapis de neige de plus en plus épais, nous sommes arrêtés par un Park Ranger. Une voiture a glissé, a touché un camion et est sortie de route. L'homme est dans tous ses états et nous informe que la route est bloquée à tous véhicules sans pneus à chaînes. Mais monsieur... Il est intransigeant et nous prévient même de cesser de défier son autorité. Nous n'avons d'autre choix que de faire demi-tour. Nous devrons maintenant faire le tour entier de la montagne pour nous retrouver à quelques kilomètres de notre lieu actuel. Un peu plus bas, la neige devient pluie et le groupe s'arrête de nouveau. La majorité —des Californiens...— décident qu'ils en ont assez et un autobus est appelé pour les ramener à l'hôtel. Avec un guide et un petit groupe, je décide de continuer à rouler. Deux «experts» de hors-route choisissent de traverser la montagne par les sentiers pour arriver plus vite. Au moment de quitter la scène le lendemain, ils n'avaient toujours pas été revus. Après la chute d'un journaliste et quatre interminables heures de route dans les conditions les plus difficiles que j'ai jamais vues, nous arrivons enfin à destination, de nouveau dans la neige. Plusieurs d'entre nous frôlent l'hypothermie. Malgré tout, la GS nous a ramenés à bon port. Quelle aventure... B.G.

QUOI DE NEUF EN 2011 ?

Aucun changement

R1200GS coûte 200$ et Adventure coûte 300$ de plus qu'en 2010

PAS MAL

Un niveau de polyvalence inégalé; la R1200GS passe de la route à la poussière avec une facilité et un naturel déconcertants

Un moteur qui produit un tremblement typique de bicylindre à plat, mais qui se montre juste assez doux pour permettre d'explorer les hauts régimes sans vibrations excessives

Un pare-brise qui est si bon qu'on a envie de se pencher pour l'embrasser; il fait rougir de honte les innombrables pare-brise qui vous obligent à subir leurs turbulences

Un impressionnant niveau d'équipement et de technologie avec l'ASC et l'Enduro ESA

Une partie cycle dont les capacités étonnent toujours et un excellent niveau de confort

BOF

Une selle haute compte tenu de l'usage surtout routier qui attend le modèle, et ce, surtout sur l'Adventure qui, en plus, est très lourde

Une mécanique qui a perdu un tout petit peu de son caractère grondant dans l'adoucissement qu'elle a subi lors de son passage de 1150 à 1200 et qui s'est encore un peu raffinée depuis l'adoption du moteur de la HP2 Sport

Une facture qui grimpe très vite lorsqu'on commence à ajouter les options

Une direction tellement légère qu'elle en est parfois hypersensible; la version Adventure est en revanche plus stable en raison de sa masse

CONCLUSION

La R1200GS est peut-être la moto la plus importante de la gamme allemande, puisque c'est elle qui définit l'esprit « aventure » que la marque de Munich utilise d'une manière ou d'une autre pour vendre ses motos. Pour cette raison, elle reçoit toute l'attention du constructeur. Elle n'est pas donnée et les motocyclistes qui s'y intéressent se demandent souvent si son prix plus élevé est justifié. La réponse est: oui. Même si ses rivales arrivent en général à accomplir les mêmes choses, aucune ne le fait avec la sérénité et l'aisance naturelle de l'allemande. Qu'il s'agisse d'explorer de nouveaux espaces où les routes non pavées abondent, de traverser le continent par les autoroutes ou simplement de se balader confortablement sans trop s'éloigner, la grosse GS n'a tout simplement pas d'égale. Encore plus raffinée depuis l'évolution mécanique de 2010, il s'agit, sans l'ombre d'un doute, d'une des meilleures motos qui soient.

R1200GS

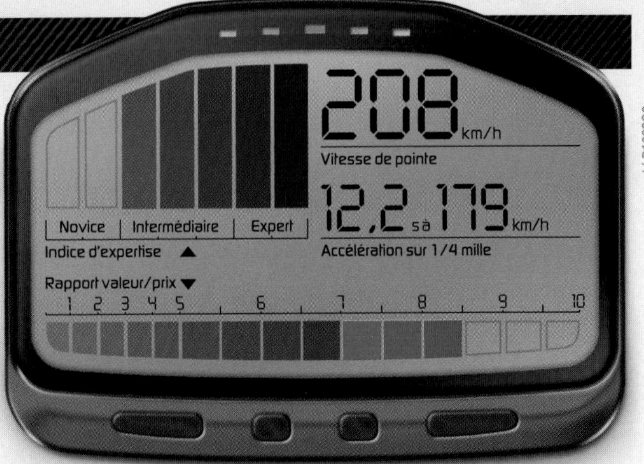

Voir légende en page 16

GÉNÉRAL

Catégorie	Routière Aventurière
Prix	17 850$ (Adventure: 20 600$)
Immatriculation 2011	633,55$
Catégorisation SAAQ 2011	« régulière »
Évolution récente	introduite en 1994, revue en 2000 et en 2005 et en 2010; Adventure introduite en 2002, revue en 2006 et en 2010
Garantie	3 ans/kilométrage illimité
Couleur(s)	blanc, rouge, noir, gris (Adventure : jaune et noir, gris et noir)
Concurrence	KTM 990 Adventure, Suzuki V-Strom 1000, Yamaha Super Ténéré

MOTEUR

Type	bicylindre 4-temps Boxer, DACT, 4 soupapes par cylindre, refroidissement par air et huile
Alimentation	injection à 2 corps de 47 mm
Rapport volumétrique	12,0:1
Cylindrée	1 170 cc
Alésage et course	101 mm x 73 mm
Puissance	110 ch @ 7 750 tr/min
Couple	88,5 lb-pi @ 6 000 tr/min
Boîte de vitesses	6 rapports
Transmission finale	par arbre
Révolution à 100 km/h	environ 3 500 tr/min
Consommation moyenne	5,8 l/100 km
Autonomie moyenne	344 km (Adventure: 569 km)

PARTIE CYCLE

Type de cadre	treillis en acier, moteur porteur
Suspension avant	fourche Telelever de 41 mm avec monoamortisseur ajustable en précharge (ajustable avec l'Enduro ESA optionnel)
Suspension arrière	monoamortisseur ajustable en précharge et détente (ajustable avec l'Enduro ESA optionnel)
Freinage avant	2 disques de 305 mm de Ø avec étriers à 4 pistons
Freinage arrière	1 disque de 265 mm de Ø avec étrier à 2 pistons
Pneus avant/arrière	110/80 R19 & 150/70 R17
Empattement	1 507 mm (Adventure: 1 510 mm)
Hauteur de selle	850/870 mm (Adventure: 890/910 mm)
Poids tous pleins faits	229 kg (Adventure: 256 kg)
Réservoir de carburant	20 litres (Adventure: 33 litres)

F650GS

LA BONNE IDÉE... // Le marché avait-il vraiment besoin d'une, et même deux autres GS? Après tout, on pouvait déjà choisir entre une excellente 1200 Boxer et une économique et très accessible 650 monocylindre. Y avait-il vraiment une demande suffisante pour ce type très particulier de motos pour insérer un autre niveau de GS entre ceux qui existaient déjà? Voilà autant de questions auxquelles la réponse devint parfaitement claire dès l'instant où les F650GS et F800GS furent lancées en 2008: absolument. D'ailleurs, il semble qu'au moins un autre constructeur, Triumph pour ne pas le nommer, soit d'accord. Comme la 1200, ces 650 et 800 doivent être non seulement roulées pour être comprises et appréciées, mais elles doivent aussi être amenées là où elles prétendent pouvoir aller. Ce qui veut dire sur tous types de routes et dans tous genres de conditions.

Malgré le fait qu'elles font partie de la même famille, qu'elles sont construites à partir d'une plateforme unique et qu'elles partagent une multitude de pièces, la F800GS et la F650GS demeurent des montures très différentes. La F800GS est positionnée comme une aventurière de calibre expert alors que la F650GS est plutôt vendue comme une monture d'entrée en matière.

Jusqu'à l'arrivée de la Tiger 800XC de Triumph cette année, la F800GS était la seule moto du genre sur le marché. Haute, mince et légère, elle offre une maniabilité dont ne peut rêver une R1200GS, et ce, surtout en pilotage hors-route intense. Dans un tel environnement, la F800GS se débrouille presque aussi bien qu'une 650 monocylindre double-usage et représente donc un genre de pont entre l'agilité d'une 650 et la puissance plus élevée d'une 1200. La facilité de pilotage démontrée par la F800GS en sentier se transporte sur la route où le comportement est dominé par une stabilité sans reproches, par une grande légèreté de direction et par une très bonne solidité en courbe. Une suspension qui plonge de manière notable à l'avant et une selle qui pourrait décidément être plus confortable sur long trajet sont parmi les rares défauts qu'on puisse formuler à l'égard de la partie cycle dans l'environnement de la route.

LES CAPACITÉS HORS-ROUTE DE LA F650GS SURPRENNENT, PUISQUE SEULS LES OBSTACLES TRÈS SÉRIEUX LA RALENTISSENT.

Avec ses 85 chevaux, la F800GS offre des performances nettement moins intéressantes que celles d'une puissante et coupleuse 1200GS, mais elle se montre en revanche beaucoup plus plaisante qu'une mono de 650 cc. Il s'agit d'un compromis judicieux et plaisant.

Bien que, pour un pilote exigeant, ce Twin parallèle se montre encore moins excitant dans sa version de 71 chevaux propulsant la F650GS — qui, faut-il encore le rappeler, est une 800 cc —, le motocycliste possédant une expérience réduite ou moyenne s'en déclarera, quant à lui, tout à fait satisfait. Il s'agit d'une mécanique assez douce et souple qui cadre très bien avec la vocation d'accessibilité et le prix réduit du modèle.

Si la F800GS se veut la « mini 1200GS » du duo, la F650GS, elle, est décidément l'aubaine de la paire et représente une excellente valeur. Souvent catégorisée comme une moto de débutant, elle est en réalité suffisamment intéressante pour également distraire un pilote plus avancé, du moins tant que celui-ci ne s'attend pas à une tonne de chevaux. Considérablement plus basse que la 800GS, mais tout aussi légère et mince, elle offre une agilité et une facilité de prise en main qui impressionnent. Comme sur la 800, la selle n'est pas extraordinaire sur long trajet, tandis que l'espace restreint entre cette dernière et les repose-pieds est un peu juste pour les pilotes de grande taille. Hormis ces points, ce sont les belles qualités de la tenue de route qui ne démontre pas de la tendance au plongeon de la 800 qu'on remarque. Même le freinage, qui devrait souffrir de l'absence d'un disque à l'avant par rapport à la 800, reste tout à fait à la hauteur des attentes. Par ailleurs, même si BMW a conçu la F650GS pour rouler surtout sur le bitume, les capacités de celles-ci surprennent en sentier, puisqu'elle s'avère capable de passer pratiquement partout et que seuls les obstacles très sérieux la ralentissent.

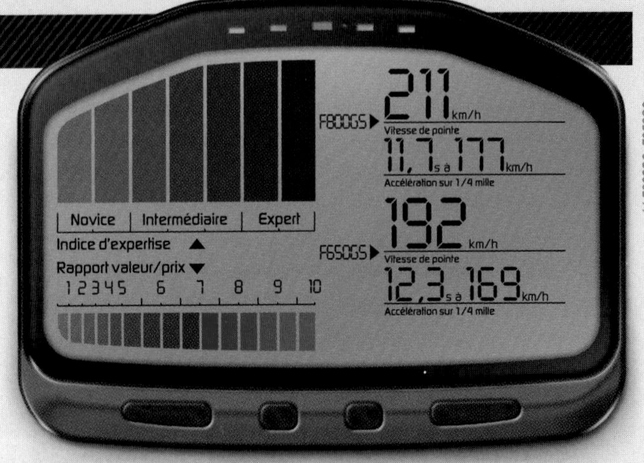

Voir légende en page 16

QUOI DE NEUF EN 2011 ?

Aucun changement

F650GS coûte 75$ et F800GS 220$ de plus qu'en 2010

PAS MAL

Un positionnement très intéressant pour la F800GS qui est une proposition très particulière située quelque part entre le luxe et le caractère d'une 1200GS et l'agilité d'une double-usage de 650 cc

Une grande capacité à affronter des terrains très abîmés qui fait de la F800GS une exploratrice beaucoup plus accessible et dont le potentiel est bien plus concret que celui de la R1200GS

Des options d'abaissement offertes par BMW qui réduisent la hauteur de selle à des valeurs presque jamais vues sur des motos de série

Une valeur élevée et une très grande facilité de prise en main pour la F650GS qui est facilement l'une des meilleures motos pour débuter et continuer à rouler

BOF

Une nature qui n'est pas vraiment celle de la « mini R1200GS » que la F800GS laisse imaginer sur papier; sur le terrain, les capacités hors-route sont au rendez-vous, mais l'agrément du Twin Boxer et le confort de la 1200 ne sont pas présents

Des selles correctes, mais sans plus dans les deux cas, et qu'on aurait vraiment souhaité meilleures sur les longs trajets dont elles sont parfaitement capables

Une tendance considérable à plonger de l'avant au freinage pour la F800GS

Une distance réduite entre la selle et les repose-pieds de la F650GS qui pourrait coincer les longues jambes

CONCLUSION

Propulsées par des mécaniques peut-être pas géniales, mais décidément plaisantes, dotées d'une partie cycle solide, précise et compétente dans une très longue liste d'environnements et parfaitement capables de livrer la marchandise « aventure » que leur ligne annonce, la F800GS et la F650GS représentent, chacune à leur façon, une réussite indiscutable. La 650 pour sa valeur et son accessibilité autant sur la route qu'en sentier, la 800 pour avoir rendu le concept de la routière aventurière envisageable par le motocycliste moyen, et ce, tant au niveau du prix qu'à celui de la facilité de pilotage en terrain difficile. L'une, comme l'autre, représente un coup brillant de la part de BMW, puisque le constructeur allemand a encore une fois trouvé le moyen de créer une catégorie qui n'existait pas vraiment avant. Déjà, d'ailleurs, d'autres lui ont emboîté le pas.

F800GS

GÉNÉRAL

Catégorie	Routière Aventurière
Prix	F800GS: 12750$, F650GS: 9850$
Immatriculation 2011	633,55$
Catégorisation SAAQ 2011	« régulière »
Évolution récente	introduites en 2008
Garantie	3 ans/kilométrage illimité
Couleur(s)	F800GS : blanc, orange F650GS : orange, argent, bleu
Concurrence	F800GS : Triumph Tiger 800XC F650GS : Suzuki V-Strom 650, Triumph Tiger 800

MOTEUR

Type	bicylindre parallèle 4-temps, DACT, 4 soupapes par cylindre, refroidissement par liquide
Alimentation	injection à 2 corps de 46 mm
Rapport volumétrique	12,0:1
Cylindrée	798 cc
Alésage et course	82 mm x 75,6 mm
Puissance	F800GS: 85 ch @ 7500 tr/min F650GS: 71 ch @ 7000 tr/min
Couple	F800GS: 61,2 lb-pi @ 5750 tr/min F650GS: 53,3 lb-pi @ 4500 tr/min
Boîte de vitesses	6 rapports
Transmission finale	par chaîne
Révolution à 100 km/h	environ 3500 tr/min
Consommation moyenne	5,7 l/100 km
Autonomie moyenne	280 km

PARTIE CYCLE

Type de cadre	périmétrique, treillis d'acier
Suspension avant	F800GS: fourche inversée de 45 mm non ajustable F650GS: fourche conventionnelle de 43 mm non ajustable
Suspension arrière	monoamortisseur ajustable en précharge et détente
Freinage avant	2 (650: 1) disques de 300 mm de Ø avec étriers à 2 pistons
Freinage arrière	1 disque de 265 mm de Ø avec étrier à 1 piston
Pneus avant/arrière	F800GS: 90/90-21 & 150/70 R17 F650GS: 110/80 R19 & 140/80 R17
Empattement	F800GS: 1578 mm F650GS: 1575 mm
Hauteur de selle	F800GS: 880 mm (opt.: 850 mm) F650GS: 820 mm (opt.: 790 mm)
Poids tous pleins faits	F800GS: 207 kg F650GS: 199 kg
Réservoir de carburant	16 litres

Spyder RT Limited

TROISIÈME DIMENSION... // Si le Spyder original continue d'encaisser quelques blagues provenant de «vrais» motocyclistes, dans le cas du modèle RT, ces taquineries tiennent beaucoup moins, puisque les motos auxquelles on pourrait le comparer sont elles-mêmes des pachydermes. Construit selon le même principe que le RS, le Spyder RT se distingue par son engagement total envers le tourisme. Son niveau d'équipement varie considérablement d'une version à l'autre, mais à ce chapitre, les modèles les mieux équipés n'ont décidément rien à envier à leurs équivalents à deux roues. Parlant de cette fameuse et inévitable comparaison entre ces deux types de véhicules, n'en déplaise aux motards, en mode tourisme, le concept du Spyder bénéficie d'un net avantage en ce sens que son comportement ou sa facilité de pilotage ne sont pas affectés par la quantité d'équipement.

Le dévoilement l'an dernier d'une version RT (pour Roadster de Tourisme) du Spyder représentait une évolution extrêmement intéressante de ce très particulier concept. On comprend instantanément la logique derrière cette direction en apprenant qu'une importante portion des utilisateurs du modèle RS (pour Roadster Sport) ont accessoirisé leur engin de manière à le rendre plus confortable et plus pratique sur de longues distances, en lui greffant, par exemple, des valises latérales et un plus grand pare-brise. Avec les 155 litres de rangement offert par son trio de valises intégrées et le géant coffre avant, mais aussi avec sa luxueuse selle, son généreux pare-brise ajustable électriquement, ses poignées chauffantes, son système audio avec intégration CB, XM et iPod et son impressionnant ordinateur de bord, entre autres, la version RT risque de faire littéralement saliver beaucoup les proprios de RS.

Mais l'attrait de la version RT et la logique derrière un Spyder équipé pour le tourisme vont beaucoup plus loin, puisque BRP s'attaque avec ce produit à l'une des classes les plus exclusives et populaires du monde de la moto, celle du tourisme de luxe, où des modèles comme la Honda Gold Wing représentent la norme. Or, l'âge plus élevé des amateurs de ce genre de motos combiné au fait que le poids de l'engin devient souvent un facteur très intimidant, surtout avec madame en selle et un plein de bagages, représente l'un des problèmes les plus importants dans ce créneau. La nature du Spyder RT élimine entièrement ce problème, puisque le poids additionnel d'équipements qui lui seraient ajoutés ou même celui d'un passager ne change strictement rien à son comportement, ce qui n'est évidemment pas le cas sur une moto dont la difficulté de pilotage croît proportionnellement à la masse. Comme cet aspect ne représentait pas un atout suffisant, BRP s'est aussi donné l'avantage d'un prix très intéressant, et ce, surtout si on compare le RT aux autres 3-roues du marché, comme les Gold Wing modifiées ou le Tri Glide de Harley-Davidson. Tous ces véhicules ne sont cependant pas du tout équivalents et le RT se distingue indiscutablement, entre autres, en ce qui concerne sa stabilité et son comportement largement supérieurs. En fait, la conduite du Spyder RT n'a rien avec celle des autres 3-roues mentionnés, ne serait-ce qu'en raison de la configuration de ses roues.

LA NATURE DU SPYDER ÉLIMINE COMPLÈTEMENT LES PROBLÈMES DE LA MASSE ADDITIONNELLE AMENÉE PAR DE L'ÉQUIPEMENT.

Beaucoup de propriétaires de RS se demandent certainement quel genre expérience de pilotage le RT leur offrirait s'ils l'adoptaient. Celle-ci en diffère considérablement puisque le modèle de tourisme offre un niveau de confort largement supérieur et une ambiance générale beaucoup plus détendue. La direction assistée est très légère, les pulsations du V-Twin sont plus distantes, les performances sont moins élevées et la sensation générale est plus luxueuse et confortable que directe et mécanique. Les équipements, qui sont très nombreux, et ce, surtout sur les versions haut de gamme, fonctionnent tous sans accrocs, ce qui vaut aussi pour la transmission semi-automatique qui fait son travail correctement. Une meilleure qualité sonore de la part du système audio et la présence de selles chauffantes seraient les seules critiques que nous puissions formuler à cet égard.

QUOI DE NEUF EN 2011 ?

Version Limited livrée avec boîte automatique et plus d'équipement que le RT-S

PAS MAL

Un concept unique qui permet aux amateurs de tourisme de pratiquer l'activité sans avoir à se soucier du poids et des proportions d'une machine comme la Gold Wing

Un accès facilité par le retrait de l'obligation d'un permis de moto

Une étonnante facilité d'utilisation pour un engin de cette taille

Une qualité d'exécution de première classe; le Spyder RT offre non seulement une finition sans fautes, mais aussi l'intégration remarquable d'une foule d'équipements; il s'agit d'un produit de classe mondiale et non pas d'une expérience inusitée réalisée par un constructeur obscur

Un côté pratique qui sort de l'ordinaire, ne serait-ce qu'en raison de la possibilité d'équiper le RT d'une remorque conçue par BRP pour cette utilisation et qui fait passer le volume de chargement de 155 à 777 litres

BOF

Une direction assistée dont la grande légèreté facilite beaucoup les manœuvres serrées, mais dont l'assistance est nettement trop grande sur l'autoroute, où le RT se dandine à la suite de la moindre impulsion dans le guidon; cette assistance devrait être variable et se réduire à mesure que la vitesse grimpe

Des proportions considérables qui ne gênent nullement la conduite, mais avec lesquelles on doit quand même vivre; par exemple, le RT prend presque la place d'une petite voiture dans un garage

Un agrément de conduite qui n'a rien à voir avec celui d'une vraie moto, même un mastodonte comme la Gold Wing

CONCLUSION

L'aisance avec laquelle la plateforme roadster de BRP accueille le format tourisme du nouveau RT donne l'impression qu'il s'agit d'une avenue très naturelle pour ce type de véhicule. D'abord parce que les « désavantages » de la formule 3-roues au niveau du plaisir de pilotage sont bien moins évidents lorsque l'on compare cette formule avec celle des mastodontes comme la Gold Wing, et ce, surtout si ces motos sont équipées au point de tirer une remorque. Le Spyder affiche par ailleurs un genre de sérénité lorsqu'il est utilisé de cette manière puisqu'il s'agit d'un environnement où plusieurs motocyclistes se déclarent parfaitement heureux de rouler paisiblement, de profiter d'un niveau de confort très élevé et de bénéficier d'une liste interminable d'équipements, ce que le RT accomplit haut la main. En fait, pour les amateurs de tourisme à moto que le poids et les proportions d'une machine comme la Gold Wing gênent, le Spyder RT est même difficile à ignorer.

Spyder RT A&C

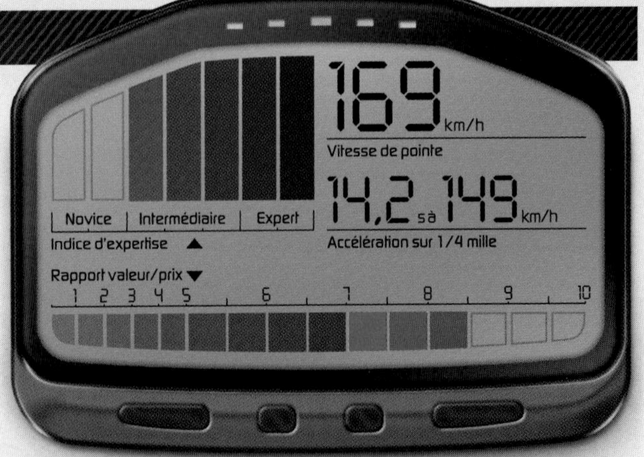

Voir légende en page 16

GÉNÉRAL

Catégorie	3 roues
Prix	RT Limited : 32 449 $; RT-S : 29 749 $ RT A&C : 27 749 $; RT : 25 749 $ Note : prix incluent transport et préparation.
Immatriculation 2011	633,55 $
Catégorisation SAAQ 2011	« régulière »
Évolution récente	introduit en 2010
Garantie	2 ans/kilométrage illimité
Couleur(s)	RT Limited : blanc RT-S : rouge, bleu, noir RT A&C : bleu, titane RT : titane
Concurrence	Harley-Davidson Tri Glide Ultra Classic

MOTEUR

Type	bicylindre 4-temps en V à 60 degrés, DACT, 4 soupapes par cylindre, refroidissement par liquide
Alimentation	injection à 2 corps de 57 mm
Rapport volumétrique	12,2:1
Cylindrée	998 cc
Alésage et course	97 mm x 68 mm
Puissance estimée	100 ch @ 7 500 tr/min
Couple	80 lb-pi @ 5 500 tr/min
Boîte de vitesses	rapports ou semi-automatique
Transmission finale	par courroie
Révolution à 100 km/h	environ 4 500 tr/min
Consommation moyenne	7,4 l/100 km
Autonomie moyenne	338 km

PARTIE CYCLE

Type de cadre	périmétrique, en aluminium, agit aussi à titre de réservoir d'essence
Suspension avant	bras triangulaires
Suspension arrière	monoamortisseur ajustable pneumatiquement en précharge
Freinage avant	2 disques de 250 mm de Ø avec étriers à 4 pistons et système ABS combiné
Freinage arrière	1 disque de 250 mm de Ø avec étrier à 1 piston et système ABS combiné
Pneus avant/arrière	165/65 R14 & 225/50 R15
Empattement	1 773 mm
Hauteur de selle	750 mm
Poids tous pleins faits	421 kg
Réservoir de carburant	25 litres

Spyder RS

BIEN BON QUI L'AURAIT PRÉDIT... // Harley-Davdison cherche désespérément la manière d'attirer une clientèle plus jeune. BMW s'est carrément réinventé en quelques années à peine afin d'arriver à s'adresser à un public plus large. Peu importe la forme qu'elle prend, cette quête de diversification et d'apport de sang nouveau est aujourd'hui au cœur des préoccupations de la majorité des constructeurs. En créant un véhicule à non pas 2, mais bien 3 roues, la division Can-Am de la firme québécoise BRP propose une solution à ce problème que personne n'avait vu venir. Si le concept a fait et continue de faire sourire bon nombre de pencheux, d'autres se sont justement avoués séduits par l'idée de ne plus avoir à pencher. En effet, les dernières données indiquent que 75 pour cent des Spyder seraient vendus à des motocyclistes...

Le Spyder de Can-Am, qu'il s'agisse de la version RS ou RT, n'est évidemment pas une moto puisqu'il ne penche pas et qu'il a 50 pour cent plus de roues. Voilà qui devait être établi. Cela dit, et c'est là un fait particulièrement intrigant, la nature très clairement différente du Spyder n'empêche pas certains amateurs de motos de s'y intéresser. Selon BRP, c'est maintenant les trois quarts des ventes qui seraient même faites à des motocyclistes, ce qui est à la fois très surprenant et relativement facile à expliquer. Très surprenant parce qu'en raison de son incapacité à pencher en virage, l'attrait du Spyder n'arrive tout simplement pas à se matérialiser dans l'esprit du fanatique de deux-roues, et ce, surtout si son expérience est grande et si son niveau d'habilité élevé. Il s'agit par ailleurs d'une statistique facilement explicable parce que tous les amateurs de motos ne sont pas nécessairement très habiles ou très expérimentés. En fait, et même si peu l'avouent, nombreux sont ceux qui aiment rouler à moto, mais qui ressentent aussi une profonde crainte face aux aspects extrêmement particuliers de la conduite d'une deux-roues. Des aspects que les pilotes experts ou habiles, eux, tiennent au contraire pour acquis. Des aspects comme l'incertitude de l'adhérence en virage, comme l'opération presque funambulesque que représente un freinage d'urgence, comme le malaise très fréquent de la selle haute et d'une masse trop élevée, comme la crainte constante d'une chute. Pour les motocyclistes aux prises avec une telle insécurité, et ils sont plus nombreux qu'on ne le croirait, le Spyder prend la forme d'une solution complètement inespérée.

LES MOTOCYCLISTES EMBÊTÉS PAR CERTAINS ASPECTS DE LA MOTO DÉCOUVRENT UNE SOLUTION INATTENDUE AVEC LE SPYDER.

Le fait que le Spyder RS tourne sans pencher ne l'empêche pas de proposer certaines caractéristiques qui rappellent beaucoup le pilotage d'une moto. Par exemple, la position de conduite est pratiquement la même que celle d'une routière sportive. Le vrombissement du puissant et coupleux V-Twin d'un litre, l'angle avec lequel on perçoit la route ainsi que la force du vent qui frappe le pilote sont autant d'autres facteurs responsables d'un certain parallèle entre l'expérience de la conduite d'une moto et de celle du Spyder. Le côté très intéressant du véhicule de BRP, pour les motocyclistes dont les craintes ont été décrites plus tôt, est que ce parallèle peut être vécu en éliminant presque complètement tous les malaises liés au pilotage d'une moto. En effet, aux commandes du Spyder, les virages sont pris avec pratiquement autant d'assurance que dans une voiture, tandis que les freinages sont simples et sûrs puisqu'on n'a qu'à appuyer sur une pédale unique et laisser l'ABS se charger du reste. Quant à la question de l'équilibre ou du poids élevé, elle n'existe plus. Pour ceux qui souhaiteraient pousser cette simplification encore plus loin, une version RS-S avec boîte semi-automatique à 5 rapports est offerte.

En ce qui concerne tous les aspects du confort, là encore, un clair parallèle peut être établi avec la moto puisque l'équation est essentiellement la même que celle d'une routière sportive, selle un peu plus large en prime. L'équipement est également le même que sur une moto, la seule différence notable étant le géant coffre de rangement situé dans le nez du véhicule.

La pittoresque petite ville de Gunskirchen en Autriche est traversée par un défilé de Spyder long de deux kilomètres. Ils sont venus de partout en Europe, juste pour se rassembler. Ça ne fait pas penser aux propriétaires d'une certaine moto de Milwaukee, ça?

❯ NAISSANCE D'UNE PASSION

L'utilisation de la passion comme levier de marketing représente l'une des stratégies les plus prolifiques qui soient dans l'industrie des produits récréatifs. Toutefois, il s'agit aussi d'une stratégie qui, tel du sable fin, semble glisser entre les doigts de la plupart des constructeurs qui tentent de l'exploiter, à leur grand dam d'ailleurs. On a beau souhaiter qu'une passion motive les consommateurs vers ses produits, encore faut-il que cette passion existe…

Comme s'il n'en avait pas assez sur les bras avec la monumentale tâche de mettre au monde une toute nouvelle catégorie de véhicule routier avec son concept Spyder, le constructeur québécois BRP Can-Am se lance parallèlement le défi de faire naître une telle passion chez les acheteurs de cette intrigante création à 3 roues. Réussira-t-il là où tant d'autres ont échoué?

La passion d'un individu pour un modèle ou pour une marque, surtout dans le créneau des produits récréatifs où se retrouvent la moto, le bateau, le VTT ou la motoneige, n'a rien de nouveau ou d'étonnant. Il n'est pas rare de croiser des gens ne jurant que par une marque ou s'avouant complètement fous d'un quelconque modèle. La présence d'une telle passion à un niveau beaucoup plus large et généralisé est néanmoins un phénomène infiniment plus rare. Aucune firme sur Terre, et ce, peu importe le domaine dans lequel elle œuvre, ne génère le genre de passion qu'éprouvent les amateurs de Harley-Davidson envers la mythique marque et ses produits. Plusieurs diront qu'on approche même, dans ce cas, un degré religieux de sentiment d'appartenance. Ils n'auraient pas tort. Rien d'étonnant, donc, à ce que le modèle Harley-Davidson soit la norme en la matière. Or, l'un des éléments clés derrière l'entretien de la passion chez Harley-Davidson se veut l'activité de type rassemblement, un fait clairement démontré par l'incroyable popularité d'événements comme Daytona, Sturgis, les festivités d'anniversaire organisées tous les 5 ans ou même les milliers d'activités d'associations de propriétaires tenues partout dans le monde chaque année.

La formule du rassemblement était déjà dans la mire de BRP avant l'inauguration du Spyder, il y a près de 3 ans. Il s'agit par ailleurs du premier produit pour lequel la firme québécoise a recours à ce type d'événement comme outil de marketing. Un rassemblement destiné aux premiers propriétaires fut organisé dès la première année à Valcourt, tandis qu'un autre suivit l'an dernier à Los Angeles à l'occasion de la sortie du film Transformers 2 dans lequel le Spyder est utilisé. Puis, au printemps 2010, BRP choisissait de faire coïncider l'inauguration de son Regionales Innovations Centrum (RIC), à Gunskirchen, en Autriche, avec un premier rassemblement pan-européen de Spyder, un évènement auquel *Le Guide de la Moto* fut invité.

Notre intérêt principal pour l'évènement de Gunskirchen n'était pas réellement le RIC, et ce, bien que ce centre de développement destiné à l'évolution du moteur soit aussi impressionnant que prometteur. En fait, nous étions plutôt très intéressés à observer le degré de succès du rassemblement de Spyder auquel tous les pays de l'Europe avaient été invités.

Un rassemblement n'étant ni plus ni moins qu'une invitation ouverte, son succès ne peut être garanti. Les gens y répondent si leur passion est suffisamment forte pour le produit en question, ou l'ignorent si elle ne l'est pas. Le degré de popularité d'un tel événement représente donc une manière très pure de graduer le succès du constructeur qui l'organise et de son produit. Il s'agit aussi d'un pari pouvant s'avérer très coûteux, puisque s'il y a échec, ce sera devant les yeux de tous. Ça s'est déjà vu.

Par une température froide et pluvieuse, des conditions potentiellement très dommageables pour une activité de la sorte, il fut franchement surprenant de constater que chacune des tables de l'immense chapiteau érigé à quelques mètres de l'usine Rotax, point central du Spyder Rotax Homecoming, était occupée. Au total, près de 500 participants chevauchant 325 Spyder provenant de 17 pays, dont le Royaume-Uni, la République tchèque, l'Espagne, la Suisse, la France — le plus gros contingent — et même la Russie, répondirent à l'invitation de BRP, et le firent, de toute évidence, avec joie. De tels chiffres sont bien entendu à des années-lumière des centaines de milliers de propriétaires de Harley-Davidson qui « reviennent chez eux », à Milwaukee, tous les 5 ans. Mais dans les faits, l'initiative de BRP demeure un succès, puisque nombreux sont les constructeurs pour lesquels une telle tentative aurait eu très peu de chance de fonctionner, faute de passion. La marque de Valcourt affirme d'ailleurs vouloir faire de ces rassemblements une chose à long terme. À première vue, la passion requise de la part des propriétaires pour que ce souhait de concrétise semble être au rendez-vous.

DES PROPRIOS ENTHOUSIASTES

Ça peut sembler simpliste comme analyse, mais des propriétaires qui modifient leur véhicule sont très probablement des propriétaires heureux de posséder leur véhicule. Un nombre quand même important de Spyder personnalisés furent aperçus durant le rassemblement de Gunskirchen. Certains n'affichaient qu'une peinture personnalisée, alors que d'autres étaient clairement le fruit de longues heures de travail. BRP s'est beaucoup intéressé à ces véhicules et a même encouragé leurs propriétaires en remettant des prix aux plus impressionnants.

Le constructeur a très bien compris que seule une profonde passion peut arriver à motiver un propriétaire à se lancer dans de tels projets. Or, le but premier de l'événement était justement de cultiver, d'entretenir ou de faire naître ce genre de passion chez les utilisateurs de Spyder. Ayant été témoins de l'enthousiasme des propriétaires, nous ne serions pas du tout étonnés si les prochains rassemblements organisés par BRP étaient chaque fois plus populaires. Et que les Spyder modifiés le soient chaque fois de façon encore plus profonde.

L'inauguration du Regionales Innovations Centrumm ou RIC, fut l'un des objectifs de la visite des installations de BRP à Gunskirchen. Il s'agit d'un genre de point central où se développent et évoluent des technologies destinées à améliorer les moteurs. Ci-bas: José Boisjoli, président et chef de la direction de BRP, et Marc Lacroix, directeur développement de produits, division internationale, BRP, expliquent à Bertrand Gahel qu'il ne peut pas «juste prendre un petit moteur pour son vieux Sea-Doo» de l'usine des moteurs Rotax, qui est située tout juste en arrière de la bâtisse du RIC.

QUOI DE NEUF EN 2011 ?

Niveau de vibration réduit

PAS MAL

Une alternative à la moto pour ceux ou celles que le pilotage d'une deux-roues intimide tellement qu'ils n'osent pas tenter l'expérience

Des sensations — vent, point de vue, sonorité de la mécanique, passage des vitesses — qui se rapprochent beaucoup de celles vécues à moto, mais seulement lorsqu'on roule en ligne droite; dès qu'on tourne, ça devient autre chose

Un accès facilité par le retrait de l'obligation d'un permis de moto

Un prix raisonnable compte tenu de la marchandise livrée; le Spyder est bien conçu, est bien fini et utilise des composantes réputées, comme le moteur Rotax

BOF

Un plaisir de pilotage qui dépend énormément du vécu du pilote et qui, pour les habiles amoureux des deux-roues, est très limité; en revanche, les adeptes d'autres types de véhicules récréatifs comme le VTT ou la motoneige découvrent avec le Spyder une occasion littéralement unique de s'aventurer sur la route

Un côté physique au pilotage qu'on ne soupçonne pas, puisqu'un simple virage sur un coin de rue demande de s'agripper et qu'une sortie d'autoroute prise à vive allure demande de faire un bon effort

Un système de contrôle de la stabilité qui est supposé prévenir tout renversement, mais on arrive à soulever une roue en tournant sans trop de difficulté; la leçon à retenir est que le système ne constitue pas une garantie contre le renversement, il aide seulement à le prévenir

CONCLUSION

Le Spyder en est maintenant à sa quatrième année sur le marché. Après une période initiale durant laquelle on a beaucoup débattu sur sa nature et sur la clientèle à laquelle il est destiné, il devient aujourd'hui clair que beaucoup de gens se sont trompés. Il ne s'agit pas d'une machine routière pour motoneigiste ou quadiste, mais plutôt d'une alternative à la moto qui plaît à beaucoup de... motocyclistes, puisque c'est à eux que les trois quarts des ventes se font. Dans sa version RS, la plus sportive, le véhicule propose une expérience de pilotage beaucoup plus forte et sensorielle que ce n'est le cas sur la version RT. Une direction plus dure, donc plus engageante, une communication tant auditive que tactile bien plus directe avec le V-Twin ainsi qu'une position de conduite plus agressive sont autant de caractéristiques qui en font décidément la version des amateurs de sensations relativement fortes. Nous disons relativement parce qu'en matière de sensations grisantes, trois roues n'en valent certainement pas deux. Et c'est reparti...

Spyder RS

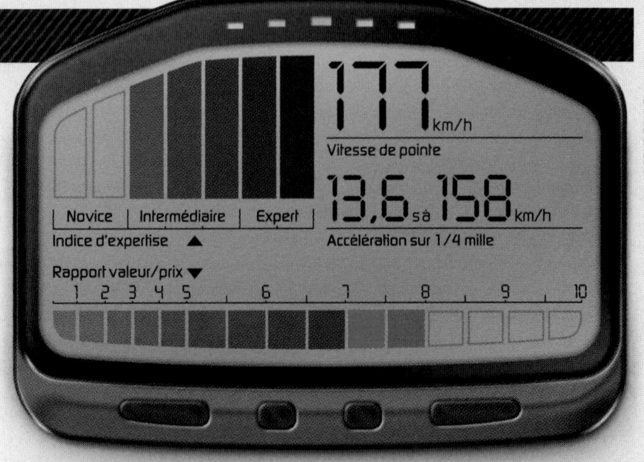

Voir légende en page 16

GÉNÉRAL

Catégorie	3 roues
Prix	20 149 $ (RS-S: 21 349 $) Note: prix incluent transport et préparation.
Immatriculation 2011	633,55 $
Catégorisation SAAQ 2011	« régulière »
Évolution récente	introduit en 2008
Garantie	2 ans/kilométrage illimité
Couleur(s)	titane, blanc (RS-S: orange, noir)
Concurrence	aucune

MOTEUR

Type	bicylindre 4-temps en V à 60 degrés, DACT, 4 soupapes par cylindre, refroidissement par liquide
Alimentation	injection à 2 corps de 57 mm
Rapport volumétrique	10,8:1
Cylindrée	998 cc
Alésage et course	97 mm x 68 mm
Puissance estimée	106 ch @ 8 500 tr/min
Couple	77 lb-pi @ 6 250 tr/min
Boîte de vitesses	RS: 5 rapports RS-S: 5 rapports ou semi-automatique
Transmission finale	par courroie
Révolution à 100 km/h	environ 4 500 tr/min
Consommation moyenne	7,1 l/100 km
Autonomie moyenne	380 km

PARTIE CYCLE

Type de cadre	périmétrique, en aluminium, agit aussi à titre de réservoir d'essence
Suspension avant	bras triangulaires
Suspension arrière	monoamortisseur ajustable en précharge
Freinage avant	2 disques de 260 mm de Ø avec étriers à 4 pistons et système ABS combiné
Freinage arrière	1 disque de 260 mm de Ø avec étrier à 1 piston et système ABS combiné
Pneus avant/arrière	165/65 R14 & 225/50 R15
Empattement	1 727 mm
Hauteur de selle	737 mm
Poids tous pleins faits	317 kg
Réservoir de carburant	27 litres

848EVO

RÉVISION 2011

SPORTIVES D'UN AUTRE TYPE... // Quiconque envisagerait l'expérience d'une sportive propulsée par un V-Twin ne pourrait ignorer Ducati. D'abord, parce que le constructeur a fait de ce type de machines une spécialité pour laquelle il est très justement renommé, et ensuite, tout simplement parce qu'il est le seul manufacturier au monde à offrir une gamme de sportives de ce genre. Celle-ci va de la relativement abordable 848EVO, une version plus puissante de la 848, jusqu'à la nouvelle version SP, qui est un genre de croisement entre les versions S et R, toutes deux disparaissant en 2011. Quant à la 1198, elle évolue en recevant de série un contrôle de traction et un sélecteur de vitesses assisté. Il s'agit, dans tous les cas, de montures exceptionnellement efficaces sur circuit et qui n'ont strictement rien à envier aux modèles rivaux japonais à quatre cylindres.

La 1198 est une sportive absolument éblouissante en piste. L'une de ses caractéristiques les plus impressionnantes est sa capacité à toujours mieux se comporter à mesure qu'elle est poussée davantage. Son pilotage est assez différent de celui d'une sportive japonaise — ou d'une S1000RR — en ce sens qu'on ne s'y sent pas immédiatement à l'aise et que quelques tours sont nécessaires pour s'y ajuster. On a même par moment l'impression qu'elle ne coopère pas, mais il s'agit surtout d'une sensation de contraste avec la facilité de pilotage instantanée de modèles nippons sur circuit. La vraie nature de la 1198 se révèle néanmoins dès que le rythme s'accentue. On découvre alors une machine littéralement née pour la piste. Toutes les manœuvres individuelles qui sont accomplies sur un tour de circuit ne sont effectuées que de manière excellente. La direction, les freins, le châssis, les suspensions, tout fonctionne parfaitement et dans le seul but de soustraire des dixièmes de secondes au chronomètre. À ce sujet, le contrôle de traction équipant la 1198 et sa version SP ajoute encore aux capacités du modèle dans l'environnement du circuit.

PLUS PUISSANT QUE LE 1098, MOINS BRUTAL QUE LE 1198R, LE V-TWIN DE LA 1198 EST EXQUIS, MAGIQUE ET DIVIN À SOLLICITER.

Si une telle assistance électronique représente un plus indéniable pour favoriser le passage au sol des 170 chevaux, le plus grand avantage de la 1198 à ce chapitre demeure sans contredit la nature même de sa mécanique. Le puissant V-Twin ne produit tout simplement pas sa puissance de la même manière qu'un quatre-cylindres en ligne et ses propriétés inhérentes permettent véritablement au pilote d'accélérer plus fort en sortie de courbe que sur une sportive propulsée par un quatre-cylindres. Il s'agit d'ailleurs d'un avantage que même les modèles à quatre-cylindres équipés de contrôle de traction n'arrivent pas vraiment à surmonter. Outre ces particularités, le V-Twin de la 1198 est tout bonnement fabuleux. Plus puissant à tous les régimes que celui de l'ancienne 1098, mais pas aussi violent que le monstre de la 1198R, il est à la fois exquis, magique et divin à solliciter.

Quant à la 848, il s'agit d'une moto assez différente. Ses performances beaucoup plus accessibles pourraient même en faire un choix plus logique pour bon nombre de motocyclistes qui, de toute façon, n'utiliseraient jamais le plein potentiel des 1200. On en entend souvent parler comme s'il s'agissait d'une 600 à moteur V-Twin, mais ce n'est là qu'un mythe. Elle génère un niveau de couple plus que respectable à bas et moyen régimes, puis continue de pousser avec vigueur jusqu'à la zone rouge. Une fois la moto lancée, les accélérations sont probablement proches de celles d'une 600, mais en bas et au milieu, aucune comparaison ne peut être faite. Combinez l'accessibilité d'un tel niveau de puissance au superbe comportement de la partie cycle et vous obtenez, là encore, un véritable régal sur piste, si bien que la 848 ne devrait décidément jamais être mise de côté en raison de sa « petite » cylindrée. La version EVO introduite cette année représente, comme son nom l'indique, une évolution de la 848 testée. Par rapport à cette dernière, elle offre surtout une puissance supérieure de 4 chevaux et les mêmes étriers Brembo Monobloc dont sont dotées les 1198.

QUOI DE NEUF EN 2011 ?

Retrait de la 1198S et de la 1198R

1198S devient la 1198SP livrée de série avec réservoir en aluminium, amortisseur Öhlins TTx, embrayage avec limiteur de contre-couple Ducati et sélecteur de vitesses assisté

1198 livrée de série avec contrôle de traction, sélecteur de vitesses assisté et l'outil d'analyse de donnée DDA

Introduction de la 848^{EVO}

Aucune augmentation

PAS MAL

Une ligne superbe qui mérite toujours le qualificatif exotique

Des V-Twin fabuleux qui représentent chacun une très grande partie de l'attrait des modèles; ces moteurs incarnent tout ce qu'est Ducati

Une tenue de route qui est dans la même ligue que celle d'une sportive japonaise de pointe courante, donc exceptionnelle

Un niveau technologique très impressionnant en ce qui concerne non seulement la puissance générée par les V-Twin, mais aussi la manière ultra-efficace dont tous ces chevaux sont exploités

BOF

Une position de conduite parmi les plus sévères de l'univers sportif

Une certaine difficulté à rouler immédiatement vite en piste, contrairement aux sportives japonaises qui se montrent plus faciles à exploiter avec moins d'ajustements

Un embrayage à limiteur de contre-couple qui arrive trop lentement sur tous les modèles

CONCLUSION

En matière de sportives pures, les modèles de la famille Superbike de Ducati sont chacun de véritables petits chefs-d'œuvre. Il s'agit de machines exotiques en bonne et due forme, de bêtes de pistes de la plus pure espèce et de montures qui combleront les plus exigeants et les plus rapides des pilotes experts. Toutes d'une ahurissante efficacité autour d'une piste, leur plus intéressante caractéristique est peut-être celle de n'offrir strictement rien en commun avec l'expérience proposée par une sportive japonaise de 600 ou de 1 000 cc, et ce, non seulement en termes de sensations mécaniques, mais aussi en ce qui concerne le comportement. Elles ne se pilotent tout simplement pas de la même manière. Des cartes de visite pour la marque, elles sont les modèles qui donnent toute sa crédibilité à la réputation de Ferrari des deux-roues dont jouit Ducati.

1198 SP

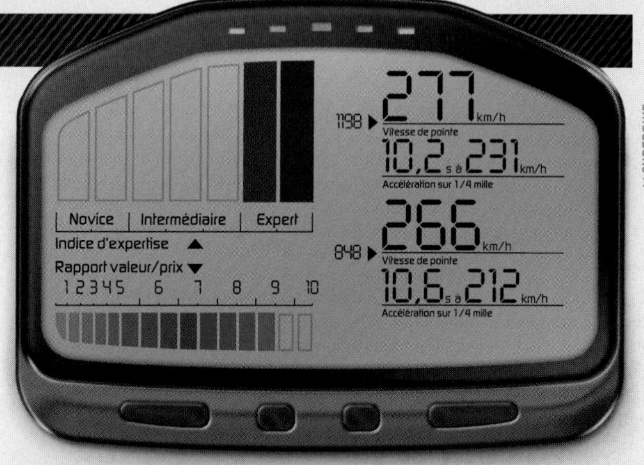

Voir légende en page 16

GÉNÉRAL

Catégorie	Sportive
Prix	1198SP: 26 995 $ 1198: 19 995 $ 848^{EVO}: 16 495 $
Immatriculation 2011	1 425,55 $
Catégorisation SAAQ 2011	«à risque»
Évolution récente	introduite en 2007; R et 848 introduites en 2008; passage à 1198 cc en 2009; 1198SP et 848^{EVO} introduites en 2011
Garantie	2 ans/kilométrage illimité
Couleur(s)	848: rouge, blanc, noir 1198: rouge 1198SP: rouge, noir
Concurrence	KTM RC8 et RC8R

MOTEUR

Type	bicylindres 4-temps en V à 90 degrés, contrôle desmodromique des soupapes, 4 soupapes par cylindre, refroidissement par liquide
Alimentation	injection à 2 corps elliptiques
Rapport volumétrique	12,7:1 (13,2:1)
Cylindrée	1 198,4 (849,4) cc
Alésage et course	106 (94) mm x 67,9 (61,2) mm
Puissance	170 (140) ch @ 9 750 (10 500) tr/min
Couple	97 (72,3) lb-pi @ 8 000 (9 750) tr/min
Boîte de vitesses	6 rapports
Transmission finale	par chaîne
Révolution à 100 km/h	n/d (848: environ 4 000 tr/min)
Consommation moyenne	6,5 l/100 km
Autonomie moyenne	238 km

PARTIE CYCLE

Type de cadre	treillis en acier tubulaire
Suspension avant	fourche inversée de 43 mm ajustable en précharge, compression et détente
Suspension arrière	monoamortisseur ajustable en précharge, compression et détente
Freinage avant	2 disques de 330 mm (320 mm) de Ø avec étriers radiaux à 4 pistons
Freinage arrière	1 disque de 245 mm de Ø avec étrier à 2 pistons
Pneus avant/arrière	120/70 ZR17 & 190/50 (180/55) ZR17
Empattement	1 430 mm
Hauteur de selle	820 (830) mm
Poids à vide	1198: 171 kg; 1198SP: 168 kg; 848 : 168 kg
Réservoir de carburant	15,5 litres (SP: 18 litres)

Multistrada S

AVENTURIÈRE TOUT EN MUSCLES... // Complètement repensée l'an dernier, cette toute nouvelle génération de la Multistrada reprenait l'objectif de polyvalence du modèle original, mais l'élevait jusqu'à un niveau très ambitieux. Elle prétendait en effet être quatre motos en une : une sportive, une routière, une aventurière et une machine urbaine. Animée par rien de moins qu'une version de 150 chevaux du V-Twin de la 1198, construite autour d'une partie cycle semblable à celle des modèles de la famille Superbike, mais surélevée par ses suspensions à grand débattement, sur papier, la Multistrada 1200 est effectivement un mélange de genres. Afin de lui permettre de changer de personnalité, Ducati l'a munie d'un sélecteur de modes qui varie la puissance et les ajustements de suspensions en fonction du contexte. La version S est munie de l'ABS et du contrôle de traction.

L'ambition de Ducati, avec sa Multistrada 1200, était grande. Le but du modèle consistait à offrir la possibilité d'affronter n'importe quel type d'aventures et n'importe quel genre de routes. Pour y arriver, elle ferait appel à tout le savoir accumulé par la marque de Bologne en compétition et l'utiliserait pour s'adapter aveuglément aux demandes et aux humeurs de son pilote. Celui-ci opérerait un ordinateur de bord dont les quatre modes (Sport, Touring, Urban et Enduro) permettraient de modifier la nature même de la moto en variant la puissance produite et les ajustements de suspensions. Même s'il s'agissait décidément d'un cahier de charges très rempli, le fait est que tout cela existe vraiment sur la Multistrada 1200.

CE QUE LA PUBLICITÉ DE LA MULTISTRADA NE DIT PAS, C'EST QU'ELLE EST EXTRAORDINAIREMENT AMUSANTE À PILOTER.

Le modèle dont a accouché Ducati possède toutes les caractéristiques que le constructeur rêvait de lui donner et chacune d'elles fonctionne telle qu'elle a été annoncée. Au-delà de sa construction multigenre surtout inspirée par les créneaux aventurier et sportif, la Multistrada permet donc vraiment de choisir, à la poussée d'un bouton, quel type de livrée de puissance et quel genre d'ajustement de suspension l'on préfère. Avec toutes ces possibilités, on comprend pourquoi Ducati insiste sur l'idée des « quatre motos en une ». Mais dans les faits, la Multistrada n'est, évidemment, qu'une seule moto. Peu importe le mode choisi avec l'ordinateur de bord, on y est toujours assis de la même fort agréable manière, les freins sont toujours aussi bons, la direction se montre toujours aussi précise et légère, la selle est toujours aussi confortable et la tenue de route est toujours aussi invitante. Bref, s'il est vrai que la livrée de puissance est ajustable de manière tout à fait notable et s'il est vrai que c'est aussi le cas avec les suspensions, est-ce suffisant pour littéralement parler de motos différentes? Non. Cela dit, la Multistrada reste quand même une monture extrêmement polyvalente qui se prête effectivement autant à une conduite sportive qu'à de longs trajets ou de courtes courses. Mais ce qu'est surtout la Multistrada 1200, c'est une moto extraordinairement amusante, et ça, la pub ne le dit malheureusement pas. Elle l'est en raison d'une combinaison de facteurs. Tout d'abord, il y a sa nature de routière crossover qui place le pilote dans un environnement ergonomique d'aventurière, mais met en même temps de la quincaillerie carrément sportive à sa disposition. Puis, au beau milieu du tout, il y a ce fabuleux moteur de la 1198 qui la catapulte comme une moto de ce genre ne l'a jamais été. En pleine accélération, l'avant se soulève comme s'il s'agissait d'une puissante sportive, et ce, en première et en deuxième. C'est non seulement du jamais vu sur ce type de motos, mais c'est aussi particulièrement drôle et ça ne semble absolument pas inapproprié lorsqu'on se trouve aux commandes. Surtout que la solide et précise partie cycle encaisse tous les abus sans broncher. En fait, ce que propose la Multistrada 1200 comme expérience de conduite semble tellement logique —elle est, d'une certaine façon, une sportive parfaite pour la route— qu'on se demande pourquoi personne n'y a pensé plus tôt. Quant à tous ces choix de modes, très franchement, après avoir constaté leurs effets, nous avons décidé que le Touring (pleine puissance, suspensions assouplies) était le plus intéressant. Et nous n'y avons presque plus touché.

QUOI DE NEUF EN 2011 ?

Nouvelle cartographie d'injection et nouveau programme d'ABS

Loquets des valises repensés pour améliorer l'étanchéité de celles-ci

Béquille centrale revue afin d'être moins intrusive

Aucune augmentation

PAS MAL

Un concept qui commence à donner beaucoup de crédit à cette nouvelle classe que sont les Routières Crossover; la polyvalence est vraiment impressionnante et l'agrément de pilotage est décidément au rendez-vous

Un moteur fou qui semble carrément égaré dans cette partie cycle haute et qui agrémente chaque instant de conduite avec des wheelies monstres et un caractère fort

Une partie cycle construite très sérieusement et qui encaisse sans le moindre problème la fougue du V-Twin en plus de permettre une tenue de route très saine

BOF

Une quantité d'électronique presque étourdissante; elle demande vraiment un petit cours pour être comprise et même ainsi, les menus ne sont pas intuitifs

Une hauteur de selle considérable qui fait pointer des pieds même les pilotes assez grands et dérange ceux de taille moyenne et moins

Une capacité hors-route très limitée; son terrain de jeu c'est la route

Un prix assez élevé, puisque tous ces gadgets ont un prix; une version nettement moins chère, mais qui ne serait pas équipée de tous ces modes et de ces ordinateurs pourrait être intéressante

CONCLUSION

Commençons tout d'abord par mettre à la poubelle toute pensée liée à la Multistrada originale, puisque celle-là évolue dans une ligue complètement différente. En fait, la Multistrada *est* différente. La KTM 990 Supermoto T offre certaines similitudes, mais le moteur de la Ducati change tout. Son niveau de performances est tel qu'il distrait, sans le moindre problème, un pilote habitué à une rapide sportive. La grande force du modèle c'est qu'il offre ce type de performances dans un ensemble véritablement multifonctionnel. De la besogne quotidienne aux longues randonnées en passant par l'attaque d'une route sinueuse, la Multistrada se montre à la hauteur et change d'humeur aussi vite que son pilote. Elle n'est pas donnée, surtout lorsqu'on opte pour la version S munie de l'ABS et de l'antipatinage, mais elle offre quelque chose de vraiment unique.

Multistrada S

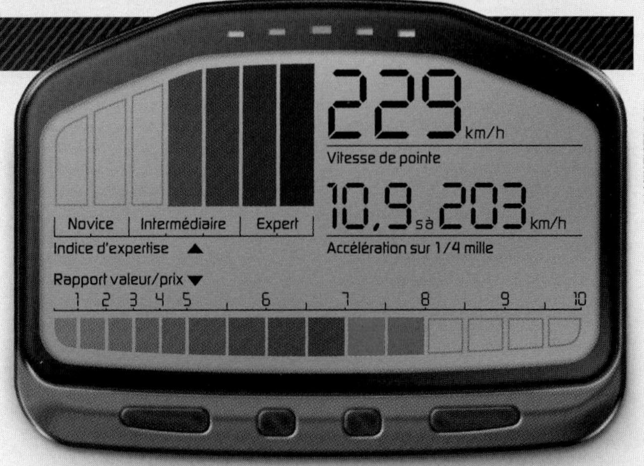

Voir légende en page 16

GÉNÉRAL

Catégorie	Routière Crossover
Prix	17 495 $ (S : 20 995 $)
Immatriculation 2011	633,55 $
Catégorisation SAAQ 2011	« régulière »
Évolution récente	introduite en 2004, revue en 2010
Garantie	2 ans/kilométrage illimité
Couleur(s)	rouge, blanc, noir
Concurrence	KTM 990 Supermoto T, Triumph Tiger 1050

MOTEUR

Type	bicylindres 4-temps en V à 90 degrés, contrôle desmodromique des soupapes, 4 soupapes par cylindre, refroidissement par liquide
Alimentation	injection à 2 corps elliptiques
Rapport volumétrique	11,5:1
Cylindrée	1 198,4 cc
Alésage et course	106 mm x 67,9 mm
Puissance	150 ch @ 9 250 tr/min
Couple	87,5 lb-pi @ 7 500 tr/min
Boîte de vitesses	6 rapports
Transmission finale	par chaîne
Révolution à 100 km/h	environ 3 200 tr/min
Consommation moyenne	6,2 l/100 km
Autonomie moyenne	322 km

PARTIE CYCLE

Type de cadre	treillis en acier tubulaire
Suspension avant	fourche inversée de 50 mm (S : 48 mm) ajustable en précharge, compression et détente
Suspension arrière	monoamortisseur ajustable en précharge, compression et détente
Freinage avant	2 disques de 320 mm de Ø avec étriers à 4 pistons (S : ABS)
Freinage arrière	1 disque de 245 mm de Ø avec étrier à 2 pistons (S : ABS)
Pneus avant/arrière	120/70 R17 & 190/55 R17
Empattement	1 530 mm
Hauteur de selle	850 mm
Poids tous pleins faits	217 kg (S : 220 kg)
Réservoir de carburant	20 litres

Diavel Carbon

NOUVEAUTÉ 2011

CUSTOM MON ŒIL... // La Diavel incarne tous les éléments qui font d'une nouveauté un événement. Il s'agit d'un coup de dés de la part de Ducati, puisque le constructeur italien n'a jamais rien produit de tel, mais la Diavel se veut aussi un geste très audacieux et courageux du genre que les motocyclistes ont une forte tendance à chaudement récompenser. Fait cocasse, même s'il ne s'agit absolument pas d'une custom, observateurs comme journalistes se sont mis à en parler comme si elle représentait la première incursion de Ducati dans ce créneau. Mais la Diavel, dont le nom signifie diable en italien, est plutôt une standard très particulièrement dessinée et surtout très musclée. Sa partie cycle est clairement dérivée de celles des modèles sportifs de la marque tandis que le V-Twin qui l'anime est à quelques chevaux près celui de la 1198. Une version Carbon est également offerte.

Technique

Le constructeur italien explique que l'origine du projet Diavel remonte à une discussion entre les designers et les ingénieurs de la marque lors de laquelle fut lancée l'idée de créer une moto sans limites de créativité et sans contraintes provenant des catégories prédéfinies. La Diavel personnifie donc littéralement une machine de rêve.

En marge de la mécanique de 162 chevaux empruntée à la 1198 et de sa solide partie cycle sportive, la Diavel s'affiche comme un concentré de technologie Ducati. En plus de l'ABS et du contrôle de traction DTC, la nouveauté est dotée d'un sélecteur trimode permettant d'opter pour l'une des trois combinaisons de puissance et de degré d'intervention du DTC.

SELON DUCATI, LA DIAVEL ATTEINDRAIT 60 MPH EN 2,6 SECONDES, CE QUI LA RENDRAIT PLUS RAPIDE QUE LA PLUPART DES SPORTIVES.

L'aspect mécanique de la Diavel est tout aussi intéressant, puisqu'on note des radiateurs latéraux, des suspensions entièrement réglables constituées d'un costaud bras oscillant monobranche et d'une massive fourche inversée à poteaux de 50 mm, des clignotants verticaux intégrés au carénage et, bien entendu, de cet immense pneu arrière de 240 mm que le constructeur annonce conçu dans le but de protéger la qualité de la tenue de route. Enfin, des freins identiques à ceux des modèles de la famille Superbike sont utilisés. Également digne de mention est le poids de la Diavel qui, à 210 kg à sec, s'avère très faible.

DUCATI

DUCATI
DV
L1200

❯ CARBON, OU PAS.

Offerte à 2000$ de moins que l'aguichante version Carbon, la Diavel de base est privée de superbes roues forgées Marchesini à 9 branches, de pièces en fibre de carbone (réservoir, garde-boue avant, dosseret de selle) et d'un revêtement anti-friction sur sa fourche. Elle conserve en revanche l'ordinateur de bord, le contrôle de traction, l'ABS et les suspensions réglables.

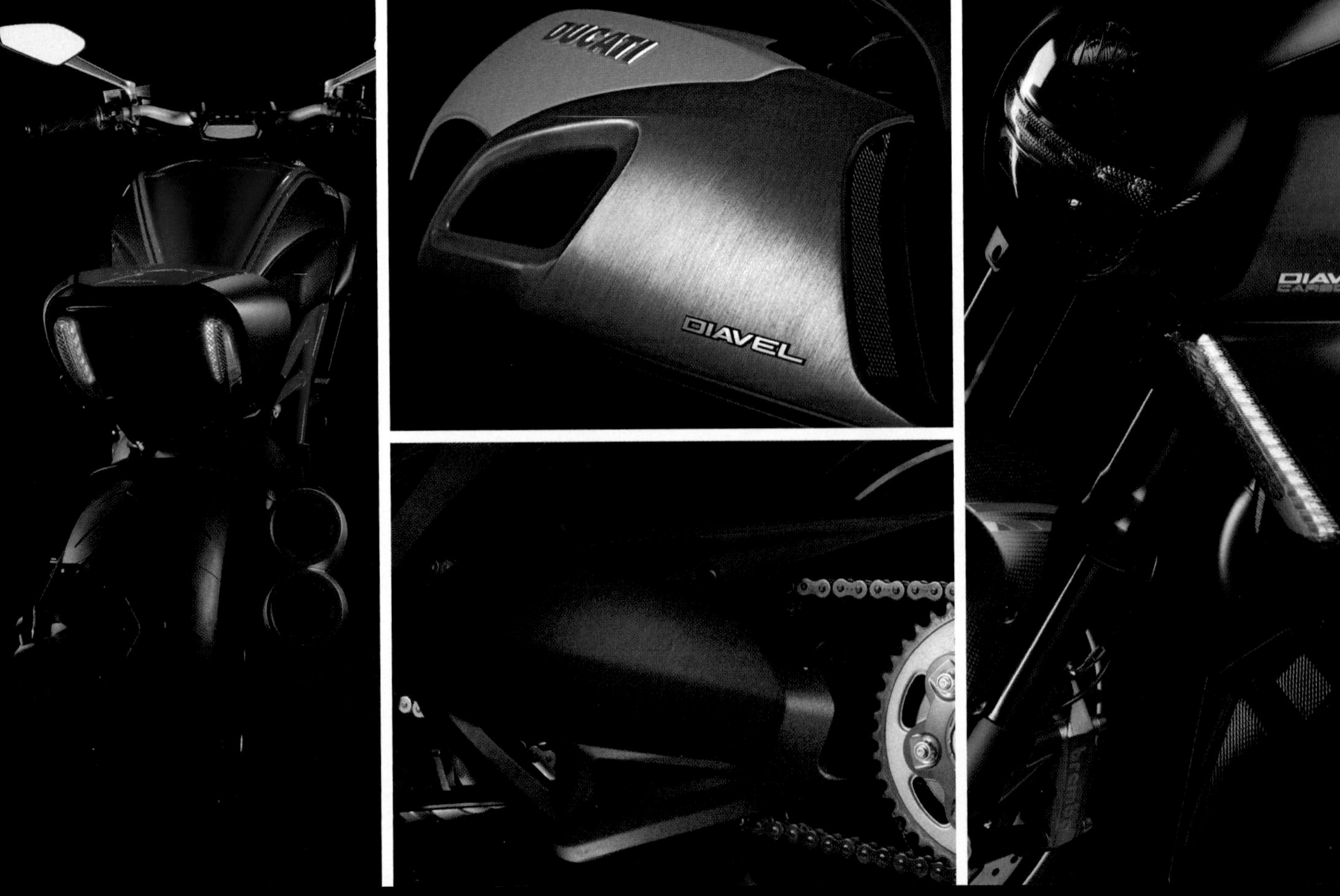

QUOI DE NEUF EN 2011 ?

Nouveau modèle

PAS MAL

L'un des paris stylistiques les plus audacieux des dernières années; en fait, on n'a probablement pas été autant étonné depuis le dévoilement de la V-Rod il y a presque 10 ans et non, cette observation ne fait pas de la Diavel une custom

Un niveau de performances qu'on attend très élevé, du moins en termes d'accélération; la Diavel est puissante, légère, longue et bénéficie d'une très généreuse zone de contact au sol grâce à son pneu arrière de 240 mm

Un niveau pratique qui pourrait très bien s'avérer intéressant si la position n'est pas trop inhabituelle et que les suspensions ne sont pas inutilement durcies

BOF

Un pneu arrière d'une largeur extrême qui sabote parfois le comportement des modèles qui en sont équipés; espérons que Ducati a fait ses devoirs à ce sujet

Une ligne très spectaculaire, mais dont certains angles sont douteux

Un prix qui ne semble pas exagéré compte tenu des composantes retenues, mais qui fait quand même du modèle l'un des plus chers du genre

CONCLUSION

Chaque fois qu'un constructeur ose quelque chose du genre, chaque fois qu'il prend le risque d'élargir ses horizons d'une manière aussi audacieuse, on ne peut que l'en applaudir, ce que nous avons d'ailleurs fait en confiant cette année à la Diavel notre convoitée couverture. S'il est évident qu'il sera très excitant de découvrir comment une telle création se comporte, il reste que la signification du modèle va bien au-delà de cet aspect. En effet, son arrivée confirme un engagement de toute évidence très profond de la part de Ducati envers les montures du créneau standard. En effet, en plus de la populaire Monster et de la sportive Streetfighter, Ducati offre désormais une standard d'un tout nouveau type en la Diavel. Il s'agit d'une brochette de modèles et de genres qui mérite au constructeur italien le titre de leader mondial dans ce créneau.

Diavel

240 km/h
Vitesse de pointe

10,5 s à 220 km/h
Accélération sur 1/4 mille

Novice | Intermédiaire | Expert
Indice d'expertise

Rapport valeur/prix
Performances estimées
1 2 3 4 5 6 7 8 9 10

Voir légende en page 16

GÉNÉRAL

Catégorie	Standard
Prix	Diavel : 18 995 $ Diavel Carbon : 20 995 $
Immatriculation 2011	NC - probabilité : 633,55 $
Catégorisation SAAQ 2011	NC - probabilité : « régulière »
Évolution récente	introduite en 2011
Garantie	2 ans/kilométrage illimité
Couleur(s)	Diavel : rouge, blanc, noir Diavel Carbon : noir et rouge
Concurrence	Yamaha VMAX

MOTEUR

Type	bicylindres 4-temps en V à 90 degrés, contrôle desmodromique des soupapes, 4 soupapes par cylindre, refroidissement par liquide
Alimentation	injection à 2 corps elliptiques
Rapport volumétrique	11,5:1
Cylindrée	1 198,4 cc
Alésage et course	106 mm x 67,9 mm
Puissance	162 ch @ 9 500 tr/min
Couple	94 lb-pi @ 8 000 tr/min
Boîte de vitesses	6 rapports
Transmission finale	par chaîne
Révolution à 100 km/h	n/d
Consommation moyenne	n/d
Autonomie moyenne	n/d

PARTIE CYCLE

Type de cadre	treillis en acier tubulaire
Suspension avant	fourche inversée de 50 mm ajustable en précharge, compression et détente
Suspension arrière	monoamortisseur ajustable en précharge, compression et détente
Freinage avant	2 disques de 320 mm de Ø avec étriers radiaux à 4 pistons et système ABS
Freinage arrière	1 disque de 265 mm de Ø avec étrier à 2 pistons et système ABS
Pneus avant/arrière	120/70 ZR17 & 240/45 ZR17
Empattement	1 590 mm
Hauteur de selle	770 mm
Poids à vide	210 kg (Carbon : 207 kg)
Réservoir de carburant	17 litres

Streetfighter

STANDARD DE PISTE... // La Monster S4R et ses 130 chevaux faisait encore récemment partie des plus féroces et puissantes standards sur le marché. Propulsée par une version à peine adoucie du V-Twin de la Superbike 1098 et plus légère que sa cousine de la famille Monster, la Streetfighter et ses 155 chevaux relève le concept de la standard extrême d'une très sérieuse coche. Construite autour d'une partie cycle dérivée de la plateforme Superbike, rien de moins, la Streetfighter est la standard la plus sportive du marché actuel, puisque les modèles qui s'en rapprochent le plus priorisent clairement un usage routier. La version S est livrée de série avec sa propre version du système de contrôle de traction DTC de Ducati et des suspensions Öhlins.

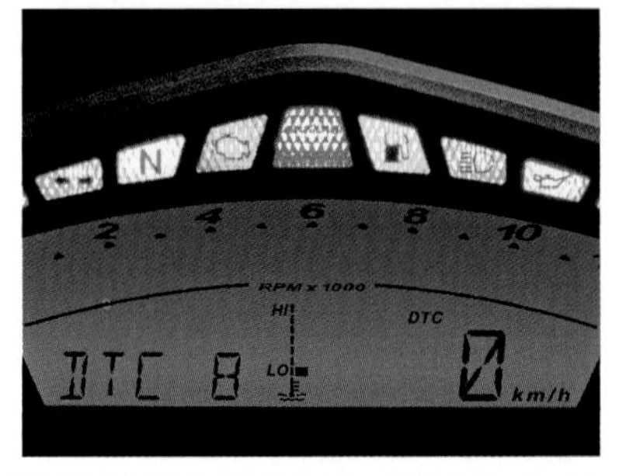

Les standards ultra-puissantes ne sont ni une nouveauté ni une rareté, même si elles ne pullulent pas non plus. On n'a qu'à penser à la B-King de Suzuki ou à la K1300R de BMW pour réaliser que des puissances d'environ 175 chevaux font déjà partie du décor dans ce créneau. Malgré «seulement» 155 chevaux, la Streetfighter propose un degré de performances auquel les modèles précédents ne peuvent même pas rêver, du moins en ce qui concerne la tenue de route.

Comme d'autres standards de performances, la Streetfighter est une sportive soulagée de son carénage. Ce qui la distingue de quoi que ce soit d'autre sur le marché c'est néanmoins le modèle de sportive de laquelle elle est dérivée. Techniquement, la Streetfighter n'est pas exactement une 1198 dénudée, mais elle en reste très proche. La géométrie de direction n'est pas précisément la même et quelques autres valeurs, comme l'empattement, ne sont pas non plus identiques. Mais dès qu'on aborde la première courbe d'une piste, un environnement où très peu de modèles du genre peuvent vraiment être qualifiés de performants, on réalise que ces quelques millimètres ne changent rien. La Streetfighter se pilote presque exactement comme une sportive pure. En fait, à pleine vitesse sur circuit, les plus grandes différences viennent de la position qui n'est pas aussi sévère et d'une direction un tout petit peu moins légère que sur une sportive pure. L'exposition complète au vent est également assez déroutante lorsqu'on dépasse régulièrement les 250 kilomètres à l'heure, comme c'est le cas sur la longue ligne droite du circuit de Mosport où nous l'avons évaluée. La réalité c'est qu'être exposé à l'air libre à de telles vitesses exige même un effort physique considérable. À l'exception de ces quelques caractéristiques particulières, il reste que la Streetfighter se pilote exactement comme une Ducati de la famille Superbike. Dans l'environnement de la piste, elle démontre une volonté sans limites à être poussée très fort en affichant une direction exacte, des freins aussi puissants qu'endurants et une compétence générale vraiment très similaire à celle qu'offre un modèle comme la 1198 actuelle, ce qui serait un immense compliment pour n'importe quelle sportive. Avec son efficace contrôle de traction DTC et ses suspensions Öhlins de haute qualité, la version S est un véritable régal à piloter rapidement en piste. Elle offre cette même tendance à toujours mieux se comporter à mesure que le rythme s'élève. Encore une fois, il s'agit de qualités sportives exceptionnelles, voire uniques pour un modèle de ce créneau.

SUR PISTE, ELLE FAIT PREUVE D'UNE COMPÉTENCE GÉNÉRALE VRAIMENT TRÈS SIMILAIRE À CELLE QU'OFFRE LA 1198 ACTUELLE.

Comme routière, la Streetfighter se montre évidemment très performante. Toutefois, cela n'en fait pas une monture particulièrement plaisante. La position de conduite est clairement plus agressive que celle de la moyenne des modèles semblables, bien qu'elle ne soit pas inconfortable non plus. La mécanique se montre très coupleuse et produit tous les bruits qui font d'une Ducati une Ducati tandis que les suspensions ne sont pas calibrées trop fermement. Pour une raison étrange, on ne la sent pas particulièrement agile lors de manœuvres serrées. Bref, sur la route, on ressent également de manière très claire qu'il ne s'agit pas d'une standard commune.

QUOI DE NEUF EN 2011 ?

Aucun changement

Aucune augmentation

PAS MAL

Un concept unique en ce sens qu'il ne fait pas vraiment de concessions à l'utilisation routière autre qu'une position moins radicale; il s'agit bien d'une 1198 en petite tenue

Un niveau de performances très élevé et qui n'est que marginalement en retrait par rapport à celui des dernières Superbike de la marque de Bologne

Une tenue de route exceptionnelle, puisqu'elle est à peu de choses près équivalente à celle d'une 1198, ce qui est un immense compliment

BOF

Une position de conduite qui est nettement plus agressive que celle d'une standard traditionnelle, puisqu'elle place pas mal de poids sur les mains et bascule le pilote vers l'avant; la selle a aussi un angle vers l'avant

Un comportement routier qui est clairement affecté par la nature très sportive, puisque la Streetfighter n'est pas le type de standard sur laquelle son se sent immédiatement à l'aise et sur laquelle on se faufile naturellement dans la circulation

Un V-Twin qui n'aime pas traîner à très bas régime et qui rouspète particulièrement si l'on tente d'accélérer à partir de ces régimes sur un rapport supérieur

CONCLUSION

La Streetfighter est unique. Il ne s'agit décidément pas d'une standard normale, ou même d'une standard de performances, comme une Z1000 ou une Speed Triple, mais plutôt d'une moto de piste sans carénage et dont la position de conduite n'est pas aussi sévère. Avec ses suspensions Öhlins et son contrôle de traction, la version S arrive d'ailleurs à passer au sol ses 155 chevaux avec une telle efficacité qu'elle n'a de désavantage, sur circuit, que de considérablement «décoiffer». À part une vitesse de pointe légèrement inférieure due à l'absence de carénage, elle peut rester dans la roue ne n'importe quelle sportive pure si son pilote le souhaite. Nous le savons parce que c'est exactement ce que nous avons fait durant toute une journée sur la piste de Mosport —dur boulot— où elle s'est définie ni plus ni moins que comme une 1198 en jupe courte.

Streetfighter S

261 km/h
Vitesse de pointe
10,4 s à 222 km/h
Accélération sur 1/4 mille
Novice | Intermédiaire | Expert
Indice d'expertise
Rapport valeur/prix
1 2 3 4 5 6 7 8 9 10

Voir légende en page 16

GÉNÉRAL

Catégorie	Standard
Prix	17 495 $ (S: 22 495 $)
Immatriculation 2011	633,55 $
Catégorisation SAAQ 2011	« régulière »
Évolution récente	introduite en 2009
Garantie	2 ans/kilométrage illimité
Couleur(s)	rouge (S : rouge, noir)
Concurrence	Kawasaki Z1000, Triumph Speed Triple

MOTEUR

Type	bicylindres 4-temps en V à 90 degrés, contrôle desmodromique des soupapes, 4 soupapes par cylindre, refroidissement par liquide
Alimentation	injection à 2 corps elliptiques
Rapport volumétrique	12,5:1
Cylindrée	1 098 cc
Alésage et course	104 mm x 64,7 mm
Puissance	155 ch @ 9 500 tr/min
Couple	85 lb-pi @ 9 500 tr/min
Boîte de vitesses	6 rapports
Transmission finale	par chaîne
Révolution à 100 km/h	environ 3 400 tr/min
Consommation moyenne	6,4 l/100 km
Autonomie moyenne	257 km

PARTIE CYCLE

Type de cadre	treillis en acier tubulaire
Suspension avant	fourche inversée de 43 mm ajustable en précharge, compression et détente
Suspension arrière	monoamortisseur ajustable en précharge, compression et détente
Freinage avant	2 disques de 330 mm de Ø avec étriers radiaux à 4 pistons
Freinage arrière	1 disque de 245 mm de Ø avec étrier à 2 pistons
Pneus avant/arrière	120/70 ZR17 & 190/55 ZR17
Empattement	1 475 mm
Hauteur de selle	840 mm
Poids à vide	169 kg (S: 167 kg)
Réservoir de carburant	16,5 litres

Monster 696

NOUVELLE VARIANTE 2011

POINT D'ORIGINE... // En fouillant le passé et en tentant de retracer le point dans le temps qui marqua le début de l'ère moderne des standards, on arrive difficilement à une autre date que 1993 et à un autre modèle que la Monster. Près de deux décennies plus tard, la sympathique Ducati affiche le même genre de traits et conserve la même formule, mais l'exécution, elle, est d'un autre niveau. La Monster actuelle est un exemple de simplicité et de pureté de design. Il s'agit d'une monture sans artifices qui ne cherche aucunement à battre des records, mais dont la mission est plutôt de ramener l'expérience du pilotage d'une deux-roues à son état le plus simple. Pour 2011, une version 796 vient rejoindre les 696 et 1100, tandis que toutes, sauf la 696 Dark, reçoivent l'ABS de série.

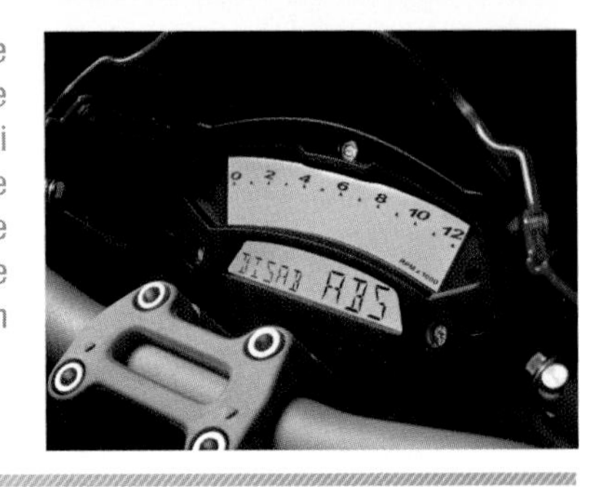

Les designs les plus difficiles à faire évoluer sont toujours ceux dont le succès a été franc et dont l'aspect est demeuré longtemps le même. Le problème vient du fait que l'arrivée de lignes nouvelles, dans de tels cas, entre en conflit avec le profond attachement du public envers les concepts originaux. Ducati en sait quelque chose, sa 999 n'ayant jamais réussi à succéder à l'emblématique 916 aux yeux de motocyclistes trop attachés au magnifique design original.

Lancée en 2009 après plus d'une douzaine d'années sous la même forme, la génération actuelle de la Monster s'appuie sur les leçons tirées de cette mésaventure, puisqu'en termes de ligne et d'esprit, les points communs avec le modèle original sont nets et nombreux. La réussite de Ducati est d'ailleurs indéniable, car la nouvelle Monster est exactement ce qu'elle devait être, soit une interprétation juste assez, mais pas trop mise à jour, de la monture originale.

Ducati a traditionnellement offert toute une gamme de Monster allant d'un modèle d'entrée de gamme jusqu'à une Superbike en tenue légère. En termes de cylindrée, ces choix sont aujourd'hui au nombre de trois, puisqu'une 796 vient rejoindre les 696 et 1100 en 2011. À moins de 10 000 $, la 696 joue le rôle de la Monster abordable, de celle qui offre l'image et l'environnement de la 1100 haut de gamme, mais à coût moindre et en offrant des performances nettement moins relevées. La nouvelle 796 serait un entre-deux.

Comme c'est toujours le cas chez Ducati, plus les modèles montent dans la hiérarchie, plus les composantes qui les équipent sont désirables et performantes. Pour cette raison, et bien qu'elle représente une considérable amélioration à tous les niveaux par rapport à l'ancienne 695, la 696 laisse encore une certaine impression de monture bas de gamme. L'ensemble fonctionne très bien et satisfera les motocyclistes moins expérimentés ou moins exigeants, mais les autres trouveront le travail des suspensions un peu rudimentaire et les prestations de la mécanique un peu trop justes. Si le petit V-Twin offre des accélérations honnêtes, il n'est en revanche pas un exemple de souplesse, demandant des hauts régimes et des changements de rapports fréquents pour livrer ses meilleures prestations. Pour la clientèle visée, il est probable que ce niveau de performances s'avère suffisant. Par ailleurs, celle-ci adorera la selle étonnamment basse ainsi que la grande légèreté et la maniabilité exceptionnelle de la 696.

LE PETIT V-TWIN DE LA 696 DEMANDE DES HAUTS RÉGIMES ET DES CHANGEMENTS DE VITESSE FRÉQUENTS.

La génération courante de la Monstrer corrige l'un des défauts de la version originale en proposant une position de conduite nettement plus équilibrée. La relation entre guidon, repose-pieds et selle est désormais très similaire à celle qu'une standard moderne propose, c'est-à-dire compacte et naturelle.

Offrant un comportement routier similaire, mais quand même clairement plus relevé que celui de la 696, la Monster 1100 se détache complètement de la petite cylindrée en matière de mécanique. Ses performances sont beaucoup plus intéressantes en raison de l'excellente souplesse du V-Twin, de ses accélérations nettement plus musclées et, surtout, de la manière absolument charmante qu'il a de vibrer profondément à l'accélération.

QUOI DE NEUF EN 2011 ?

Versions 796 et 696 Dark

ABS offert de série sur toutes les versions sauf la 696 Dark

Guidon relevé de 20 mm

Aucune augmentation

PAS MAL

Une ligne dessinée de manière très habile, puisque la Monster est à la fois immédiatement reconnaissable, moderne et classique

Une partie cycle extrêmement légère et agile qui permet une grande maniabilité et une tenue de route étonnante

Une mécanique sublime sur la 1100 qui dégage un caractère tellement fort qu'elle rappelle les regrettées Buell Lightning

Un système ABS livré de série sur toutes les versions sauf la 696 Dark

Une selle particulièrement basse sur la 696 qui semble être destinée à une clientèle moins expérimentée et aussi moins exigeante

BOF

Un comportement généralement bon, mais dont la qualité est réduite, sur la 696, par des suspensions dont le travail est rudimentaire; la 1100 est nettement supérieure

Des performances décentes, mais pas impressionnantes pour la 696 qui annonce pourtant une puissance qui devrait se traduire par des prestations plus intéressantes

Une certaine déception découlant du fait que l'économique 696 n'est pas vraiment destinée au motocycliste expérimenté; celui-ci devra payer plus pour les autres, et préférablement pour la 1100

CONCLUSION

Comme la première génération de la Monster s'est étirée sur une bonne quinzaine d'années, la remplaçante du modèle faisait face à de hautes attentes. Les versions actuelles sont à la hauteur. La plus petite, la 696, est un typique modèle bas de gamme Ducati en ce sens que même si plusieurs composantes sont partagées avec la 1100, l'impression générale qu'elle renvoie reste celle d'une monture assez rudimentaire. C'est néanmoins tout le contraire avec la 1100, puisque dans ce cas, on a plutôt l'impression d'être aux commandes d'une des motos les plus caractérielles qui soient tellement son V-Twin est agréable et communicatif. Elle fait partie de ces machines qu'une fiche technique ne peut tout simplement pas décrire de manière juste et qui doivent absolument être pilotées pour être appréciées. Enfin, la toute nouvelle 796 semblerait se situer entre les deux.

Monster 696 Dark

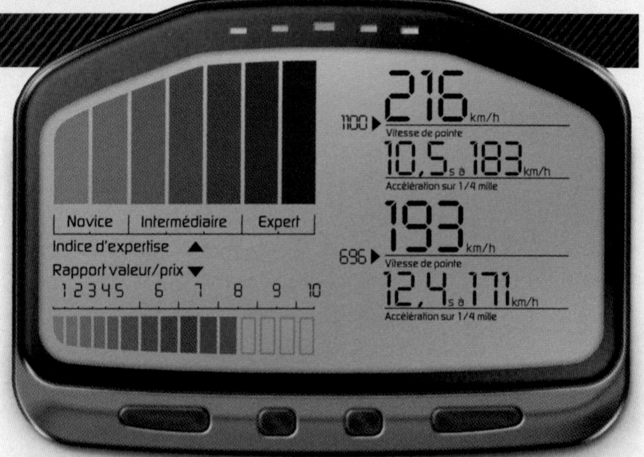

Voir légende en page 16

GÉNÉRAL

Catégorie	Standard
Prix	1100 : 13 495 $; 796 : 11 495 $ 696 : 9 995 $; 696 Dark : 9 995 $
Immatriculation 2011	633,55 $
Catégorisation SAAQ 2011	« régulière »
Évolution récente	696 et 1100 introduites en 2009; 796 introduite en 2011
Garantie	2 ans/kilométrage illimité
Couleur(s)	1000 : rouge, noir, argent 796 : rouge. noir, blanc 696 : rouge, noir, blanc (Dark : noir mat)
Concurrence	BMW R1200R, Kawasaki Z1000, Suzuki Gladius

MOTEUR

Type	bicylindre 4-temps en V à 90 degrés, contrôle desmodromique des soupapes, 2 soupapes par cylindre, refroidissement par air
Alimentation	injection à 2 corps de 45 mm
Rapport volumétrique	10,7:1
Cylindrée	1 078 (803; 696) cc
Alésage et course	98 (88; 88) mm x 71,5 (66; 57,2) mm
Puissance	95 (87;80) ch @ 7500 (8250;9000) tr/min
Couple	76 (58;50,6) lb-pi @ 6000 (6250;7750) tr/min
Boîte de vitesses	6 rapports
Transmission finale	par chaîne
Révolution à 100 km/h	environ 3 100 tr/min (1100)
Consommation moyenne	6,0 l/100 km
Autonomie moyenne	225 km

PARTIE CYCLE

Type de cadre	treillis en acier tubulaire
Suspension avant	fourche inversée de 43 mm ajustable en précharge, compression et détente (796, 696 : non ajustable)
Suspension arrière	monoamortisseur ajustable en précharge et détente
Freinage avant	2 disques de 320 mm de Ø avec étriers radiaux à 4 pistons et système ABS
Freinage arrière	1 disque de 245 mm de Ø avec étrier à 2 pistons et système ABS
Pneus avant/arrière	120/70 R17 & 180/55 (696:160/60) R17
Empattement	1 450 mm
Hauteur de selle	810 (800; 770) mm
Poids à vide	169 kg; 696 : 163 kg; 696 Dark : 161 kg
Réservoir de carburant	13,5 litres

Hypermotard 796

PHÉNOMÈNE PASSAGER? // Les machines de type supermoto ont tout d'abord été des motos hors-route animées par de gros monos que les propriétaires chaussaient de pneus sportifs. Aujourd'hui, pour des raisons purement stylistiques, l'appellation s'applique à un type de motos bien différent et même inusité dont l'Hypermotard de Ducati est le parfait exemple. Dans ce cas, on a plutôt affaire à des parties cycles purement sportives dans lesquelles des V-Twin de grosse cylindrée ont été logés, des caractéristiques qui expliqueraient d'ailleurs le «hyper» de Hypermotard. Comme c'est la coutume chez Ducati, plusieurs versions sont offertes. La 796 est le modèle abordable, la 1100EVO celui de milieu de gamme et la SP se veut l'Hypermotard des fanatiques, avec sa peinture Ducati Corse et ses multiples pièces de performance. Il s'agit d'une classe en nette perte de vitesse.

La Ducati Hypermotard est l'un des rares modèles qui survivent encore à la mode passagère qu'ont été ces grosses cylindrées de style supermoto. L'une des raisons principales derrière cette longévité c'est la crédibilité du produit offert par Ducati qui, comme son équivalent chez KTM, d'ailleurs, se voulait un concept bien plus sérieux que les autres modèles de la classe, ceux-ci ayant généralement été concoctés à la hâte à partir de montures routières ne se prêtant pas du tout à ce type d'utilisation, et ce, juste pour bénéficier de la mode alors qu'elle passait. Bref, comme KTM, Ducati a pris le genre au sérieux et les acheteurs lui ont rendu la pareille en faisant de l'Hypermotard un franc succès, du moins durant ses premières années. La marque de Bologne faisait d'ailleurs évoluer sa 1100 l'an dernier en l'allégeant de 5 kilos et en augmentant sa puissance de 5 chevaux. Une version d'entrée de gamme, l'Hypermotard 796, fut aussi offerte. Animée par un V-Twin de 803 cc dérivé de celui de la Monster 696, elle est équipée de suspensions un peu moins avancées que celles des autres modèles. La version SP, qui remplace l'ancienne S, est destinée aux pilotes qui comptent rouler en piste. Elle possède des suspensions plus sophistiquées, mais aussi plus hautes afin de permettre de plus fortes inclinaisons.

ELLE A POUR BUT DE LAISSER SON PILOTE ACCOMPLIR DES ACROBATIES OU, À TOUT LE MOINS, DE RÊVER DE LE FAIRE.

Depuis son arrivée sur le marché, l'Hypermotard s'est distinguée par son unique style agressif et ses proportions très habilement choisies qui dégagent une crédibilité instantanée. L'italienne semble avoir été conçue spécifiquement pour l'usage auquel elle est destinée, une impression qui se concrétise une fois sur la route où l'on découvre une machine différente de toute autre routière. La position de conduite, qui semble calquée sur celle d'une monture hors-route en raison du positionnement très avancé du pilote ainsi que de la selle longue et étroite, est probablement l'aspect le plus singulier du modèle. En effet, l'Hypermotard place le pilote si près du guidon qu'il a l'impression d'être assis sur le réservoir, avec le large guidon sous les bras plutôt que devant. Une fois en mouvement, on ne tarde pas à remarquer que le fait d'être perché sur une selle aussi étroite n'est pas vraiment confortable. Même si l'on peut facilement changer de position, il reste que l'Hypermotard n'a clairement pas été conçue pour faire du tourisme, un fait que son minuscule réservoir d'essence confirme, d'ailleurs. Son but ultime est plutôt de laisser son pilote accomplir d'extrêmes acrobaties ou, à tout le moins, de rêver de le faire.

Sans être un monstre de puissance, le V-Twin des 1100 propose une accélération amusante et un plaisant vrombissement. Il soulève même doucement l'avant sur les deux premiers rapports à pleins gaz, une réaction qui varie selon la position plus ou moins avancée du pilote sur la selle. La 796 offre des performances beaucoup plus timides.

Les suspensions sportives se comportent très bien sur une route sinueuse tandis que l'étonnante minceur des modèles contribue à leur grande agilité. Le châssis est aisément assez solide pour permettre de rouler sur piste, mais la position à saveur hors-route demande une adaptation de la part du pilote. La 1100EVO SP offre d'ailleurs une position de conduite ajustée pour la piste.

QUOI DE NEUF EN 2011 ?

Aucun changement

Aucune augmentation

PAS MAL

Une ligne très particulière qui demeure l'un des principaux facteurs d'intérêt du modèle; ça n'est plus vraiment le cas, mais l'Hypermotard était jusqu'à récemment l'accessoire cool de ceux qui se tiennent à la fine pointe de ce qui est «in»... Ne serait-ce pas plutôt là un point négatif?

Une très grande agilité amplifiée par le large guidon tubulaire, l'étroitesse de la machine et une position de conduite hors-route

Un facteur d'amusement qui demande un certain talent, mais qui peut prendre plusieurs formes allant du wheelie à la glissade en passant par la conduite en piste

BOF

Une selle très étroite et très haute qui est conçue pour faciliter les mouvements et non pour être confortable

Une aptitude étonnante aux acrobaties en tous genres — wheelies, stoppies, dérapages contrôlés et journées d'essais libres —, mais hors de portée des motocyclistes moyens

Une position de conduite relevée qui place le pilote très près du guidon et qui demeure étrange, même si elle ne taxe aucune partie du corps

Un concept qui fait littéralement penser à une mode, puisqu'il semble en sérieuse perte de vitesse après une courte période de grande popularité; nous ne serions pas vraiment étonnés de la voir disparaître de la gamme à moyen terme

CONCLUSION

L'Hypermotard et les sportives pures semblent évoluer dans des contextes parallèles, puisque toutes offrent un potentiel extrêmement élevé que très peu de propriétaires exploitent, bien que tous soient en revanche extrêmement fiers de posséder une monture capable de telles prouesses. Si, dans le cas d'une sportive, ces prouesses sont liées à la vitesse pure, dans celui de l'Hypermotard, on parle plutôt de glissades des deux roues en attaquant une courbe. Telle est la nature des courses de supermoto et l'Hypermotard en est bel et bien capable. Reste maintenant à voir quelqu'un le faire... Nonobstant cet aspect théorique, il s'agit de montures très habilement dessinées et construites avec une rigueur digne des sportives de la marque. Cela dit, et même si elles n'ont rien de fondamentalement mauvais, on commence à se demander si elles ne succomberont pas bientôt au passage de la mode du supermoto. Hyper, pardon.

Hypermotard 1100^{EVO}

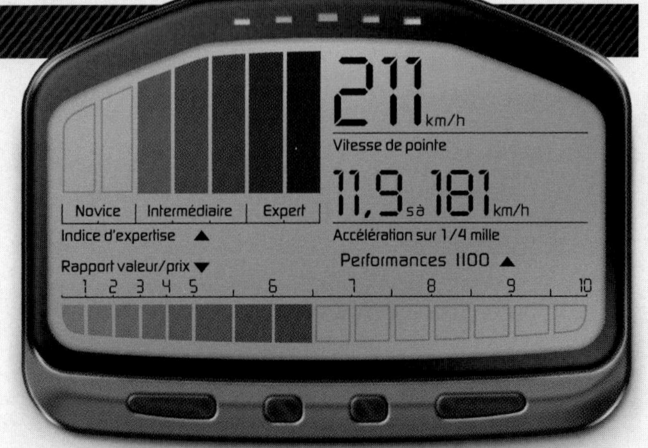

Voir légende en page 16

GÉNÉRAL

Catégorie	Supermoto
Prix	1100^{EVO} SP: 17 495 $ 1100^{EVO}: 14 995 $; 796: 11 495 $
Immatriculation 2011	633,55 $
Catégorisation SAAQ 2011	«régulière»
Évolution récente	1100 introduite en 2007 et revue en 2010 (EVO); 796 et 1100^{EVO} SP introduites en 2010
Garantie	2 ans/kilométrage illimité
Couleur(s)	1100^{EVO}: noir; 796 : rouge, noir 1100^{EVO} SP : rouge et blanc
Concurrence	Aprilia Dorsoduro 1200 KTM 990 Supetmoto R

MOTEUR

Type	bicylindre 4-temps en V à 90 degrés, contrôle desmodromique des soupapes, 2 soupapes par cylindre, refroidissement par air
Alimentation	injection à 2 corps de 45 mm
Rapport volumétrique	11,3:1 (796 : 11:1)
Cylindrée	1 078 cc (803 cc)
Alésage et course	98 (88) mm x 71,5 (66) mm
Puissance	95 (81) ch @ 7 500 (8 000) tr/min
Couple	75,9 (55,7) lb-pi @ 5 750 (6 250) tr/min
Boîte de vitesses	6 rapports
Transmission finale	par chaîne
Révolution à 100 km/h	environ 3 300 (4 000) tr/min
Consommation moyenne	5,9 l/100 km
Autonomie moyenne	210 km

PARTIE CYCLE

Type de cadre	treillis en acier tubulaire
Suspension avant	fourche inversée de 50 mm ajustable en précharge, compression et détente (796: 43 mm non ajustable)
Suspension arrière	monoamortisseur ajustable en précharge, compression et détente (compression et détente)
Freinage avant	2 disques de 305 mm de Ø avec étriers radiaux à 4 pistons
Freinage arrière	1 disque de 245 mm de Ø avec étrier à 2 pistons
Pneus avant/arrière	120/70 ZR17 & 180/55 ZR17
Empattement	1 455 mm (SP: 1 465 mm)
Hauteur de selle	796: 825 mm; 1100^{EVO} : 845 mm; 1100^{EVO} SP: 875 mm
Poids à vide	796: 167 kg; 1100^{EVO} : 172 kg; 1100^{EVO} SP: 171 kg
Réservoir de carburant	12,4 litres

Road Glide Ultra

NOUVELLE VARIANTE 2011

FORMULE ICONIQUE... // Il n'existe pas de machines à voyager plus particulières que les Harley-Davidson Electra Glide. Elles paraissent souvent archaïques aux yeux des non-Harleyistes, mais dans les faits, chacun des aspects techniques qui les définissent est étonnamment avancé. Du gros V-Twin dont les propriétés acoustiques sont finement calibrées jusqu'à la partie cycle aux qualités surprenantes en passant par la ligne intemporelle dont chaque détail a sa raison d'être, elles proposent une «formule de voyage» que le constructeur ne cesse de perfectionner, sans toutefois ne jamais la changer. Si le choix de variantes est très large, allant de la nouvelle Road Glide Ultra tout équipée à la relativement minimaliste Road King, la plateforme, elle, reste exactement la même peu importe le modèle. Pour 2011, le TC103 introduit l'an dernier sur l'Ultra Limited voit son usage plus répandu.

On a parfois l'impression que Harley-Davidson évolue dans un univers parallèle où les règles du jeu sont bien différentes de celles qui encadrent le reste du monde motocycliste. La série des montures de tourisme du constructeur de Milwaukee donne beaucoup de crédibilité à ce sentiment. En effet, malgré une classe où les gros joueurs proposent désormais trois fois plus de cylindres et au-delà de deux fois plus de puissance, les Electra Glide demeurent absolument sublimes lorsqu'elles se retrouvent dans l'environnement pour lequel elles existent, celui où les kilomètres s'enfilent et où les paysages défilent. Dans de telles circonstances, la «formule» Harley-Davidson prend non seulement tout son sens, mais elle va même jusqu'à prendre une dimension magique. Elles ne s'adressent décidément pas à tous, et surtout pas aux motocyclistes qui considèrent l'expérience du voyage à moto meilleure lorsqu'elle se rapproche de celle du voyage en voiture. Ces derniers seront très bien servis par d'autres modèles. Les Electra Glide font le choix de ne pas être parfaitement douces, mais plutôt de gronder doucement au rythme profond d'un gros V-Twin. Elles font le choix de proposer un environnement moins enveloppant, d'être un peu plus ouvertes, de vous protéger des éléments, mais sans vous isoler de la route et de tout ce qui l'accompagne. Toutes ces caractéristiques représentent un choix tout à fait calculé de la part du constructeur de Milwaukee. En fait, chacun des ingrédients qui se combinent pour donner cette fameuse «formule» n'est ni archaïque ni désuet, mais représente plutôt l'une des nombreuses facettes qui font la particularité de ces machines de route très spéciales. Elles ne sont néanmoins certes pas parfaites et bénéficieraient toutes, par exemple, de l'agrément supplémentaire de la mécanique de 103 pouces cubes. Toutes devraient aussi être livrées avec des poignées chauffantes, voire des selles chauffantes, une meilleure chaîne audio et des valises latérales plus volumineuses. L'écoulement de l'air serait également perfectible, et c'est avec impatience que nous attendons le jour où Harley-Davidson trouvera le moyen d'installer des pare-brise électriquement ajustables.

ELLES NE SONT NI ARCHAÏQUES NI DÉSUÈTES, MAIS FONT PLUTÔT UN CHOIX TRÈS CLAIR D'ABORDER LE VOYAGE À LEUR MANIÈRE...

En raison du grand nombre de variantes, la série de tourisme du constructeur américain peut sembler difficile à suivre, mais on n'a qu'à se rappeler que plus les prix montent, plus le confort et l'équipement sont présents. Tous les modèles possèdent néanmoins trois principaux atouts techniques. Le premier concerne la partie cycle qui, depuis sa révision de 2009, propose un comportement d'une qualité surprenante, et ce, même si le rythme s'intensifie et que les courbes se resserrent. Par ailleurs, compte tenu de la masse considérable de toutes les versions, on s'étonne franchement de leur maniabilité une fois en mouvement.

Le second concerne le V-Twin qui est absolument adorable en raison de sa faculté très particulière de communiquer son vrombissement au pilote tout en se montrant d'une douceur exemplaire à vitesse d'autoroute.

Enfin, toutes les variantes proposent un niveau de confort indéniablement élevé. En raison de leur bonne protection aux éléments et de leurs énormes selles, les modèles haut de gamme sont de véritables machines à voyager.

Harley-Davidson est arrivé à la nouvelle Road Glide Ultra en installant le carénage fixe de la Road Glide sur une Ultra Classic Electra Glide, modèle avec lequel la nouveauté partage un niveau d'équipement identique. Elle fait partie des quelques montures livrées de série en 2011 avec le TC103 introduit l'an dernier sur la Ultra Limited. Une version apprêtée à la sauce CVO est aussi offerte.

Quelque part autour de la ville de Portland, en Oregon, où Harley-Davidson a officiellement introduit sa gamme 2011, l'auteur et la nouvelle Road Glide Ultra négocient sans la moindre peine une longue courbe devant la lentille de Riles & Nelson.

Electra Glide Ultra Limited

Electra Glide Classic

DES VARIANTES À LA TONNE

La plateforme reste la même, mais les choix sont suffisamment nombreux pour satisfaire tous les goûts. Telle est la philosophie derrière la série des montures de tourisme de Harley-Davidson. La Road King est le membre le plus épuré de la famille et celui qui se rapproche le plus d'une custom. Les jumelles que sont les Road Glide Custom et Street Glide — qui, soit dit en passant, est la Harley la plus populaire et l'une des motos les plus vendues en Amérique du Nord — arrivent ensuite avec un niveau d'équipement nettement supérieur qui inclut, par exemple, un système audio. En ajoutant à ces dernières non seulement des selles de tourisme et une troisième valise, mais aussi une panoplie d'autres équipements, on arrive aux différentes Electra Glide et à la nouvelle Road Glide Ultra qui, elles, sont de véritables avaleuses de pays. Il existe certains cas où plus d'équipement n'est pas nécessairement gage de plus d'agrément, mais pas ici. D'une façon générale, plus on paie, plus on en a et plus l'expérience du voyage est agréable. Harley-Davidson est même très habile à ce jeu qui a pour résultat que la monture choisie est bien souvent la plus équipée et, bien entendu, la plus chère. Quant aux modèles à trois roues que sont les Tri Glide Ultra Classic et Street Glide Trike, ils ne sont ni des engins particulièrement plaisants à piloter pour le motocycliste moyen ni des produits pour lesquels le manufacturier éprouve la plus grande fierté : les communiqués à leur égard sont tenus au strict minimum et on n'en fait pratiquement jamais leur promotion. Mais le fait est qu'ils comblent un besoin, alors...

Street Glide Trike

Street Glide

QUOI DE NEUF EN 2011 ?

Introduction de la Road Glide Ultra

Road King Classic livrée de série avec l'ensemble Powerpak incluant le TC103 et plus

Option Security Package incluant système d'alarme et ABS offerte sur tous les modèles

Option PowerPak incluant moteur TC103 de 103 pouces cubes, système d'alarme et ABS offerte sur les Road Glide Custom et Street Glide

Silencieux 2-dans-2 plutôt que 2-dans-1 pour les Road Glide et Street Glide

Selles améliorées sur tous les modèles

Nouvelles plateformes pour Road Glide et Street Glide

Coûtent de 1 390 $ à 3 130 $ de moins qu'en 2010

PAS MAL

Des lignes classiques et intemporelles dont la popularité est bien reflétée par le nombre de fois où on les retrouve sur des customs de manufacturiers rivaux

Un V-Twin qui, sans être le plus communicatif du catalogue américain, chante de manière fort agréable et génère un niveau de performances que la majorité des acheteurs trouvera tout à fait suffisant

Une facilité de pilotage qui surprend et rend ces motos, qui sont techniquement des poids lourds, accessibles aux moins qu'experts

Une merveilleuse sérénité et une grande efficacité dans l'environnement du voyage de longue distance pour les modèles très équipés

BOF

Une suspension arrière correcte sur des routes pas trop abîmées, mais qui devient sèche lorsque l'état de la chaussée se détériore

Un poids élevé pour les modèles très équipés

Des pare-brise qui génèrent tous une turbulence plus ou moins importante au niveau du casque, sur l'autoroute, le pire étant celui de la nouvelle Road Glide Ultra

Des chaînes audio dont la qualité sonore est correcte, mais sans plus et dont la connectivité avec les accessoires de type iPod est rudimentaire

Des positions de conduite typées qui limitent le confort sur long trajet, mais sans lesquelles le thème émanant du style n'aurait pas toute son authenticité

CONCLUSION

La manière dont Harley-Davidson s'y prend pour aborder l'expérience du voyage à moto est absolument fascinante puisqu'elle est l'équivalant d'un doigt d'honneur à toutes les tendances actuelles qui poussent les produits de tous genres à être plus juste pour être plus. Nous avons très délibérément choisi de parler de « formule » pour décrire les Electra Glide de la même façon dont nous l'aurions fait pour le Big Mac, pour du Coca-Cola ou pour une Porsche 911. Comparer une moto à ces produits peut paraître loufoque, mais la réalité est que l'Electra Glide fait partie de ces très rares cas où la formule originale est tellement à point, tellement mûre, qu'elle se transforme presque en objet culturel pour lequel le renouvellement n'est ni nécessaire ni souhaité. L'Electra Glide ou ses variantes ne plaira pas à tous. Mais aux motocyclistes que la sophistication à outrance n'interpelle pas, à ceux et celles pour qui prendre la route signifie aussi prendre plaisir à s'imprégner de la machine que l'on pilote et du décor que l'on traverse, elle est divine.

Road King Classic

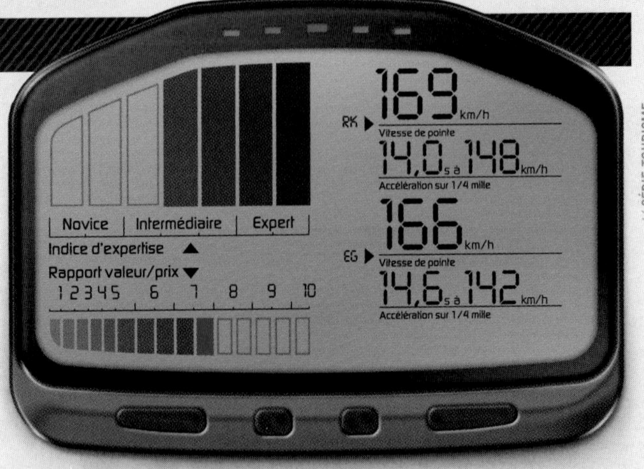

Voir légende en page 16

GÉNÉRAL

Catégorie	Tourisme de luxe / Tourisme léger
Prix	18 799 $ à 34 799 $
Immatriculation 2011	633,55 $
Catégorisation SAAQ 2011	« régulière »
Évolution récente	Road Glide Ultra introduite en 2011; Street Glide Trike introduit en 2010; Tri Glide introduit en 2009; plateforme revue en 2009; TC96B introduit en 2007; Street Glide introduite en 2006
Garantie	2 ans/kilométrage illimité
Couleur(s)	choix multiples
Concurrence	Kawasaki Vulcan 1700 Nomad et Voyager; Victory Vision Tour, Cross Roads et Cross Country; Yamaha Venture

MOTEUR

Type	bicylindre 4-temps en V à 45 degrés (Twin Cam 96 ou 103), culbuté, 2 soupapes par cylindre, refroidissement par air
Alimentation	injection séquentielle
Rapport volumétrique	9,2:1 (TC103 : 9,7:1)
Cylindrée	1 584 cc (1 690 cc)
Alésage et course	95,25 (98,43) mm x 111,25 mm
Puissance estimée	70 (75) ch @ 5 000 tr/min
Couple	92,6 (102) lb-pi @ 3 500 tr/min
Boîte de vitesses	6 rapports
Transmission finale	par courroie
Révolution à 100 km/h	environ 2 400 tr/min
Consommation moyenne	6,1 l/100 km
Autonomie moyenne	372 km

PARTIE CYCLE

Type de cadre	double berceau, en acier
Suspension avant	fourche conventionnelle de 41,3 mm non ajustable
Suspension arrière	2 amortisseurs ajustables pour la pression d'air
Freinage avant	2 disques de 300 mm de Ø avec étriers à 4 pistons (ABS optionnel)
Freinage arrière	1 disque de 300 mm de Ø avec étrier à 4 pistons (ABS optionnel)
Pneus avant/arrière	EG, RGU, RK : 130/80 B17; RKC : 130/90 B16; SG/RGC : 130/90 B18 & 180/65 B16
Empattement	1 613 mm
Hauteur de selle	688 mm à 739 mm
Poids tous pleins faits	367 kg à 409 kg
Réservoir de carburant	22,7 litres

Cross Bones

NOUVELLE VARIANTE 2011

L'ART MILWAUKIEN À SON MEILLEUR... // De l'éternelle Fat Boy jusqu'à l'arrogante Cross Bones en passant par la toute nouvelle Blackline, les Softail constituent une famille où créativité et diversité sont inégalées dans l'univers Harley-Davidson. En termes de style, elles représentent, dans l'imaginaire du grand public comme dans celui des connaisseurs, l'essence même des produits du célèbre constructeur de Milwaukee. Toutes sont construites autour d'une plateforme presque identique constituée d'un cadre dont l'arrière offre une suspension d'apparence rigide et d'un V-Twin de 96 pouces cubes à balanciers. Pour 2011, en plus d'offrir la possibilité d'être équipées de l'ABS, les Softail ont, à la toute dernière minute, accueilli une nouvelle variante, la Blackline, qui rappelle beaucoup la défunte Deuce, mais à laquelle le fort populaire traitement Dark Custom a été appliqué.

Au sein du catalogue Harley-Davidson, d'un point de vue mécanique, les Softail représentent le produit populaire, celui dont la mission est avant tout de plaire au plus grand nombre. L'une des principales conséquences de ce positionnement devient évidente dès que l'on enfonce le bouton du démarreur, car en dépit de ses 1 584 cc, le V-Twin animant chacun des modèles de la famille se montre particulièrement doux. Presque exempt de vibrations au ralenti et tremblant à peine à vitesse d'autoroute, il gronde toutefois de manière assez marquée en pleine accélération. L'on ne peut toutefois parler d'un moteur dont la présence est faible puisque la sonorité profonde et veloutée des silencieux est aisément audible et que les nombreux bruits mécaniques qui donnent aux montures du constructeur américain leur charme font également partie de l'expérience. Le caractère mécanique des Softail est par contre nettement plus réservé que celui des modèles Dyna et de tourisme. En fait, ce niveau très volontairement dosé de sensations auditives et tactiles provenant de la plateforme Softail est celui dont se rapprochent le plus les modèles customs des constructeurs rivaux. Même si l'expérience sensorielle n'est pas tout à fait la même et que les performances ne sont pas nécessairement du même niveau, ce choix a pour effet que l'ancien propriétaire d'une custom poids lourd de marque Kawasaki, Honda ou Victory, par exemple, ne se sentira pas du tout égaré sur une Softail et vice versa. En revanche, l'amateur de customs recherchant des sensations mécaniques fortes restera peut-être sur sa faim avec les modèles de cette famille.

UN ANCIEN PROPRIÉTAIRE DE HONDA OU DE VICTORY NE SE SENTIRA PAS DU TOUT ÉGARÉ SUR UNE SOFTAIL.

Les produits Harley-Davidson ont beau jouir d'une popularité très enviable, ils semblent incapables de se débarrasser d'une éternelle « mauvaise réputation » que les non-amateurs de la marque se font d'ailleurs une joie de bien cultiver. Qu'il s'agisse de freins déficients, de fiabilité douteuse, de vibrations qui font tomber les pièces, d'huile qui fuit, de garde au sol inexistante ou de comportement boiteux, la réalité est qu'on a dans tous ces cas affaire à des mythes, pour ne pas parler de commentaires ignorants. Le fait est qu'en matière de comportement, la plupart des Harley, dont certainement celles-ci, se sortent aisément aussi bien d'affaire que les produits japonais ou américains rivaux. La Cross Bones représente la seule exception, et ce, uniquement en raison de sa fourche de type Springer qui bénéficierait grandement d'une mise à jour. Sa solidité est satisfaisante, mais sa tendance à s'affaisser lors de freinages le moindrement intenses est problématique. Il s'agit d'ailleurs de la seule Harley-Davidson dont le frein avant utilise un étrier à piston unique et de la seule Softail qu'on ne peut équiper de l'ABS. Outre cette exception, la plupart des montures de cette famille offrent une direction étonnamment légère, une masse très habilement déguisée permettant une prise en main plutôt facile, ainsi qu'une solidité, une précision et une garde au sol tout à fait satisfaisantes en virage lorsqu'elles sont pilotées à un rythme approprié. Toutes proposent par ailleurs un niveau de confort correct lors de balades de courte ou moyenne durée, et ce, malgré une suspension arrière dont les bonnes manières disparaissent avec l'arrivée de mauvais revêtement.

» Aucune autre Harley-Davidson ne joue la carte de la nostalgie de manière aussi délibérée, voire élégante que la Softail Deluxe. Elle incarne littéralement l'esprit de Milwaukee. «

Blackline

Fat Boy Lo

FAT BOY

La Fat Boy est une véritable icône dans l'univers custom. Il s'agit d'une monture dont le style et les proportions ont servi et continuent de servir de base à la plupart des constructeurs proposant des customs. Sa réputation est si grande et tourne tellement autour de son style que l'on s'étonne franchement, une fois à ses commandes, de la facilité avec laquelle elle se laisse piloter, surtout pour une machine d'un tel poids. À ce sujet, la version Lo introduite en 2010 pousse les choses encore plus loin grâce à des suspensions abaissées permettant une hauteur de selle si faible qu'elle fait grimper la facilité de prise en main jusqu'à un niveau vraiment surprenant pour une custom poids lourd. À part un ou deux modèles Victory qui n'en sont pas très loin, aucune autre custom ne la surpasse à ce chapitre. La version Lo se distingue aussi de la Fat Boy originale par une finition moins axée sur le chrome et cherchant davantage à mettre en valeur la combinaison de métal brossé et de différents tons de noir. Baptisé Dark Custom par Harley-Davidson et appliqué à plusieurs autres modèles de la gamme, le style représente une tentative de la part du constructeur de rendre ses produits attrayants aux yeux d'une génération de motocyclistes plus jeunes. Et ça marche, ceux-ci semblant en effet associer l'utilisation trop libre de pièces chromées à des montures destinées à une clientèle plus âgée. Le traitement visuel noir est d'ailleurs de plus en plus repris par d'autres constructeurs.

BLACKLINE

Dévoilée très tardivement, la Blackline a pu être incluse de justesse dans le Guide 2011. Il s'agit d'une Softail dont la silhouette et les proportions rappellent beaucoup la regrettée Softail Deuce. Ce thème a toutefois été soumis à la médecine Dark Custom de Harley-Davidson, avec un fort élégant résultat. La Blackline met même en évidence une certaine évolution de ce traitement visuel qui, de manière très claire, ne cesse de progresser et n'est décidément plus une simple affaire de pièces peintes en noir. Les stylistes du constructeur ont, dans ce cas, un peu laissé de côté le noir mat pour redonner une certaine importance à un fini lustré, auquel ils ont ensuite choisi de combiner quelques pièces chromées. Un retour au filtre à air rond et à une roue arrière moins large fait également partie des choix stylistiques, tout comme la grande roue avant de 21 pouces. Plusieurs autres détails, comme le guidon scindé en deux et le traitement particulier de la jonction selle/réservoir contribuent aussi à la ligne. Le prix est établi à 17 149 $.

HERITAGE SOFTAIL CLASSIC

L'Heritage Softail Classic est l'incarnation même de la custom de tourisme léger. Créée en mélangeant de manière particulièrement habile quelques éléments de la famille de tourisme, comme les garde-boue, à des proportions très similaires à celles de la Fat Boy, puis en boulonnant un dossier de passager, des valises latérales souples et un gros pare-brise, elle constitue un ensemble imité par littéralement chaque constructeur offrant des customs à son catalogue. Son comportement est très similaire à celui de la Fat Boy en ce qui concerne la légèreté de direction et la facilité générale de prise en main. Elle est néanmoins un peu plus lourde et son guidon plus haut donne l'impression de piloter avec les mains en avant plutôt que naturellement en bas. En dépit de son équipement de «tourisme», il ne s'agit pas d'une moto conçue pour les très longues distances, mais plutôt d'une traditionnelle custom de balade dont le côté pratique a été amélioré.

QUOI DE NEUF EN 2011 ?

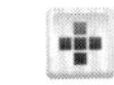

Commandes à main repensées avec moins de fils et avec accès aux nouvelles fonctions de l'instrumentation comme l'indicateur de rapport engagé et le tachymètre

Option Security Package incluant système d'alarme et ABS (sauf Cross Bones)

Retrait de la Softail Custom

Fat Boy coûte 1 300 $, Fat Boy Lo 1 340 $, Softail Deluxe 1 620 $, Heritage Softail Classic 1 550 $ et Cross Bones 1 390 $ de moins qu'en 2010

PAS MAL

Des lignes soit classiques et intemporelles commes celles de la Fat Boy et de l'Heritage, soit délicieusement audacieuses comme celle de la Cross Bones; chacune à sa façon est une démonstration de l'unique talent stylistique de Harley-Davidson

Un V-Twin qui, sans être le plus communicatif du catalogue américain, chante de manière fort agréable et génère un niveau de performances que la majorité des acheteurs trouvera tout à fait suffisant

Une facilité de pilotage qui surprend et rend ces motos, qui sont techniquement des poids lourds, accessibles aux moins qu'experts; la Fat Boy Lo est même dans une classe à part à ce chapitre

BOF

Une suspension arrière dont le comportement sur des routes pas trop abîmées peut être qualifié de correct, mais qui devient sèche quand la chaussée se détériore

Un thème « tourisme léger » qui doit justement être pris à la légère sur l'Heritage puisqu'on n'a décidément pas affaire à une Street Glide

Une certaine nervosité de la direction sur l'autoroute où le moindre mouvement du pilote se transforme en réaction du châssis

CONCLUSION

La marque des grands c'est de donner l'impression que le difficile ne l'est pas. Créer une série de variantes customs à partir d'une plateforme unique peut paraître extrêmement simple, et pourtant, seul Harley-Davidson semble y arriver. En fait, et c'est là la plus belle preuve du talent stylistique du constructeur, on perçoit beaucoup plus en regardant ces Softail que de banales variantes. On voit plutôt différentes machines possédant chacune une unicité visuelle qui crève les yeux. On voit des tableaux aussi différents qu'audacieux. On voit des lignes et des proportions exceptionnellement bien réalisées. Bref, on voit des Harley à leur état le plus pur. La force visuelle des modèles est même tellement grande que l'on oublie presque le fait que la plateforme autour de laquelle ils sont élaborés est particulièrement bien équilibrée et que le V-Twin qui les anime propose l'un des caractères mécaniques les plus francs et plaisants de notre industrie.

Heritage Softail Classic

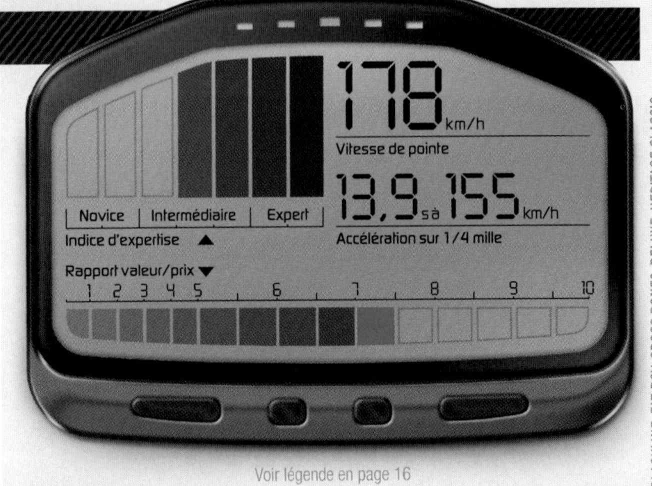

Voir légende en page 16

GÉNÉRAL

Catégorie	Custom / Tourisme léger
Prix	FB(L) : 17 699 (18 029) $; CB : 18 799 $ HSC : 18 799 $; SD : 18 579 $
Immatriculation 2011	633,55 $
Catégorisation SAAQ 2011	« régulière »
Évolution récente	plateforme revue en 2000 ; Deluxe introduite en 2005; TC96B introduit en 2007; Fat Boy Lo introduite en 2010
Garantie	2 ans/kilométrage illimité
Couleur(s)	choix multiples
Concurrence	Kawasaki Vulcan 1700 Classic, Victory Kingpin, Yamaha Road Star, Kawasaki Vulcan 1700 Classic LT, Yamaha Road Star Silverado

MOTEUR

Type	bicylindre 4-temps en V à 45 degrés (Twin Cam 96B), culbuté, 2 soupapes par cylindre, refroidissement par air
Alimentation	injection séquentielle
Rapport volumétrique	9,2:1
Cylindrée	1 584 cc
Alésage et course	95,25 mm x 111,25 mm
Puissance estimée	70 ch @ 5 000 tr/min
Couple	93,7 lb-pi @ 3 000 tr/min
Boîte de vitesses	6 rapports
Transmission finale	par courroie
Révolution à 100 km/h	environ 2 400 tr/min
Consommation moyenne	5,7 l/100 km
Autonomie moyenne	331 km

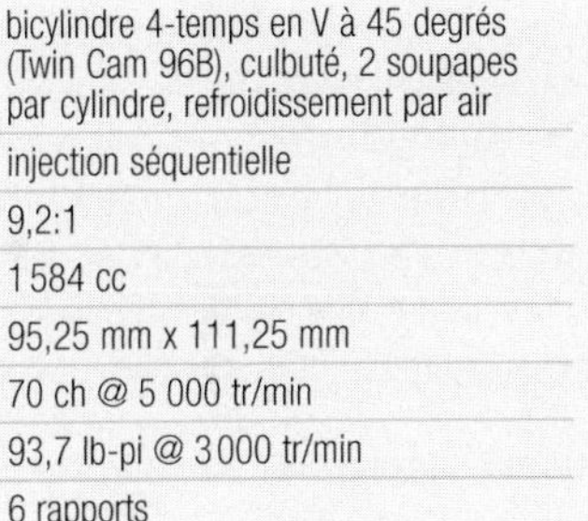

PARTIE CYCLE

Type de cadre	double berceau, en acier
Suspension avant	fourche conventionnelle de 41,3 mm (CB : Springer) non ajustable
Suspension arrière	2 amortisseurs ajustables en précharge
Freinage avant	1 disque de 292 mm de Ø avec étrier à 4 (CB : 1) pistons (ABS opt.)
Freinage arrière	1 disque de 292 mm de Ø avec étrier à 2 pistons (ABS optionnel)
Pneus avant/arrière	FB/L : 140/75-17 & 200/55-17 MT90 B16 & HSC : 150/80 B16; CB : 200/55-17; SD : MU85B16
Empattement	1 638 mm
Hauteur de selle	FB/L : 699/669 mm; CB : 765 mm HSC : 688 mm; SD : 658 mm
Poids tous pleins faits	FB/L : 329/332 kg; CB : 332 kg HSC : 345 kg; SD : 329 kg
Réservoir de carburant	18,9 litres

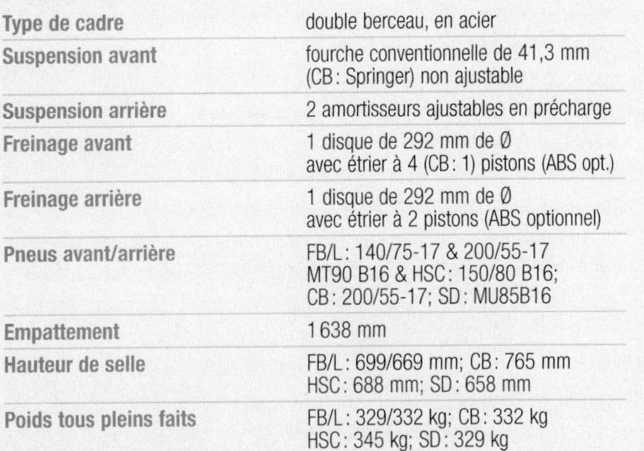

FASHION VICTIME... // Sans égard au domaine, on oublie parfois les modes aussi rapidement qu'elles sont apparues. C'est un peu le cas des choppers artisanaux qui, après avoir été extraordinairement populaires durant 3 ou 4 ans, et ce, autant à la télé que dans les rassemblements de type Daytona ou Sturgis, semblent maintenant, disons, «passé». Introduite en 2008 dans le but de faire bénéficier Harley-Davidson de la forte popularité de ce type de customs, la Rocker est d'une certaine façon victime de cette frénésie passagère. D'un côté, parce que la période forte du mouvement est aujourd'hui derrière nous, et, de l'autre, en raison de sa ligne quelque peu timide par rapport à celles des créations d'ateliers spécialisés. Seules de petites révisions surtout liées à l'instrumentation et la disponibilité de l'ABS distinguent l'édition 2011.

Harley-Davidson n'a pas du tout l'habitude de suivre les modes. En fait, la célèbre compagnie de Milwaukee a plutôt tendance à faire naître les tendances stylistiques que les autres suivront. Le mouvement chopper était toutefois trop fort pour que les têtes du marketing puissent y résister, ce qui mena à l'introduction de la Rocker en 2008. Des deux versions offertes alors, seule la C, ainsi nommée pour sa finition chromée plutôt que matte, demeure aujourd'hui au catalogue.

Bien que sa mission soit d'offrir une ligne digne d'un chopper, la Rocker propose un comportement très proche de celui d'une custom «normale» et peut donc être roulée sur une base quotidienne sans trop d'inconvénients. Son niveau pratique n'a donc strictement rien à voir avec celui des choppers artisanaux qui, lui, est ni plus ni moins qu'inexistant.

La selle extrêmement basse, le guidon large qui ne recule que peu vers le pilote et les repose-pieds avancés se combinent pour créer une position typée et cool qui ne tombe toutefois pas dans l'extrême. Le confort offert par la selle est correct tandis que le travail des suspensions ne devient rude que sur des routes dégradées.

Énormément d'efforts furent déployés afin de donner à la partie arrière de la Rocker un style qui s'approche autant que possible de celui d'un chopper à cadre arrière rigide. La plateforme Softail, qui possède déjà une suspension arrière au look rigide, fut d'ailleurs retenue pour cette raison, tandis qu'une très ingénieuse selle arrière escamotable — elle est rangée dans la selle du pilote et se déplie au besoin — fut également développée afin de conserver un style solo.

On entend très souvent dire que la forme passe avant la fonction chez Harley-Davidson, ce qui n'est pas nécessairement faux. La situation de la Rocker est toutefois un peu différente puisqu'on a, dans ce cas, cherché à combiner forme et fonction en mariant toutes les particularités de la section arrière «rigide» avec une suspension décente. On y est arrivé, mais seulement au prix d'un étrange espace entre la selle et l'aile arrière fixée sur le bras oscillant. Or, cette solution affecte énormément la ligne de la Rocker, pour ne pas dire qu'elle la déséquilibre carrément. Il s'agit d'un des rares cas de maladresse stylistique de la part du constructeur américain, et ce, même si le modèle possède à n'en pas douter ses admirateurs.

LE DÉSIR D'UN LOOK «RIGIDE» ET LA NÉCESSITÉ D'UNE VRAIE SUSPENSION ARRIÈRE AFFECTENT BEAUCOUP SON STYLE.

Il est un peu ironique que la plus grande critique dirigée vers la Rocker en soit une de style puisque son comportement aurait très facilement pu souffrir de la combinaison de l'énorme pneu arrière de 240 mm, du très étroit pneu avant de 90 mm et de la fourche à angle très ouvert. Grâce à un impressionnant travail de la part des ingénieurs, ce n'est toutefois pas du tout le cas.

Comme toutes les Softail, la Rocker est animée par un V-Twin de 96 pouces cubes destiné à plaire à la masse. Il se montre donc relativement doux, bien qu'on le sente tout de même vrombir agréablement en accélération, tandis que sa livrée de puissance est surtout caractérisée par une bonne disponibilité de couple à bas et moyen régimes. Certes pas spectaculaires, ses performances restent à la hauteur des attentes de la plupart des amateurs de customs poids lourd, tandis que sa sonorité profonde et veloutée est agréable et facilement audible.

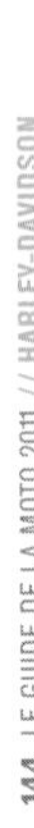

QUOI DE NEUF EN 2011 ?

Commandes à main repensées avec moins de fils et avec accès aux nouvelles fonctions de l'instrumentation comme l'indicateur de rapport engagé et le tachymètre

Option Security Package incluant système d'alarme et ABS

Coûte 1 840 $ de moins qu'en 2010

PAS MAL

Un comportement très étonnant pour une moto aussi radicalement conçue puisqu'il ressemble beaucoup à celui d'une custom normale

Une ligne très particulière puisqu'elle s'inspire de celle des choppers artisanaux; à part la Yamaha et Honda qui proposent une direction stylistique semblable, ce thème demeure encore très rare sur une moto de production

Un moteur plaisant et coupleux qu'on connaît bien puisque c'est celui qui anime le reste de la famille Softail

BOF

Une légère tendance de la direction à vouloir tomber à l'intérieur des virages pris à très basse vitesse, en sortant d'un stationnement, par exemple

Une ligne osée et unique, mais qui ne semble pas aussi habilement proportionnée et équilibrée que celles des autres Harley-Davidson; le style de la Rocker paraît même presque forcé plutôt qu'inspiré

Une suspension arrière qui travaille correctement la plupart du temps, mais qui peut se montrer rude sur une route dont le revêtement est abîmé

Une facture salée sans beaucoup de raisons valables; la large roue arrière est techniquement la seule différence fondamentale avec les autres Softail

CONCLUSION

On comprend très bien ce que Harley-Davidson a essayé de faire avec la Rocker. On comprend aussi très bien pourquoi le constructeur a trouvé opportun de créer un tel modèle. Yamaha et Honda misent d'ailleurs tous les deux beaucoup sur une solution stylistique semblable pour amener du nouveau à leur gamme respective de customs. Il reste néanmoins que quelque chose cloche avec la ligne de la Rocker. D'abord, il y a cette étrange partie arrière avec son style tronçonné de manière pas tout à fait habile. Et puis, il y a le fait qu'en la regardant, on ne voit pas vraiment un chopper, mais plutôt le résultat d'un projet par rapport auquel Harley-Davidson semble inexplicablement avoir fait preuve de timidité en ne poussant pas l'audace du coup de crayon assez loin. La réputation de maître styliste du constructeur est absolument indiscutable, et il nous semble que la Rocker n'est pas à la hauteur de celle-ci. Il nous semble aussi qu'il ne s'agit pas d'une de ces Harley dont le style est intemporel, ce qui veut aussi dire que ce style pourrait très bien être revu et corrigé. Voyons voir.

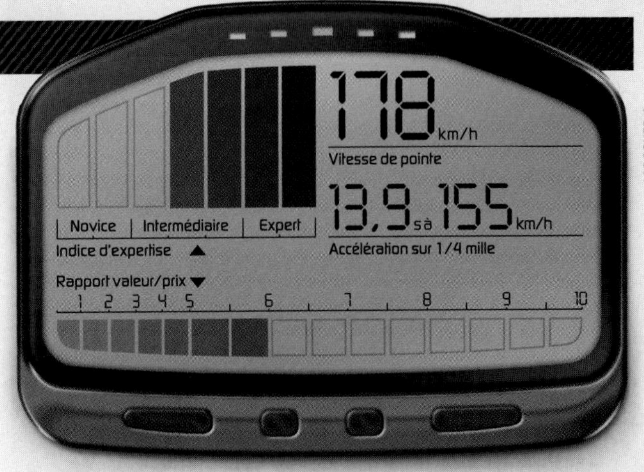

Voir légende en page 16

GÉNÉRAL

Catégorie	Custom
Prix	21 559 $
Immatriculation 2011	633,55 $
Catégorisation SAAQ 2011	« régulière »
Évolution récente	introduite en 2008
Garantie	2 ans/kilométrage illimité
Couleur(s)	noir, noir denim, bleu, rouge
Concurrence	Honda Fury, Honda Sabre, Yamaha Raider, Yamaha Striker

MOTEUR

Type	bicylindre 4-temps en V à 45 degrés (Twin Cam 96B), culbuté, 2 soupapes par cylindre, refroidissement par air
Alimentation	injection séquentielle
Rapport volumétrique	9,2:1
Cylindrée	1 584 cc
Alésage et course	95,25 mm x 111,25 mm
Puissance estimée	70 ch @ 5 000 tr/min
Couple	92,2 lb-pi @ 3 000 tr/min
Boîte de vitesses	6 rapports
Transmission finale	par courroie
Révolution à 100 km/h	environ 2 400 tr/min
Consommation moyenne	5,7 l/100 km
Autonomie moyenne	331 km

PARTIE CYCLE

Type de cadre	double berceau, en acier
Suspension avant	fourche conventionnelle de 49 mm non ajustable
Suspension arrière	2 amortisseurs ajustables en précharge
Freinage avant	1 disque de 292 mm de Ø avec étrier à 4 pistons
Freinage arrière	1 disque de 292 mm de Ø avec étrier à 2 pistons
Pneus avant/arrière	90/90-19 & 240/40 R18
Empattement	1 758 mm
Hauteur de selle	696 mm
Poids tous pleins faits	325 kg
Réservoir de carburant	18,5 litres

Street Bob

SENSATIONNELLES... // Chez Harley-Davidson, la plateforme Dyna représente non seulement l'un des secrets les mieux gardés de l'univers custom, mais aussi l'un de ceux qui méritent le plus d'être mis au grand jour. Toutes les montures de cette famille ont en effet la particularité d'être construites autour d'un cadre dans lequel une version sans balancier du TC96 est montée de manière souple. Ça peut sembler anodin comme caractéristique, mais enfoncez le bouton du démarreur et vous comprendrez instantanément qu'il s'agit de machines absolument uniques. Rien, et nous disons bien rien, ne tremble de cette façon, à un point tel que les amateurs de V-Twin «tranquilles» ne sont ici décidément pas au bon endroit. La Street Bob et la Super Glide Custom sont par ailleurs les modèles les moins chers des «grosses» Harley-Davidson.

Il serait presque inimaginable de commencer à traiter de ces modèles sans immédiatement aborder la question des factures qui les accompagnent. Celles-ci sont en effet les plus basses chez les «grosses Harley-Davidson», celles animées par le Twin Cam 96. Il est par ailleurs tout aussi important de réaliser qu'en dépit de ces prix étonnamment bas pour des produits de Milwaukee, on n'a absolument pas affaire à des montures bon marché. La technologie utilisée sur la Street Bob et la Super Glide Custom est la même que pour les Wide Glide et Fat Bob, tandis qu'à l'exception de l'ABS, qui n'est toujours pas offert sur les Dyna, ce niveau technologique est également plus ou moins le même que celui présent sur les Softail. En fait, s'il est une facette de ces Dyna qui fasse un peu bon marché, c'est leur style, disons, prévisible. Le guidon Ape Hanger de la Street Bob a beau amener quelque chose d'audacieux qui se marie d'ailleurs très bien avec la finition à tendance Dark Custom du modèle, il reste qu'en termes de look d'ensemble, le tout renvoie une impression plus simpliste que simple. Cette conclusion est d'ailleurs aussi valable pour la Super Glide Custom qui, outre sa belle finition, ne semble rien offrir de très désirable en matière de style. Nous croyons que ces modèles représentent une belle occasion pour Harley-Davidson puisque tout ce qui les sépare d'un niveau de désirabilité nettement supérieur est l'un de ces coups de crayon géniaux qui font la réputation du constructeur. La baisse de ventes obligeant présentement Harley-Davidson à effectuer un examen méticuleux de tous ses produits, l'annonce éventuelle d'une telle révision n'aurait rien d'étonnant.

SI ELLES SOUFFRENT DE LACUNES STYLISTIQUES, C'EST TOUT LE CONTRAIRE EN TERMES DE DÉSIRABILITÉ MÉCANIQUE.

Si ce duo souffre de certaines lacunes stylistiques, en termes de désirabilité mécanique, c'est tout le contraire puisqu'il figure aisément parmi les modèles les plus communicatifs que l'on puisse acheter, toutes marques et toutes cylindrées confondues. Pour l'amateur de V-Twin custom à caractère fort, on peut même difficilement trouver plus satisfaisant.

Du ralenti jusqu'à environ 2500 tr/min, une Dyna offre un lien extraordinairement direct entre les mouvements des pistons et les pulsations ressenties par le pilote. Ce profond tremblement s'adoucit comme par magie une fois ce régime passé, le gros V-Twin se contentant alors de doucement gronder à vitesse d'autoroute. Les performances sont d'un niveau satisfaisant grâce à une bonne poussée à bas et moyen régimes.

Compte tenu de ses quelque 300 kilos et de sa cylindrée de presque 1600 cc, la grande accessibilité de la Super Glide Custom surprend. Une selle et un centre de gravité bas ainsi qu'un guidon large tombant naturellement facilitent sa prise en main. Bien que ses proportions soient identiques, le cas de la Street Bob est différent en raison d'une position de conduite très affectée par le haut guidon. L'effet n'a non seulement rien de naturel, mais une bonne attention lors de manœuvres serrées est aussi requise. Dans les deux cas, à cause de la distance réduite entre les selles basses et les repose-pieds en position centrale, les pilotes aux longues jambes pourraient se sentir coincés ou étrangement installés. Enfin, grâce aux selles correctes et aux suspensions souples, toutes deux offrent un niveau de confort satisfaisant.

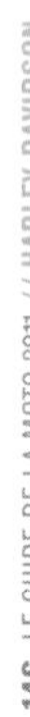

QUOI DE NEUF EN 2011 ?

Retrait de la Super Glide

Street Bob coûte 1 070 $ et Super Glide Custom 1 220 $ de moins qu'en 2010

PAS MAL

D'excellentes occasions pour quiconque rêve d'une Harley-Davidson «pleine grandeur» à prix raisonnable; elles sont accompagnées d'une facture soit dangeureusement proche, soit inférieure à celle de modèles rivaux comparables

Une mécanique au caractère carrément ensorcelant qui tremble et qui gronde comme aucun autre V-Twin en existence, ainsi qu'un niveau de performances tout à fait satisfaisant

Une accessibilité de pilotage étonnante pour des customs d'une telle cylindrée et de tels poids; les Dyna sont agréablement amicales à piloter

BOF

Un bas prix intéressant, mais qui se traduit par une selle solo sur la Street Bob

Un style prévisible et «facile», surtout pour la Super Glide Custom qui mériterait vraiment un peu d'attention; certaines Dyna pourraient devenir sérieusement plus intéressantes si Harley leur administrait un peu de la même médecine stylistique dont profitent les Softail; ramener la Low Rider, disparue en 2010, serait d'ailleurs une excellente occasion de raviver la plateforme

Une position de conduite plus ou moins naturelle à cause de la position centrale des repose-pieds; la posture très particulière qu'impose la Street Bob ne plaira pas à tous

Une mécanique dont le caractère est tellement fort que certains motocyclistes n'arrivent pas à s'y faire; il s'agit des clients parfaits pour les Softail dont les sensations mécaniques sont bien plus communes

CONCLUSION

Ça pourrait sembler sévère, mais nous avons presque envie de qualifier ces deux Dyna d'occasions manquées. La logique derrière un tel jugement est la suivante. Grâce à la magie du TC96 dans le cadre Dyna, on a affaire à deux des customs les plus enivrantes sur Terre d'un point de vue mécanique. Nous ne le répéterons jamais assez, l'expérience sensorielle qu'offre cette combinaison est littéralement extraordinaire. Mais l'univers custom étant ce qu'il est, les acheteurs font d'abord et avant tout leur choix en fonction du style, ce que Harley-Davidson sait d'ailleurs mieux que quiconque. Or, sans qu'elle soit désagréable, loin de là, la ligne de chacune d'elles demeure néanmoins ordinaire. D'où notre conclusion qu'il serait relativement facile pour le constructeur d'en multiplier le degré de désirabilité avec rien d'autre qu'une révision stylistique.

Super Glide Custom

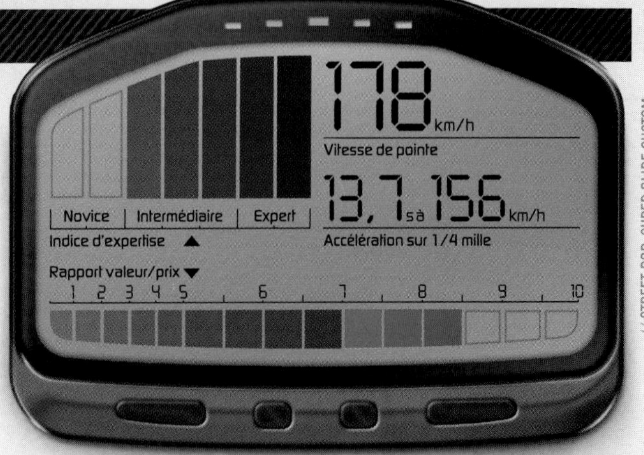

Voir légende en page 16

GÉNÉRAL

Catégorie	Custom
Prix	SGC: 14 379 $; SB: 14 379 $
Immatriculation 2011	633,55 $
Catégorisation SAAQ 2011	«régulière»
Évolution récente	Street Bob introduite en 2007; TC96 introduit en 2007
Garantie	2 ans/kilométrage illimité
Couleur(s)	choix multiples
Concurrence	Kawasaki Vulcan 1700 Classic, Victory Vegas Yamaha Road Star 1700

MOTEUR

Type	bicylindre 4-temps en V à 45 degrés (Twin Cam 96), culbuté, 2 soupapes par cylindre, refroidissement par air
Alimentation	injection séquentielle
Rapport volumétrique	9,2:1
Cylindrée	1 584 cc
Alésage et course	95,25 mm x 111,25 mm
Puissance estimée	70 ch @ 5 000 tr/min
Couple	92 lb-pi @ 3 000 tr/min
Boîte de vitesses	6 rapports
Transmission finale	par courroie
Révolution à 100 km/h	environ 2 400 tr/min
Consommation moyenne	5,6 l/100 km
Autonomie moyenne	SB: 317 km; SGC: 337 km

PARTIE CYCLE

Type de cadre	double berceau, en acier
Suspension avant	fourche conventionnelle de 49 mm non ajustable
Suspension arrière	2 amortisseurs ajustables en précharge
Freinage avant	1 disque de 300 mm de Ø avec étrier à 4 pistons
Freinage arrière	1 disque de 292 mm de Ø avec étrier à 2 pistons
Pneus avant/arrière	100/90-19 & 160/70 B17
Empattement	1 631 mm
Hauteur de selle	SB: 678 mm; SGC: 673 mm
Poids tous pleins faits	SB: 303 kg; SGC: 307 kg
Réservoir de carburant	SB: 17,8 litres; SGC: 18,9 litres

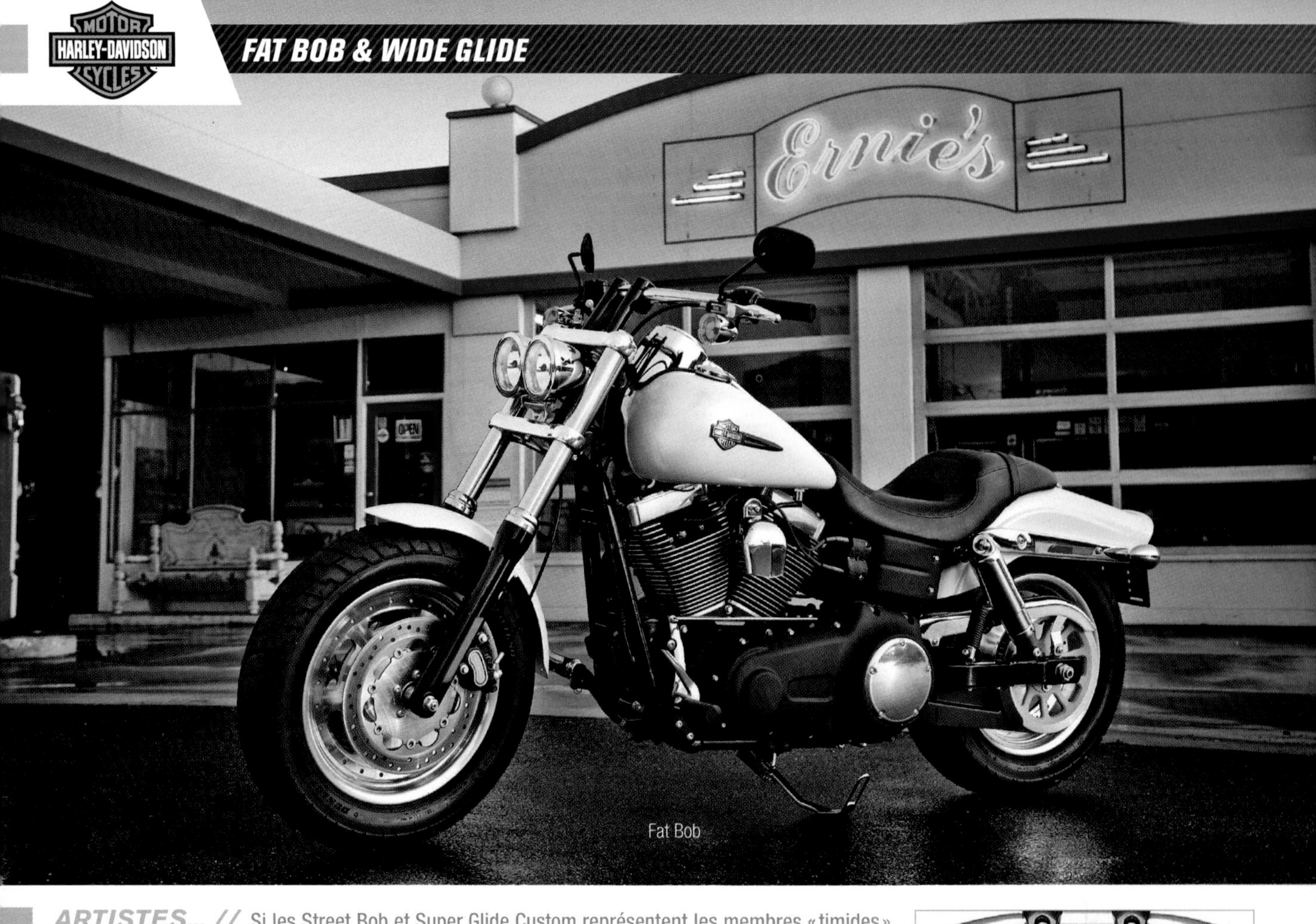

Fat Bob

ARTISTES... // Si les Street Bob et Super Glide Custom représentent les membres «timides» de la famille Dyna en termes de style, alors ces Fat Bob et Wide Glide en sont les artistes. Véritables preuves roulantes de l'extraordinaire talent du constructeur en matière de stylisme de custom, toutes deux sont construites autour de la plateforme Dyna, mais chacune propose une direction très particulière. La Fat Bob exploite le thème «Fat» de manière remarquable avec sa silhouette trapue et son profil plein, alors que la Wide Glide est une Harley élaborée sous le thème de la vieille école. Avec sa longue fourche, son minuscule pneu avant de 21 pouces, sa «sissy bar» et sa peinture enflammée, elle est pour le moment ce qui se rapproche le plus d'un chopper au sein du catalogue du constructeur de Milwaukee. Ni l'une ni l'autre n'est révisée en 2011.

Il n'est probablement pas de constructeur plus controversé que Harley-Davidson. Alors que, d'un côté, se trouvent les fidèles de la marque, des gens pour qui l'attachement à cette compagnie se traduit par une dévotion presque religieuse, de l'autre, se trouvent plutôt des motocyclistes éprouvant un sentiment s'approchant décidément du mépris pour les produits de Milwaukee... et pour leurs admirateurs. Les raisons exactes derrière ce contraste sont nombreuses, mais l'une d'elles est profondément liée au style des Harley-Davidson. En effet, les «autres» ne semblent tout simplement pas supporter l'idée qu'on puisse admirer de manière aussi aveugle des motos mécaniquement identiques ne se distinguant que par quelques détails stylistiques. En réalité, et même si leur réaction est tout à fait compréhensible, les «autres» ont tort.

L'UNE COMME L'AUTRE OFFRENT DES PARTICULARITÉS SI FORTES QU'AUCUN CONSTRUCTEUR RIVAL N'OSE LES DUPLIQUER.

Il est absolument vrai que Harley-Davidson produit de nombreux modèles à partir d'une même plateforme. Mais il est tout aussi vrai, d'abord, que cette plateforme est particulièrement au point et, ensuite, qu'une fois à leurs commandes, ces modèles semblent souvent très différents les uns des autres. C'est le cas des Fat Bob et Wide Glide qui partagent un cadre pratiquement identique et qui sont propulsées par le même moteur, mais qui font vivre une expérience de pilotage on ne peut plus distincte.

Quant à ces «quelques détails stylistiques», disons que dans ce cas, ils sont suffisamment bien choisis pour qu'on ait véritablement l'impression d'avoir affaire à des motos complètement différentes. Même les «autres» ne pourraient le nier. L'appréciation des lignes créées par les stylistes de la marque, Willie G. Davidson en tête, va toutefois bien au-delà de la simple constatation de différences visuelles. Il s'agit plutôt d'un jugement artistique aussi subjectif qu'indissociable des produits du constructeur. Bref, qu'on l'avoue ou non, l'appréciation d'une Harley – et jusqu'à un certain point de toute custom – passe par un processus équivalant au choix d'une quelconque œuvre artistique, comme un tableau ou une sculpture. Ainsi, bien avant que l'on décide si l'on préfère le comportement nettement plus solide, précis et invitant de la Fat Bob sur une route sinueuse, bien avant que l'on se soucie de la faible garde au sol de la Wide Glide, et bien avant que l'on ait même pensé aux conséquences de la position en C très typée des deux ou encore à leur confort limité sur long trajet, bien avant tout ça, on effectue une gymnastique artistique strictement liée au style.

Heureusement, deux éléments jouent en la faveur des intéressés dans ces cas. Premièrement, il y a le fait que Harley-Davidson n'a fait preuve d'aucune retenue stylistique, si bien que l'une comme l'autre sont visuellement tout sauf anonymes. Deuxièmement — et c'est là sans aucun doute le plus beau cadeau de ces modèles et certainement l'une des raisons principales pour lesquelles on devrait les envisager —, il y a cette combinaison magique du châssis Dyna et du Twin Cam 96, combinaison ayant pour résultat le caractère mécanique le plus fort et le plus attachant de l'univers custom tout entier. Il s'agit d'une de ces particularités typiques des Harley qui sont si fortes qu'aucun autre constructeur ne semble oser les dupliquer.

QUOI DE NEUF EN 2011 ?

Aucun changement

Fat Bob coûte 1 230 $ et Wide Glide 1 180 $ de moins qu'en 2010

PAS MAL

Des lignes qui sont tout sauf anonymes et qui mettent parfaitement en évidence le talent créatif de l'équipe artistique de Harley-Davidson

Une mécanique qui dégage des sensations magiques en secouant tout sans gêne à bas régime, puis en s'adoucissant complètement en haut

Une facilité de pilotage étonnante pour des motos de tels poids qui rend ces modèles accessibles même à des motocyclistes de petite stature ou moins qu'experts

BOF

Une suspension arrière qui peut se montrer assez sèche sur mauvais revêtement

Une garde au sol plus limitée que la moyenne dans le cas de la Wide Glide dont les silencieux frottent le sol facilement

Des styles tellement forts qu'ils deviennent polarisants; on aime ou on n'aime pas; en revanche, comme Harley produit d'autres customs au style plus neutre, les Fat Bob et Wide Glide ont donc justement la mission de pousser l'audace artistique de la marque

CONCLUSION

Très rarement, voire carrément jamais, voit-on la presse spécialisée se pencher de manière précise sur ce qui fait d'une Harley-Davidson un produit particulier. On s'en tient plutôt généralement à l'analyse du comportement, comme on le fait pour toutes les autres motos du marché. Nous avons d'ailleurs nous-mêmes passé par cette phase. Mais quelque chose cloche dans cette façon de faire, puisque les acheteurs de Harley, eux, ont des critères très différents pour arriver à leur choix. En fait, la réalité est que ces choix tiennent souvent davantage de la réaction émotionnelle que de la simple logique. Tant la Wide Glide que la Fat Bob proposent un style qui ne plaira pas à la masse. Mais chez certains individus, pour certaines raisons, la ligne de l'une ou de l'autre déclenchera quelque chose. C'est complexe et subjectif, mais chez Harley, c'est ça. Heureusement, ces coups de foudre feront aussi acheter des machines au comportement au moins décent et à la mécanique géniale.

Wide Glide

178 km/h
Vitesse de pointe

13,7 s à 156 km/h
Accélération sur 1/4 mille

Novice | Intermédiaire | Expert
Indice d'expertise ▲

Rapport valeur/prix ▼
1 2 3 4 5 6 7 8 9 10

Voir légende en page 16

GÉNÉRAL

Catégorie	Custom
Prix	Fat Bob : 16 589 $; Wide Glide : 16 039 $
Immatriculation 2011	633,55 $
Catégorisation SAAQ 2011	« régulière »
Évolution récente	Fat Bob introduite en 2008; Wide Glide révisée en 2010; TC96 introduit en 2007
Garantie	2 ans/kilométrage illimité
Couleur(s)	choix multiples
Concurrence	Fat Bob : Victory Hammer Wide Glide : Honda Fury, Victory Jackpot, Yamaha Raider

MOTEUR

Type	bicylindre 4-temps en V à 45 degrés (Twin Cam 96), culbuté, 2 soupapes par cylindre, refroidissement par air
Alimentation	injection séquentielle
Rapport volumétrique	9,2:1
Cylindrée	1 584 cc
Alésage et course	95,25 mm x 111,25 mm
Puissance estimée	70 ch @ 5 000 tr/min
Couple	92 lb-pi @ 3 000 tr/min
Boîte de vitesses	6 rapports
Transmission finale	par courroie
Révolution à 100 km/h	environ 2 400 tr/min
Consommation moyenne	5,6 l/100 km
Autonomie moyenne	FB : 337 km ; WG : 318 km

PARTIE CYCLE

Type de cadre	double berceau, en acier
Suspension avant	fourche conventionnelle de 49 mm non ajustable
Suspension arrière	2 amortisseurs ajustables en précharge
Freinage avant	1 (FB : 2) disque de 300 mm de Ø avec étrier(s) à 4 pistons
Freinage arrière	1 disque de 292 mm de Ø avec étrier à 2 pistons
Pneus avant/arrière	FB : 130/90 B16 & 180/70 B16 WG : 80/90-21 & 180/60 B17
Empattement	FB : 1 618 mm ; WG : 1 735 mm
Hauteur de selle	FB : 686 mm; WG : 678 mm
Poids tous pleins faits	FB : 319 kg; WG : 302 kg
Réservoir de carburant	FB : 18,9 litres; WG : 17,8 litres

V-Rod Muscle

AU REVOIR ET MERCI... // Presque une décennie après son introduction très remarquée, la V-Rod originale se voit cette année retirée du catalogue Halrey-Davidson. La disparition est néanmoins davantage celle d'une ligne que d'un modèle, puisque les V-Rod Muscle et Night Rod Special toujours offertes sont en fait des variantes stylistiques de la version originale. Avec un peu de recul, et en se rappelant que la mission première de la famille VRSC reste celle d'amener une nouvelle clientèle à s'intéresser aux produits de Milwaukee, il était probablement temps de dire au revoir à la V-Rod. Elle aura brisé la glace en introduisant le refroidissement par liquide chez Harley-Davidson, au grand dam des puristes d'ailleurs, elle aura fait couler beaucoup d'encre et tourner encore plus de têtes et, surtout, elle aura réussi à capter l'intérêt de motocyclistes qui, sans elle, n'auraient jamais envisagé une Harley.

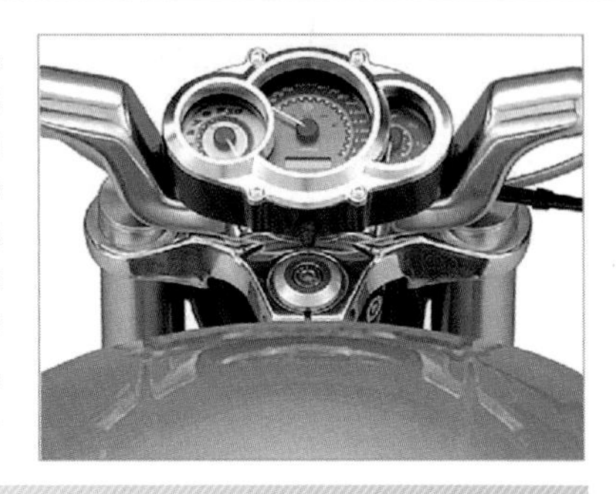

Parmi les nombreux accomplissements de la V-Rod originale, le plus considérable est sans aucun doute celui d'avoir apporté une expérience à Harley-Davidson en matière de nouvelle clientèle, expérience qui risque d'ailleurs d'être extrêmement utile durant les années à venir. Avec des motocyclistes qui vieillissent et des jeunes qui ne s'intéressent pas vraiment à la moto, on comprend en effet la valeur de toute expertise permettant d'attirer du sang neuf vers une marque.

L'une des leçons tirées de l'exercice original de la V-Rod est qu'une Harley dirigée vers une clientèle nouvelle ne doit pas être traitée de la même manière que les modèles classiques. Alors que ces dernières représentent souvent aux yeux des acheteurs des pièces intemporelles dont la ligne nostalgique et la mécanique traditionnelle sont des atouts, la V-Rod a plutôt été perçue et traitée comme une intéressante nouveauté chez les motos «normales». Or, le terme «intemporel» n'existe tout simplement pas chez ces dernières, pas plus que chez la clientèle qu'elles attirent. Dans ce marché, l'intérêt ne sera conservé que s'il y a évolution. Celle-ci a bel et bien été accomplie, d'abord par l'adoption d'un V-Twin de 1 250 cc plutôt que 1 130 cc, puis par l'installation d'un pneu arrière géant à section de 240 mm et, finalement, par l'introduction de styles nouveaux. À ce sujet, l'exceptionnel talent stylistique du constructeur a encore une fois été démontré avec la Special et la Muscle qui, en plus d'être absolument sublimes, illustrent parfaitement l'esprit du Musclebike. Bref, un simple regard suffit pour comprendre exactement à quel type de machine on a affaire.

UN SIMPLE REGARD SUFFIT POUR COMPRENDRE EXACTEMENT À QUEL TYPE DE MACHINES ON A AFFAIRE.

Quiconque conclurait que les Special et Muscle sont des pétards mouillés en les liant aux performances relativement faibles des Harley traditionnelles se tromperait royalement, puisqu'on a plutôt affaire à deux des engins les plus rapides de l'univers custom. Elles sont propulsées par une mécanique douce et vraiment très particulière qui marie de façon unique un tempérament custom à un niveau de performances réellement impressionnant. Si les tout premiers régimes ne proposent pas une quantité de couple exceptionnelle, la situation change rapidement dès que l'aiguille du tachymètre s'éloigne du ralenti. À partir d'un arrêt ou même d'une vitesse lente, une ouverture des gaz généreuse jumelée à un relâchement abrupt de l'embrayage se traduira par un enfumage instantané du gros pneu arrière, ainsi que par une poussée très divertissante. Contrairement aux Harley traditionnelles sur lesquelles le travail de la transmission est volontairement lourd, sur celles-ci, tout est léger et précis. La clientèle visée n'est pas la même et les sensations ressenties ne sont pas les mêmes non plus.

En termes de comportement, de performances et même de position de conduite, la V-Rod Muscle est presque la jumelle parfaite de la Night Rod Special. Toutes deux offrent la même posture en C de type «pieds et mains loin devant» qui s'avère indéniablement cool, mais qu'on ne peut qualifier de confortable. Par ailleurs, grâce à un bon travail d'ingénierie, une petite lourdeur de direction à basse vitesse est le seul prix à payer pour le gros pneu arrière, une qualité non négligeable lorsqu'on sait combien ces pneus affectent habituellement la tenue de route.

QUOI DE NEUF EN 2011 ?

Retrait de la V-Rod

Option Security Package incluant système d'alarme et ABS

V-Rod Muscle coûte 3850$ et Night Rod Special 3710$ de moins qu'en 2010

PAS MAL

Un V-Twin fabuleux provenant de la Screamin'Eagle V-Rod; il est doux, souple et pousse de façon très impressionnante

Des réductions de prix qui les transforment en très bonnes valeurs

Des lignes et des proportions extrêmement bien réalisées qui illustrent parfaitement le type de motos toutes en muscles auxquelles on a affaire

Un comportement qui n'est pas trop affecté par la présence d'un pneu arrière ultralarge, ce qu'on ne peut certes pas dire de toutes les customs équipées de la sorte

BOF

Une position de conduite non seulement typée, mais bel et bien extrême qui place littéralement les pieds aussi loin que les mains et plie le pilote en deux; à la défense de cette position, elle arrive à immerger le pilote dans une ambiance très particulière

Une suspension arrière qui n'est pas une merveille de souplesse et dont le rendement moyen est considérablement amplifié par la position qui rend le dos vulnérable

Une certaine lourdeur de direction, un besoin d'exercer une pression constante sur le guidon et un comportement pas très naturel dans les manœuvres serrées qui découlent de la présence du gros pneu arrière

CONCLUSION

Le cas des Night Rod Special et V-Rod Muscle est extrêmement intéressant à voir évoluer puisqu'il représente l'écriture en temps réel d'une partie de l'histoire du constructeur, ce dernier cherchant à s'éloigner de la tradition afin d'intéresser une nouvelle clientèle. L'exercice est délicat puisqu'il doit créer un nouveau type de Harley-Davidson sans toutefois ne jamais nuire à l'identité de la marque. Il aura fallu quelques années d'ajustements au constructeur pour y arriver, mais ces motos semblent véritablement avoir atteint l'objectif. Elles sont les Harley des autres, celles des motocyclistes qui n'auraient jamais envisagé l'acquisition de l'une des montures classiques du manufacturier. Il s'agit de customs extrêmement rapides, mieux maniérées qu'on pourrait le croire et dessinées de main de maître.

Night Rod Special

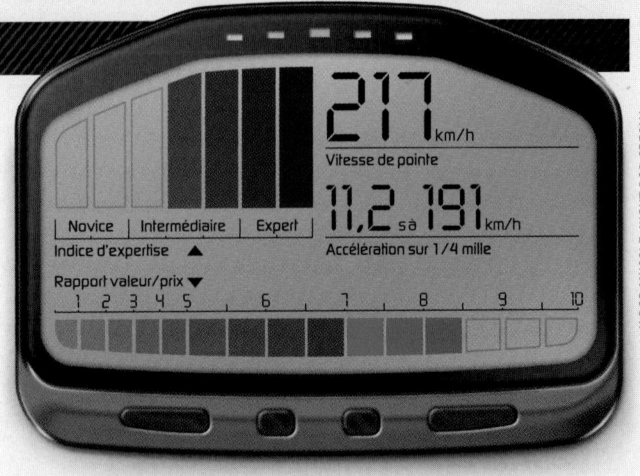

Voir légende en page 16

GÉNÉRAL

Catégorie	Custom
Prix	V-Rod Muscle: 16589$; Night Rod Special: 16249$
Immatriculation 2011	633,55$
Catégorisation SAAQ 2011	«régulière»
Évolution récente	V-Rod introduite en 2002, Night Rod Special en 2007 et V-Rod Muscle en 2009
Garantie	2 ans/kilométrage illimité
Couleur(s)	choix multiples
Concurrence	Suzuki Boulevard M109R, Yamaha Raider, Victory Hammer

MOTEUR

Type	bicylindre 4-temps en V à 60 degrés (Revolution), DACT, 4 soupapes par cylindre, refroidissement par liquide
Alimentation	injection séquentielle
Rapport volumétrique	11,5:1
Cylindrée	1250 cc
Alésage et course	105 mm x 72 mm
Puissance	Muscle: 122 ch @ 8250 tr/min Special: 125 ch @ 8250 tr/min
Couple	Muscle: 86 lb-pi @ 6500 tr/min Special: 85 lb-pi @ 7000 tr/min
Boîte de vitesses	5 rapports
Transmission finale	par courroie
Révolution à 100 km/h	environ 4100 tr/min
Consommation moyenne	6,6 l/100 km
Autonomie moyenne	286 km

PARTIE CYCLE

Type de cadre	périmétrique à double berceau, en acier
Suspension avant	fourche conventionnelle de 49 mm (Muscle: 43 mm inversée) non ajustable
Suspension arrière	2 amortisseurs ajustables en précharge
Freinage avant	2 disques de 300 mm de Ø avec étriers à 4 pistons (ABS optionnel)
Freinage arrière	1 disque de 300 mm de Ø avec étrier à 4 pistons (ABS optionnel)
Pneus avant/arrière	120/70 ZR19 & 240/40 R18
Empattement	VRS: 1707 mm; VRM: 1702 mm
Hauteur de selle	VRS: 668 mm; VRM: 678 mm
Poids tous pleins faits	VRS: 307 kg; VRM: 305 kg
Réservoir de carburant	18,9 litres

RÉVISION 2011

UNE AUTRE HARLEY POUR LES AUTRES... // Avec sa ligne sublimement inspirée de celles des légendaires XR750 de course sur terre battue, la XR1200X représente une proposition tout à fait unique de la part du constructeur de Milwaukee. Dérivée d'une base de Sportster 1200 de laquelle elle ne conserve pas beaucoup plus que le cadre, elle est propulsée par un V-Twin Evolution crachant un bon 25 chevaux de plus que la custom — merci Buell...—, tandis que les suspensions, les freins, les roues et même les pneus ressemblent à s'y méprendre aux composantes d'une véritable sportive. Le résultat est d'une certaine façon lié aux V-Rod Muscle et Night Rod Special en ce sens qu'il s'agit dans tous ces cas de motos destinées à inviter une nouvelle clientèle à s'intéresser à Harley-Davidson. Des Harley pour les autres...

La très jolie ligne de machine de terre battue de la XR1200X stimule beaucoup l'imagination. Une fois installé à ses commandes, on constate néanmoins qu'on a affaire à une standard dont la position de conduite est un peu particulière. Les repose-pieds sont hauts et un peu moins reculés que sur une vraie sportive, et le guidon très large est légèrement plus haut et plus reculé que sur un modèle comme une Bandit 1250S. Le confort offert par la selle est honnête sans être exceptionnel, mais l'espace limité entre cette dernière et les repose-pieds peut finir par devenir inconfortable, surtout pour les pilotes ayant de longues jambes. Le passager a droit à des repose-pieds hauts et à une selle minimaliste dictée par le style de la partie arrière.

CHAQUE ACCÉLÉRATION EST ACCOMPAGNÉE D'UNE MUSIQUE IMMANQUABLEMENT MILWAUKIENNE.

La XR1200X est animée par un V-Twin exceptionnel qui ne semblera aucunement étrange aux motocyclistes ayant déjà eu affaire aux Harley dont la mécanique est montée sur supports souples. Une belle surprise attend toutefois les autres. Au ralenti, les pulsations du V-Twin sont si profondes et franches qu'elles entraînent avec elles toute la moto et troublent même la vision du pilote. Sur la route, ce tremblement accompagne chaque instant de pilotage. Finement calibré par le constructeur, son amplitude ne devient jamais gênante. Le fait d'approcher la zone rouge de 7 000 tr/min transforme ces pulsations en vibrations, mais la nature temporaire de ces régimes empêche cela de devenir un problème. Par ailleurs, chaque accélération est accompagnée d'une musique dont l'origine est immanquablement milwaukienne, ce qui ajoute une dimension indiscutablement particulière au charme du modèle.

Les accélérations sont franches et linéaires, sans toutefois qu'on puisse les qualifier d'étincelantes. Le très honnête et très plaisant couple livré à bas et moyen régimes compense toutefois en permettant de s'élancer sans effort à partir d'un arrêt et de sortir de courbe autoritairement sans besoin de rétrograder.

L'une des facettes les plus intéressantes de la XR1200X concerne son comportement routier. Malgré un cadre presque identique à celui d'une custom, la Sportster 1200, la tenue de route affiche d'étonnantes qualités. Avec ses suspensions réglables de haute qualité, la version X offerte en 2011 est même capable d'un rythme impressionnant sur une route sinueuse, tandis que quelques tours de piste ne sont certes pas hors de question. Sans qu'elle n'affiche la précision ou la légèreté d'une sportive pure, elle reste extrêmement bien maniérée et a la particularité de demander de son pilote qu'il s'implique en conduite sportive, qu'il pose des gestes déterminés et francs. En retour, elle lui fait vivre une impression d'accomplissement qu'une vraie sportive ne pourra rendre qu'à des vitesses très élevées, et vraiment seulement sur circuit. Cette façon qu'a la XR1200X d'impliquer son pilote en conduite sportive, surtout combinée aux sensations fortes renvoyées par sa mécanique, est à la base de l'une des plus belles caractéristiques du modèle. On arrive, aux commandes de la XR, à se faire plaisir en pilotant de façon sportive, mais sans obligatoirement que les vitesses soient extrêmes, et sans non plus qu'on doive absolument posséder un curriculum vitæ de coureur professionnel pour avoir le droit de goûter à ce plaisir.

QUOI DE NEUF EN 2011 ?

XR1200 remplacée par la XR1200X équipée de disques de frein avant flottants et de suspensions Showa entiètement ajustables

Coûte 220 $ de plus qu'en 2010

PAS MAL

Un concept réalisé de main de maître; pour la première fois, tout le savoir-faire de Harley-Davidson en termes de nostalgie est dirigé vers un modèle non-custom, et c'est franchement réussi

Une tenue de route qui n'inquiétera pas les sportives pures, mais qui reste assez précise et solide pour permettre de sérieusement s'amuser sur une route sinueuse

Un côté pratique, accessible, invitant et simple qui est extrêmement rafraîchissant; au-delà de son thème de machine de terre battue, la XR1200X est une excellente moto aussi à l'aise dans la besogne quotidienne qu'en balade ou en mode sport

Un V-Twin très charismatique qui gronde et tremble comme seule une mécanique Harley-Davidson sait le faire

BOF

Un niveau de performances très correct, mais qui n'est pas du calibre à exciter un motocycliste gourmand en chevaux

Une position de conduite un peu inhabituelle, à laquelle on finit néanmoins par s'habituer; les jambes sont par contre pliées de manière assez agressive

Une selle qui n'est pas mauvaise du tout, mais qui finit par devenir inconfortable lors de longues randonnées; l'accueil réservé au passager n'est pas le plus généreux

CONCLUSION

Seule Harley-Davidson qui ne soit pas une custom, la XR1200X est beaucoup plus qu'un thème stylistique et ses points d'intérêts sont donc très différents de ceux des autres modèles de la gamme. Bien qu'elle propose un environnement assez proche de celui d'une standard « normale », ses propriétés représentent une combinaison tellement unique qu'elle semble tout simplement n'avoir aucune concurrence directe. En fait, le type d'expérience de pilotage qu'elle offre est si particulier et si plaisant que se limiter à la qualifier d'excellente moto sera beaucoup trop facile. Il s'agit en fait de l'une de ces rares machines qui devraient absolument avoir sa place dans le garage ultime.

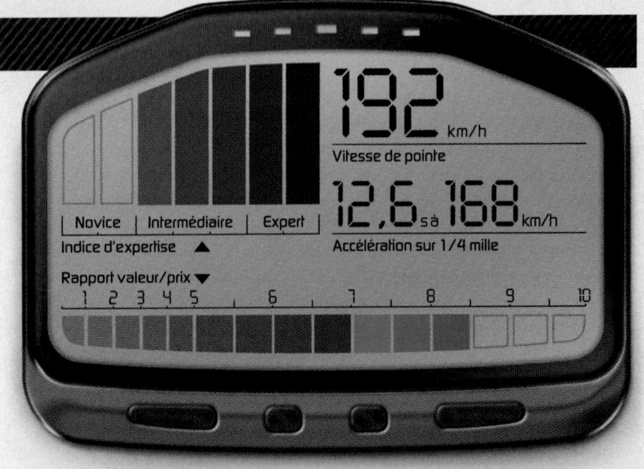

Voir légende en page 16

GÉNÉRAL

Catégorie	Standard
Prix	13 049 $
Immatriculation 2011	633,55 $
Catégorisation SAAQ 2011	« régulière »
Évolution récente	introduite en 2009
Garantie	2 ans/kilométrage illimité
Couleur(s)	noir, blanc
Concurrence	BMW R1200R, Ducati Monster 1100

MOTEUR

Type	bicylindre 4-temps en V à 45 degrés (Evolution), culbuté, 2 soupapes par cylindre, refroidissement par air
Alimentation	injection séquentielle
Rapport volumétrique	10:1
Cylindrée	1 203 cc
Alésage et course	88,9 mm x 96,8 mm
Puissance estimée	90 ch @ 7 000 tr/min
Couple	74 lb-pi @ 4 000 tr/min
Boîte de vitesses	5 rapports
Transmission finale	par courroie
Révolution à 100 km/h	environ 3 500 tr/min
Consommation moyenne	6,2 l/100 km
Autonomie moyenne	214 km

PARTIE CYCLE

Type de cadre	double berceau, en acier
Suspension avant	fourche inversée de 43 mm ajustable en précharge, compression et détente
Suspension arrière	2 amortisseurs ajustables en précharge, compression et détente
Freinage avant	2 disques de 292 mm de Ø avec étriers à 4 pistons
Freinage arrière	1 disque de 260 mm de Ø avec étrier à 1 piston
Pneus avant/arrière	120/70 ZR18 & 180/55 ZR17
Empattement	1 524 mm
Hauteur de selle	795 mm
Poids tous pleins faits	260 kg
Réservoir de carburant	13,25 litres

Forty-Eight

MÉTAMORPHOSE... // Il faudrait fouiller longtemps les archives du monde du motocyclisme avant de trouver un revirement aussi frappant que celui des Sportster. De motos vraiment mauvaises il n'y a pas si longtemps, elles sont non seulement aujourd'hui devenues de légitimes échantillons de l'expérience offerte par les « grosses » Harley, mais elles assument aussi désormais le rôle d'innovatrices stylistiques, et ce, tout particulièrement dans le cas des versions 1200. En effet, celles-ci s'éloignent doucement du classique mais prévisible style rétro chromé que l'on ne retrouve plus en 2011 que sur la Low, la Custom ayant disparu. La Nightster et tout particulièrement la récente Forty-Eight introduite au courant de 2010 représentent carrément une nouvelle et fort rafraîchissante tendance pour le stylisme custom. Toutes reviennent mécaniquement inchangées en 2011.

Nous ne comptons plus les lettres de mécontentement de fiers propriétaires de Sportster trouvant que nous y sommes allés fort à l'égard de leur bien-aimée. Non seulement elles le méritaient, mais, et surtout, les acheteurs éventuels méritaient de savoir dans quoi ils s'embarquaient. Puis, arriva 2004 et une plateforme Sportster entièrement renouvelée. Enfin, Harley-Davidson se décidait à sortir ses modèles d'entrée de gamme de la préhistoire mécanique.

Si elles ont très peu évolué mécaniquement depuis ce temps, les Sportster ont en revanche fait des pas de géant en matière de style ces dernières années. En fait, elles sont sans aucun doute les Harley-Davidson les plus audacieuses à ce chapitre, celles qui se gênent le moins pour s'éloigner des conventions stylistiques qui constituent pourtant la sacro-sainte signature visuelle du constructeur.

EN MATIÈRE DE STYLE, LES SPORTSTER 1200 SONT SANS DOUTE LES HARLEY-DAVIDSON LES PLUS AUDACIEUSES.

Harley-Davidson sait très bien que sa clientèle traditionnelle vieillit et que l'arrivée d'une nouvelle génération n'est ni plus ni moins que vitale pour la marque. Or, le positionnement de la Sportster dans la gamme situe justement le modèle droit en face de cette courtisée clientèle. Comme celle-ci, on le constate de plus en plus, a une forte tendance à associer le style classique Harley-Davidson aux très grisonnants (quand il en reste...) Boomers, on commence à comprendre la volonté du constructeur de leur donner une image nouvelle et, on l'espère, cool aux yeux des plus jeunes. La stratégie de prix du manufacturier est également digne de mention à ce sujet puisque les factures qui accompagnent les Sportster les rendent véritablement abordables.

Bénéficiant depuis 2004 d'un système de montage souple du moteur, les Sportster 1200 proposent aujourd'hui l'expérience mécanique la plus plaisante de leur classe. Les observer tourner au ralenti est même un petit spectacle où chaque mouvement des pistons fait trembler et basculer le moteur et le système d'échappement au point de faire sautiller la roue avant.

Au-delà de ses impressionnantes accélérations, qui sont même meilleures que celles des modèles propulsés par le TC96, c'est surtout par le genre d'expérience sensorielle qu'il fait vivre à son pilote que le V-Twin se distingue. Les lourdes pulsations qu'il transmet au ralenti se transforment en un grondant et plaisant roulement de tambour à chaque montée de régime, tandis que le tout est accompagné d'une sonorité aussi profonde qu'étonnamment présente pour une mécanique de série. L'expérience rappelle d'ailleurs beaucoup les modèles de la famille Dyna, ce qui est un formidable compliment à l'égard des Sportster.

Pour des customs, les Sportster 1200 restent relativement légères, minces et plutôt agiles en plus d'être très basses, des qualités tout indiquées pour la clientèle visée. L'un de leurs pires défauts a toujours été ces suspensions rudimentaires, et bien qu'il y ait eu une certaine amélioration à ce chapitre avec les années, le confort n'est certainement pas leur plus grand atout encore aujourd'hui. Toutes les variantes sont équipées de suspensions aux débattements réduits qui ne pardonnent décidément pas grand-chose lorsque l'état de la chaussée se dégrade, ce qu'on apprend d'ailleurs souvent douloureusement.

QUOI DE NEUF EN 2011 ?

Variante Forty-Eight introduite au courant de 2010

Retrait de la variante Custom

Low coûte 840 $, Nightster 820 $ et Forty-Eight 880 $ de moins qu'en 2010

PAS MAL

Un V-Twin qui a longtemps été plutôt désagréable en raison d'un niveau de vibrations trop élevé, mais qui est aujourd'hui devenu le moteur de custom le plus plaisant du marché dans cette classe de cylindrée

Une évolution stylistique très intéressante qui voit des lignes plus «jeunes» comme celles de la Nightster et de la magnifique Forty-Eight prendre la place des silhouettes rétro traditionnelles commes celle de la Custom qui disparaît d'ailleurs en 2011

Un comportement simple, stable et exempt de vices importants qui s'avère aussi facile d'accès pour les motocyclistes ne disposant pas d'une grande expérience

BOF

Des suspensions dont le travail est de manière générale rudimentaire, voire carrément rude à l'arrière sur chaussée abîmée

Une position de conduite un peu étrange sur les modèles munis de repose-pieds en position centrale; on ne retrouve ce genre de posture que sur certains modèles Harley-Davidson et nulle part ailleurs; la Forty-Eight est par ailleurs très particulière à ce sujet et n'est clairement pas conçue pour traverser le pays

Un modèle Low dont le nom porte à confusion puisqu'il est en réalité celui dont la hauteur de selle est la plus haute du trio; ce n'est toutefois pas par beaucoup et toutes les selles restent assez basses

CONCLUSION

Ça n'a certainement pas toujours été le cas, mais les Sportster 1200 sont aujourd'hui étonnamment désirables. D'abord, en raison de la nature très caractérielle de leur mécanique qui fait véritablement vivre une expérience similaire à celles qu'offrent les modèles plus gros, mais aussi en matière de style. Nous considérons d'ailleurs la Forty-Eight comme un vrai petit chef-d'œuvre, pour ne pas dire qu'il s'agit d'une des plus belles motos du marché. L'attrait des Sportster 1200 s'étend aussi jusqu'à une dimension décidément inhabituelle pour Harley-Davidson puisqu'elles constituent d'excellentes valeurs. Nous les recommandons d'ailleurs nettement plus que les 883 puisque l'écart de prix est trop faible pour se priver des avantages de la plus grosse cylindrée. Si seulement elles se montraient moins inconfortables dès que les minutes en selle s'accumulent...

Sportster 1200 Nightster

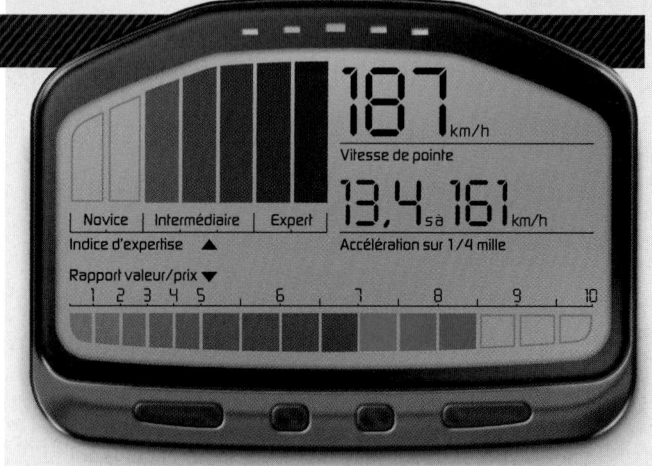

Voir légende en page 16

GÉNÉRAL

Catégorie	Custom
Prix	Forty-Eight: 11 599 $; Low: 10 949 $ Nightster: 11 059 $
Immatriculation 2011	633,55 $
Catégorisation SAAQ 2011	«régulière»
Évolution récente	entièrement revue en 2004 Forty Eight introduite en 2010
Garantie	2 ans/kilométrage illimité
Couleur(s)	choix multiples
Concurrence	Honda Sabre et Stateline, Yamaha V-Star 1100 et 1300

MOTEUR

Type	bicylindre 4-temps en V à 45 degrés (Evolution), culbuté, 2 soupapes par cylindre, refroidissement par air
Alimentation	injection séquentielle
Rapport volumétrique	9,7:1
Cylindrée	1 203 cc
Alésage et course	88,8 mm x 96,8 mm
Puissance estimée	65 ch @ 6 000 tr/min
Couple	79 lb-pi @ 4 000 tr/min
Boîte de vitesses	5 rapports
Transmission finale	par courroie
Révolution à 100 km/h	environ 2 800 tr/min
Consommation moyenne	6,0 l/100 km
Autonomie moyenne	L: 283 km; N: 208 km; FE: 132 km

PARTIE CYCLE

Type de cadre	double berceau, en acier
Suspension avant	fourche conventionnelle de 39 mm non ajustable
Suspension arrière	2 amortisseurs ajustables en précharge
Freinage avant	1 disque de 292 mm de Ø avec étrier à 2 pistons
Freinage arrière	1 disque de 260 mm de Ø avec étrier à 1 piston
Pneus avant/arrière	L, N: 100/90-19 & 150/80 B16 FE: MT90B16 & 150/80B16
Empattement	L: 1 527 mm; N: 1 519 mm FE: 1 519 mm
Hauteur de selle	L: 711 mm; N: 683 mm; FE: 681 mm
Poids tous pleins faits	L: 263 kg; N: 255 kg; FE: 257 kg
Réservoir de carburant	L: 17 litres; N: 12,5 litres; FE: 7,9 litres

SuperLow

NOUVELLE VARIANTE 2011

AU P'TIT SOINS... // Durant des décennies, les 883 n'ont jamais été plus que des pseudo Harley-Davidson, des machines de second — pour ne pas dire troisième ou quatrième — rang destinées à pousser une clientèle fascinée par la marque, mais décidément peu connaisseuse, à laisser quelques dollars dans les coffres de Milwaukee. Les qualifier d'attrapes aurait été à peine exagéré. Compte tenu d'une telle origine, leur statut actuel, celui de légitimes et honorables petites Harley-Davidson, est très impressionnant. Ce revirement n'est toutefois pas étonnant puisque le célèbre constructeur a plus que jamais besoin d'une invitante porte d'entrée à sa gamme. Désirer attirer une clientèle nouvelle, jeune et même féminine a beaucoup de bon sens, mais asseoir ces nouveaux motocyclistes sur un produit qui ne les dégoûtera pas de la marque en a encore plus.

On pourrait dire qu'il a fallu du temps à Harley-Davidson avant de comprendre l'importance et le potentiel de ses 883. Mais les faits semblent plutôt laisser croire que durant de longues années, les 883 n'intéressaient tout simplement pas le constructeur. Trop occupé à vendre à prix fort des quantités astronomiques de modèles de grosse cylindrée à des motocyclistes, soit expérimentés, soit fortunés, le constructeur ne semblait avoir ni temps ni argent ni intérêt à consacrer à la vieille et désuète 883. Les temps ont toutefois beaucoup changé, et les gros modèles se vendent moins bien. Beaucoup moins bien. Et comme la clientèle qui les achetait vieillit et délaisse la moto, rien ne semble indiquer que la situation changera prochainement. Le fait qu'une des solutions à ce problème se résume à dénicher de nouveaux adeptes explique pourquoi la 883 reçoit tant d'attention ces temps-ci. On a besoin d'elle.

Bien que la refonte totale de la plateforme Sportster en 2004 ait fait de la 883 une custom d'entrée de gamme tout à fait convenable et même plaisante, le modèle conserva quand même sa réputation de Harley plus ou moins authentique. Cette réputation commença à changer en 2009 avec l'arrivée de la surprenante Iron, une 883 à laquelle on avait fait subir un traitement Dark Custom absolument réussi. Un seul coup de sa baguette magique stylistique avait suffi à Harley-Davidson pour multiplier le niveau de désirabilité de la 883, qu'on commença soudainement à percevoir comme plus qu'une simple moto bas de gamme. Elle était désormais devenue une vraie petite Harley-Davidson, avec un look à elle et une personnalité propre.

LONGTEMPS TRAITÉES COMME DES MACHINES DE SECOND RANG, LES 883 SONT DÉSORMAIS BIEN PLUS SOIGNÉES.

La nouvelle SuperLow introduite cette année poursuit exactement dans la même direction en proposant un style beaucoup plus raffiné et une finition nettement plus poussée que dans le cas du modèle Low précédent. Comme seuls eux savent le faire, les stylistes du constructeur ont réussi à la transformer en en faisant désormais plus qu'une simple moto abordable. Grâce à leur travail, on perçoit désormais en regardant la SuperLow non seulement une authentique Harley-Davidson, mais aussi une belle custom ne laissant ni l'impression d'être une monture de débutant ni celle d'être un modèle bas de gamme.

En dépit d'une cylindrée de presque 900 cc, les 883 ne sont pas particulièrement rapides et leurs performances satisferont surtout les motocyclistes peu expérimentés ou peu exigeants en matière de chevaux. Le couple décent livré à bas et moyen régimes permet néanmoins de circuler sans aucun problème, surtout si l'esprit est à la promenade. La plus grande qualité du V-Twin de 883 cc reste toutefois les sensations aussi franches que plaisantes qu'il communique au pilote sous la forme d'agréables pulsations et d'une sonorité américaine authentique.

Basse, relativement agile et extrêmement stable, la version Iron est très accessible, mais la nouvelle SuperLow l'est encore plus sans direction ultra légère et ses pneus à profil bas lui donnant une maniabilité de bicyclette. La garde au sol de cette dernière est néanmoins très limitée et doit absolument être respectée en virage. Enfin, même si la SuperLow a fait des petits progrès à ce sujet, les suspensions des deux restent assez rudes sur mauvais revêtement.

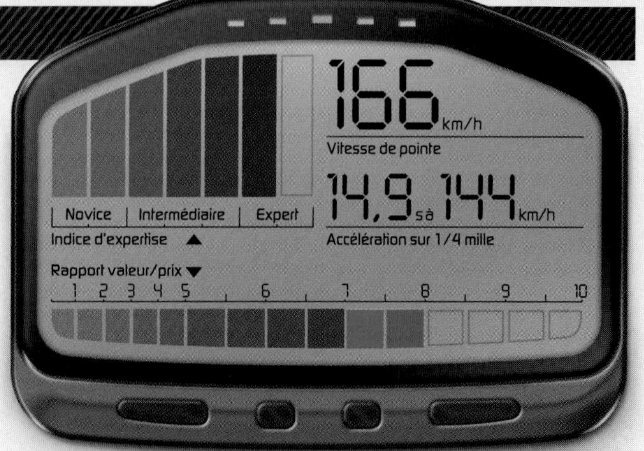

Voir légende en page 16

QUOI DE NEUF EN 2011 ?

Variante Low remplacée par la nouvelle SuperLow offrant une meilleure finition et une ligne améliorée, des pneus à profil bas sur des roues à bâtons, une ergonomie légèrement revue et une suspension arrière avec un débattement un peu plus grand

Sportster 883 Iron coûte 620$ de moins qu'en 2010; SuperLow coûte 540$ de plus que la Low 2010

PAS MAL

Une facilité de prise en main intéressante pour les motocyclistes pas très expérimentés à qui elles donnent vite confiance en leurs moyens

Un «petit» V-Twin, même s'il fait près de 900 cc, dont le caractère est indéniablement authentique; le couple des gros modèles n'y est pas, mais le rythme et la sonorité sont un échantillonnage parfaitement légitime de ce qu'offrent les grosses Harley

Un côté simple et épuré jusqu'au strict essentiel qui s'avère étonnamment attachant sur la version Iron

Un traitement visuel vraiment réussi sur la version Iron et très soigné sur la SuperLow

Une valeur incontestable; pour une somme qui ne permet généralement l'acquisition que de customs japonaises d'entrée de gamme, on se paye une Harley

BOF

Un niveau de performances qui n'a rien d'étincelant; les novices et les pilotes peu exigeants s'en accommoderont, mais les autres devraient vraiment envisager la 1200

Des suspensions qui ont toujours été et qui sont toujours très rudimentaires; le fait que les deux versions soient surbaissées ne les aide certainement pas à ce chapitre

Une garde au sol vraiment très limitée sur la SuperLow qui doit absolument être pilotée en fonction de cette particularité

Une position de conduite un peu étrange qui est typique des Sportster

CONCLUSION

Un simple coup d'œil à ces 883, surtout en ce qui concerne la nouvelle SuperLow et la Iron, suffit pour comprendre qu'elles sont désormais beaucoup plus importantes pour Harley-Davidson que par le passé. Le genre d'attention qui est porté à leur ligne est en effet habituellement réservé aux modèles coûtant deux fois plus cher, ce qui en fait de plutôt bonnes valeurs. Quant à la mission de montures d'accueil à la marque qui est la leur, elles la remplissent bien grâce à des proportions peu intimidantes ainsi qu'à un comportement très accessible. Si leur plus gros point faible demeure ces suspensions qui ne sont vraiment acceptables que sur de très belles routes, leur plus grand atout se veut ce caractériel V-Twin Evolution. Enfin, le grand soin désormais apporté au style permet au tout d'avoir un niveau de désirabilité auparavant inconnu chez les 883.

Iron

GÉNÉRAL

Catégorie	Custom
Prix	SuperLow: 8839$, Iron: 8839$
Immatriculation 2011	633,55$
Catégorisation SAAQ 2011	«régulière»
Évolution récente	entièrement revue en 2004; Iron introduite en 2009; SuperLow introduite en 2011
Garantie	2 ans/kilométrage illimité
Couleur(s)	choix multiples
Concurrence	Honda Shadow 750, Kawasaki Vulcan 900, Suzuki Boulevard C50, Yamaha V-Star 950 Triumph Speedmaster et America

MOTEUR

Type	bicylindre 4-temps en V à 45 degrés (Evolution), culbuté, 2 soupapes par cylindre, refroidissement par air
Alimentation	injection séquentielle
Rapport volumétrique	8,9:1
Cylindrée	883 cc
Alésage et course	76,2 mm x 96,8 mm
Puissance estimée	53 ch @ 6000 tr/min
Couple	55 lb-pi @ 3500 tr/min
Boîte de vitesses	5 rapports
Transmission finale	par courroie
Révolution à 100 km/h	environ 3100 tr/min
Consommation moyenne	5,8 l/100 km
Autonomie moyenne	SuperLow: 293; Iron: 215 km

PARTIE CYCLE

Type de cadre	double berceau, en acier
Suspension avant	fourche conventionnelle de 39 mm non ajustable
Suspension arrière	2 amortisseurs ajustables en précharge
Freinage avant	1 disque de 292 mm de Ø avec étrier à 2 pistons
Freinage arrière	1 disque de 260 mm de Ø avec étrier à 1 piston
Pneus avant/arrière	SuperLow: 120/70ZR18 & 150/60ZR18 Iron: 100/90-19 & 150/80B16
Empattement	SuperLow: 1506 mm; Iron: 1519 mm
Hauteur de selle	SuperLow: 681 mm; Iron: 683 mm
Poids tous pleins faits	SuperLow: 255 kg; Iron: 256 kg
Réservoir de carburant	SuperLow: 17 litres; Iron: 12,5 litres

CVO Road Glide Ultra

NOUVEAUTÉ 2011

OBJETS DE DÉSIR... // Les produits de luxe représentent un marché où les clients sont peu nombreux, mais paient sans hésiter pour l'exclusivité et la multiplication des caractéristiques extravagantes, deux attributs qui définissent très exactement les montures de la division CVO de Harley-Davidson. Propulsées par un V-Twin de 110 pouces cubes que l'on ne retrouve que sur ces modèles, peintes à la main et accoutrées d'une interminable liste d'équipements additionnels, ces motos sont celles du genre d'inconditionnel que le constructeur appelle son Client Alpha. Pour 2011, les changements portés à cette véritable «gamme à l'intérieur d'une gamme» sont plutôt nombreux, en commençant par l'arrivée d'un croisement entre une Ultra Classic Electra Glide et une Road Glide appelé Road Glide Ultra, ainsi que par la présence de très impressionnantes chaînes audio.

Les modèles de la série CVO figurent probablement parmi les motos les plus controversées du marché, surtout aux yeux des non-harleyistes. Qui pourrait d'ailleurs les blâmer de ne rien comprendre à ces Harley littéralement accoutrées d'une liste étourdissante de pièces tirées du fameux catalogue d'accessoires du constructeur, puis vendues à prix d'or? La raison d'être des modèles CVO est néanmoins très logique puisqu'elle est basée sur une demande bien réelle, celle du désir de la Harley ultime. Ce besoin est celui d'à peine quelques milliers d'individus à l'échelle globale qui, si les CVO n'existaient pas, paieraient sans y réfléchir deux fois un atelier privé pour fabriquer des équivalents. C'est d'ailleurs ce qu'ils faisaient et ce qui poussa Harley-Davidson à nourrir cette niche. Il s'agit par ailleurs d'un phénomène uniquement retrouvé chez le constructeur de Milwaukee qui, au grand dam de la concurrence, arrive à vendre des machines à 40000$ dans un marché où l'on peine à écouler quoi que ce soit approchant les 20000$.

ON S'ENNUIE BEAUCOUP DE CERTAINS EXTRAS DES MODÈLES CVO UNE FOIS DE RETOUR SUR LES VERSIONS DE SÉRIE RÉGULIÈRE.

L'une des croyances les plus fausses en ce qui concerne les modèles CVO est qu'il s'agit de motos de série enguirlandées. S'il est vrai qu'elles sont couvertes d'accessoires de tout genre, le fait est qu'elles affichent également une liste d'équipement que les propriétaires de Harley de série envient profondément. En tête de cette liste se trouve le plus gros et le plus puissant V-Twin du constructeur, une gentille brute de 110 pouces cubes ou 1 803 cc aussi bourrée de couple que de caractère milwaukien. Viennent ensuite des caractéristiques comme les GPS, les selles et les poignées chauffantes, les systèmes ABS et les régulateurs de vitesse qui représentent soit de coûteuses options sur les versions de base, soit des articles dont ces dernières ne peuvent tout simplement pas être équipées. À ce sujet, les nouvelles chaînes audio avec haut-parleurs multiples BOOM! se veulent de parfaits exemples. Exclusives aux modèles CVO et crachant jusqu'à 100 watts par canal à travers jusqu'à huit haut-parleurs, elles n'offrent rien de moins que la meilleure sonorité de l'univers du motocyclisme. Harley-Davidson inclut même un iPod que l'on laisse bien à l'abri dans une valise et que l'on opère à partir des commandes de la moto. Ces chaînes, comme les nouvelles selles avec effet «hamac», illustrent bien le type de caractéristiques dont on s'ennuie énormément une fois de retour sur les modèles de série régulière. En fait, piloter l'un de ces derniers après avoir passé quelques kilomètres aux commandes de l'équivalent CVO a même quelque chose de frustrant puisqu'on passe son temps à souhaiter retrouver tel ou tel équipement. Un sentiment semblable existe également en ce qui concerne la finition puisque certaines des pièces ornant les modèles CVO sont vraiment superbes, comme c'est le cas pour les roues. S'il est une critique possible en matière de style, dans le cas de la série CVO, elle a trait au choix de peintures et de motifs qui frôle parfois l'exubérance. La cuvée 2011 semble démontrer l'arrivée d'une certaine retenue de la part du constructeur à ce sujet, puisque certaines couleurs un peu moins criardes et plus élégantes sont enfin offertes. À tout le moins, Harley-Davidson devrait offrir aux acheteurs le choix à cet égard.

» Protégant mieux son pilote des éléments que l'Ultra Classic et dotée d'un niveau identique d'équipement, la version CVO de la nouvelle Road Glide Ultra est la meilleure moto de tourisme jamais offerte par Harley-Davidson. «

» Plusieurs constructeurs refusent de lancer leurs nouveautés en altitude en raison de la baisse de puissance résultant de la densité réduite de l'oxygène. Persuadé que les 110 pouces cubes de ses modèles CVO compenseraient ce manque, Harley-Davidson a choisi de présenter ses modèles CVO 2011 autour du majestueux lac Tahoe, au Nevada, à près de deux kilomètres au-dessus du niveau de la mer. Prise à la sortie d'un pont traversant l'un des nombreux ravins de cette région montagneuse, la photo de l'auteur aux commandes de la CVO Road Glide Ultra est le travail de Riles & Nelson.

> CVO STREET GLIDE

La Street Glide étant l'un des modèles les plus populaires de la gamme régulière du constructeur, sa présence au sein du quatuor qui forme la série CVO n'est pas du tout suprenante. Avec une production prévue de 3700 unités pour 2011, elle est d'ailleurs celle des quatre qui sera construite en plus grand nombre. Elle est équipée de la chaîne audio la plus puissante avec ses 100 watts par canal et possède pas moins de huit haut-parleurs. Sa nouvelle roue avant de 19 pouces est la plus grande jamais installée sur une Harley-Davidson de tourisme, tandis que sa nouvelle console de réservoir est de type affleurante. Une gauge d'essence lumineuse est maintenant située dans un faux bouchon de réservoir.

CVO ULTRA CLASSIC ELECTRA GLIDE

La nouvelle Road Glide Ultra a beau proposer une meilleure protection au vent, et elle aura beau être produite en deux fois plus d'exemplaires avec ses 3 000 unités pour 2011, l'Ultra Classic Electra Glide demeure au sommet de la hiérarchie des montures de tourisme chez Harley-Davidson. En matière de Harley ultime, celle-là se veut décidément une belle tentative. Proposant une peinture à la fois audacieuse et élégante, mais pas clinquante, couverte de riche chrome et équipée d'à peu près tout ce que l'on peut souhaiter — à l'exception d'un pare-brise électrique que l'on attend sans trop espérer —, elle incarne mieux que n'importe quel autre modèle l'esprit des produits CVO comme la pertinence de ces derniers. En effet, on trouve bien peu d'acheteurs d'Electra Glide qui n'en rêvent pas.

Juste au bord du superbe lac Tahoe où Harley-Davidson a présenté sa gamme CVO 2011 à la presse spécialisée, la très désirable Ultra Classic Electra Glide fait la pose devant la lentille de Riles & Nelson, à qui le crédit photo revient d'ailleurs pour la Street Glide ci-contre et pour la Softail Convertible présentée à la page suivante.

CVO SOFTAIL CONVERTIBLE

La Softail Convertible, qui n'existe pas dans la gamme régulière et dont 2400 unités seront produites en 2011, en est à sa seconde année dans la série CVO. Son nom décrit très bien sa capacité à se débarrasser en quelques secondes à peine de tout son équipement de tourisme léger, un exercice qui change complètement sa silhouette. L'ajout cette année d'un guidon de type Ape Hanger n'est pas nécessairement une amélioration en termes de confort, mais en matière de style, force est d'admettre que c'est franchement réussi. La Convertible possède décidément ce mystérieux élément qui donne à certaines Harley-Davidson cette fameuse authenticité visuelle. Parmi les autres améliorations en 2011, on retrouve l'ajout d'un régulateur de vitesse, l'ABS et même un mini système audio fonctionnant avec une paire de haut-parleurs amplifiés de 20 watts chacun fixés au pare-brise. Une source audio comme le iPod fourni est requise. Des insertions en cuir de style Aligator ornent par ailleurs la selle, le dosseret et les sacoches latérales. Il s'agit de la seule Softail de la série CVO.

QUOI DE NEUF EN 2011 ?

Retrait de la CVO Fat Bob

Introduction de le CVO Road Glide Ultra

Selles revues; systèmes audio à haute performance incluant un lecteur iPod; console de réservoir revue et roue avant qui passe de 18 à 19 pouces sur la Street Glide; guidon mini Ape Hanger, ABS de série et régulateur de vitesse sur la Convertible

CVO Ultra Classic Electra Glide coûte 2 400 $, CVO Street Glide 880 $ et CVO Softail Convertible coûte 520 $ de moins qu'en 2010

PAS MAL

Des valeurs intéressantes puisqu'il en coûte facilement plus pour créer une Harley-Davidson personnalisée, et ce, sans garantie que le résultat sera fonctionnel; tous les modèles CVO sont autant, sinon plus fonctionnels que les modèles de base

Une série d'équipement très longue qui agrémente vraiment l'expérience de pilotage; les éléments chauffants, les moteurs puissants et les excellentes chaînes audio ne sont que quelques exemples d'options auxquelles on s'attache très vite

Un V-Twin gonflé à 110 pouces cubes qui génère nettement plus de puissance et de couple que le 96 pouces cubes d'origine

Un choix de peinture un peu moins clinquant que par le passé; les peintures CVO sont parfois, malheureusement, trop criardes

BOF

L'absence d'une dimension vraiment « unique » qu'apporte une moto personnalisée; en revanche, les CVO ne courent pas les rues et demeurent assez exclusives

Un V-Twin qui, bien qu'il pousse fort, n'aime pas vraiment tourner très haut où on le sent surmené; la transmission devient aussi capricieuse lors de changements de rapports à haut régime, en pleine accélération, et ce, surtout dans le cas de la Softail

Une mécanique qui se montre tellement mieux adaptée au poids élevé de l'Ultra Classic Electra Glide qu'elle devrait être celle que Harley-Davidson retient pour propulser le modèle de série et non seulement la version de la série CVO

CONCLUSION

Les modèles de la série CVO sont peut-être la plus belle preuve du fait qu'en matière de customs, Harley-Davidson évolue décidément à un autre niveau que les constructeurs rivaux. En effet, et sans ne rien leur enlever, on imagine très difficilement Yamaha, Kawasaki ou Victory oser proposer de tels engins. Et on les imagine encore moins les vendre. Pour la marque de Milwaukee, les modèles CVO ont donc plus que la mission de satisfaire les plus inconditionnels des inconditionnels. En les mettant sur le marché et en arrivant année après année à trouver preneur pour chacune d'elles, Harley-Davidson rappelle au monde entier, et ce, peut-être même avec un peu d'arrogance, qu'il demeure le maître absolu d'un univers qu'il a lui-même créé et où les Clients Alpha ne s'arrêtent qu'à une adresse.

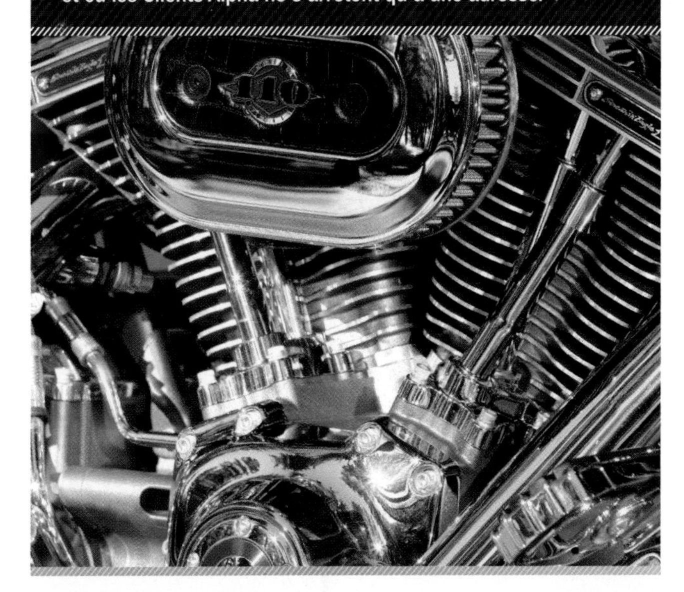

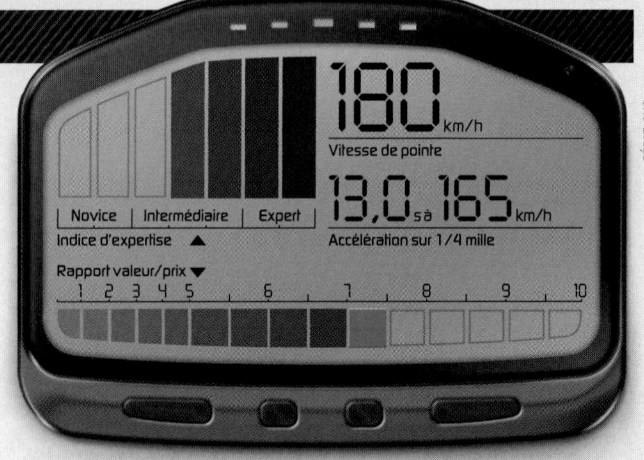

Voir légende en page 16

GÉNÉRAL

Catégorie	Tourisme de luxe et léger
Prix	CVO Ultra Classic EG : 40 369 $ CVO Road Glide Ultra : 39 819 $ CVO Street Glide : 35 949 $ CVO Softail Convertible : 32 739 $
Immatriculation 2011	633,55 $
Catégorisation SAAQ 2011	« régulière »
Évolution récente	série introduite en 1999; TC110 introduit en 2007
Garantie	2 ans/kilométrage illimité
Couleur(s)	choix multiples
Concurrence	Victory Arlen Ness Vision et Cory Ness Cross Country

MOTEUR

Type	bicylindre 4-temps en V à 45 degrés (Twin Cam 110/B), culbuté, 2 soupapes par cylindre, refroidissement par air
Alimentation	injection séquentielle
Rapport volumétrique	9,15:1
Cylindrée	1 803 cc
Alésage et course	101,6 mm x 111,25 mm
Puissance estimée	90 ch @ 5 000 tr/min
Couple	EG : 115 lb-pi @ 4 000 tr/min RGU : 115 lb-pi @ 4 000 tr/min SG : 115 lb-pi @ 4 000 tr/min SC : 110 lb-pi @ 3 000 tr/min
Boîte de vitesses	6 rapports
Transmission finale	par courroie
Révolution à 100 km/h	environ 2 300 tr/min
Consommation moyenne	EG, RGU, SG : 6,3 l/100 km (SC : 5,9 l)
Autonomie moyenne	EG, RGU, SG : 360 km; SC : 320 km

PARTIE CYCLE

Type de cadre	double berceau, en acier
Suspension avant	fourche conventionnelle de 41,3 mm non ajustable
Suspension arrière	2 amortisseurs ajustables en précharge
Freinage avant	2 (SC : 1) disques de 300 (SC : 292) mm de Ø avec étriers à 4 pistons
Freinage arrière	1 disque de 300 (SC : 292) mm de Ø avec étrier à 4 (SC : 2) pistons
Pneus avant/arrière	EG : 130/80 B17 & 180/65 B16 RGU : 130/70 B18 & 180/55 B18 SG : 130/60 B19 & 180/55 B18 SC : 130/70 R18 & 200/50 R18
Empattement	EG : 1 613 mm; RGU : 1 613 mm; SG : 1 613 mm; SC : 1 631 mm
Hauteur de selle	EG : 757 mm; RGU : 749 mm; SG : 696 mm; SC : 665 mm
Poids tous pleins faits	EG : 423 kg; RGU : 428 kg; SG : 386 kg; SC : 354 kg
Réservoir de carburant	EG, RGU, SG : 22,7 litres; SC : 18,9 litres

L'ULTIME VFR... // La VFR1200F fait partie des modèles les plus importants de l'histoire de la division moto de Honda, ce qui n'est pas peu dire. Son dévoilement l'an dernier mettait en effet un terme à presque une décennie de disette en matière d'innovation significative chez les routières de la part de ce constructeur dont la réputation a pourtant été solidifiée grâce à l'introduction régulière de nombre de montures révolutionnaires. Son arrivée peut donc être interprétée comme l'annonce d'un très probable retour en force du Honda qu'on a connu jusqu'au tournant du siècle. Un bref examen de la gamme 2011 du constructeur indique d'ailleurs que d'importants changements semblent imminents chez lui. Une version DCT équipée d'une très complexe transmission automatique est aussi offerte, tandis que l'ABS combiné est livré de série dans les deux cas.

En raison de la solide réputation du modèle et de la riche histoire qui accompagne son nom, la VFR représente une sorte d'unité de mesure pour le célèbre constructeur nippon. Quand la VFR va, Honda va. Lorsque vint le temps de la renouveler l'an dernier, pas moins de huit ans après le lancement de la génération précédente, le manufacturier mit le paquet en présentant non pas une remplaçante de la VFR800, mais plutôt une VFR ultime de 1 200 cc prenant le rôle de véritable vitrine technologique de la gamme. Une version équipée d'une boîte automatique extrêmement sophistiquée est même offerte.

Si le mandat du modèle est celui d'incarner l'ultime VFR, alors il est rempli. Le style, dont la complexité génère d'ailleurs encore bien des discussions animées, est trompeur en ce sens qu'il fait paraître les proportions du modèle beaucoup plus importantes qu'elles ne le sont réellement. La VFR1200F est en fait presque un clone parfait de la VFR800 en matière d'ergonomie. Physiquement, à moins de la bousculer en piste où son surplus de poids devient notable, on ne la sent pas vraiment plus grosse ni plus longue que la 800. Malgré l'air très massif de la partie avant, la protection offerte par le carénage est très proche de celle de la 800, donc bonne. La position de conduite conserve une saveur sportive marquée tant au niveau de l'angle des jambes qu'à celui du poids modéré, mais tout de même notable que doivent supporter les mains. Il ne s'agit clairement pas d'une cousine de la ST1300 et surtout pas de la remplaçante de ce modèle, mais plutôt d'une sorte de suite à moteur V4 de la regrettée CBR1100XX.

ELLE N'EST PAS LA REMPLAÇANTE DE LA ST1300, MAIS PLUTÔT UNE SORTE DE SUITE À MOTEUR V4 DE LA REGRETTÉE CBR1100XX.

Les ressemblances avec la génération précédente s'estompent très vite dès l'instant où l'on enroule les gaz. Oubliez complètement toute comparaison avec les performances de la 800, la 1200 se trouve dans une ligue totalement différente. Compte tenu de sa forte cylindrée, de sa mission routière et de la réputation de moteurs coupleux qu'ont les V4, on s'étonne un peu que la VFR1200F n'étire pas davantage les bras à très bas régime. Probablement encore ces contrôles électroniques qui refusent de lâcher trop de couple, trop tôt. Passez toutefois les 5 000 tr/min et le gros V4 s'éveille d'un coup en s'emballant furieusement jusqu'à sa zone rouge avec un genre de rugissement qui ne pourrait provenir d'un autre type de configuration mécanique. À l'exception de quelques vibrations à certains régimes, le moteur se montre assez doux en utilisation normale. On sent assez bien le vrombissement feutré du V4, mais on ne peut s'empêcher de le trouver trop poli et d'en souhaiter plus. Un quatre-cylindres en V de ce calibre devrait littéralement chanter, pas chuchoter.

En dépit de son imposante cylindrée et de sa masse considérable, la VFR1200F étonne en affichant une nature admirablement neutre et légère. Chaque manœuvre se réalise avec facilité, avec précision et de manière très naturelle, sans jamais que la VFR donne l'impression de résister aux intentions du pilote. La partie cycle confère même au comportement routier une précision et une solidité tellement impressionnantes qu'on a littéralement l'impression de chevaucher un bloc inflexible en virage.

Tour après tour, sur le circuit de Roebling Road en Goeorgie, où Honda présentait ses nouveautés à la presse canadienne, l'auteur passait devant la lentille de Rob O'Brien, chaque fois plus à l'aise avec la masse de la grosse VFR. Puis, juste au moment où sa confiance était complète, exactement à l'endroit où cette photo fut prise, l'arrière lâcha et la moto se mit complètement de travers. Les pneus avaient tout donné, et l'arrière abandonnait. Par pure chance, après avoir marqué le sol d'un long arc et s'être violemment secouée, la VFR retrouva sa traction. C'en était assez pour Gahel, qui rentra aux puits, ébranlé mais sauf. Intrigué par l'idée d'une photo résultant d'une telle figure, il rejoint O'Brien, dont la réponse fut toutefois décevante. Même si celui-ci a l'habitude de couvrir des courses professionnelles décidément remplies d'action et qu'il était parfaitement placé pour immortaliser la scène, dans ce cas, il n'avait pas de photo. La VFR qui glissait et fonçait sur lui l'avait terrifié. Il avait baissé sa caméra et s'était mis à courir.

Une étrange confusion règne autour de la nature de la VFR1200F, confusion provenant surtout du fait que certains la considèrent comme une sport-tourisme et la comparent à des montures comme la Kawasaki Concours 14. Nous avons fait pas mal de kilométrage tant aux commandes de la version à boîte séquentielle qu'à celles du modèle équipé de la transmission automatique. Nous l'avons roulée aux États-Unis (photo du bas, crédit Rob O'Brien) et nous l'avons roulée chez nous. Nous avons même découvert la fameuse Cabot Trail (photo du haut, crédit Môssieur Gahel) en sa compagnie. Le verdict reste le même : la VFR est une routière sportive, pas une sport-tourisme.

LA VFR1200F, UNE SPORT-TOURISME ?

Même si la réponse à cette question est évidente —non—, pour une étrange raison, on ne cesse de comparer la VFR1200F à de véritables modèles de tourisme sportif comme la Kawasaki Concours 14 ou l'aujourd'hui défunte BMW K1300GT. Inévitablement, la conclusion s'avère la même : la Honda est une bonne moto, mais son niveau de confort n'est pas à la hauteur sur longue route, sa protection au vent pourrait être meilleure, elle mériterait d'avoir un pare-brise réglable et une meilleure selle et de meilleures suspensions et... Que ce soit une fois pour toutes clair : la VFR1200F n'est pas une concurrente de la Concours ou de la K-GT. La VFR1200F n'est pas non plus la remplaçante de la ST1300, et ce, même si elle a un entraînement par cardan et même si elle peut être équipée de valises en option. La rumeur veut que la VFR1200F serve de *base* à la remplaçante de ST1300, ce qui est d'ailleurs très logique. *Cette* monture sera une sport-tourisme. Mais pour le moment, les modèles les plus proches de la VFR, et ce, bien qu'ils n'en représentent pas des équivalents exacts, sont les GSX1300R Hayabusa, ZX-14 et surtout K1300S. En fait, la VFR1200F est un peu la remplaçante de la CBR1100XX.

QUOI DE NEUF EN 2011 ?

Aucun changement

Version de base coûte 400$ et version à boîte DCT 500$ de plus qu'en 2010

PAS MAL

Une proposition mécanique sans pareil puisque personne n'offre une machine de ce calibre propulsée par un V4, ce qui fait de la VFR1200F une monture unique

Un niveau de performances très impressionnant qui fait de la VFR1200F une rivale légitime des monstres que sont les ZX-14 et Hayabusa, confort en prime

Une boîte automatique qui représente un impressionnant accomplissement technique

Un comportement dont l'équilibre est très impressionnant puisque malgré sa masse considérable, la VFR1200F se manie avec aisance et légèreté

BOF

Une mécanique qu'on aimerait encore plus présente d'un point de vue auditif et dont la puissance à bas régime aurait pu être plus élevée

Un excellent niveau de confort, mais une position de conduite qui affiche une nature un peu trop sportive, surtout au niveau des poignées qui sont trop basses sans raison

Un prix costaud; la VFR est aussi passée aux ligues majeures en matière de budget

Une boîte automatique dont la douceur et le fonctionnement impressionnent, mais qui décide de changer ses rapports à des moments et à des régimes qui ne sont pas toujours ceux que le pilote aurait choisis

Un positionnement qui n'est plus du tout le même que celui de la VFR800; la VFR1200F n'est pas la remplaçante que beaucoup de proprios de VFR800 attendaient et un marché existe donc encore pour une VFR poids moyen

CONCLUSION

Notre conclusion face à la VFR1200F doit absolument se faire en deux temps. En premier lieu, en ce qui concerne le modèle lui-même, on ne peut qu'en être impressionné. Bien qu'un pilote exigeant puisse légitimement souhaiter une meilleure musicalité de la part du gros V4 ou un couple plus gras à très bas régime, la VFR1200F reste un ensemble exceptionnel qui n'a finalement pas de concurrence directe. Il s'agit d'un croisement très particulier entre la finesse et la polyvalence d'une CBR1100XX, le caractère mécanique unique de la VFR800 et la rapidité d'une K1300S, le tout uni par un niveau d'ingénierie digne des plus belles réalisations de Honda. Elle est chère, mais tout ça a évidemment un prix. Ce qui nous amène à notre deuxième observation à son sujet. La VFR1200F a beau être remplie de qualités, elle ne représente tout simplement pas une remplaçante pour la VFR800. Nul ne sait si Honda compte lancer une autre VFR800, mais elle aurait sa place. Disons, 900 cc, un V4 bien sûr, un style renversant, 40 kilos de moins que la 1200, sous les 15000$...

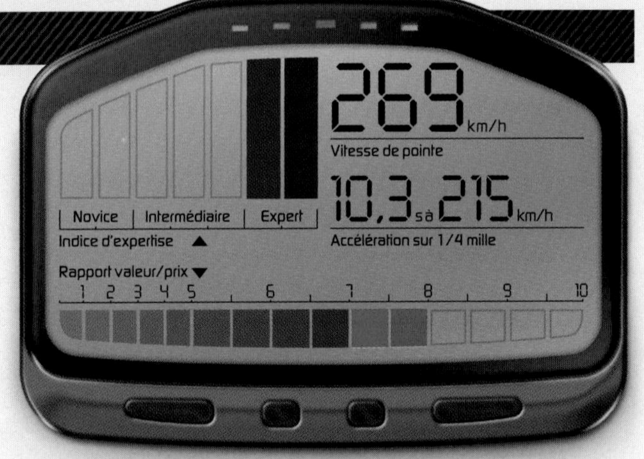

Voir légende en page 16

GÉNÉRAL

Catégorie	Routière Sportive
Prix	18699$ (VFR1200F DCT: 20499$)
Immatriculation 2011	1425,55$
Catégorisation SAAQ 2011	«à risque»
Évolution récente	introduite en 1986, revue en 1990, en 1994, en 1998 et en 2002; VFR1200F introduite en 2010
Garantie	1 an/kilométrage illimité
Couleur(s)	noir
Concurrence	BMW K1300S, Kawasaki Ninja ZX-14, Suzuki GSX1300R Hayabusa

MOTEUR

Type	4-cylindres 4-temps en V à 76 degrés, DACT, 4 soupapes par cylindre, refroidissement par liquide
Alimentation	injection à 4 corps de 44 mm
Rapport volumétrique	12,0:1
Cylindrée	1237 cc
Alésage et course	81 mm x 60 mm
Puissance	172,7 ch @ 10000 tr/min
Couple	95 lb-pi @ 8750 tr/min
Boîte de vitesses	6 rapports (DCT: automatique)
Transmission finale	par arbre
Révolution à 100 km/h	environ 3500 tr/min
Consommation moyenne	6,5 l/100 km
Autonomie moyenne	284 km

PARTIE CYCLE

Type de cadre	périmétrique, en aluminium
Suspension avant	fourche inversée de 43 mm ajustable en précharge
Suspension arrière	monoamortisseur ajustable en précharge et détente
Freinage avant	2 disques de 320 mm de Ø avec étriers à 6 pistons et système C-ABS
Freinage arrière	1 disque de 276 mm de Ø avec étrier à 2 pistons et systèmes C-ABS
Pneus avant/arrière	120/70 ZR17 & 190/55 ZR17
Empattement	1545 mm
Hauteur de selle	815 mm
Poids tous pleins faits	268 kg (DCT: 278 kg)
Réservoir de carburant	18,5 litres

CBF1000 (couleur européenne non offerte au Canada)

L'UJM DANS TOUTE SA SPLENDEUR... // L'appellation UJM, pour ceux qui ne la connaîtraient pas, fait référence à un type de motos devenues très populaires durant les années 70 en raison de la simplicité relative et de la grande polyvalence des modèles ainsi nommés. D'une manière générale, l'*Universal Japanese Motorcycle* se voulait une routière à la fois sans prétention et extrêmement fonctionnelle propulsée par un gros quatre-cylindres. Les motocyclistes qui se rappellent des GS, des KZ et des CB de cette époque savent exactement de quel genre de motos il s'agit. Les années 80 ont toutefois inauguré une ère de spécialisation aiguë qui a pratiquement poussé ces engins à l'extinction. Le duo des CBF600/1000 représente exactement ce que ces motos seraient aujourd'hui si elles n'avaient pas complètement disparu du marché durant les trois dernières décennies.

Les premières impressions renvoyées par la CBF1000 ne sont certainement pas les plus excitantes qui soient, pour ne pas dire qu'on éprouve à ses commandes la peu flatteuse sensation de se retrouver sur l'équivalent à deux roues d'une fonctionnelle, mais oh combien ennuyante Honda Accord. Le terme «aseptisé» reflète probablement mieux que n'importe quel autre l'environnement qui attend le pilote. La ligne est sympathique, bien que sobre, l'instrumentation est claire, la position de conduite est bien droite et les commandes sont démunies de tout gadget. Honda étant Honda, l'aspect sécurité s'avère très présent. La puissance est à peine supérieure à 100 chevaux et les freins sont à la fois combinés et munis de l'ABS. Une pression du démarreur ne change strictement rien à l'ambiance, puisque le quatre-cylindres s'anime instantanément dans un murmure on ne peut plus anonyme. Le ton se maintient une fois sur la route où l'on découvre des montées en régimes d'une linéarité apparemment parfaite, un niveau de vibrations très bien contrôlé et une mécanique dont le caractère pousse à se demander s'il ne s'agit pas d'un moteur électrique. Une moto excitante, la CBF1000 n'est pas. Une conclusion qui se veut d'ailleurs encore plus valable pour sa petite sœur de 600 cc, qui n'est pas construite sur la même base, mais dont toutes les caractéristiques sont très proches de celles de la 1000. La 600 affiche toutefois en «prime» un côté un peu bon marché qui est absent de la 1000. Facture inférieure oblige, la finition est moins poussée, l'instrumentation est plus ordinaire, le moteur est moins soyeux et, bien entendu, nettement moins puissant.

PAR UNE ÉTRANGE IRONIE, LA CBF1000 S'ÉVEILLE LORSQU'ELLE SE RETROUVE DANS L'ENNUI DE LA BESOGNE QUOTIDIENNE.

Contre toute attente, nous nous sommes nous-mêmes surpris à littéralement adorer la CBF1000. Pas durant la prise de contact avec le modèle, mais plutôt à force de l'utiliser. Par une étrange ironie, tout d'elle prend son sens lorsqu'elle se retrouve dans l'ennui et la monotonie de l'environnement quotidien, celui des déplacements normaux et de la circulation. L'explication du phénomène est pourtant simple, puisqu'elle se résume à cette observation: la CBF1000 fonctionne bien. Assis bien droit, sur une bonne selle avec une bonne dose de couple toujours à la portée de la main, profitant de suspensions calibrées pour la réalité des routes imparfaites et comptant sur une partie cycle parfaitement équilibrée, vous maniez un outil à deux roues pratiquement sans défaut. Durant tout ce temps, comme la personnalité de la CBF1000 reste tout à fait anonyme, rien ne vous excite outre mesure, mais rien ne vous agace non plus. Puis, juste par curiosité, vous la lancez dans une courbe, pour découvrir que la partie cycle cache bien plus qu'une agréable légèreté de direction et de bons freins, et qu'elle révèle une tenue de route d'une qualité complètement insoupçonnée permettant même à la CBF1000 de boucler un tour de piste à un rythme très surprenant, ce que nous avons d'ailleurs fait.

Toutes ces observations sont valables pour la 600, mais encore une fois, dans son cas, passer du mode utilitaire au mode amusement s'avère plus ardu, surtout en raison de ses modestes performances. Cela peut sembler un peu sec comme image, mais la CBF600 fait un peu penser à un gros scooter qu'on enjambe et dont la transmission est manuelle.

QUOI DE NEUF EN 2011 ?

Aucun changement

CBF600 coûte 100$ de plus qu'en 2010, aucune augmentation pour la CBF1000

PAS MAL

Un niveau de polyvalence assez exceptionnel dans le cas de la 1000 qui est une véritable moto à tout faire en plus de se montrer très accessible

Une mécanique d'un litre douce qui fait preuve d'une excellente souplesse et une boîte de vitesse qui fonctionne de manière transparente facilitent beaucoup le pilotage

Un niveau d'accessibilité hors de l'ordinaire pour la 600 qui n'est peut-être pas la plus excitante des motos sur le marché, mais qui est certainement l'une des plus amicales

Un système ABS combiné livré de série sur les deux modèles

Un comportement routier qui pourrait en surprendre plusieurs non seulement en raison de son bel équilibre, mais aussi de son potentiel élevé en pilotage sportif

BOF

Une mécanique qui livre une quantité raisonnable de couple et se montre décemment puissante sur la 1000, mais qui est pratiquement démunie de caractère et bourdonne de manière complètement anonyme; la 600 est sans espoir à ce chapitre

Un niveau de performances assez modeste sur la 600 qui ne satisfera que les pilotes expérimentés très peu gourmands en chevaux et surtout intéressés par une monture pratique et accessible; les motocyclistes novices ou ceux à la recherche d'une moto de progression après un séjour sur une plus petite cylindrée représentent la clientèle la plus logique du modèle

CONCLUSION

Ce que nous apprennent les CBF600/1000 —en fait surtout la 1000—, c'est que le plaisir qu'on retire du pilotage d'une moto peut très bien ne pas provenir de performances très élevées, d'une tenue de route d'une précision chirurgicale ou d'un niveau d'équipement extraordinaire. Ou serait-ce que nous savions déjà tout cela, mais que la CBF1000 ne fait que nous le rappeler? La réalité est probablement un mélange des deux. Quoi qu'il en soit, il s'agit d'une monture très particulière en ce sens qu'elle a la capacité de transformer la plus banale des courses en un simple, mais plaisant moment de moto. En prime, il semble qu'aucune circonstance et aucun type d'utilisation ne soient inappropriés pour elle, si bien que très peu de motos méritent autant l'étiquette de machine à tout faire. Quant à la 600, elle arrive à réaliser tout ce que la 1000 accomplit, mais sans vraiment que cela soit très amusant ou excitant. Elle fonctionne très bien, elle est pratique, extrêmement accessible et offre un bon niveau de confort. Mais en matière de personnalité, trouver mieux n'est pas difficile.

CBF600

Novice / Intermédiaire / Expert	
Indice d'expertise ▲	
Rapport valeur/prix ▼	
1000 ▶ Vitesse de pointe	234 km/h
Accélération sur 1/4 mille	11,3 s à 195 km/h
600 ▶ Vitesse de pointe	209 km/h
Accélération sur 1/4 mille	12,4 s à 178 km/h

Voir légende en page 16

GÉNÉRAL

Catégorie	Routière Sportive
Prix	12 999 $ (600 : 9 999 $)
Immatriculation 2011	633,55 $
Catégorisation SAAQ 2011	« régulière »
Évolution récente	introduite en 2006, revue en 2010; 600 introduite en 2010
Garantie	1 an/kilométrage illimité
Couleur(s)	noir
Concurrence	1000 : Kawasaki Ninja 1000, Suzuki Bandit 1250S, Yamaha FZ1 600 : Kawasaki Ninja 650R, Suzuki GSX650F, Yamaha FZ6R

MOTEUR

Type	4-cylindres en ligne 4-temps, DACT, 4 soupapes par cylindre, refroidissement par liquide
Alimentation	injection à 4 corps de 36 mm
Rapport volumétrique	11,2:1 (11,6:1)
Cylindrée	998 cc (599 cc)
Alésage et course	75 (67) mm x 56,5 (42,5) mm
Puissance sans Ram Air	107,4 (77,5) ch @ 9 000 (10 500) tr/min
Couple	70,8 (43,5) lb-pi @ 6 500 (8 250) tr/min
Boîte de vitesses	6 rapports
Transmission finale	par chaîne
Révolution à 100 km/h	environ 4 200 tr/min
Consommation moyenne	6,9 l/100 km
Autonomie moyenne	290 km

PARTIE CYCLE

Type de cadre	épine dorsale, en aluminium
Suspension avant	fourche conventionnelle de 41 mm ajustable en précharge
Suspension arrière	monoamortisseur ajustable en précharge et détente (précharge)
Freinage avant	2 disques de 296 mm de Ø avec étriers à 3 pistons et système C-ABS
Freinage arrière	1 disque de 240 mm de Ø avec étrier à 1 piston et système C-ABS
Pneus avant/arrière	120/70 ZR17 & 160/60 ZR17
Empattement	1 495 (1 490) mm
Hauteur de selle	780/795/810 (770/785/800) mm
Poids tous pleins faits	245 (222) kg
Réservoir de carburant	20 litres

CBR1000RR Repsol

HUMAINEMENT LIMITÉE... // Le niveau de performances aujourd'hui atteint par chacune des montures appartenant à la classe des sportives pures d'un litre est tel que tant les pneus que l'humain commencent désormais à éprouver une sérieuse difficulté à gérer la puissance transmise à la roue arrière, du moins dans le contexte de la piste où les mérites de ces modèles sont constatés. L'introduction de la BMW S1000RR l'an dernier, puis de la ZX-10R cette année démontre, hors de tout doute, que l'avenir de la classe passera par une très importante dose d'aides électroniques au pilotage. Au milieu de cette véritable guerre technologique, la CBR1000RR fait très honnête figure en offrant de série un système ABS combiné aux performances extraordinaires. En attendant l'arrivée pratiquement inévitable d'un contrôle de traction, Honda propose de nouveau en 2011 une superbe livrée Repsol.

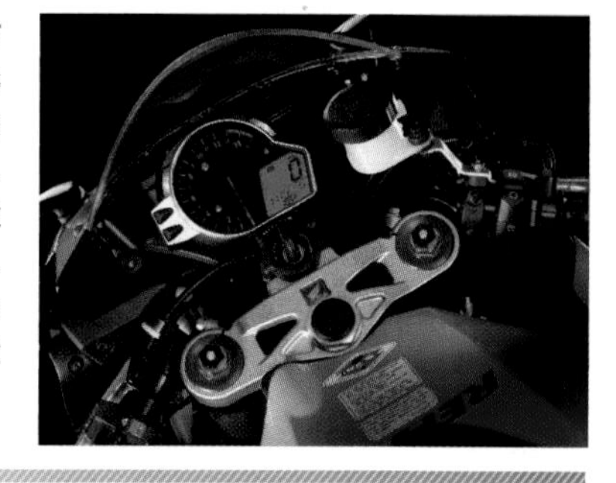

Deux générations de sportives sont parfois séparées par des différences tellement subtiles qu'elles deviennent difficiles à percevoir, mais ça n'est décidément pas le cas de la CBR1000RR actuelle qui propose une expérience très différente de celle qu'offrait la génération précédente. En termes de technologie et de comportement, la 1000 actuelle de Honda continue de représenter une machine en tous points concurrentielle face à ses rivales, à l'exception, du moins, d'un contrôle de traction dont elle n'est pas encore équipée.

Plus compacte et plus légère que l'ancienne génération que nous avons toujours trouvée un peu lourde, la CBR1000RR s'avère nettement plus vivante. Le tempérament relativement docile et coupleux de l'ancien moteur fait, dans ce cas, place à une nature axée sur la puissance maximale et les hauts régimes.

Sans qu'il offre une souplesse extraordinaire sous les 5000 ou 6000 tr/min, le moteur de la CBR1000RR s'emballe et se transforme en véritable monstre à partir de ces régimes. L'accélération devient alors très puissante jusqu'à la zone rouge fixée à 13000 tr/min, soulevant la roue avant en seconde vitesse sans que le pilote ait le moindre besoin d'insister. Comme sur toutes les autres 1000, exploiter la première vitesse demande beaucoup de doigté. La mécanique, qui est étonnamment douce, laisse s'échapper un sifflement presque électrique en montant en régime. Seule l'ouverture très audible de la valve d'échappement ajoute une plaisante note rauque à l'expérience.

TOUTES LES MANŒUVRES REQUISES POUR EFFECTUER UN TOUR DE PISTE RAPIDE SONT EFFECTUÉES AVEC UNE ÉTONNANTE SÉRÉNITÉ.

La fougue du 4-cylindres est parfaitement contrôlée par la superbe partie cycle. Alors qu'on a longtemps dû «se battre» avec la CBR1000RR sur un tour de piste, la génération actuelle est plutôt d'une facilité déconcertante à piloter. Dans l'environnement du circuit où ces motos sont définies, toutes les manœuvres requises pour effectuer un tour de manière précise et coulée sont accomplies dans une ambiance remarquablement sereine, ce qui n'est pas nécessairement la norme. Précise et demandant peu d'efforts, l'entrée en courbe est assistée par le bon travail du limiteur de contre-couple. La grande précision et la rassurante solidité du châssis en virages sont celles auxquelles on s'attend aujourd'hui de n'importe quelle sportive de haut calibre, tandis que la progressivité de la livrée de puissance permet d'ouvrir l'accélérateur tôt en sortie de courbe, sans trop de crainte de dérapages inattendus.

L'une des caractéristiques les plus particulières de la CBR1000RR est retrouvée au niveau de son système de freinage ABS couplé, contrôlé par ordinateur et assisté par une pompe hydraulique. Il s'agit d'un système qui élimine carrément le traditionnel lien entre le pilote et le freinage. Dans ce cas, la force avec laquelle le levier ou la pédale est enfoncé est analysée par l'ordinateur de bord, puis traduite en pression dirigée à l'avant et à l'arrière. Compte tenu de ce détachement, la sensibilité du système et la sensation naturelle ressentie au levier, et ce, même en pilotage sur piste, représentent un tour de force puisqu'on croirait vraiment avoir affaire à un système normal. Les performances de cet ABS sont par ailleurs absolument phénoménales.

QUOI DE NEUF EN 2011 ?

Édition Repsol de nouveau offerte

Coûte 800 $ de plus qu'en 2010

PAS MAL

Une qualité de comportement et surtout une facilité de pilotage extraordinaires sur circuit, ce qui est encore plus étonnant compte tenu du poids ajouté par l'ABS puisqu'on ne le sent pas du tout

Des performances d'un calibre exceptionnel et équivalant à celui aujourd'hui commun à la classe, mais qui sont livrées de manière étonnamment civilisée, ce qui facilite grandement le pilotage sur piste

Un système de freinage ABS combiné extrêmement avancé qui laisse chaque propriétaire profiter pleinement du potentiel extraordinaire de freinage

BOF

Un niveau de performances tellement élevé et qui n'est accessible que dans des conditions tellement particulières, comme une journée de piste, que la conduite quotidienne semble presque banale

Une mécanique qui est techniquement phénoménale, mais dont le caractère est presque inexistant

Une facture qui se gonfle inévitablement au fur et à mesure que de la nouvelle technologie est ajoutée

Un niveau de confort très faible qui correspond à la norme sur ces motos

Une absence de système antipatinage qui limite les performances en piste face à des machines rivales qui en sont équipées

CONCLUSION

La classe des sportives pures d'un litre est constituée de machines qui sont chacune des armes de piste absolument phénoménales. Aucune d'entre elles ne constitue un mauvais achat. Au sein de cette catégorie, la CBR1000RR se distingue par l'une des livrées de puissance les plus civilisées, même si l'on imagine mal comment un tel terme peut être marié à des performances d'un calibre aussi élevé. À cette qualité s'ajoute un comportement exceptionnellement léger, en plus d'être d'une précision absolue. La combinaison de toutes ces caractéristiques donne l'une des 1000 les plus faciles à exploiter sur piste. La seule technologie qui lui manque vraiment, du moins lorsqu'elle est poussée sur un circuit, c'est un contrôle de traction, une caractéristique qui fera très probablement partie de la fiche technique de la prochaine génération.

CBR1000RR

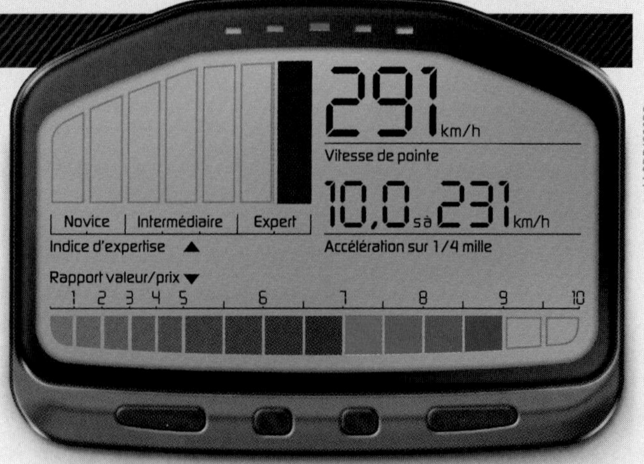

Voir légende en page 16

GÉNÉRAL

Catégorie	Sportive
Prix	17 199 $ (Repsol : 17 799 $)
Immatriculation 2011	1 425,55 $
Catégorisation SAAQ 2011	« à risque »
Évolution récente	introduite en 1992, revue en 1996, en 1998, en 2000, en 2002, en 2004, en 2006 et en 2008
Garantie	1 an/kilométrage illimité
Couleur(s)	noir, Repsol
Concurrence	BMW S1000RR, Kawasaki Ninja ZX-10R, Suzuki GSX-R1000, Yamaha YZF-R1

MOTEUR

Type	4-cylindres en ligne 4-temps, DACT, 4 soupapes par cylindre, refroidissement par liquide
Alimentation	injection à 4 corps de 46 mm
Rapport volumétrique	12,3:1
Cylindrée	999,8 cc
Alésage et course	76 mm x 55,1 mm
Puissance sans Ram Air	178,1 ch @ 12 000 tr/min
Couple	82,6 lb-pi @ 8 500 tr/min
Boîte de vitesses	6 rapports
Transmission finale	par chaîne
Révolution à 100 km/h	4 200 tr/min
Consommation moyenne	6,9 l/100 km
Autonomie moyenne	256 km

PARTIE CYCLE

Type de cadre	périmétrique, en aluminium
Suspension avant	fourche inversée de 43 mm ajustable en précharge, compression et détente
Suspension arrière	monoamortisseur ajustable en précharge, compression et détente
Freinage avant	2 disques de 320 mm de Ø avec étriers radiaux à 4 pistons et système C-ABS
Freinage arrière	1 disque de 220 mm de Ø avec étrier à 1 piston et système C-ABS
Pneus avant/arrière	120/70 ZR17 & 190/50 ZR17
Empattement	1 407 mm
Hauteur de selle	831 mm
Poids tous pleins faits	210 kg
Réservoir de carburant	17,7 litres

CBR600RR

NOUVEAU CONTEXTE... // Nous ne le dirons jamais assez souvent: le monde de la moto est actuellement en pleine mutation. Si toutes les classes sont ou seront touchées par les nouvelles réalités économiques et démographiques avec lesquelles l'univers des deux-roues doit composer, le créneau sportif, lui, représente un très bon exemple du genre de changements que peut amener ce nouveau contexte. On y note en effet un clair ralentissement du rythme effréné auquel ces modèles étaient renouvelés. Alors qu'une 600 avait jusqu'à tout récemment un cycle de vie de 2 ou 3 ans tout au plus, la CBR600RR entame sa cinquième année sous cette forme. Bien qu'une telle situation l'aurait sérieusement désavantagée il n'y a pas si longtemps, le fait que la plupart des modèles de la classe ne sont pas tout à fait récents non plus a pour effet de conserver son niveau de désirabilité.

Elle a beau entamer en 2011 sa cinquième année de production, la CBR600RR demeure une option parfaitement valable chez les 600. L'une des raisons de cette étonnante longévité est l'introduction en 2009 d'un système ABS de nouvelle génération qui, encore aujourd'hui, demeure exclusif à Honda dans cette cylindrée.

Il s'agit d'une technologie dont l'efficacité est tout simplement stupéfiante. Les sceptiques étaient nombreux à croire que l'ABS n'avait pas sa place sur une monture de ce calibre, surtout sur circuit. Ces sceptiques n'ont toutefois besoin que d'une bonne séance en piste avec la CBR pour être complètement confondus. Le système ABS qui équipe en option la CBR600RR représente une révolution dans le genre, puisqu'à aucun moment on ne le sent entrer en action en freinage d'urgence et qu'à moins d'être un coureur professionnel, sa présence est indétectable en piste. Le système améliore non seulement la sécurité sur la route jusqu'à un niveau jamais connu auparavant sur ce type de monture, mais il est aussi tellement avancé et performant qu'il permet à un pilote même expérimenté de boucler des tours plus rapides en repoussant considérablement les limites du freinage. En fait, ce système ABS permet de freiner tellement tard en approche de courbe qu'il donne presque l'impression de tricher.

SEREINE, PRÉCISE ET AGILE, ELLE DONNE L'IMPRESSION DE POUVOIR ACCOMPLIR N'IMPORTE QUOI EN PISTE.

Mince, très légère et ultra-compacte sans toutefois qu'elle coince son pilote, la CBR600RR propose une mécanique à la fois très puissante et relativement souple. Les accélérations sont propres et franches du ralenti jusqu'à la barre des 8 000 tr/min, puis deviennent considérablement plus intenses au fur et à mesure que les graduations du tachymètre défilent. Il n'arrive presque jamais qu'on parle de linéarité en décrivant les accélérations d'une 600, mais c'est en quelque sorte le cas ici, bien que ce soit évidemment au-delà des 10 000 tr/min que le plein potentiel de la mécanique réside. L'excellent 4-cylindres de la CBR impressionne également par sa facilité à prendre des tours et par son aisance absolue lorsqu'il tourne à des régimes très élevés. Des facteurs comme la très bonne transmission, l'embrayage léger et progressif, et l'injection à point ne font qu'ajouter à la sensation de qualité et de sophistication qui se dégage du modèle, et ce, même s'il commence à se faire vieux.

Si, grâce à sa selle décente, à sa position tolérable et à ses suspensions fermes, mais pas rudes, la CBR ne constitue pas une mauvaise routière, elle reste avant tout une machine conçue pour la piste, un environnement où elle se montre encore exceptionnelle. À la fois sereine, posée, précise et agile, elle donne non seulement l'impression d'être capable de n'importe quoi, mais facilite aussi le pilotage sur circuit plus qu'on ne le croirait possible. Grâce à ses freins fantastiques, à son châssis imperturbable, à ses suspensions parfaitement calibrées et à une légèreté remarquable, la CBR600RR est carrément l'une des sportives pures les plus faciles à piloter très rapidement sur piste. La qualité de sa tenue de route est même tellement élevée qu'on n'arrive pas à pointer quoi que ce soit à améliorer. Seule l'absence d'un limiteur de contre-couple, un équipement qui lui permettrait de se montrer encore plus à l'aise dans l'environnement du circuit, peut lui être reprochée.

QUOI DE NEUF EN 2011 ?

Version sans ABS de nouveau offerte

Version avec ABS coûte 800$ de plus qu'en 2010

PAS MAL

Une mécanique superbe puisque douce, relativement souple, très puissante et incroyablement à l'aise à haut régime

Une partie cycle tellement réussie qu'elle arrive à transformer les motocyclistes ordinaires en pilotes compétents sur une piste, où la CBR600RR est par ailleurs une véritable merveille de précision et d'agilité

Un système de freinage ABS de nouvelle génération conçu spécifiquement pour les sportives et dont l'efficacité est extraordinaire

Une nature qui semble vouloir revenir aux origines du modèle en proposant à la fois un niveau de performances très élevé et, en utilisation quotidienne, une polyvalence supérieure à celle de la moyenne de la classe

BOF

Des accélérations puissantes, mais aussi un tempérament très civilisé, presque linéaire qui affecte un tout petit peu le facteur excitation

Un embrayage sans limiteur de contre-couple; il s'agit d'un équipement dont la présence aurait été fort souhaitable en piste; toutes les rivales de la CBR en sont d'ailleurs équipées

Une génération qui commence à vieillir, même si elle reste très compétente

Un niveau de confort inexistant pour le passager, quoique tolérable pour le pilote

Un prix qui continue d'augmenter, comme c'est d'ailleurs le cas de manière généralisée chez les sportives

CONCLUSION

Durant très longtemps, la CBR représenta l'option polyvalente chez les 600 en s'avérant à la fois redoutable en piste et tolérable, voire confortable sur la route. Ce positionnement lui avait très bien réussi jusqu'à ce que la classe tout entière se dirige vers le côté extrême de l'équation sportive, une direction que la Honda a d'ailleurs suivie. Ce changement d'orientation ne l'a toutefois pas particulièrement bien servie et avec l'arrivée de cette génération, la CBR poids moyen revint d'une certaine façon à ses origines. Il s'agit d'une 600 absolument brillante dont la liste des qualités est extrêmement impressionnante et dont celle des défauts s'avère non seulement courte, mais aussi très difficile à dresser. Surtout maintenant qu'elle est équipée de ce phénoménal système ABS. Nul ne saurait dire jusqu'à quand les amateurs de sportives accepteront de payer toujours plus cher pour ces modèles, mais ceux qui le font aujourd'hui acquièrent décidément des machines extraordinaires.

CBR600RR

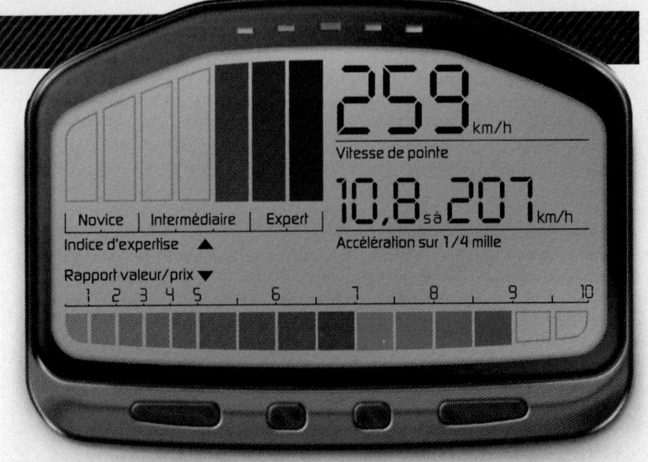

Voir légende en page 16

GÉNÉRAL

Catégorie	Sportive
Prix	13599$ (ABS: 14599$)
Immatriculation 2011	1425,55$
Catégorisation SAAQ 2011	«à risque»
Évolution récente	introduite en 2003, revue en 2005 et en 2007
Garantie	1 an/kilométrage illimité
Couleur(s)	rouge et noir
Concurrence	Kawasaki Ninja ZX-6R, Suzuki GSX-R600, Triumph Daytona 675, Yamaha YZF-R6

MOTEUR

Type	4-cylindres en ligne 4-temps, DACT, 4 soupapes par cylindre, refroidissement par liquide
Alimentation	injection à 4 corps de 40 mm
Rapport volumétrique	12,2:1
Cylindrée	599 cc
Alésage et course	67 mm x 42,5 mm
Puissance sans Ram Air	119,6 ch @ 13500 tr/min
Couple sans Ram air	48,8 lb-pi @ 11250 tr/min
Boîte de vitesses	6 rapports
Transmission finale	par chaîne
Révolution à 100 km/h	5500 tr/min
Consommation moyenne	6,6 l/100 km
Autonomie moyenne	274 km

PARTIE CYCLE

Type de cadre	périmétrique, en aluminium
Suspension avant	fourche inversée de 41 mm ajustable en précharge, compression et détente
Suspension arrière	monoamortisseur ajustable en précharge, compression et détente
Freinage avant	2 disques de 310 mm de Ø avec étriers radiaux à 4 pistons (et système C-ABS)
Freinage arrière	1 disque de 220 mm de Ø avec étrier à 1 piston (et système C-ABS)
Pneus avant/arrière	120/70 ZR17 & 180/55 ZR17
Empattement	1369 mm
Hauteur de selle	820 mm
Poids tous pleins faits	186 kg (ABS: 196 kg)
Réservoir de carburant	18,1 litres

CBR250R

NOUVEAUTÉ 2011

VERS DEMAIN... // Au rythme auquel évolue le profil démographique des motocyclistes, personne ne devrait s'étonner de voir apparaître plus de véhicules à trois roues dans un avenir très rapproché. Au cours de la dernière décennie, l'âge *moyen* de l'amateur de moto est passé de 40 à 50 ans, ce qui signifie deux choses toutes simples: les motocyclistes actuels sont vieux et les jeunes n'achètent pas de motos. Rien ne fait actuellement trembler l'industrie de la motocyclette comme cette réalité, puisque c'est de cette façon que les races s'éteignent. Nous n'en sommes évidemment pas là, mais à moins de changer de cap, et vite, les prochaines années pourraient devenir très difficiles dans ce milieu. En présentant cette année une paire d'abordables petites CBR-R de 125 et 250 cc, Honda espère intéresser des jeunes à la conduite d'une moto et commencer à renverser la tendance.

Technique

Les jeunes vivent aujourd'hui une existence numérique. Tout, dans leur monde, passe par Internet, par le téléphone cellulaire ou par les jeux vidéo. Comme ce sera probablement toujours le cas chez eux, ils aiment et recherchent les sensations fortes, mais d'une manière générale, ce sont des médiums virtuels qui déclenchent leurs vannes d'adrénaline. Ajoutez à ce contexte des motos dont la nature hyperspécialisée ne correspond tout simplement pas à leurs aptitudes, ainsi que des coûts d'achat et d'opération clairement trop élevés pour leurs moyens et vous obtenez la mythique tempête parfaite. Bref, la moto n'intéresse pas les jeunes et même si c'était le cas, les sommes impliquées rendraient l'exercice impossible pour eux.

Comme l'un des facteurs responsables —et il y en a plusieurs autres— de l'absence de jeunes chez les acheteurs de motos est ainsi clairement lié à l'accessibilité des modèles, des modèles accessibles sont donc requis pour résoudre le problème. C'est du moins la déduction de la situation faite par Honda, qui présente en 2011 pas une, mais deux petites CBR.

La première, et probablement la plus intéressante, est la version de 250 cc. Il s'agit d'un tout nouveau modèle dévoilé pour la première fois en 2011 et non d'une nouvelle génération. Elle a évidemment été développée pour faire face à cette situation, mais aussi, selon Honda, afin de refléter les réalités de la société actuelle en matière d'environnement et de déplacement. Le constructeur nippon ne la présente donc pas seulement comme une porte d'entrée pour les jeunes dans le monde de la moto, mais aussi comme un véhicule économique, agile et peu énergivore destiné à une clientèle beaucoup plus large.

La rivale la plus directe de la nouvelle CBR250R est évidemment la Ninja 250R de Kawasaki. Honda fixe généralement des prix un peu plus élevés que ceux des modèles concurrents, mais dans ce cas, le constructeur a utilisé tous les moyens pour garder la facture aussi basse que possible, et ce, selon lui, sans affecter la qualité ou le rendement. Le facteur le plus important à ce chapitre est lié au choix du moteur qui affiche une configuration à un cylindre plutôt que les deux de la Kawasaki. La puissance maximale annoncée est moins élevée sur la Honda, mais le manufacturier compte sur un couple arrivant plus tôt pour compenser.

SI UNE ÉCONOMIE A PU ÊTRE RÉALISÉE AU NIVEAU DU MONOCYLINDRE, LA CBR250R SE MONTRE TRÈS GÉNÉREUSE AILLEURS.

Si une économie certaine a pu être réalisée grâce au nombre réduit de pièces du monocylindre, la CBR250R se montre étonnamment généreuse à pratiquement tous les autres niveaux. De la nature très soignée de l'instrumentation jusqu'au très joli carénage pleine grandeur — qui rappelle évidemment la ligne de la VFR1200F — en passant par le haut degré de finition, la CBR250R paraît décidément bien. La caractéristique technique qui étonne toutefois le plus, compte tenu de la nature et du prix du modèle, est la possibilité de l'équiper d'un système de freinage ABS combiné, une option pour laquelle Honda augmente la facture de 500 $ et qui en vaut certainement la peine.

CBR250R

CBR250R

UN MONO DE 250 CC ULTRAMODERNE

La facture raisonnable obligatoire pour qu'une monture comme la CBR250R ait une chance de succès a forcé des choix mécaniques importants de la part de Honda, notamment celui d'opter pour un monocylindre plutôt que pour un bicylindre. Cela dit, le mono qui anime le modèle s'avère aussi sophistiqué qu'il pourrait l'être. L'alimentation est confiée à un système par injection tandis que les dimensions du piston sont les mêmes que sur la CBR1000RR. On compte deux arbres à cames en tête et quatre soupapes, tandis que la boîte de vitesses offre six rapports. Quant à la partie cycle, elle est simple, mais conçue de manière solide et efficace. Le cadre est en acier tubulaire et les poteaux de la fourche ont un diamètre très respectable de 37 mm, tandis que des roues de 17 pouces correspondent à la norme chez les sportives.

CBR125R 2004

CBR125R 2007

CBR125R

La version 2011 de la CBR125R représente une évolution du modèle précédent, mais pas une refonte complète. Le but premier de Honda était d'en faire une moto plus « sérieuse » en termes de style, d'ergonomie et de mécanique. D'un point de vue esthétique, l'amélioration est nette, puisque le lien de famille de la ligne avec celle de la VFR1200F ajoute effectivement une touche de maturité au modèle. Honda affirme que l'emplacement des poignées et des repose-pieds a été revu afin de dégager la position de conduite, tandis que le nouveau carénage offrirait une protection accrue au vent et aux intempéries. Le monocylindre profite d'une nouvelle cartographie d'injection et serait encore plus propre et économique qu'auparavant. Enfin, des roues et des pneus plus larges amélioreraient le comportement routier.

CBR125R 2011

QUOI DE NEUF EN 2011 ?

Introduction d'une toute nouvelle CBR250R

Évolution de la CBR125R

PAS MAL

Un niveau d'accessibilité exceptionnel qui n'est pas difficile à prévoir dans les deux cas; la 125, qui est techniquement proche de la version précédente, devrait continuer de représenter le summum en matière de facilité de pilotage sur une deux-roues à boîte de vitesses manuelle

Des prix très intéressants dans les deux cas; celui de la 125 est pratiquement équivalent à celui d'un scooter, tandis que celui de la 250 est étonnamment compétitif, et ce, même en incluant l'option très recommandée de l'ABS combiné

Un soin apporté à la finition et au style qui est décidément digne de mention; on a l'impression que les petites cylindrées sont enfin prises au sérieux

BOF

Une ergonomie qui s'avérait serrée sur l'ancienne version de la 125 et qui donnait un peu au pilote l'impression d'être aux commandes d'une moto-jouet; Honda annonce une amélioration à ce niveau, mais elle reste à vérifier

Un niveau de performances sympathique et accessible, mais bas dans le cas de la 125; il convient lors de l'apprentissage du pilotage et contribue à mettre la clientèle visée en confiance, mais dès la période d'initiation terminée, ce niveau devient simplement faible

Un problème commun à toutes les motos d'apprentissage de très petite cylindrée : on les achète, on les utilise pour s'initier, puis on arrive inévitablement trop tôt au moment de les vendre

CONCLUSION

La présence de modèles comme ces deux petites CBR est de la plus haute importance non seulement pour Honda et ses ventes, mais aussi pour le reste de l'industrie, puisqu'il s'agit exactement du genre de motos et des genres de prix qui pourraient arriver à convaincre un public plus jeune d'enfin jeter un coup d'œil du côté de la moto. La nouvelle CBR125R étant une évolution de la version précédente, son côté exceptionnellement amical n'est certainement pas difficile à prévoir. Mais c'est la 250 qui nous intrigue le plus, puisqu'elle semble posséder les caractéristiques requises pour ne pas être une moto dont on se lasse trop rapidement. Monocylindre ou pas, son prix est par ailleurs franchement étonnant, puisque ce n'est certes pas dans l'habitude de Honda d'offrir des modèles moins chers que ceux de la concurrence. Les temps changent.

CBR125R

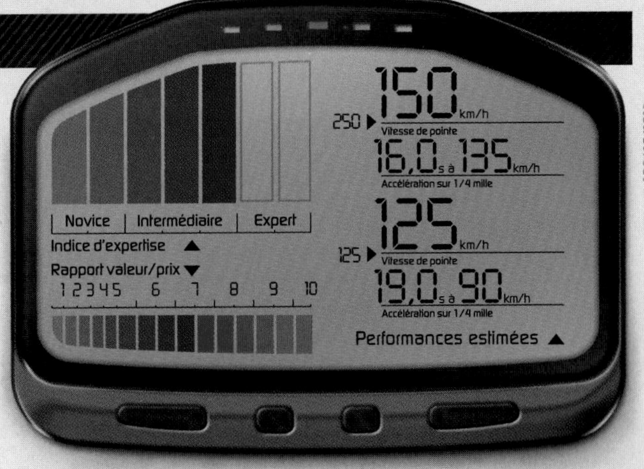

Voir légende en page 16

GÉNÉRAL

Catégorie	Routière Sportive
Prix	CBR250R : 4 499 $ (ABS : 4 999 $) CBR125R : 3 499 $
Immatriculation 2011	CBR250R : 377,55 $ CBR125R : 244,55 $
Catégorisation SAAQ 2011	« régulière »
Évolution récente	CBR250R : introduite en 2011 CBR125R : introduite en 2004, revue en 2007 et en 2011
Garantie	1 an/kilométrage illimité
Couleur(s)	CBR250R : rouge, noir CBR125R : argent, noir
Concurrence	CBR250R : Kawasaki Ninja 250R, Hyosung GT250R CBR125R : aucune

MOTEUR

Type	monocylindre 4-temps, DACT (SACT), 4 (2) soupapes par cylindre, refroidissement par liquide
Alimentation	injection à corps de 38 (30) mm
Rapport volumétrique	10,7:1 (11,0:1)
Cylindrée	249,4 (124,7) cc
Alésage et course	76 (58) mm x 55 (47,2) mm
Puissance	26 (13,1) ch @ 8 500 (10 000) tr/min
Couple	16,9 (7,7) lb-pi @ 7 000 (8 000) tr/min
Boîte de vitesses	6 rapports
Transmission finale	par chaîne
Révolution à 100 km/h	n/d
Consommation moyenne	n/d
Autonomie moyenne	n/d

PARTIE CYCLE

Type de cadre	périmétrique, en acier
Suspension avant	fourche conventionnelle de 37 (31) mm non ajustable
Suspension arrière	monoamortisseur ajustable en précharge (non ajustable)
Freinage avant	1 disque de 296 (276) mm de Ø avec étrier à 2 pistons (250 ABS : étrier à 3 pistons, C-ABS)
Freinage arrière	1 disque de 220 mm de Ø avec étrier à 1 piston (250 ABS : C-ABS)
Pneus avant/arrière	110/70 (80) -17 & 140 (130) /70-17
Empattement	1 370 (1 313) mm
Hauteur de selle	775 (793) mm
Poids tous pleins faits	162 (137) kg (250 ABS : 166 kg)
Réservoir de carburant	13 litres

NOUVEAUTÉ 2011

SUPER STANDARD... // L'arrivée de la CB1000R en Amérique du Nord pour 2011 est franchement un peu surprenante, puisqu'elle est l'exemple parfait du genre de modèle conçu expressément pour le marché européen, mais qui, typiquement, ne se rend jamais jusqu'à chez nous. Il s'agit d'une standard extrême dans le même genre que la Z1000 de Kawasaki — de laquelle elle est d'ailleurs techniquement très proche— ou que la Streetfighter de Ducati, bien que toutes ces motos aient une personnalité différente. La mécanique qui l'anime provient de la CBR1000RR 2006-2007, mais Honda l'a amputée de quelques douzaines de chevaux et en a gonflé le couple, comme c'est la coutume avec ce genre de transplantation. Le cadre et la partie cycle n'ont toutefois rien à voir avec le modèle sportif et sont uniques à la CB1000R, qui est par ailleurs livrée de série avec un système ABS combiné.

On réalise instantanément à la vue de la CB1000R qu'on n'a pas affaire à une monture commune. Nous savons tous que ce genre de motos existe en raison de sa très forte popularité sur le marché européen où les standards de ce type sont d'ailleurs presque toujours les modèles les plus vendus. Mais à moins de traverser l'Atlantique, on ne les voit jamais.

Le style de la CB1000R est extrêmement soigné, si bien que chaque angle révèle une pièce intéressante. L'instrumentation entièrement numérique, les courbes torturées de l'immanquable système d'échappement, la forme complexe du phare avant, les roues uniques et le magnifique bras oscillant sont autant d'exemples du type de composantes très désirables avec lesquelles elle est bâtie et qui sont à la base de son aspect très particulier.

La sensation d'avoir affaire à une monture hors de l'ordinaire ne fait que s'amplifier dès qu'on s'installe à ses commandes. Le terme compact ne rend pas justice à la position de conduite, puisqu'on a littéralement l'impression d'être assis sur une machine de cylindrée moyenne de laquelle on a retiré tout sauf une selle et un guidon, sans toutefois qu'on s'y sente coincé. Mais la CB1000R n'est pas une cylindrée moyenne, puisque la mécanique qui l'anime et qui produit près de 125 chevaux provient de la génération précédente de la CBR1000RR. Plutôt doux et générant une sonorité feutrée et discrète, il s'agit d'un moteur dont la souplesse est très bonne, puisqu'il accepte de rouler et de reprendre à partir de bas régime sur de hauts rapports sans jamais rouspéter. En termes de performances brutes, la CB1000R est indéniablement rapide, mais la fluidité des accélérations les fait paraître moins puissantes qu'elles ne le sont en réalité, un phénomène provenant aussi du fait qu'on sent très bien qu'il s'agit d'un moteur dont le potentiel original est bien plus élevé. Si le châssis affiche le genre de solidité qui pourrait facilement encaisser beaucoup plus de chevaux sans broncher, le comportement légèrement nerveux de la direction, lui, s'agiterait probablement plus si c'était le cas. Cette dernière est exceptionnellement légère, en partie à cause de la géométrie carrément sportive de la partie cycle et en partie à cause du large guidon plat qui permet une maniabilité très élevée. Le modèle affiche aussi le genre de position de conduite relevée qui donne une grande sensation de confiance, un sentiment qui traduit d'ailleurs très bien l'état d'esprit du pilote en conduite sportive.

ON CROIRAIT ÊTRE ASSIS SUR UNE CYLINDRÉE MOYENNE DE LAQUELLE TOUT A ÉTÉ RETIRÉ SAUF UN GUIDON ET UNE SELLE.

La qualité de la tenue de route est celle d'une sportive pure, impression de compacité extrême en prime. Nous avons amené la CB1000R en piste et elle s'y est débrouillée aussi bien qu'une sportive de haut calibre à tous les égards. À l'exception d'une direction occasionnellement nerveuse et de repose-pieds qui frottent plus tôt que ceux d'une véritable sportive, dans le contexte du circuit, elle s'est avérée très impressionnante, ce qui donne une idée du genre de comportement qu'elle offre sur la route. Notons que l'aspect sécurité du modèle n'a pas été laissé de côté par Honda, puisque les puissants freins de série de la CB1000R sont de type ABS combiné.

QUOI DE NEUF EN 2011 ?

Nouveau modèle

PAS MAL

Un style très particulier et très européen qui est mis en valeur par la présence de pièces superbes comme le massif bras oscillant et par une finition impeccable

Un comportement véritablement sportif qui permet non seulement à la CB1000R de boucler des tours de piste confortablement, mais aussi de le faire à un rythme élevé

Un niveau pratique tout à fait réel en conduite quotidienne grâce à une position de conduite relevée ne taxant pas le corps, à une selle correcte et à des suspensions qui se montrent fermes, mais pas rudes

BOF

Une mécanique dont les performances sont assez élevées, mais qui livre ces dernières avec une politesse telle que l'expérience n'est pas la plus excitante qui soit

Une direction très légère qui peut devenir nerveuse en pleine accélération alors que l'avant ne fait qu'effleurer le sol

Une sensation générale de sportive déshabillée plutôt que de routière dénudée qui plaira probablement aux amateurs ou aux anciens propriétaires de modèles sportifs, mais qui pourrait ne pas susciter l'intérêt des amateurs de routières

CONCLUSION

Les montures qui ressemblent à la CB1000R sont toutes des machines à forte personnalité. Au sein de ce groupe, elle fait preuve d'un degré de politesse élevé typique de la marque, sans pour autant qu'on la sente trop aseptisée. Chacun des modèles de cette classe propose à son pilote un environnement très particulier. Dans le cas de la CB1000R, cet environnement fait beaucoup penser à celui d'une véritable sportive comme une CBR1000RR qu'on aurait complètement déshabillée et sur laquelle on aurait installé un guidon haut et large de standard. D'autres modèles, par contraste, donnent l'impression de piloter une routière dénudée, ce qui n'est pas la même chose. Malgré cette constatation et malgré tout cet héritage sportif, la CB1000R demeure parfaitement à l'aise dans les déplacements quotidiens. Il s'agit donc d'une de ces rares motos proposant à la fois un côté sportif authentique et un intéressant niveau de praticité.

239 km/h
Vitesse de pointe

11,0 s à 199 km/h
Accélération sur 1/4 mille

Novice | Intermédiaire | Expert
Indice d'expertise ▲

Rapport valeur/prix ▼
1 2 3 4 5 6 7 8 9 10

Voir légende en page 16

GÉNÉRAL

Catégorie	Standard
Prix	13 999 $
Immatriculation 2011	NC - probabilité 633,55 $
Catégorisation SAAQ 2011	NC - probabilité « régulière »
Évolution récente	introduite en 2008
Garantie	1 an/kilométrage illimité
Couleur(s)	noir
Concurrence	Ducati Streetfighter, Kawasaki Z1000, Triumph Speed Triple

MOTEUR

Type	4-cylindres en ligne 4-temps, DACT, 4 soupapes par cylindre, refroidissement par liquide
Alimentation	injection à 4 corps de 36 mm
Rapport volumétrique	11,2:1
Cylindrée	998 cc
Alésage et course	75 mm x 56,5 mm
Puissance	123,3 ch @ 10 000 tr/min
Couple	73 lb-pi @ 7 750 tr/min
Boîte de vitesses	6 rapports
Transmission finale	par chaîne
Révolution à 100 km/h	4 300 tr/min
Consommation moyenne	6,4 l/100 km
Autonomie moyenne	265 km

PARTIE CYCLE

Type de cadre	épine dorsale, en aluminium
Suspension avant	fourche inversée de 43 mm ajustable en précharge, compression et détente
Suspension arrière	monoamortisseur ajustable en précharge et détente
Freinage avant	2 disques de 310 mm de Ø avec étriers radiaux à 3 pistons et système C-ABS
Freinage arrière	1 disque de 256 mm de Ø avec étrier à 2 pistons et système C-ABS
Pneus avant/arrière	120/70 ZR17 & 190/50 ZR17
Empattement	1 445 mm
Hauteur de selle	825 mm
Poids tous pleins faits	222 kg
Réservoir de carburant	17 litres

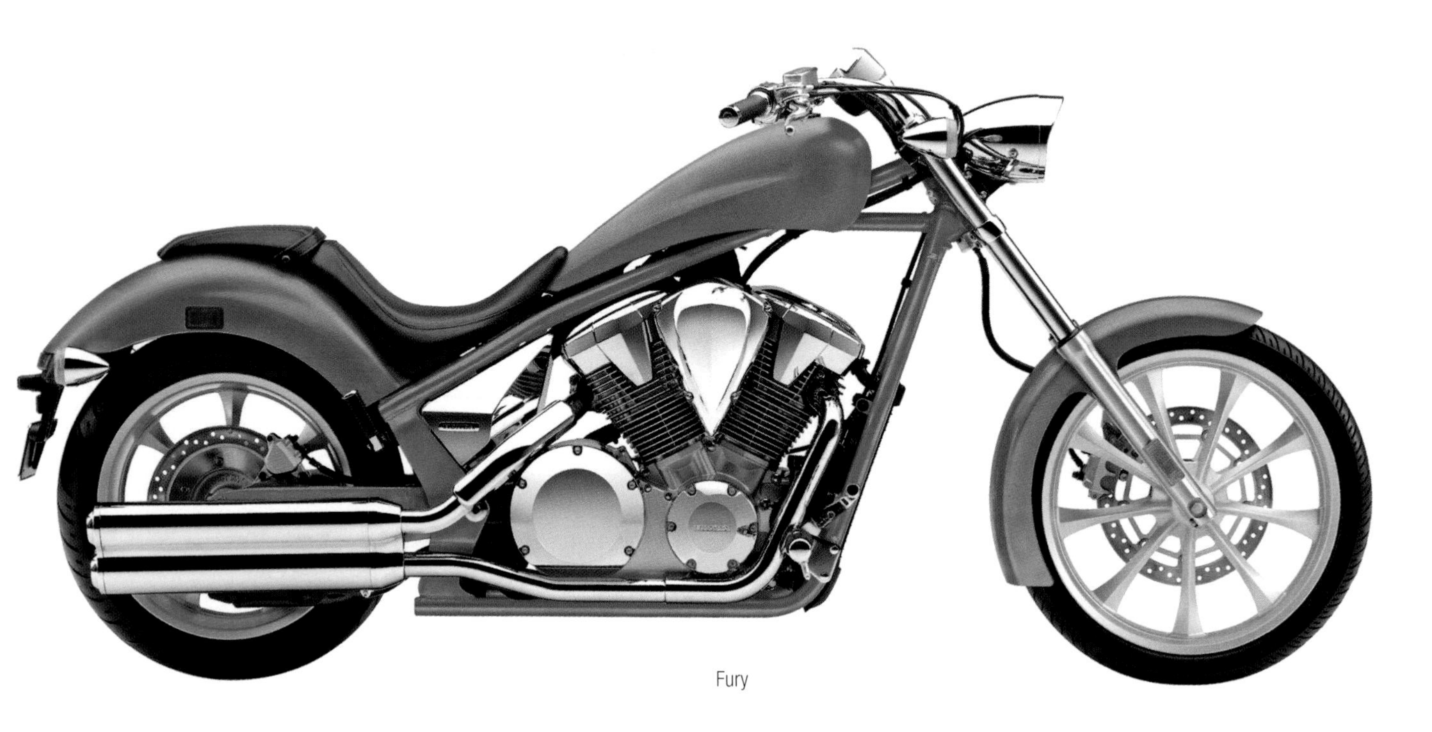

Fury

NOUVELLE SIGNATURE... // Voilà maintenant quelques années que nous posons la question : après avoir imité sans la moindre honte des lignes piquées dans le catalogue Harley-Davidson, comment les constructeurs offrant des customs feront-ils pour faire évoluer leurs modèles ? La réponse de Honda est arrivée l'an dernier, d'abord avec la très audacieuse Fury, puis avec les Sabre, Stateline et Intersate, tous des modèles dont le style est clairement inspiré de la tendance chopper. Oubliez les proportions classiques, ramassées et rondes des VTX1300 et 1800, qui sont d'ailleurs aujourd'hui complètement disparues, car Honda a non seulement fait table rase en matière de style, mais il a aussi pris un immense risque en innovant de façon aussi radicale dans ce créneau ultra-conservateur. Chaque modèle est propulsé par un V-Twin de 1 300 cc et offre de série un système ABS combiné.

Toutes ces customs nouveau genre de Honda sont tellement particulières en matière de style qu'on serait instinctivement porté à douter de leur comportement routier, puisque des proportions aussi extrêmes engendrent généralement de sévères défauts de tenue de route. Mais Honda demeure Honda et malgré une géométrie de direction parmi les plus extrêmes jamais vues sur des machines de grande production ainsi qu'un très long empattement, la Fury, la Sabre, la Stateline et sa variante de tourisme léger l'Interstate se conduisent sans le moindre effort ou tracas. Il semblerait pour une fois que la capacité des constructeurs nippons à parfaire l'ingénierie au point d'aseptiser les sensations de conduite ait été mise à bon usage, puisqu'elle permet dans ce cas de rendre parfaitement utilisables des concepts extrêmes.

HONDA DEMEURE HONDA ET MALGRÉ DES GÉOMÉTRIES DE DIRECTION EXTRÊMES, LES COMPORTEMENTS DEMEURENT TRÈS CORRECTS.

Même si l'ergonomie diffère légèrement d'une variante à l'autre, on note dans tous les cas un guidon reculé jusqu'à ce qu'il tombe naturellement sous les mains, une selle très basse et un angle tout à fait raisonnable au niveau des jambes. Sur la route, la combinaison de cette position de conduite typée mais équilibrée aux dimensions anormalement allongées des modèles s'avère fort agréable. L'environnement de la Sabre, par exemple, se montre même particulièrement attrayant. On ressent instantanément la minceur du modèle au niveau de la selle, du réservoir et de la très longue et très soignée partie avant. Cela peut sembler étrange, mais même la forme allongée de la nacelle du phare, qui reflète en le déformant élégamment le paysage qui défile, agrémente l'expérience de conduite.

Si la famille de choppers de Honda s'avère ainsi très habilement dessinée et étonnamment bien maniérée, elle n'offre en revanche que très peu d'innovations en matière de mécanique ou de sensations moteur. Toutes sont propulsées par le même V-Twin de 1,3 litre dérivé de celui de la défunte série des VTX1300. Désormais injecté, ce moteur a été pour l'occasion calibré de manière à produire plus de couple à bas régime au détriment de quelques chevaux, un compromis dont personne ne se plaindra.

Malgré leur cylindrée réduite par rapport à celles des poids lourds du monde custom, chacun des modèles fait plus que se débrouiller en ligne droite. S'ils n'ont clairement pas été conçus avec l'intention de gagner des courses d'accélération, ils procurent tout de même le type de poussée immédiate et le genre de vrombissement profond qui devraient parfaitement satisfaire l'amateur moyen de customs. La seule exception à l'aspect mécanique ordinaire de ces modèles est la présence d'un système de freinage combiné et équipé de l'ABS. Il s'agit d'une première dans cette catégorie et d'une preuve supplémentaire de la détermination de Honda à munir toutes ses motos de l'ABS. Si seulement le constructeur mettait un peu de cette énergie à dessiner ses pare-brise de customs... Une énergie dont celui de l'Interstate, un modèle pourtant destiné au tourisme, aurait grand besoin, puisqu'il est simplement exécrable en raison des étourdissantes turbulences qu'il génère au niveau de la tête. Les selles sont par ailleurs correctes, tandis que le travail des suspensions peut être qualifié d'acceptable.

Voir de telles lignes, dans ce créneau tellement conservateur, qui s'est jusque-là limité à copier des Harley-Davidson, est extraordinairement rafraîchissant. Surtout que dans le cas de chacune des variantes, le choix des proportions et la fluidité du style sont remarquables.

Sabre

❯ MODE D'EMPLOI...

Si le côté rafraîchissant du style des modèles de la série VT1300 est surtout dû au fait qu'il ne s'agit pas, pour une fois, d'une bête réinterprétation de la silhouette d'un modèle Harley-Davidson, il reste que les choppers Honda partagent encore quelque chose avec la marque de Milwaukee. Surtout pour l'œil non éduqué, les distinguer peut ne pas être évident... La Fury est, sans le moindre doute, le modèle le plus distinct et se reconnaît instantanément à sa ligne nettement plus extrême que celle des autres variantes. Vient ensuite la Sabre qu'on peut aisément identifier à sa grande roue avant de 21 pouces. La Stateline est pratiquement la même moto que la Sabre, mais avec une roue avant de 17 pouces montée d'un pneu plus large. Quant à l'Interstate, il s'agit tout simplement d'une version de tourisme léger de la Stateline. Elle est livrée de série avec une paire de sacoches latérales rigides recouvertes de cuir et un grand pare-brise. Tous les modèles sont propulsés par le même V-Twin injecté de 1,3 litre marié à une boîte à cinq rapports et doté d'un entraînement final par cardan. Tous sont également livrés de série avec un système de freinage ABS qui combine les freins avant et arrière.

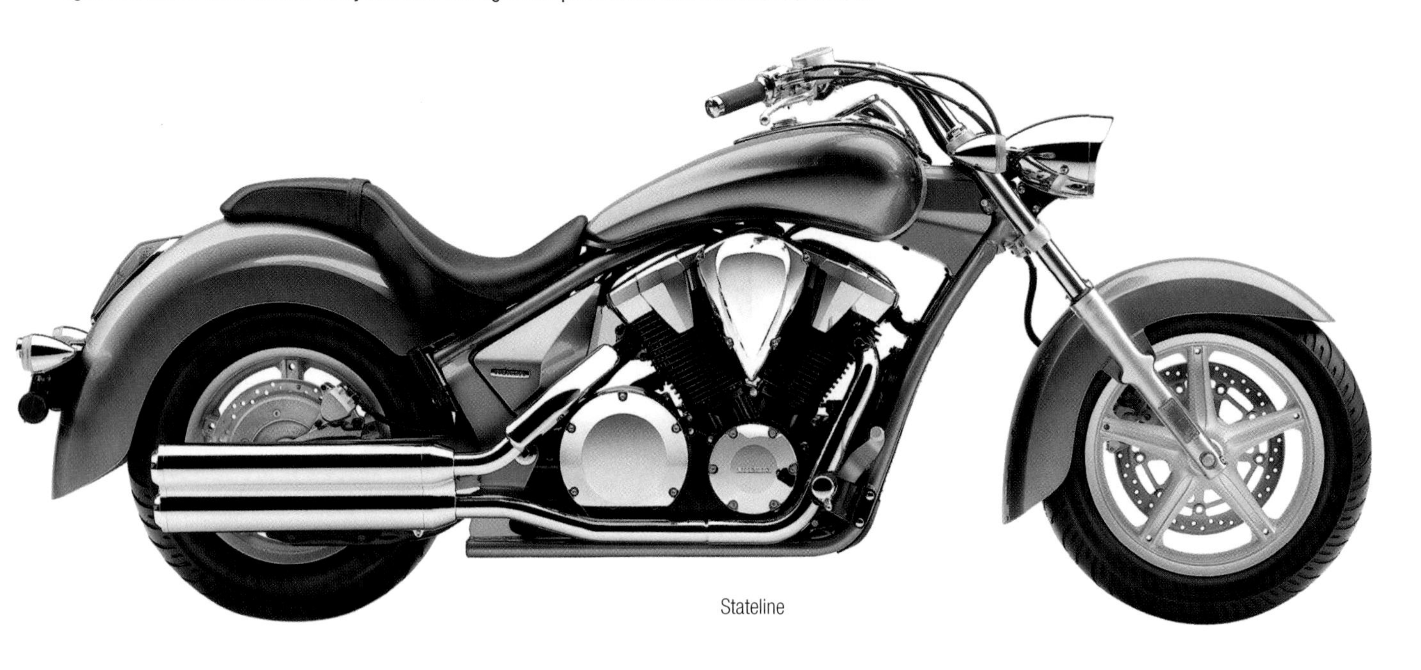

Stateline

QUOI DE NEUF EN 2011 ?

ABS maintenant offert de série sur tous les modèles

Coûtent 500$ de plus qu'en 2010

PAS MAL

Un style non seulement très réussi, mais aussi très rafraîchissant en ce sens qu'il ne provient pas directement de la ligne d'une quelconque Harley-Davidson

Un comportement très sain dont la politesse étonne même franchement lorsqu'on prend en considération l'aspect extrême du style et de la géométrie du cadre

Un aspect sécurité qui n'a pas été oublié puisque toutes les versions sont équipées de l'ABS combiné

Une mécanique peut-être pas vraiment excitante, mais quand même satisfaisante qui sonne bien, qui se montre assez coupleuse et qui ne vibre pas de manière indésirable

BOF

Un niveau de performances correct, mais qui est quand même limité par la cylindrée et que les amateurs de customs habitués à plus de cubage pourraient trouver assez juste; le moteur de la VTX1800 réglerait le cas

Des lignes à saveur chopper très typées qui semblent indiquer la direction stylistique que plusieurs customs adopteront, mais qui ne sont pas encore complètement acceptées de la part de la clientèle très conservatrice dans ce créneau

Un pare-brise absolument atroce sur l'Interstate en raison de l'incompréhensible niveau de turbulence qu'il génère à la hauteur du casque sur l'autoroute

Un style que Honda fait payer assez cher puisque les prix ont considérablement grimpé par rapport à ceux des VTX1300

CONCLUSION

La période actuelle est extrêmement intéressante chez les customs, car même si elles sont toujours populaires, elles ne se vendent plus aussi facilement que par le passé. Les constructeurs doivent donc faire plus que bêtement imiter ce qu'offre Harley-Davidson pour attirer des acheteurs. La direction que prend Honda avec ces nouvelles 1300 illustre non seulement cette réalité, mais elle montre aussi qu'il est tout à fait possible de concevoir des customs très attrayantes sans fixer une Fat Boy avec des œillères. Le risque pris par le géant nippon est par ailleurs très important, puisque rien ne dit encore que cette nouvelle direction stylistique aura la faveur du public, surtout qu'on a dans ce cas affaire à des acheteurs ayant jusqu'ici fait preuve de goûts très conservateurs. Ceux qui choisiront de faire le saut et d'accueillir ce nouveau style auront la belle surprise d'acquérir des montures peut-être pas extraordinairement puissantes, mais décidément plaisantes et bien maniérées. Ce sont des Honda, après tout.

Interstate

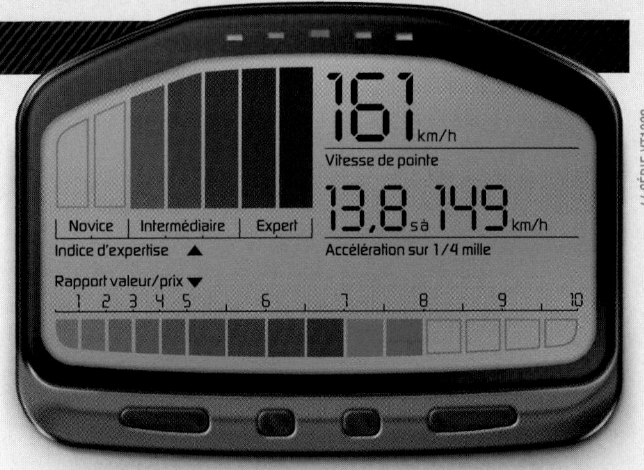

Voir légende en page 16

GÉNÉRAL

Catégorie	Custom / Tourisme léger
Prix	Fury ABS : 15 999 $ Sabre ABS : 13 899 $ Stateline ABS : 13 799 $ Interstate : 14 999 $
Immatriculation 2011	633,55 $
Catégorisation SAAQ 2011	« régulière »
Évolution récente	VTX1300 introduite en 2002; Fury, Sabre, Stateline et Interstate introduites en 2010
Garantie	1 an/kilométrage illimité
Couleur(s)	Fury : orange, bourgogne; Sabre : bleu; Stateline : gris; Interstate : violet
Concurrence	Harley-Davidson Sportster 1200, Yamaha Stryker

MOTEUR

Type	bicylindre 4-temps en V à 52 degrés, SACT, 3 soupapes par cylindre, refroidissement par liquide
Alimentation	injection à corps de 38 mm
Rapport volumétrique	9,2:1
Cylindrée	1 312 cc
Alésage et course	89,5 mm x 104,3 mm
Puissance	57,8 ch @ 4 250 tr/min
Couple	79 lb-pi @ 2 250 tr/min
Boîte de vitesses	5 rapports
Transmission finale	par arbre
Révolution à 100 km/h	n/d
Consommation moyenne	5,3 l/100 km
Autonomie moyenne	313 km (Fury : 241 km)

PARTIE CYCLE

Type de cadre	double berceau, en acier
Suspension avant	fourche conventionnelle de 41 mm non ajustable (Fury : 45 mm)
Suspension arrière	monoamortisseur ajustable en précharge (Fury : précharge et détente)
Freinage avant	1 disque de 336 mm de Ø avec étrier à 2 pistons et système C-ABS
Freinage arrière	1 disque de 296 mm de Ø avec étrier à 1 piston et système C-ABS
Pneus avant/arrière	Fury : 90/90-21 & 200/50-18 Stateline, Interstate : 140/80-17 & 170/80-15 Sabre :90/90-21 & 170/80-15
Empattement	F : 1 804 mm; S : 1 778 mm; St, I : 1 780 mm
Hauteur de selle	F : 678 mm; S : 683 mm; St, I : 678 mm
Poids tous pleins faits	Fury : 309 kg; Sabre : 307 kg Stateline : 312 kg; Interstate : 323 kg
Réservoir de carburant	16,6 litres (Fury : 12,8 litres)

Phantom

NOUVEAU CONTEXTE... // Depuis que la popularité des customs a carrément explosé au milieu des années 90, les constructeurs ont évidemment beaucoup rivalisé sur le plan du style, mais ils ont aussi beaucoup misé sur des augmentations de cylindrée pour attirer l'attention des acheteurs. Année après année, tout est devenu plus gros, plus long et plus imposant, si bien qu'on se questionne désormais de plus en plus sur les paramètres qui définissent les classes. Ayant déjà éliminé sa VLX de 600 cc et ayant choisi l'an dernier de faire légèrement évoluer sa Shadow, mais sans en gonfler la cylindrée au-delà de 750 cc, Honda reste sur ses positions en matière de custom de petit format. Et ce faisant, il fait un peu bande à part dans ce nouveau contexte où l'on présente désormais des modèles de près d'un litre comme des machines d'entrée en matière.

Depuis que la Shadow 750 a effectué ses premiers tours de roues en 1997, la petite custom n'a que très peu évolué sur le plan technique. En fait, si évolution il y eut durant la vie du modèle, ce fut surtout en matière de style. Le modèle progressait néanmoins de manière assez significative l'an dernier, et ce, autant au niveau du style avec l'introduction de deux nouvelles variantes qu'au chapitre technique avec l'arrivée de l'injection d'essence et de l'ABS.

La situation de la famille des Shadow change toutefois de nouveau en 2011. Alors qu'on comptait l'an dernier pas moins de quatre variantes distinctes du modèle, cette année, la RS tire déjà sa révérence et amène avec elle la Spirit pour ne laisser que la Phantom et la version Aero.

LEUR COMPORTEMENT TRÈS ACCESSIBLE DEMEURE L'UNE DE LEURS CARACTÉRISTIQUES LES PLUS INTÉRESSANTES.

La Phantom est clairement influencée par la tendance Dark Custom initiée depuis peu par Harley-Davidson. Son style rond et classique s'inspire par ailleurs de celui de la célèbre Fat Boy, et plus particulièrement de celui de la Fat Boy Lo qui arbore le même type de traitement noir. En termes techniques, la Phantom est tout simplement une Spirit à laquelle le train avant de l'Aero, avec sa grosse fourche et son large pneu avant, a été greffé.

La mécanique qui anime les deux modèles est exactement la même. Il s'agit d'un petit V-Twin de 750 cc refroidi par liquide dont le rendement reste plaisant et satisfaisant tant qu'on n'attend pas de miracles de lui. L'arrivée de l'injection l'an dernier l'a amélioré, mais sans le transformer. Ses performances sont décentes. Les Shadow s'élancent d'un arrêt avec assez d'autorité pour laisser loin derrière la majorité des voitures tandis que les 100 km/h sont aisément atteints et maintenus. Si le moteur se tire honorablement d'affaire jusque-là, vrombissant de façon plaisante et ne vibrant jamais au point d'agacer, les vitesses plus élevées, elles, sont moins évidentes. Le V-Twin soutiendra un rythme plus élevé si on le lui demande, mais plus la vitesse grimpe et plus l'agrément de conduite se dissipe. L'agréable vrombissement de la mécanique se transforme alors en une vibration à haute fréquence qui ne présente plus d'intérêt, tandis que la sonorité perd tout son charme et que l'exposition au vent devient déplaisante.

Un autre aspect des Shadow 750 demeuré intact malgré l'évolution de l'an dernier est la partie cycle. Le comportement relativement solide, très léger et extrêmement accessible qui fait partie intégrante de la réputation des modèles reste donc une caractéristique clé des Phantom et Aero. En revanche, le même commentaire peut être fait à l'égard de la suspension arrière qui a toujours mal digéré les routes abîmées et qui continue de le faire.

Bien que les Shadow actuelles s'avèrent finalement très proches des modèles originaux, une importante avancée technologique les distingue de quoi que ce soit d'autre dans cette classe. En effet, l'ABS est maintenant présent sur l'Aero, mais pas sur la Phantom. Il s'agit en plus d'un ABS combiné, ce qui signifie que le freinage des roues avant et arrière est actionné même si seulement l'un des freins est sollicité. Compte tenu de la faible expérience de conduite de la clientèle habituelle, la disponibilité d'une telle technologie est décidément un avantage.

QUOI DE NEUF EN 2011 ?

Retrait de la Spirit et de la Shadow RS de la gamme canadienne

Aero coûte 200$ et Phantom 500$ de plus qu'en 2010

PAS MAL

Un petit V-Twin qui s'essouffle un peu vite, mais qui se montre agréablement coupleux et qui produit une agréable sonorité saccadée

Un pilotage très accessible même pour les motocyclistes peu expérimentés

Un système ABS combiné, ce qui est unique dans cette catégorie

Des styles sympathiques et un bon niveau de finition à prix raisonnable

BOF

Un niveau de performances correct, mais pas très excitant; l'arrivée de l'injection a amélioré très légèrement les accélérations et les reprises, mais elles restent des 750 et les motocyclistes le moindrement exigeants à ce sujet devraient envisager plus gros

Une suspension arrière qui devient rude sur mauvaise route

Des lignes qui semblent étrangement vieilles, voire fades lorsqu'on les compare à celles de VT1300

Une selle dont la forme est jolie sur la Phantom, mais qui se montre vite inconfortable

CONCLUSION

Les belles années du genre custom ont longtemps permis à la Shadow 750 de mériter le titre de la moto la plus vendue au pays. Il s'agit d'un fait qui démontre très bien le besoin du marché pour une custom d'entrée en matière simple, bien présentée et produite par un fabricant réputé. L'introduction l'an dernier de la variante stylistique à saveur Dark Custom qu'est la Phantom ainsi que l'arrivée de l'injection et de l'ABS combiné indiquent par ailleurs que Honda semble pour le moment vouloir continuer de compter sur une cylindrée de 750 cc plutôt que de suivre la tendance aux plus grosses mécaniques qu'ont choisi d'autres marques. Ce qui n'a rien de fou, puisque le marché aura toujours besoin d'une cylindrée plus faible mieux adaptée à une clientèle arrivant à la moto. Or, si toutes les petites customs se mettent à grossir, il n'y aura plus de petites customs. Dans ce créneau, et tant que les attentes ne sont pas plus hautes, les Shadow 750 ont toujours fait un travail très respectable.

Aero

163 km/h
Vitesse de pointe
15,2 s à 139 km/h
Accélération sur 1/4 mille
Novice | Intermédiaire | Expert
Indice d'expertise ▲
Rapport valeur/prix ▼
1 2 3 4 5 6 7 8 9 10

Voir légende en page 16

GÉNÉRAL

Catégorie	Custom
Prix	Phantom : 9 599$ Aero ABS : 9 999$
Immatriculation 2011	633,55$
Catégorisation SAAQ 2011	«régulière»
Évolution récente	Aero (Ace) introduite en 1997, revue en 2004; Spirit introduite en 2001, revue en 2007; Phantom et RS introduites en 2010
Garantie	1 an/kilométrage illimité
Couleur(s)	Phantom : noir; Aero : rouge
Concurrence	Harley-Davidson Sportster 883, Kawasaki Vulcan 900, Suzuki Boulevard C50/M50, Yamaha V-Star 950

MOTEUR

Type	bicylindre 4-temps en V à 52 degrés, SACT, 3 soupapes par cylindre, refroidissement par liquide
Alimentation	injection à corps de 34 mm
Rapport volumétrique	9,6:1
Cylindrée	745 cc
Alésage et course	79 mm x 76 mm
Puissance	45,5 ch @ 5 500 tr/min
Couple	48 lb-pi @ 3 500 tr/min
Boîte de vitesses	5 rapports
Transmission finale	par arbre
Révolution à 100 km/h	n/d
Consommation moyenne	6,1 l/100 km
Autonomie moyenne	239 km

PARTIE CYCLE

Type de cadre	double berceau, en acier
Suspension avant	fourche conventionnelle de 41 mm non ajustable
Suspension arrière	2 amortisseurs ajustables en précharge
Freinage avant	1 disque de 296 mm de Ø avec étrier à 2 pistons (Aero : et système C-ABS)
Freinage arrière	P : tambour mécanique de 180 mm de Ø Aero : 1 disque de 276 mm avec étrier à 1 piston et système C-ABS
Pneus avant/arrière	120/90-17 & 160/80-15
Empattement	1 640 mm
Hauteur de selle	Phantom : 652 mm; Aero : 658 mm
Poids tous pleins faits	Phantom : 251 kg; Aero : 262 kg
Réservoir de carburant	14,6 litres

GT650R

AJUSTEMENT... //

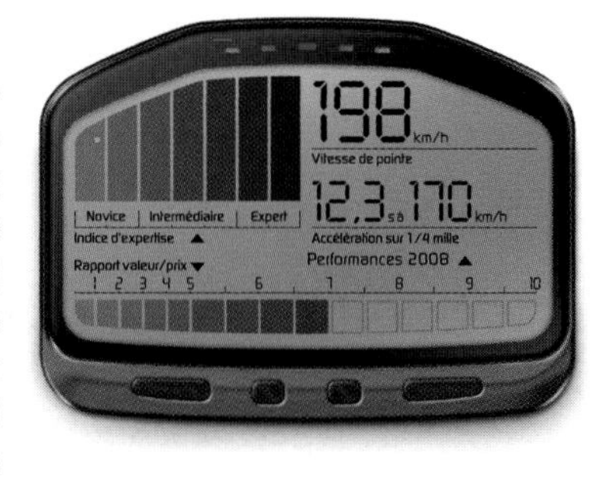

La GT650R est le modèle le plus performant de la gamme Hyosung. Parce qu'elle est propulsée par un V-Twin de 650 cc, qui est d'ailleurs aujourd'hui injecté, parce qu'elle affiche une jolie ligne racée et surtout parce que Hyosung et Suzuki ont eu par le passé une certaine association, on la compare très souvent à la SV650S de la marque d'Hamamatsu. Mais la coréenne se veut toujours un produit présentant un recul notable en termes de finesse par rapport aux équivalents nippons et Hyosung semble enfin l'admettre cette année en ajustant à la baisse les prix des versions carénée et non carénée du modèle.

Il est impossible d'analyser la Hyosung GT650R ou sa version standard, la GT650, sans d'abord traiter de l'économie qu'elle permet de réaliser par rapport aux produits rivaux établis, car sans elle, l'attrait des modèles coréens serait très difficile à cerner, pour ne pas dire qu'il serait absent. Voici donc la fameuse question critique : la qualité et la valeur des modèles concurrents que sont les Suzuki SV650S/Gladius et Kawasaki Ninja 650R étant tellement élevées, l'économie offerte par la GT650R en vaut-elle la peine ? La réponse est que quiconque possède les moyens de payer le supplément devrait probablement le faire, puisque celui-ci permet l'achat d'une technologie et d'un comportement nettement plus avancés. Grâce à un ajustement de prix de la part de Hyosung, les autres réaliseront pour la première fois en 2011 une économie notable. Ces derniers doivent toutefois demeurer conscients que l'impression générale ressentie aux commandes de la GT650R est celle de piloter une sportive japonaise d'une autre époque, disons de la fin des années 80, ce qui correspond d'ailleurs au niveau de technologie utilisée. La partie cycle de la GT650R se montre solide et relativement précise, mais sans afficher la pureté de comportement d'une sportive japonaise actuelle, surtout en piste. La stabilité est sans reproche dans toutes les circonstances, bien qu'elle vienne au détriment d'une direction qui ne s'avère pas particulièrement rapide dans les enfilades de virages. Les suspensions travaillent correctement et la protection au vent est bonne. Enfin, le petit V-Twin, dont les performances sont assez bonnes, représente l'un des principaux attraits du modèle.

GÉNÉRAL

Catégorie	Routière Sportive / Standard
Prix	6 995 $ (2 tons : 7 295 $); GT650 : 6 295 $
Immatriculation 2011	633,55 $
Catégorisation SAAQ 2011	« régulière »
Évolution récente	GT650 introduite en 2004, GT650R introduite en 2006
Garantie	2 ans/kilométrage illimité
Couleur(s)	rouge, noir, blanc et noir, gris et noir, rouge et noir (GT650 : rouge, noir, noir et blanc)
Concurrence	Kawasaki Ninja 650R, Suzuki SV650S et Gladius

MOTEUR

Type	bicylindre 4-temps en V à 90 degrés, DACT, 4 soupapes par cylindre, refroidissement par liquide
Alimentation	injection
Rapport volumétrique	11,6:1
Cylindrée	647 cc
Alésage et course	81,5 mm x 62 mm
Puissance	72,7 ch @ 9 250 tr/min
Couple	44,8 lb-pi @ 7 500 tr/min
Boîte de vitesses	6 rapports
Transmission finale	par chaîne
Révolution à 100 km/h	environ 4 200 tr/min (2008)
Consommation moyenne	6,9 l/100 km (2008)
Autonomie moyenne	246 km (2008)

PARTIE CYCLE

Type de cadre	périmétrique, en aluminium tubulaire
Suspension avant	fourche inversée de 41 mm ajustable en compression et détente
Suspension arrière	monoamortisseur ajustable en précharge
Freinage avant	2 disques de 300 mm de Ø avec étriers à 4 pistons
Freinage arrière	1 disque de 230 mm de Ø avec étrier à 2 pistons
Pneus avant/arrière	120/60 ZR17 & 160/60 ZR17
Empattement	1 435 mm
Hauteur de selle	830 mm
Poids tous pleins faits	215 kg (GT650 : 208 kg)
Réservoir de carburant	17 litres

GT250

COMPAGNIE... //

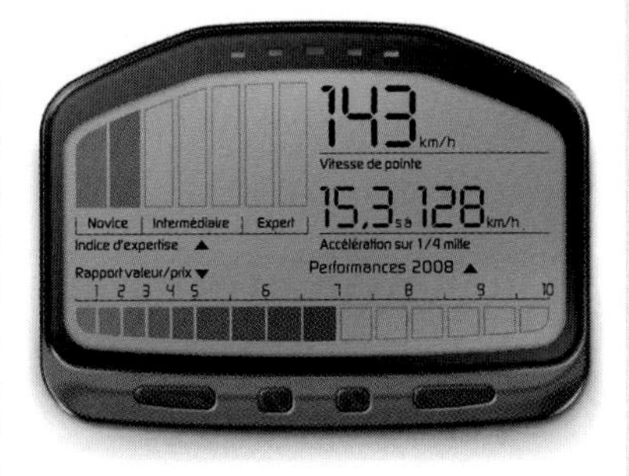

Si notre marché offre aux amateurs de sportives de calibre expert l'embarras du choix, il a en revanche été très avare d'options en matière de sportives d'initiation, du moins, jusqu'à tout récemment. Basée sur la Hyosung GT250 standard, la GT250R est l'une de ces rares motos. Elle commence toutefois à avoir pas mal de compagnie, puisqu'après l'arrivée de la Kawasaki Ninja 250R, la Honda CBR250R se joint maintenant à la classe. Contrairement aux japonaises, la Hyosung peut être achetée en version non carénée.

À l'exception de certains détails comme le guidon plus haut et le frein avant à disque simple de la GT250, les deux versions du modèle sont techniquement identiques. Elles proposent le même niveau de performances et presque le même comportement routier. Les sensations de conduite diffèrent légèrement en raison de la position de conduite plus agressive de la GT250R. En revanche, sa protection au vent facilite les déplacements sur l'autoroute. L'une des caractéristiques les plus intéressantes des GT250 est l'engouement démontré par leur minuscule V-Twin. Timide, mais quand même parfaitement utilisable sous les 6000 ou 7000 tr/min, il s'éveille ensuite jusqu'à sa zone rouge. Étonnamment doux à tous les régimes sauf les plus hauts, il ne demande qu'à tourner. On arrive à 100 km/h en milieu de troisième, et maintenir une telle vitesse sur l'autoroute ne cause pas le moindre problème. Comme la transmission travaille bien et que l'embrayage est léger et facile à doser, exploiter tout le potentiel du petit moulin n'a rien d'une corvée. On s'attend à ce qu'une standard de 250 cc soit légère et agile, et c'est le cas des petites coréennes. Construites autour d'un cadre qui semble être une proche copie de celui de la Suzuki GS500, elles sont généralement stables, surtout la GT250 avec sa position relevée. La GT250R, pourtant bâtie autour des mêmes composantes, perd toutefois ses bonnes manières en courbe si on la pousse, même modérément. Le niveau de confort de la GT250 est bon en raison de sa position assise, mais la GT250R et la posture sévère qu'elle impose au pilote n'est pas particulièrement invitante.

GÉNÉRAL

Catégorie	Routière Sportive / Standard
Prix	GT250R : 4795 $ (2 tons : 4995 $) GT250 : 4295 $
Immatriculation 2011	377,55 $
Catégorisation SAAQ 2011	« régulière »
Évolution récente	GT250 introduite en 2003, GT250R introduite en 2006
Garantie	2 ans/kilométrage illimité
Couleur(s)	rouge, noir, rouge et noir, blanc et noir, gris et noir (GT250 : bleu, rouge, blanc)
Concurrence	Honda CBR250R, Kawasaki Ninja 250R

MOTEUR

Type	bicylindre 4-temps en V à 75 degrés, DACT, 4 soupapes par cylindre, refroidissement par air et huile
Alimentation	injection
Rapport volumétrique	10,3:1
Cylindrée	249 cc
Alésage et course	57 mm x 48,8 mm
Puissance	26,6 ch @ 10000 tr/min
Couple	15,5 lb-pi @ 6750 tr/min
Boîte de vitesses	5 rapports
Transmission finale	par chaîne
Révolution à 100 km/h	environ 7000 tr/min (2008)
Consommation moyenne	4,8 l/100 km (2008)
Autonomie moyenne	354 km (2008)

PARTIE CYCLE

Type de cadre	périmétrique, en acier
Suspension avant	fourche inversée non ajustable
Suspension arrière	monoamortisseur non ajustable
Freinage avant	2 (GT250 : 1) disques de 300 mm de Ø avec étriers à 2 pistons
Freinage arrière	1 disque de 230 mm de Ø avec étrier à 2 pistons
Pneus avant/arrière	110/70-17 & 150/70-17
Empattement	1435 mm
Hauteur de selle	830 mm
Poids tous pleins faits	188 kg (GT250 : 170 kg)
Réservoir de carburant	17 litres

ST-7

Aquila V-80

AU CHOIX... //

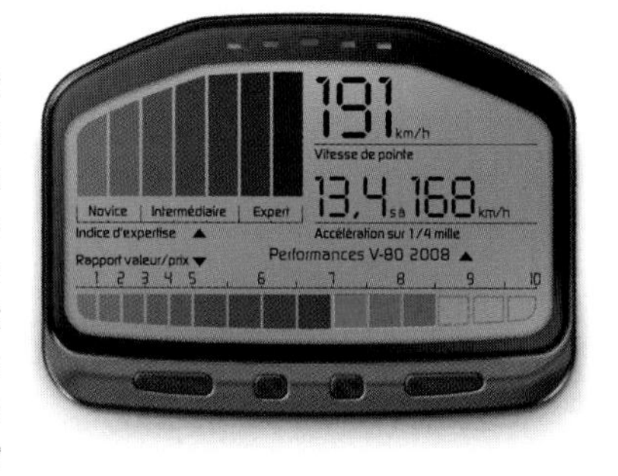

Hyosung a toujours offert un seul modèle de custom «pour adultes», soit l'Aquila V-80. Le modèle, dont le design imite celui de la Harley-Davidson V-Rod, se distingue par le fait qu'il s'agit de la seule custom de performances de cette cylindrée sur le marché. Pour 2011, une nouvelle version ST-7 au style classique et d'un peu plus grosse cylindrée (678 cc) est lancée. Une variante de tourisme léger est aussi offerte, la ST-7 Deluxe. Ces dernières ne sont pas évaluées. Par ailleurs, comme pour toutes les autres Hyosung en 2011, les prix sont ajustés à la baisse.

Le fait d'être propulsée par le V-Twin de la GT650R donne des ailes à l'Aquila V-80 tandis que le comportement routier bénéficie grandement de l'utilisation de pièces conçues pour une partie cycle sportive. Sur la route, l'Aquila V-80 possède un caractère double. D'un côté, son sympathique petit V-Twin démontre suffisamment de souplesse pour traîner sans jamais rouspéter sur la première moitié de sa plage de régimes dont la zone rouge s'élève au-delà des 10 000 tr/min, un régime normal pour une sportive, mais extrêmement élevé pour une custom. De l'autre, en retardant les changements de vitesse et en laissant le moteur grimper librement en régime, on a droit à des performances qui sont simplement dans une autre ligue pour une monture de cette catégorie, puisqu'elles sont de l'ordre de celles de la GT650R. Le niveau de confort est intéressant, car la position est à la fois relaxe, très dégagée et bien équilibrée. Les repose-pieds ajustables en deux positions permettent aux pilotes de grande taille d'étirer les jambes et aux plus courts de ne pas se sentir mal à l'aise. Comme les suspensions travaillent très correctement et comme la selle est plutôt bonne et basse, l'Aquila se montre même étonnamment invitante sur des trajets de moyenne longueur. L'une des plus belles qualités du modèle est une très bonne tenue de route. Stable en ligne droite comme en courbe à haute vitesse, précise et bien plantée en virage, la V-80 bénéficie nettement de ses roues larges montées de pneus sportifs, de sa solide fourche inversée et de son système de freinage à 3 disques.

GÉNÉRAL

Catégorie	Custom
Prix	V-80 : 7 795 $ ST-7 : 8 295 $ (ST-7 Deluxe : 10 995 $)
Immatriculation 2011	633,55 $
Catégorisation SAAQ 2011	« régulière »
Évolution récente	V-80 introduite en 2005, ST-7 introduite en 2011
Garantie	2 ans/kilométrage illimité
Couleur(s)	noir, gris, rouge (ST-7 : noir, rouge, blanc)
Concurrence	Honda Shadow 750, Yamaha V-Star 650

MOTEUR

Type	bicylindre 4-temps en V à 90 degrés, DACT, 4 soupapes par cylindre, refroidissement par liquide
Alimentation	injection
Rapport volumétrique	11,6:1
Cylindrée	647 cc
Alésage et course	81,5 mm x 62 mm
Puissance	74,4 ch @ 9 000 tr/min
Couple	44,3 lb-pi @ 7 500 tr/mi
Boîte de vitesses	5 rapports
Transmission finale	par courroie
Révolution à 100 km/h	environ 4 100 tr/min (2008)
Consommation moyenne	6,8 l/100 km (2008)
Autonomie moyenne	250 km (2008)

PARTIE CYCLE

Type de cadre	double berceau, en acier
Suspension avant	fourche inversée de 41 mm ajustable en compression et détente
Suspension arrière	2 amortisseurs ajustable en précharge
Freinage avant	2 disques de 300 mm de Ø avec étriers à 2 pistons
Freinage arrière	1 disque de 230 mm de Ø avec étrier à 2 pistons
Pneus avant/arrière	120/70 ZR18 & 180/55 ZR17
Empattement	1 700 mm
Hauteur de selle	705 mm
Poids tous pleins faits	238 kg
Réservoir de carburant	16 litres

Aquila 250

LEADER... //

La Hyosung Aquila 250 fait partie d'une toute petite classe de toutes petites customs dont faisaient jadis partie la Honda Rebel 250 et la Suzuki Marauder 250, deux modèles qui ne sont plus offerts aujourd'hui. Sa seule rivale est donc la V-Star 250 de Yamaha et, comme cette dernière, il s'agit d'un modèle exclusivement destiné à initier les pilotes débutants. La Hyosung se distingue non seulement en étant propulsée par l'un des rares V-Twin de cette cylindrée, mais aussi parce qu'elle est alimentée par injection. Seul le modèle précédant la révision de 2009 fut évalué.

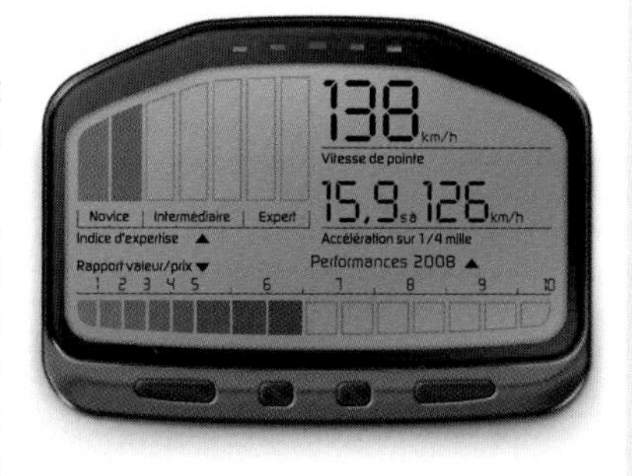

❯ Propulsée par un tout petit bicylindre en V de 250 cc qui profite désormais d'une alimentation par injection, la petite custom coréenne s'adresse aux motocyclistes novices à qui elle propose non seulement une grande facilité de maniement, mais aussi des performances d'un niveau respectable, ce qui n'est pas toujours la norme chez ces petites motos. Très basse, même si c'est grâce à une selle un peu étrangement formée, elle est aussi très légère, bien que ce ne soit pas au point de paraître frêle. La maniabilité du modèle est certainement l'une de ses plus grandes qualités puisque les manœuvres les plus serrées s'accomplissent avec beaucoup d'aisance, une caractéristique qu'on doit en partie au poids faible et à la direction légère, mais aussi à la facilité de modulation de l'embrayage et aux bonnes prestations de la petite mécanique dans les tout premiers tours de sa plage de régimes. S'il est un autre aspect de l'Aquila qui doit être considéré par un éventuel acheteur, il s'agit de celui de la mécanique puisqu'une si petite cylindrée peut parfois s'avérer carrément léthargique. Ce n'est heureusement pas le cas ici, le petit V-Twin permettant même de circuler en ville sans devoir constamment tourner très haut. Les 100 km/h sont atteints avec aisance sur le troisième rapport et sont maintenus sans problème puisque le moteur ne tourne qu'à 7 000 tr/min à cette vitesse, bien en dessous de sa zone rouge de 12 000 tr/min. La sonorité de la petite mécanique est par ailleurs sympathique et les vibrations ne sont jamais un problème, même lorsqu'on fait abondamment monter les régimes.

GÉNÉRAL

Catégorie	Custom
Prix	4 495 $
Immatriculation 2011	377,55 $
Catégorisation SAAQ 2011	« régulière »
Évolution récente	introduite en 2001, revue en 2009
Garantie	2 ans/kilométrage illimité
Couleur(s)	noir, noir et gris, rouge et noir
Concurrence	Yamaha V-Star 250

MOTEUR

Type	bicylindre 4-temps en V à 75 degrés, DACT, 4 soupapes par cylindre, refroidissement par air et huile
Alimentation	injection
Rapport volumétrique	10,3:1
Cylindrée	249 cc
Alésage et course	57 mm x 48,8 mm
Puissance	24,9 ch @ 9 000 tr/min
Couple	14,7 lb-pi @ 7 000 tr/min
Boîte de vitesses	5 rapports
Transmission finale	par chaîne
Révolution à 100 km/h	environ 7 000 tr/min (2008)
Consommation moyenne	4,8 l/100 km (2008)
Autonomie moyenne	291 km (2008)

PARTIE CYCLE

Type de cadre	double berceau, en acier
Suspension avant	fourche conventionnelle non ajustable
Suspension arrière	2 amortisseurs non ajustables
Freinage avant	1 disque de 275 mm de Ø avec étrier à 2 pistons
Freinage arrière	tambour mécanique de 130 mm
Pneus avant/arrière	110/90-16 & 150/80-15
Empattement	1 515 mm
Hauteur de selle	710 mm
Poids tous pleins faits	176 kg
Réservoir de carburant	14 litres

ROULEUSE D'UN AUTRE TYPE... // S'il est vrai que n'importe quelle moto possède la capacité de voyager — on n'a qu'à faire le plein et continuer de rouler —, il est tout aussi vrai que l'époque où l'on acceptait de voyager sur n'importe quelle moto est depuis longtemps révolue. Comme tous les créneaux de consommation, celui de la moto est ainsi peuplé d'acheteurs exigeants Plus. Et dans le cas des montures de tourisme, ça équivaut à plus de luxe et plus d'équipement, un fait que des modèles comme la Gold Wing de Honda et la nouvelle K1600GTL de BMW illustrent parfaitement. Cette règle a toutefois une exception, puisqu'il existe un autre type de machines à voyager pour lesquelles on n'a besoin ni de six cylindres ni d'un ordinateur de bord muni d'intelligence artificielle. La Vulcan 1700 Voyager, qui est toujours offerte en versions de base et ABS, en fait partie.

Rendons d'abord au César de Milwaukee ce qui lui appartient en rappelant que si Kawasaki s'est intéressé à un concept de ce genre, c'est en raison de l'immense popularité des Harley-Davdison Electra Glide. En fait, et sans que cela enlève quoi que ce soit au modèle ou à la marque d'Akashi, puisque bien d'autres se sont inspirés de ce concept, la Voyager n'est ni plus ni moins qu'une Electra Glide japonaise. La question n'est donc pas d'établir s'il s'agit d'une «copie» ou non, mais plutôt de découvrir à quel point le résultat arrive à recréer l'ambiance très particulière du voyage que propose Harley-Davidson.

Disons qu'il est plus que probable que les gens de Kawasaki aient passé beaucoup de temps à rouler et à démonter des Electra Glide puisque cette fameuse ambiance est particulièrement réussie. Il s'agit par ailleurs d'une réussite difficilement mesurable puisque le succès, dans le cas d'une custom de tourisme, se détermine bien davantage en termes de caractéristiques sensorielles que de performances calculées. Évidemment, personne ne se plaindra de l'imposante cylindrée du V-Twin propulsant la Voyager ou du fait qu'elle offre des équipements étonnamment sophistiqués comme le très efficace système de freinage ABS combiné, que nous recommandons d'ailleurs sans hésitation. Mais ces éléments seuls ne suffisent pas à garantir la réussite, celle-ci étant plutôt directement liée à l'ambiance de l'expérience de conduite, et ce, surtout dans l'environnement du voyage. À ce chapitre, la seule conclusion possible c'est que la Voyager livre décidément la marchandise.

LA VOYAGER N'EST NI PLUS NI MOINS QU'UNE ELECTRA GLIDE JAPONAISE ET PROPOSE UNE EXPÉRIENCE DE CONDUITE TRÈS SIMILAIRE.

Elle atteint en partie cette ambiance en cajolant le pilote et son passager. Installés comme ils le seraient sur une custom classique, mais sans la moindre exagération dans la position, profitant de selles de tourisme larges et moelleuses et protégés des éléments par un généreux carénage fixé au châssis, ils accumulent les kilomètres sans autre stress que celui d'une chaîne audio dont la qualité sonore n'est pas terrible et d'un pare-brise causant de la turbulence au niveau du casque sur l'autoroute. Même la masse considérable de l'ensemble ne gêne trop pas la conduite, grâce surtout à l'étroitesse de la moto à la hauteur du pilote et à la nature saine, équilibrée et invitante démontrée par la partie cycle dès qu'on se met en mouvement. Le comportement routier est celui d'une grosse custom, avec en prime de très bonnes suspensions. En général, tout se passe mieux quand on conserve un rythme de balade.

L'atteinte de cette fameuse ambiance passe aussi immanquablement par le caractère de la mécanique. Grâce à l'indéniable agrément livré par son gros bicylindre de 1,7 litre, la Voyager mérite de hautes notes à ce niveau. Assez puissant pour pousser toute cette masse avec autorité, assez coupleux pour ravir le pilote friand d'une combinaison de fortes accélérations et de tours bas, il s'agit d'un V-Twin de haut calibre dont les qualités sensorielles sont exquises puisqu'il gronde de manière presque thérapeutique, surtout une fois lancé sur l'autoroute, et qu'il envoie jusqu'au pilote un fort plaisant tremblement.

QUOI DE NEUF EN 2011 ?

Silencieux redessinés et offrant une meilleure qualité sonore

Révision mineure de la transmission et du système d'alimentation

Aucune augmentation

PAS MAL

Une monture véritablement capable de tourisme grâce à un niveau de confort très élevé, à un volume de chargement considérable et à une aisance particulièrement agréable sur long trajet

Un châssis très sain, du moins à rythme approprié, puisque solide, précis et offrant une maniabilité étonnante compte tenu du poids élevé

Une mécanique exquise qui séduit autant par le niveau de performances très correct qu'elle offre que par le doux grondement qu'elle émet

Une version ABS dont le système de freinage est extraordinairement avancé et efficace pour une monture de nature custom

BOF

Une facilité de pilotage relative puisque si les pilotes expérimentés arrivent assez vite à se faire au poids élevé et à la selle un peu haute, les moins «ferrés» éprouvent plus de difficultés à ce sujet

Des 5e et 6e rapports surmultipliés qui ont l'avantage de beaucoup abaisser les tours sur l'autoroute, mais qui ne sont pas appropriés pour des reprises franches

Un pare-brise impossible à ajuster qui génère des turbulences au niveau du casque à des vitesses légèrement supérieures aux limites d'autoroute

Un système audio ayant l'avantage de pouvoir gérer un iPod, mais dont la qualité sonore est très moyenne, ainsi que des selles et des poignées chauffantes inexistantes

CONCLUSION

La plupart des conclusions qui s'appliquent aux Electra Glide de Harley-Davidson semblent tenir pour la Voyager. Comme le fait qu'elle ne s'adresse pas à tous les amateurs de voyage à moto, mais plutôt à ceux qui préfèrent «la plus-value sensorielle» d'une monture propulsée par un gros V-Twin à la douceur extrême des modèles comme la Gold Wing. Une autre particularité commune tient du fait que le plaisir retiré de son pilotage est très peu lié à l'efficacité absolue et découle beaucoup plus de la nature détendue de l'ambiance générale. La Voyager n'est donc pas seulement l'unique moto du genre offerte par un constructeur japonais — la Venture de Yamaha lui ressemble, mais propose quelque chose d'assez différent —, elle est aussi une bonne monture du genre. Ce qui signifie que Kawasaki a bien saisi l'attrait pour les Electra Glide, et qu'il l'a bien reproduit.

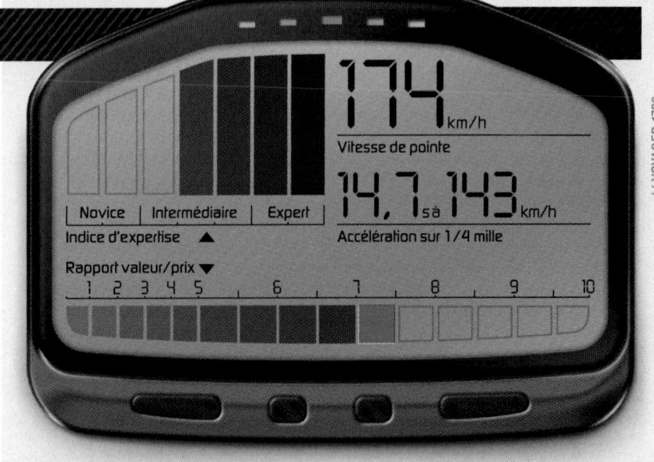

Voir légende en page 16

GÉNÉRAL

Catégorie	Tourisme de luxe
Prix	21 049 $ (ABS: 22 549 $)
Immatriculation 2011	633,55 $
Catégorisation SAAQ 2011	«régulière»
Évolution récente	introduite en 2009
Garantie	3 ans/kilométrage illimité
Couleur(s)	noir et anthracite
Concurrence	Harley-Davidson Electra Glide, Victory Vision Tour, Yamaha Royal Star Venture

MOTEUR

Type	bicylindre 4-temps en V à 52 degrés, SACT, 4 soupapes par cylindre, refroidissement par liquide
Alimentation	injection à 2 corps de 42 mm
Rapport volumétrique	9,5:1
Cylindrée	1 699,6 cc
Alésage et course	102 mm x 104 mm
Puissance	82 ch @ 5 000 tr/min
Couple	107,8 lb-pi @ 2 750 tr/min
Boîte de vitesses	6 rapports
Transmission finale	par courroie
Révolution à 100 km/h	environ 2 200 tr/min
Consommation moyenne	6,7 l/100 km
Autonomie moyenne	298 km

PARTIE CYCLE

Type de cadre	double berceau, en acier
Suspension avant	fourche conventionnelle de 45 mm non ajustable
Suspension arrière	2 amortisseurs ajustables en précharge et détente
Freinage avant	2 disques de 300 mm de Ø avec étriers à 4 pistons (et système ABS K-ACT)
Freinage arrière	1 disque de 300 mm de Ø avec étrier à 2 pistons (et système ABS K-ACT)
Pneus avant/arrière	130/90 B16 & 170/70 B16
Empattement	1 665 mm
Hauteur de selle	730 mm
Poids tous pleins faits	402 kg (ABS: 406 kg)
Réservoir de carburant	20 litres

SS-GT... // Parler de la Concours 14 comme de la Supersport des montures de Grand Tourisme n'a rien d'exagéré puisque sous son carénage ultraprofilé se trouve une base de Ninja ZX-14. Le cadre des deux modèles est très similaire, tout comme leur mécanique de 1 352 cc qui est toutefois calibrée d'une façon appropriée pour chacun des cas. Introduite en 2008, la Concours 14 en surprit plusieurs en affichant une sérieuse révision l'an dernier. Kawasaki expliqua avoir tout simplement voulu corriger le tir plus tôt que tard en se fiant aux commentaires les plus communs venant des propriétaires. La version équipée de l'ABS combiné et assisté et de l'antipatinage K-TRC ajoutée l'an dernier devient la seule offerte en 2011 chez nous. La Concours 14 devra faire face à une concurrence très forte chez BMW qui présente cette année une K1600GT. En revanche, la ST1300 de Honda tire discrètement sa révérence.

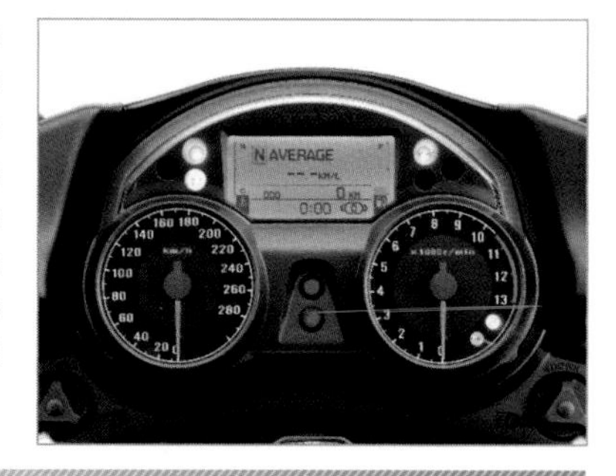

Système de contrôle de traction K-TRC désactivable sur demande; complexe ABS assisté K-ACT géré par ordinateur avec choix de deux niveaux de freinage combiné; pare-brise électrique à 4 positions préréglées; aide visuelle à l'économie d'essence intégrée à l'écran et cartographie secondaire limitant légèrement la puissance, mais réduisant la consommation et maximisant l'autonomie; système KIPASS permettant de laisser la clé de contact sur la moto... Tout ça sans même parler de ce superbe moteur à la fois doux, puissant et souple, ou du châssis monocoque... Décidément, on ne peut pas accuser Kawasaki d'avoir été technologiquement timide avec sa Concours 14. Comme c'est néanmoins le cas pour n'importe quelle moto, l'important n'est pas la quantité de technologie, mais plutôt la qualité de l'intégration et la transparence de celle-ci. En ce qui concerne la Concours 14, le verdict est généralement positif, bien que pas toujours. L'intérêt exact pour le KIPASS, par exemple, nous échappe encore et nous l'échangerions volontiers pour une selle chauffante. Un pare-brise ne générant vraiment plus de turbulences ne serait certes pas de refus non plus, surtout qu'avec un peu d'aide de la division aéronautique du constructeur, ça ne devrait pas être trop sorcier, non? En dernier recours, il pourrait même téléphoner chez BMW... Si nous nous permettons ces diverses taquineries, c'est d'abord qu'elles reflètent les faits, mais surtout parce qu'à l'exception de ces quelques reproches, la Concours 14 est un sublime exemple de sa race, un TGV en bonne et due forme qu'on aimerait tant voir libéré de ces derniers irritants.

SAUF EXCEPTION, TOUTE L'ÉLECTRONIQUE EMBARQUÉE SE TRADUIT PAR DE RÉELS AVANTAGES AU NIVEAU DE LA CONDUITE.

La touriste sportive de Kawasaki a toujours été particulièrement douée au chapitre de la tenue de route, mais elle l'est encore plus depuis 2010 en raison de nouveaux pneus et de révisions aux suspensions. Une route sinueuse est d'ailleurs tout ce dont a besoin la Concours pour faire la preuve de l'aisance naturelle et de la grande précision dont elle est capable dans ce type d'environnement. Pour le moment —notre essai de la nouvelle K1600GT ne se fera qu'après l'impression du Guide de la moto 2011—, il s'agit clairement la GT des amoureux de pilotage sportif, exactement ceux à qui Kawasaki l'a destinée, d'ailleurs.

En matière de confort, la Concours 14 propose une longue et fort attrayante liste de qualités: belle position, excellente protection aux éléments, suspensions judicieusement calibrées, bonne selle, poignées chauffantes, nombreuses caractéristiques destinées à éloigner la chaleur du pilote par temps chaud, etc.

Quant à toute l'électronique embarquée, sauf exception, elle se traduit par de réels avantages au niveau de la conduite. Le système K-ACT de contrôle de traction, par exemple, fonctionne sans reproche sur chaussée glissante tandis que l'ABS offre la possibilité de choisir deux niveaux de combinaison des freins avant et arrière, l'un proposant une combinaison plus et l'autre moins prononcée. Le seul handicap est un certain détachement au niveau de la sensation de précision du freinage au levier, même si la sécurité accrue amenée par le système en vaut probablement la peine.

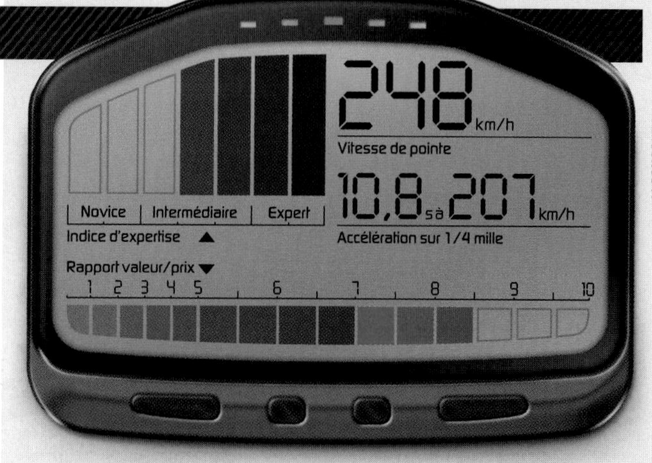

Voir légende en page 16

QUOI DE NEUF EN 2011 ?

Version ABS n'est plus offerte sur notre marché

Aucune augmentation

PAS MAL

Un niveau de performances suffisamment élevé pour combler l'amateur de vitesse ou, à tout le moins, le satisfaire, en plus d'une excellente quantité de couple livrée à bas et moyen régimes facilitant et agrémentant l'usage quotidien

Des systèmes ABS, d'antipatinage et de freinage combiné aussi sophistiqués qu'efficaces qui se montrent généralement très transparents

Un excellent niveau de confort à tous les égards

Un comportement routier qui doit être considéré comme le meilleur de la catégorie en raison de sa pureté en pilotage sportif; en revanche, les ajustements des suspensions doivent être pris au sérieux puisqu'ils peuvent sérieusement changer le comportement

BOF

Une assistance du système de freinage ABS qui altère la sensation au levier en lui enlevant un degré de précision par rapport à un système classique sans assistance; à ce chapitre, d'autres font mieux et Kawasaki pourrait s'améliorer

Un pare-brise qui génère encore un peu de turbulence en position haute

Un régulateur de vitesse qui est toujours absent de la liste d'équipements

Des selles qui ne sont pas chauffantes, ce qu'on serait en droit d'attendre, à tout le moins en option, d'une monture de ce calibre et de ce prix

CONCLUSION

Le geste que Kawasaki a posé l'an dernier en révisant un modèle comme la Concours 14 à peine à sa troisième année de production a suscité beaucoup de réactions de toutes sortes. En effet, ces motos restent en général intouchées très longtemps. Le résultat de cet ajustement rapide face aux demandes des acheteurs donne néanmoins raison au constructeur puisqu'en jouant d'une certaine façon le jeu des hypersportives qui sont revues à un rythme effréné, Kawasaki a élevé sa Concours à un niveau que seuls des efforts considérables de la part des manufacturiers concurrents permettront de rejoindre. Il s'agit d'une monture particulièrement attachante et tout spécialement intéressante pour l'ancien propriétaire de sportive qui s'assagit, mais souhaite ne pas avoir l'impression de vieillir trop vite. Quant à ceux qui viennent d'un autre milieu que celui des sportives, une véritable petite fusée les attend.

GÉNÉRAL

Catégorie	Sport-Tourisme
Prix	20 199 $
Immatriculation 2011	633,55 $
Catégorisation SAAQ 2011	« régulière »
Évolution récente	introduite en 2008, revue en 2010
Garantie	3 ans/kilométrage illimité
Couleur(s)	noir, argent
Concurrence	BMW K1600GT, Yamaha FJR1300

MOTEUR

Type	4-cylindres en ligne 4-temps, DACT, 4 soupapes par cylindre, refroidissement par liquide
Alimentation	injection à 4 corps de 40 mm
Rapport volumétrique	10,7:1
Cylindrée	1 352 cc
Alésage et course	84 mm x 61 mm
Puissance sans Ram Air	156 ch @ 8 800 tr/min
Puissance avec Ram Air	161 ch @ 8 800 tr/min
Couple	102,5 lb-pi @ 6 200 tr/min
Boîte de vitesses	6 rapports
Transmission finale	par arbre
Révolution à 100 km/h	environ 2 900 tr/min
Consommation moyenne	7,1 l/100 km
Autonomie moyenne	310 km

PARTIE CYCLE

Type de cadre	monocoque, en aluminium
Suspension avant	fourche inversée de 43 mm ajustable en précharge et détente
Suspension arrière	monoamortisseur ajustable en précharge et détente
Freinage avant	2 disques « à pétales » de 310 mm de Ø avec étriers radiaux à 4 pistons et ABS
Freinage arrière	1 disque « à pétales » de 270 mm de Ø avec étrier à 2 pistons et ABS
Pneus avant/arrière	120/70 ZR17 & 190/50 ZR17
Empattement	1 520 mm
Hauteur de selle	815 mm
Poids tous pleins faits	312 kg
Réservoir de carburant	22 litres

OBLIGATOIRE... // Chez Kawasaki, la vitesse est plus qu'un argument de vente, elle fait littéralement partie de la tradition et de l'héritage. En effet, qu'il s'agisse des années 70, 80, 90 ou 2000, le constructeur d'Akashi s'est toujours efforcé d'offrir la, ou à tout le moins l'une des machines les plus rapides du marché. Générant tout près de 200 chevaux et fuselée comme un avion de chasse, la ZX-14 occupe depuis 2006 le poste de représentante de la vitesse pure chez Kawasaki, une responsabilité qui fut celle des vénérables Ninja 1000R, ZX-10, ZX-11 et ZX-12R avant de devenir la sienne. Propulsée par un 4-cylindres en ligne de 1 352 centimètres cubes et construite autour d'un cadre monocoque en aluminium unique à Kawasaki, sa vitesse de pointe est « politiquement » limitée à 299 km/h, une marque qu'elle dépasserait allégrement si ce n'était pas le cas.

La vitesse théorique est une chose dont n'importe laquelle des nombreuses hypersportives du marché actuel est capable. La vitesse réelle, toutefois, en est une autre. On se rend vite compte une fois aux commandes de ces modèles sportifs remarquablement compacts, agiles et précis, qu'ils sont aussi particulièrement délicats à exploiter à fond. Si les proportions de la plus grosse des Ninja l'empêchent d'égaler l'agilité des hypersportives sur circuit, en revanche, elles lui permettent de faire de la vitesse réelle une spécialité. À ses commandes, l'accès à un univers de vitesse pure s'avère d'une facilité déconcertante, si bien que le pilote moyen n'a besoin que d'un bout d'asphalte long et droit pour vivre des sensations d'une intensité presque indescriptible. Aucun besoin de faire grimper les régimes avant le départ, pas plus que d'anticiper un violent wheelie dès que l'aiguille du compte-tours s'anime sur les premiers rapports. À pleins gaz, dix secondes à peine suffisent à doubler la vitesse légale d'autoroute tandis que quelques-unes de plus permettent de voir cette marque triplée, un exercice durant lequel la sérénité dont fait preuve la ZX-14 est stupéfiante. Évidemment, même si la grosse Ninja accomplit l'exploit qu'est de rendre un tel niveau de performances aussi accessible, il reste que le pilote qui s'engage à découvrir ce potentiel de vitesse doit quand même détenir une expérience considérable, et un jugement encore plus grand. Où et quand peut-on logiquement expérimenter de telles performances? La réponse la plus honnête est à peu près jamais et nulle part. La ZX-14 détient donc l'étrange particularité de mettre à la portée du premier venu un calibre de performances qui s'avère très difficile à vivre de manière légale et vraiment sécuritaire. La réalité est même que ces fameux « bouts d'asphalte longs, droits et déserts » font bien souvent plus partie de l'imaginaire des amateurs de performance que de leur quotidien. Pourquoi diable, alors, demanderont les cyniques, produit-on de telles motos? Pour les mêmes raisons qu'on produit des voitures capables du même genre de performances : parce qu'on les achète. La seule irresponsabilité, si irresponsabilité il y a, serait celle du pilote qui choisit d'abuser de ce potentiel de vitesse.

NOUS LA QUALIFIONS DE SPORTIVE EN RAISON DE SES PERFORMANCES, MAIS ELLE EST À UN CHEVEU DES ROUTIÈRES SPORTIVES.

On constate heureusement, et ce, autant dans le monde automobile que celui de la moto, que l'acheteur type d'une machine comme la ZX-14 s'avère davantage intéressé par le potentiel de vitesse que par la réalisation de ce potentiel. Bref, on les achète souvent sans jamais les exploiter, ce qui, par ailleurs, n'a rien de si étonnant puisque la ZX-14 offre nombre d'autres fort intéressantes qualités. Extrêmement stable, dotée d'une direction très légère et faisant preuve d'une surprenante agilité, la grosse Ninja se montre, par exemple, très à l'aise sur une route sinueuse. En combinant à cette invitante tenue de route un 4-cylindres exceptionnellement doux, des suspensions un peu fermes, mais quand même calibrées de manière réaliste pour la route, une bonne selle, une excellente protection au vent et une position de conduite raisonnable, on obtient une monture étonnamment polyvalente qu'il n'est pas du tout rare de voir transformée en machine de route. Nous la qualifions de sportive, mais elle est à un cheveu des routières sportives.

QUOI DE NEUF EN 2011 ?

Aucun changement

Aucune augmentation

PAS MAL

Un niveau de puissance fabuleux, particulièrement à partir des mi-régimes jusqu'à la zone rouge lorsque la ZX-14 génère une accélération d'une intensité inimaginable

Une partie cycle qui encaisse toute la furie du gros 4-cylindres comme si de rien n'était et qui se montre par ailleurs étonnamment agile et légère compte tenu du poids et des dimensions considérables du modèle

Une ligne réussie puisqu'elle ne laisse planer aucune confusion en ce qui concerne la nature et les intentions du modèle, en plus d'être instantanément identifiable

BOF

Une puissance à bas régime qui a été améliorée par rapport à celle de la première version, mais qui ne transforme pas la ZX-14 en tracteur sous les mi-régimes; il s'agit d'une limite électronique volontaire du constructeur qui préfère ne pas prendre le risque d'en faire une monture brutale pour le motocycliste commun; il est temps pour la ZX-14 d'être munie de plusieurs cartographies, dont une «full power» et, pourquoi pas, d'un système antipatinage

Une direction qui se montre très stable dans la majorité des situations, mais qui peut occasionnellement s'agiter, si un certain nombre de circonstances sont réunies; le montage en série d'un amortisseur de direction ne serait pas superflu sur la ZX-14

Un potentiel de vitesse tellement élevé et si facilement atteint qu'une conduite quotidienne sans excès peut devenir un exercice de discipline personnelle non seulement difficile à réaliser, mais aussi pas très amusant

CONCLUSION

Il serait très facile de ne voir en la ZX-14 qu'une inutile brute routière dont la mission se résume à permettre aux irresponsables d'être irresponsables. Mais une telle conclusion ne pourrait qu'être le fruit d'une grande ignorance du monde du motocyclisme et de celui des véhicules de haute performance. Par exemple, cette conclusion ferait complètement abstraction du fait que pour Kawasaki, dont les racines sont profondément ancrées dans une culture de vitesse, la ZX-14 est essentielle en termes d'image, au même titre que les bolides signés Porsche ou Ferrari le sont pour ces constructeurs. Ensuite, cette conclusion ne tiendrait pas compte du fait que la majorité des propriétaires de ZX-14 ne sont certes pas des jeunots et n'ont donc pas un comportement de jeunots. Comme pour les bagnoles citées plus tôt, d'ailleurs. Mais là où cette conclusion serait la plus erronée, ce serait en outrepassant complètement le fait que la ZX-14 est aussi une excellente routière sportive très souvent utilisée comme une GT. Ne dit-on pas que les apparences peuvent être trompeuses?

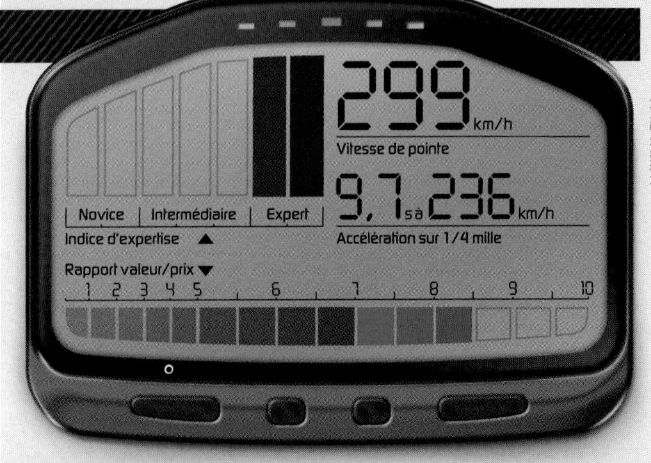

Voir légende en page 16

GÉNÉRAL

Catégorie	Sportive
Prix	16 099 $
Immatriculation 2011	1 425,55 $
Catégorisation SAAQ 2011	«à risque»
Évolution récente	introduite en 2006
Garantie	1 an/kilométrage illimité
Couleur(s)	noir
Concurrence	BMW K1300S, Honda VFR1200F, Suzuki GSX1300R Hayabusa

MOTEUR

Type	4-cylindres en ligne 4-temps, DACT, 4 soupapes par cylindre, refroidissement par liquide
Alimentation	injection à 4 corps de 44 mm
Rapport volumétrique	12,0:1
Cylindrée	1 352 cc
Alésage et course	84 mm x 61 mm
Puissance sans Ram Air	193,1 ch @ 9 500 tr/min
Puissance avec Ram Air	203 ch @ 9 500 tr/min
Couple	114 lb-pi @ 7 500 tr/min
Boîte de vitesses	6 rapports
Transmission finale	par chaîne
Révolution à 100 km/h	environ 3 500 tr/min
Consommation moyenne	6,3 l/100 km
Autonomie moyenne	349 km

PARTIE CYCLE

Type de cadre	monocoque, en aluminium
Suspension avant	fourche inversée de 43 mm ajustable en précharge, compression et détente
Suspension arrière	monoamortisseur ajustable en précharge, compression et détente
Freinage avant	2 disques «à pétales» de 310 mm de Ø avec étriers radiaux à 4 pistons
Freinage arrière	1 disque «à pétales» de 250 mm de Ø avec étrier à 2 pistons
Pneus avant/arrière	120/70 ZR17 & 190/50 ZR17
Empattement	1 460 mm
Hauteur de selle	800 mm
Poids tous pleins faits	257 kg
Réservoir de carburant	22 litres

NOUVEAUTÉ 2011

FENÊTRE SUR LE MOTOGP... // Le problème que doivent résoudre les ingénieurs des manufacturiers présents dans le créneau hypersportif est non seulement monumental, mais il ne fait aussi que devenir plus complexe. Comment fait-on, maintenant que toutes les 1000 sont d'authentiques machines de courses, et surtout depuis que BMW et sa S1000RR ont élevé le niveau de la classe d'une bonne coche — peut-être même deux —, pour donner à la nouvelle génération d'un modèle l'avantage dont il a besoin pour intéresser les acheteurs? Facile: on implique l'équipe du programme de MotoGP. C'est exactement ce qu'a fait Kawasaki avec sa toute nouvelle ZX-10R et le résultat va bien au-delà du «simple» ajout d'un système de contrôle de traction, puisqu'on a maintenant affaire à une monture dont l'électronique gère également une bonne partie du comportement.

On pourrait croire que c'est l'arrivée de la S1000RR l'an dernier qui a complètement chambardé l'ordre des choses dans ce créneau. Et l'allemande a en effet bousculé bien du monde. Mais l'introduction de la BMW a surtout servi à annoncer à quoi ressemblerait le futur chez les sportives, un futur absolument dominé par les aides au pilotage électroniques, aides sur lesquelles Kawasaki travaillait d'ailleurs depuis un moment. La décision qu'a prise il y a quelques années la firme d'Akashi de mettre fin au programme de MotoGP est même intimement liée à cette quatrième génération de la ZX-10R, puisque c'est au développement de cette dernière que furent réaffectés les ingénieurs de l'équipe de MotoGP.

Le problème de gestion de puissance qui allait tôt ou tard affecter les 1000 existe en course, où les puissances sont évidemment bien supérieures, depuis longtemps. Le besoin de compétitivité a donc forcé tous les manufacturiers à développer des systèmes pour gérer, entre autres, de sévères problèmes de soulèvement de l'avant et de patinage de la roue arrière. Chacun de ces manufacturiers est arrivé à sa propre solution, et celle qu'ont développée les ingénieurs du programme de MotoGP de Kawasaki se retrouve cette année sur la ZX-10R. Comme il s'agit d'une technologie inédite sur une moto de série, une bonne explication est nécessaire afin de comprendre ses effets sur le comportement.

Tous les systèmes de contrôle de traction et de gestion de comportement fonctionnent à partir de données recueillies d'une panoplie de capteurs enregistrant la vitesse des roues, la vitesse engagée, l'ouverture des gaz, etc. Kawasaki explique que le sien est unique en raison de sa capacité à «prévoir» la perte de traction avant qu'elle survienne. En pleine accélération, au lieu d'attendre que la roue arrière ait commencé à déraper pour intervenir, le système aurait la capacité de savoir qu'une perte de traction est imminente et gérerait la puissance avant la manifestation de cette perte. Ce pouvoir de prédire une perte de traction est le résultat d'une analyse des données des capteurs du système S-KTRC, pour Sport-Kawasaki Traction Control, au rythme de 200 fois à la seconde. Cette sensibilité extrême permet à l'ordinateur de bord de reconnaître la perte de traction à ses tout premiers stades, donc avant que le pneu ne se mette vraiment à glisser. Le S-KTRC va néanmoins beaucoup plus loin puisqu'il scrute également 200 fois par seconde le mouvement de l'accélérateur et, ce faisant, lit d'une certaine manière la pensée du pilote. A-t-il ouvert les gaz soudainement pour avaler le long droit d'une piste, est-il à gaz presque constant en plein virage, vient-il de refermer les gaz pour ramener la roue avant au sol? Il ne s'agit là que d'un bref exemple des scénarios pouvant être reconnus par le système. Celui-ci sélectionne ensuite la plus appropriée d'une liste presque infinie de cartographies de gestion de puissance emmagasinées dans sa mémoire. Cette décision peut par ailleurs être modifiée à chaque analyse, donc jusqu'à 200 fois chaque seconde. La conséquence principale est que le comportement de la nouvelle ZX-10R est directement lié à celui du pilote, et plus précisément aux mouvements qu'il induit dans la poignée droite. Il en résulte un niveau d'interactivité jamais vu jusque-là entre pilote et moto, pour ne pas carrément parler d'intervention de la part de la moto.

LA ZX-10R ARRIVE PRESQUE À LIRE LA PENSÉE DU PILOTE EN RÉAGISSANT 200 FOIS PAR SECONDE AUX MOUVEMENTS DE L'ACCÉLÉRATEUR.

> Il s'agit de temps très excitants pour les amateurs de sportives pures, surtout ceux dont l'intention est d'en explorer les limites en piste. La ZX-10R 2011 est le parfait exemple de cette réalité puisqu'elle offre au motocycliste moyen la chance de goûter à une technologie qu'on ne retrouvait jusque-là qu'en MotoGP.

Le crédit de cette magnifique photo revient à Brian J. Nelson. À la sortie du cinquième virage de la piste de Road Atlanta en Georgie lors du lancement de la Ninja ZX-10R 2011, l'auteur guide la nouveauté vers la montée menant au prochain tournant.

Aux commandes d'une ZX-10R allégée et plus puissante, l'auteur passe devant la lentille de Brian J. Nelson. L'électronique de la 10R gardait l'angle du wheelie constant, ce qu'a tenu à filmer Sean Alexander de Kawasaki, pour ensuite inscrire le clip sur YouTube sous «2011 ZX-10R Wheelie Control».

Le lancement nord-américain de la ZX-10R 2011 s'est déroulé sur le circuit de Road Atlanta, une piste en montagnes russes construite sur un terrain vallonneux et proposant à la fois des sections rapides et très serrées. Un lancement européen avait lieu en même temps pour la ZX-10R, dans ce cas au Qatar, et je serais prêt à parier gros que les commentaires et les conclusions sur la nouveauté ont été différents à cause de la nature particulière de chaque circuit. Je suis certain, par exemple, que la piste plate et rapide du Qatar, sur laquelle j'ai d'ailleurs déjà roulé, n'a pratiquement pas provoqué de soulèvement de l'avant, ce qui est tout le contraire de l'expérience de Road Atlanta où l'on devait composer avec au moins quatre wheelies monstres à chaque tour. Or, la ZX-10R et son système S-KTRC sont justement programmés pour intervenir lors des wheelies en limitant la puissance lorsque l'avant se soulève plus qu'à un certain angle. Le but de cette intervention est toujours le même et vise à générer le temps le plus rapide au tour. Comme un soulèvement trop prononcé de l'avant force le pilote à fermer les gaz momentanément, les temps en souffrent. La solution amenée par les programmeurs de Kawasaki est de permettre les wheelies, mais seulement tant que l'angle n'est pas trop grand. J'ai eu une certaine difficulté à m'adapter à cette caractéristique puisque la 10R ne réagissait pas toujours de la même façon en sortant de courbes que je prenais pourtant toujours à peu près à la même vitesse et de manière assez constante. En effet, la ZX-10R se soulevait parfois beaucoup et assez brusquement, parfois de quelques pouces à peine et parfois pas du tout en sortant d'un même virage. En entrant dans ce dernier, je ne savais jamais vraiment laquelle de ces réactions se manifesterait lors de la sortie, une incertitude dont je me serais bien passé sur un tel circuit aux commandes d'une telle machine.

Avec les tours, j'ai néanmoins remarqué que ces réactions étaient effectivement intimement liées à la façon d'ouvrir les gaz. Il m'a fallu comprendre quel genre d'ouverture générait quel genre de réaction. La ZX-10R et moi nous nous entendions déjà mieux. Il reste toutefois que ce contrôle très fin de l'accélérateur est une tâche de plus à gérer, ce qui, sur piste, ne représente pas un avantage. Ça n'est pas non plus toujours plaisant puisqu'on sent qu'une certaine quantité de contrôle nous file entre les doigts. Du coup, les commentaires de nombreux pilotes de MotoGP se plaignant «d'électronique trop présente» et «d'assistance au pilotage trop intrusive» commençaient à prendre du sens.

En mettant toutefois les choses en perspectives, on arrive à la conclusion que ce cas est le seul où toute l'électronique de la ZX-10R n'est pas complètement transparente. D'ailleurs, en ce qui concerne le contrôle de traction, on a probablement affaire ici au système le plus doux à ce jour, puisque son travail est carrément imperceptible. Que ce soit à l'arrêt ou en roulant, on peut opter pour l'un de trois niveaux de puissance et marier celui-ci à l'un de trois niveaux de contrôle de traction.

L'option de désactiver le tout est également offerte au pilote, mais elle doit être sélectionnée à l'arrêt. Je l'ai essayée pour constater que la nature très amicale de la ZX-10R demeurait la même, et que rien de bien pire ou de bien mieux ne se produisait. La réalité est toutefois que sans l'assistance du contrôle de traction, on devient moins sûr en sortie de courbe, et que cette confiance réduite affecte les temps, sans parler du niveau de risque qui grimpe inutilement. À la poussée d'un bouton, le S-KTRC fut réactivé, ma confiance fut rétablie et les temps se remirent à descendre. Comme quoi on a beau reprocher à l'électronique son caractère occasionnellement intrusif, sa présence demeure indéniablement positive en termes de performances.

Notons que la ZX-10R 2011 est également offerte en version ABS équipée du système KIBS, pour Kawasaki Intelligent Braking System. Il s'agit d'un système extrêmement sophistiqué géré par ordinateur du même type que celui des Honda CBR1000RR et BMW S1000RR. Étrangement, aucune des motos du lancement n'en était munie.

En termes de tenue de route, la ZX-10R est très difficile à prendre en défaut. En fait, et ce n'est pas faute d'avoir essayé, je n'ai rien trouvé à lui reprocher. Son comportement en piste est tout simplement admirable à tous les points de vue. Plus légère d'une dizaine de kilos que la dernière version, elle est assurément l'une des plus maniables et accessibles de la classe en piste. La mettre nez à nez avec la S1000RR sera très intéressant, d'abord pour comparer l'électronique de chacune, mais aussi pour constater les différences de performances. Kawasaki annonce 200 chevaux pour la version européenne et 179,1 pour la ZX-10R nord-américaine. Selon le constructeur, un système d'échappement libre et une reprogrammation de l'UCE élimineraient pratiquement la différence de puissance, qui serait due aux normes d'émissions polluantes et de bruit.

Même avec tout près d'une quinzaine de chevaux annoncés en moins que la S1000RR, la ZX-10R est une véritable fusée en ligne droite. Son moteur n'est pas particulièrement souple à très bas régime, une caractéristique que Kawasaki semble avoir volontairement «programmée» dans la courbe de puissance, mais une fois les mi-régimes passés et en route vers la zone rouge, la poussée est fabuleuse et sans répit. À titre d'exemple, la très longue ligne droite de Road Atlanta est marquée par une légère butte en descendant de laquelle l'avant de la ZX-10R se soulevait à chaque tour, en quatrième et à quelque 230 km/h. Ça n'est pas juste impressionnant, c'est aussi le genre de comportement qu'on retrouve sur la S1000RR et qui fait de celle-ci une moto aussi particulière. En toute fin de journée, Kawasaki nous alloua quatre tours aux commandes d'une ZX-10R «d'à peu près 200 chevaux» qui avait été soulagée de son garde-boue arrière et de ses rétroviseurs, puis équipée d'une ligne d'échappement Nassert-Beet au son délicieux. Étonnamment, le poids en moins était immédiatement notable, tandis que la puissance ajoutée soulevait maintenant l'avant en cinquième en descendant la fameuse butte du droit. Comme ce fut bon!

QUOI DE NEUF EN 2011 ?

Nouvelle génération de la Ninja ZX-10R

Coûte 500 $ de plus qu'en 2010

PAS MAL

Un véritable exploit technologique; la ZX-10R est probablement la moto de production la plus avancée de tous les temps et propose des solutions électroniques qui sont directement empruntées au programme de MotoGP de Kawasaki

Un comportement pratiquement irréprochable sur circuit, même à un rythme de course; elle est légère, d'une précision extrême et étonnamment facile à piloter autour d'une piste

Des performances ahurissantes, mais livrées de manière très civilisée

BOF

Une utilisation très impressionnante de l'électronique au service du pilotage, mais qui n'est pas complètement exempte de « bogues »; comme les sportives de ce créneau semblent être vouées à recevoir de plus en plus de ce type d'assistance par ordinateur, nous ne serions pas étonnés que des « mises à jour » destinées à corriger certaines réactions deviennent monnaie courante

Une puissance à bas régime que Kawasaki a volontairement limitée pour ne pas bousculer les réactions de la moto dans les situations serrées, mais qui semble un peu faible en selle, surtout par rapport à la furie des hauts régimes

Une facture qui continue de grimper; même si la quantité et la qualité de la technologie justifient ces montants, à ce rythme, on passera les 20 000 $ dans quelques années à peine et ces prix mettent aussi ces motos hors de portée de plusieurs bourses

CONCLUSION

La BMW S1000RR aura annoncé deux choses au monde du motocyclisme l'an dernier : qu'on ne pourra plus jamais prendre BMW à la légère en matière de sportives et que l'électronique jouerait un rôle important dans l'avenir dans ce créneau. La ZX-10R présentée cette année confirme non seulement le second point, mais elle donne aussi une idée de l'ampleur de cette invasion électronique. La nouvelle 10R nous fait par ailleurs comprendre que derrière l'électronique se trouvent des programmeurs qui décideront, par des lignes de code, comment les sportives interviendront dans notre pilotage. Le temps où le pilote contrôlait cent pour cent des aspects de sa monture semble donc rapidement tirer à sa fin, du moins dans ce créneau. Mais ce que la ZX-10R 2011 nous explique de plus important c'est que cet avenir s'annonce extrêmement excitant puisqu'il semble voué à produire des montures de production dignes des machines de dieux qui peuplent les grilles de MotoGP.

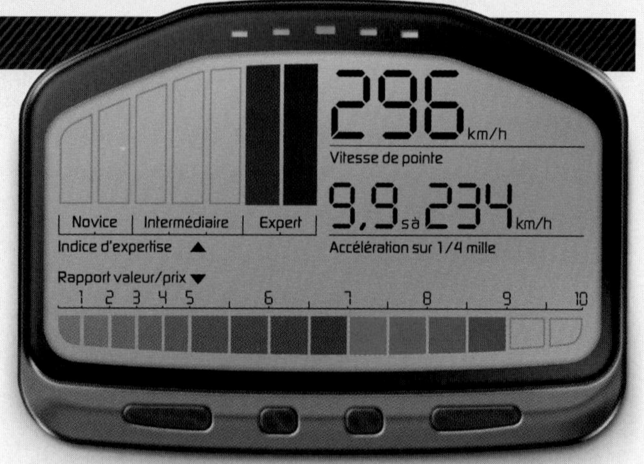

Voir légende en page 16

GÉNÉRAL

Catégorie	Sportive
Prix	16 499 $ (ABS : 17 299 $)
Immatriculation 2011	1 425,55 $
Catégorisation SAAQ 2011	« à risque »
Évolution récente	introduite en 2004, revue en 2006, en 2008 et en 2011
Garantie	1 an/kilométrage illimité
Couleur(s)	noir, vert (ABS : noir)
Concurrence	BMW S1000RR, Honda CBR1000RR, Suzuki GSX-R1000, Yamaha YZF-R1

MOTEUR

Type	4-cylindres en ligne 4-temps, DACT, 4 soupapes par cylindre, refroidissement par liquide
Alimentation	injection à 4 corps de 47 mm
Rapport volumétrique	13,0:1
Cylindrée	998 cc
Alésage et course	76 mm x 55 mm
Puissance sans Ram Air	179,1 ch @ 11 000 tr/min
Puissance avec Ram Air	188 ch @ 11 000 tr/min
Couple	82,6 lb-pi @ 11 000 tr/min
Boîte de vitesses	6 rapports
Transmission finale	par chaîne
Révolution à 100 km/h	environ 4 200 tr/min
Consommation moyenne	6,8 l/100 km
Autonomie moyenne	250 km

PARTIE CYCLE

Type de cadre	périmétrique, en aluminium
Suspension avant	fourche inversée de 43 mm ajustable en précharge, compression et détente
Suspension arrière	monoamortisseur ajustable en précharge, en haute et basse vitesses de compression, et en détente
Freinage avant	2 disques « à pétales » de 310 mm de Ø avec étriers radiaux à 4 pistons (et ABS)
Freinage arrière	1 disque à « pétales » de 220 mm de Ø avec étrier à 1 piston (et ABS)
Pneus avant/arrière	120/70 ZR17 & 190/55 ZR17
Empattement	1 425 mm
Hauteur de selle	813 mm
Poids tous pleins faits	198 kg (ABS : 201 kg)
Réservoir de carburant	17 litres

Ninja 1000

NOUVEAUTÉ 2011

NATURE CYCLIQUE... // Kawasaki prétend que sa Ninja 1000 2011 est le résultat d'une nouvelle approche en termes de montures de nature sportive. Il s'agirait d'une moto de haute performance d'abord et avant tout construite pour la route, et ne faisant aucune concession visant à favoriser son comportement en piste. Le but du constructeur est donc de proposer aux amateurs de sportives une option moins pointue que celle d'une machine de circuit. Si l'idée vous rappelle quelque chose, c'est tout à fait normal. D'abord parce que cette mission est exactement la même que celle de la Z1000 introduite l'an dernier —la Ninja 1000 est en fait une Z1000 carénée—, et ensuite parce qu'il ne s'agit pas vraiment d'un nouveau concept. En effet, avant qu'elles deviennent des bêtes de piste spécialisées, toutes les sportives étaient conçues pour la route d'abord.

N'en déplaise à Kawasaki en ce qui a trait au «nouveau genre de sportive» que ferait naître la Ninja 1000, en réalité, ce genre existe depuis longtemps et chez Kawasaki même, d'ailleurs. Quelqu'un se souvient de la Ninja 900R? Il s'agissait justement d'une sportive ultra performante conçue pour la route, pas la piste, tout comme les Honda Hurricane 600 et Yamaha FZ750, pour ne nommer que celles-là. Si la nouvelle Ninja 1000 n'invente donc pas de nouvelle catégorie, en revanche, elle en fait décidément revivre une qu'on avait presque oubliée. Cette classe, qu'on pourrait aujourd'hui qualifier de celle des sportives routières plutôt que de celle des routières sportives, englobait même la plupart des modèles sportifs jusqu'à ce que les constructeurs découvrent l'attrait de l'extrême et qu'ils se mettent à transformer presque toutes leurs sportives en bêtes de piste.

SI LA NINJA 1000 N'INVENTE PAS DE NOUVELLE CATÉGORIE, EN REVANCHE, ELLE EN FAIT DÉCIDÉMENT REVIVRE UNE QU'ON AVAIT OUBLIÉE.

Les différences entre une sportive conçue pour la route et une sportive conçue pour la piste sont majeures. D'une façon très générale, le but de la Ninja 1000 est d'être plaisante sur la route, dans autant de circonstances possibles, ce qui est évidemment très différent de la mission d'une moto comme une ZX-10R. Il y a d'ailleurs longtemps que nous reprochons à tous ces modèles très pointus de carrément susciter un manque d'intérêt dans un environnement routier, et ce, malgré leurs incroyables capacités sur circuit.

La manière dont Kawasaki s'y est pris pour rendre sa Ninja 1000 amusante est assez simple: un moteur d'un litre admirablement coupleux et qui sonne bien, un châssis solide et précis mais pas nerveux, des suspensions fermes mais pas rudes, une protection au vent décente bénéficiant même d'un petit pare-brise ajustable manuellement, une bonne selle et, enfin, une position qui plie les jambes modérément, ne met pas le moindre poids sur les mains et garde le dos parfaitement droit. À quelques millimètres près, il s'agit de la même position que celle de la Z1000 lancée l'an dernier. En fait, à l'exception d'une poignée de détails techniques très mineurs, la Ninja 1000 n'est rien de plus ou de moins qu'une Z1000 entièrement carénée.

La plus grande qualité du duo Ninja 1000 / Z1000 est l'équilibre entre performance et amusement qu'elles atteignent à presque tous les niveaux. Agiles sans être nerveuses, stables sans être lourdes de direction, rapides sans jamais se montrer incontrôlables, elles font sentir à leur pilote qu'il travaille au lieu de lui donner l'impression que tout se fait tout seul. À leurs commandes, le plaisir vient du caractère joueur de l'ensemble plutôt que de vitesses folles autour d'une piste. Et à ce chapitre, il n'est probablement pas de facteur plus important que le 4-cylindres génial que la marque d'Akashi a expressément conçu pour ces modèles. Gavé de couple en bas et poussant très fort des mi-régimes à la zone rouge, il est en plus particulièrement plaisant à entendre rugir en raison du travail acoustique de Kawasaki au niveau de l'admission d'air. Ses accélérations sont aussi immédiates que puissantes à tous les régimes et sur tous les rapports, tandis que sa plus belle caractéristique est sans aucun doute le fait qu'il permet de s'amuser sans qu'on ait la moindre idée de ce que le chronomètre dit.

Quelque part au milieu des collines de la région de San Francisco, durant le lancement de la Ninja 1000, le photographe Adam Campbell (lui-même photographié par son assistante), travaille avec l'auteur pour arriver au résultat recherché : une photo qui illustrerait la nature joueuse de la Ninja.

Un sérieux problème de lévitation affecte la roue avant de la Ninja 1000. Moins apparent sur les rapports supérieurs, il est flagrant en première et en deuxième vitesse, et va même jusqu'à se manifester occasionnellement en troisième. Un peu de tact avec la poignée droite suffit néanmoins à le régler. Le grand « coupable », c'est le couple gras, dense et immédiat du génial 4-cylindres.

NINJA 1000

Plusieurs accessoires sont offerts par Kawasaki afin de rendre la nouvelle Ninja 1000 apte à prendre la route sur de longues distances, comme cette paire de valises rigides. Avec ses selles plus épaisses de 10 mm que celles de la Z1000, un pare-brise ajustable manuellement en trois positions —on y arrive en roulant avec un peu de pratique— et une position de conduite qui rappelle celle d'une monture aussi accueillante qu'une Ninja 650R, la Ninja 1000 ne semble pas du tout égarée lorsque les kilomètres commencent à s'accumuler.

Z1000

La Z1000 lancée l'an dernier et la Ninja 1000 introduite cette année ont été développées simultanément. La division nord-américaine de Kawasaki aurait bien aimé voir la Ninja présentée d'abord, mais les Européens eurent leur standard les premiers. Les différences techniques entre les deux modèles sont très mineures: un guidon tubulaire sur la Z1000 contre des poignées légèrement plus rapprochées sur la Ninja, une démultiplication finale un peu plus longue sur la sportive dont les selles sont 10 mm plus épaisses et dont le réservoir contient 3,5 litres de plus et, enfin, un mécanisme d'ajustement de la précharge du ressort arrière différent sur chaque modèle. Le reste est en tout point identique.

QUOI DE NEUF EN 2011 ?

Introduction de la Ninja 1000

Aucune augmentation de prix et aucun changement pour la Z1000

PAS MAL

Un équilibre merveilleux entre performance et contrôle, entre agilité et accessibilité; toutes deux font partie des très rares motos de performances du marché qui soient avant tout conçues pour la route

Un moteur fabuleux qui tire fort immédiatement et tout le temps et qui, en plus, chatouille l'ouïe comme peut-être aucun 4-cylindres en ligne de série n'est arrivé à le faire jusque-là

Un niveau de confort très appréciable grâce à une bonne selle, à une position relevée et à des suspensions judicieusement calibrées; même la protection au vent est meilleure qu'on pourrait le croire sur la Z1000, et très correcte sur la Ninja

Une selle plus basse que ce à quoi on s'attendrait

Des styles très intéressants; la Z1000 est moins dénudée et nettement moins discrète que les standards traditionnelles, tandis que la Ninja ne passera certes pas inaperçue

BOF

Un moteur qui vibre beaucoup moins que celui des versions précédentes de la Z1000, surtout la première, mais qu'on sent néanmoins toujours à certains régimes

Une impression de sensation vague dans la tenue de route, dans certaines circonstances, comme les changements rapides de direction

Une exposition au vent qui devient fatigante lors de longs trajets rapides sur la Z1000

CONCLUSION

Nous préférons généralement ne pas répéter les formules clichées des équipes de marketing, mais nous sommes forcés d'admettre que décrire la Ninja 1000 comme une sportive développée pour la route « sans compromis » est non seulement très habile de la part de Kawasaki, mais aussi très juste. On semble bel et bien l'avoir oublié, mais la route n'est pas la piste et ce qui rend une moto plaisante en piste n'a donc pas nécessairement le même résultat sur la route. Tout cela paraît parfaitement évident, et pourtant, la majorité des sportives sont aujourd'hui construites uniquement en fonction du circuit. Pas la Ninja 1000. Et bien qu'elle permette quand même de bien s'amuser en piste, il est vrai qu'aucun compromis n'a été fait pour arriver à cette qualité. Il s'agit d'une sportive très performante et très sérieuse, mais aussi d'une moto autant à l'aise dans la besogne quotidienne que dans une multitude d'autres situations. Voilà qui n'a pas été dit depuis très, très longtemps à propos d'une vraie sportive.

Z1000

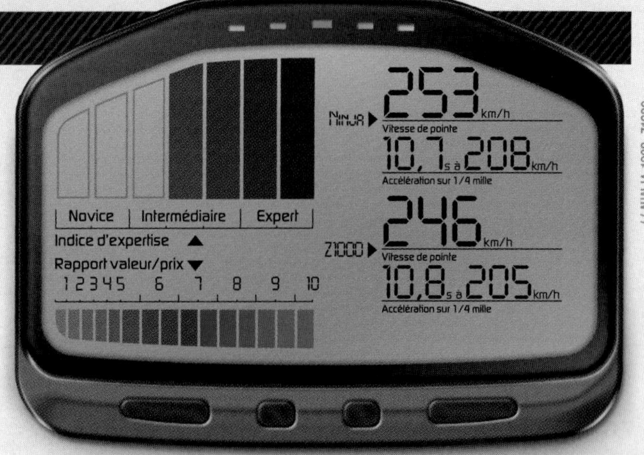

Voir légende en page 16

GÉNÉRAL

Catégorie	Ninja 1000 : Routière Sportive Z1000 : Standard
Prix	Ninja 1000 : 13 699 $; Z1000 : 13 199 $
Immatriculation 2011	Ninja 1000 : NC - probabilité 633,55 $ Z1000 : 633,55 $
Catégorisation SAAQ 2011	Ninja 1000 : NC - probabilité « régulière » Z1000 : « régulière »
Évolution récente	Z1000 introduite en 2003, revue en 2007 et en 2009 Ninja 1000 introduite en 2011
Garantie	1 an/kilométrage illimité
Couleur(s)	Ninja 1000 : vert, rouge; Z1000 : vert
Concurrence	Ninja 1000 : Honda CBF1000, Yamaha FZ-1 Z1000 : BMW K1300R, Ducati Streetfighter, Honda CB1000R, Triumph Speed Triple

MOTEUR

Type	4-cylindres en ligne 4-temps, DACT, 4 soupapes par cylindre, refroidissement par liquide
Alimentation	injection à 4 corps de 38 mm
Rapport volumétrique	11,8:1
Cylindrée	1 043 cc
Alésage et course	77 mm x 56 mm
Puissance sans Ram Air	138 ch @ 9 600 tr/min
Couple	81,1 lb-pi @ 7 800 tr/min
Boîte de vitesses	6 rapports
Transmission finale	par chaîne
Révolution à 100 km/h	environ 4 200 tr/min
Consommation moyenne	6,2 l/100 km
Autonomie moyenne	250 km

PARTIE CYCLE

Type de cadre	périmétrique, en aluminium
Suspension avant	fourche inversée de 41 mm ajustable en précharge, compression et détente
Suspension arrière	monoamortisseur ajustable en précharge et en détente
Freinage avant	2 disques « à pétales » de 300 mm de Ø avec étriers radiaux à 4 pistons
Freinage arrière	1 disque à « pétales » de 250 mm de Ø avec étrier à 1 piston
Pneus avant/arrière	120/70 ZR17 & 190/50 ZR17
Empattement	1 445 mm (Z1000 : 1 440 mm)
Hauteur de selle	820 mm (Z1000 : 815 mm)
Poids tous pleins faits	228 kg (Z1000 : 218 kg)
Réservoir de carburant	19 litres (Z1000 : 15,5 litres)

ÉTAT DE GRÂCE... // Comme beaucoup de motos ces dernières années dans divers créneaux, les sportives pures de 600 cc ont évolué jusqu'à devenir des modèles hyperspécialisés qui forment maintenant une niche très exclusive. Jadis des montures relativement polyvalentes, elles sont aujourd'hui conçues dans un seul et unique but, celui d'exceller sur circuit. Au sein de ce groupe, la génération courante de la ZX-6R fait presque figure d'ambassadrice puisqu'elle obtient les plus hautes notes à presque tous les niveaux. En fait, on se demande par moments comment une machine dont la mission est aussi effectivement accomplie pourrait vraiment être améliorée. Animée par un 4-cylindres à la fois extrêmement puissant en haut et décemment souple en bas et construite autour d'une partie cycle presque irréprochable, elle représente tout simplement un fabuleux exemple du genre.

La génération actuelle de la ZX-6R entame en 2011 sa troisième année sans modification et il s'agit encore d'une arme de circuit absolument formidable. Cette réalité illustre à la perfection deux points. Le premier c'est que l'univers des sportives pures a changé puisqu'il aurait été impensable, il y a à peine quelques années, qu'une monture âgée de trois ans puisse encore faire partie du peloton de tête de la classe. Or, c'est le cas pour la ZX-6R, ce qui s'explique en partie par le ralentissement des hostilités dans cette catégorie qui ne progresse plus avec le rythme effréné qui a marqué la dernière décennie.

Mais, et c'est là le second point, la ZX-6R bénéficie également de ce statut en raison de ses extraordinaires caractéristiques. En fait, tant qu'on ne la sort pas de l'environnement pour lequel elle a été expressément conçue, soit la piste, on éprouve même beaucoup de difficulté à lui reprocher quoi que ce soit.

IL N'Y A PAS SI LONGTEMPS, UNE MOTO COMME LA ZX-6R N'AURAIT JAMAIS PU ÊTRE AUSSI COMPÉTITIVE APRÈS TROIS ANS SANS CHANGEMENT.

Tout particulièrement depuis qu'elles sont devenues des spécialistes pures et dures de circuit, ces montures ont régulièrement démontré des lacunes parfois importantes alors qu'elles semblaient toujours compromises à un niveau ou un autre, mais surtout en matière de mécanique. Certaines Yamaha YZF-6R, absolument furieuses à très haut régime, mais carrément amorphes à bas régime, représentent un bon exemple. La génération précédente de la ZX-6R, avec sa bande de puissance relativement large, mais sa poussée plutôt modeste dans les hauts tours, se voulait, elle aussi, un exemple de la nature très souvent compromise des 600. Il semblerait toutefois que Kawasaki ait eu une révélation en créant cette ZX-6R-ci, puisque sa mécanique se montre à la fois très décente en bas, donc vivable en utilisation quotidienne, et absolument géniale à l'approche de sa zone rouge stratosphérique de 16 500 tr/min. En fait, la poussée à haut régime de la 6R est telle qu'on se demande parfois si le constructeur n'est pas revenu, en cachette, à ses vieilles habitudes en dotant sa 600 de plus de 600 cc...

La qualité de la génération courante de la ZX-6R ne tient toutefois pas qu'à un seul aspect du pilotage. Le modèle excelle plutôt à presque tous les niveaux. Encore une fois, tant qu'on ne la sort pas de son environnement, puisque comme routière en conduite quotidienne, on a plutôt affaire à une monture inconfortable et pas vraiment excitante. De retour en piste, la ZX-6R propose l'un des comportements les plus invitants qui soient. Il est vrai qu'on pourrait dire la même chose à propos de modèles comme la YZF-6R et la CBR600RR, pour ne nommer que ceux-ci, mais il reste qu'en matière de capacité à rouler fort sur une piste, la ZX-6R est absolument phénoménale. Sa combinaison d'un poids extrêmement faible, d'une direction ne demandant qu'un minimum d'effort pour amorcer un virage exactement comme on le souhaite, de suspensions à peu près irréprochables même à rythme élevé sur piste, de freins superbes tant par leur puissance que par la précision de leur dosage et d'un châssis aussi incroyablement communicatif qu'apparemment impossible à prendre en faute sont autant de caractéristiques qui font d'elle une 600 aussi désirable. Et ce, même s'il s'agit d'une vieille fille de trois ans qui sera probablement envoyée à la retraite l'année prochaine.

QUOI DE NEUF EN 2011 ?

Aucun changement

Aucune augmentation

PAS MAL

Un moteur dont la capacité à tirer à la fois très fort à haut régime et à se montrer utilisable en conduite quotidienne est vraiment exceptionnelle

Une tenue de route simplement remarquable à tous les niveaux grâce à la sérénité du châssis en courbe, au freinage exceptionnel, à la grande précision de la direction et au travail sans faute des suspensions en pilotage sportif

Un ensemble qui frôle la perfection en matière de 600 hypersportives

BOF

Un niveau de confort relativement faible, comme c'est le cas sur la plupart des sportives aussi pointues

Une capacité de vitesse tellement élevée que même les excellents pneus d'origine arrivent à leur limite assez vite en piste

Un prix qui a considérablement augmenté ces dernières années

Un intérêt assez limité en dehors du circuit; il s'agit de motos qui paraissent bien et dont les propriétaires sont très fiers, mais dans la besogne quotidienne, en utilisation normale sur la route, ces 600 ne sont certainement pas les montures les plus plaisantes

CONCLUSION

Les acheteurs de 600 ont souvent l'impression, en lisant les comptes rendus des essais des modèles de la classe, que les mêmes commentaires reviennent, que les différences sont difficiles à discerner. En fait, chacune des 600 a sa propre personnalité et n'est donc pas la réplique parfaite de ses rivales. Ce que ces intéressés constatent, et ce qui les confond, c'est plutôt que malgré des essayeurs souvent très rapides et malgré des circuits plus difficiles les uns que les autres, les « gagnantes » ne le sont presque toujours que par un cheveu, quand ce n'est pas un quart de cheveu. Ceux qui arrivent à d'autres conclusions le font pour fabriquer du spectacle. La ZX-6R est l'exemple parfait de cet état de grâce qui définit la classe des sportives pures de 600 centimètres cubes. La verra-t-on complètement déclassée un jour? L'histoire nous dit que oui et l'arrivée de nouveaux joueurs comme MV Agusta avec sa F3 et BMW avec sa future S600RR pourrait même mêler les cartes. Mais la tâche à laquelle ces derniers font face est monumentale.

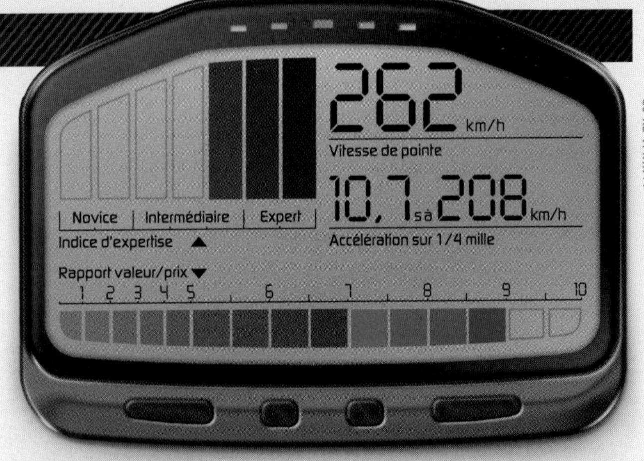

Voir légende en page 16

GÉNÉRAL

Catégorie	Sportive
Prix	13 199 $
Immatriculation 2011	1 425,55 $
Catégorisation SAAQ 2011	« à risque »
Évolution récente	introduite en 1995, revue en 1998, en 2000, en 2003, en 2005, en 2007 et en 2009
Garantie	1 an/kilométrage illimité
Couleur(s)	vert et noir, noir
Concurrence	Honda CBR600RR, Suzuki GSX-R600, Triumph Daytona 675, Yamaha YZF-R6

MOTEUR

Type	4-cylindres en ligne 4-temps, DACT, 4 soupapes par cylindre, refroidissement par liquide
Alimentation	injection à 4 corps de 38 mm
Rapport volumétrique	13,3:1
Cylindrée	599 cc
Alésage et course	67 mm x 42,5 mm
Puissance sans Ram Air	126 ch @ 13 500 tr/min
Puissance avec Ram Air	132 ch @ 13 500 tr/min
Couple	49,2 lb-pi @ 11 800 tr/min
Boîte de vitesses	6 rapports
Transmission finale	par chaîne
Révolution à 100 km/h	environ 5 600 tr/min
Consommation moyenne	6,2 l/100 km
Autonomie moyenne	274 km

PARTIE CYCLE

Type de cadre	périmétrique, en aluminium
Suspension avant	fourche inversée de 41 mm ajustable en précharge, compression et détente
Suspension arrière	monoamortisseur ajustable en précharge, en haute et en basse vitesses de compression, et en détente
Freinage avant	2 disques « à pétales » de 300 mm de Ø avec étriers radiaux à 4 pistons
Freinage arrière	1 disque « à pétales » de 220 mm de Ø avec étrier à 1 piston
Pneus avant/arrière	120/70 ZR17 & 180/55 ZR17
Empattement	1 400 mm
Hauteur de selle	815 mm
Poids tous pleins faits	191 kg
Réservoir de carburant	17 litres

Ninja 400R

NOUVELLE VARIANTE 2011

SPÉCIALITÉ VERTE... // Personne ne s'y prend aussi bien que Kawasaki lorsqu'il s'agit de concocter des petites motos dont la mission consiste à offrir une avenue intéressante aux motocyclistes peu ou pas expérimentés. Alors que la Ninja 650R pourrait très bien servir d'alternative à une sportive pointue de 600 cc dans les cas où celle-ci serait inappropriée, la nouvelle 400R semble, quant à elle, une façon idéale d'éviter de se lasser trop vite d'une 250. Bien qu'elle soit qualifiée de «nouvelle» parce qu'il y a des siècles qu'une telle cylindrée n'a pas été offerte dans cette classe, la Ninja 400R est en fait la jumelle parfaite de la 650R, à l'exception de la mécanique, bien entendu. Son prix ne peut donc pas être considérablement inférieur, puisqu'elle coûte exactement autant à produire. Notons par ailleurs que la version standard de la 650R, la ER-6n, ne fait plus partie de la gamme en 2011.

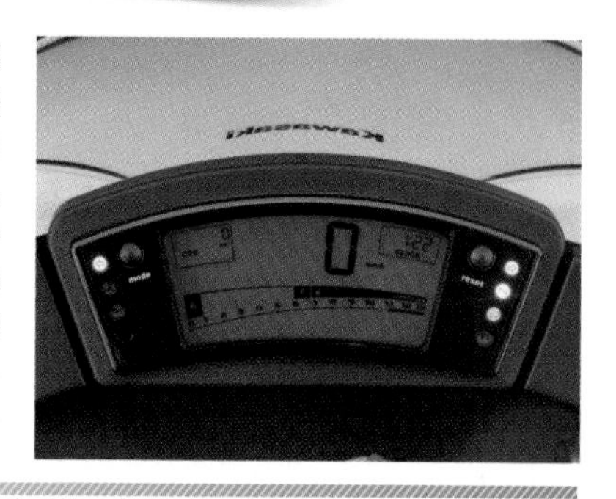

En matière de moto pleine grandeur, il n'en existe peut-être pas de plus accessible, amicale et invitante que ces sympathiques Ninja. La cylindrée de 400 cc, presque oubliée sur notre marché tellement cela fait longtemps qu'elle n'a pas été offerte, porte à considérer la 400R comme une nouveauté à part entière, mais il s'agit plutôt à quelques détails très mineurs près d'une copie conforme de la 650R. À peine un kilo sépare d'ailleurs leur poids tandis que l'une est physiquement l'image de l'autre. Toutes deux proposent donc la même surprenante et immédiate impression de légèreté extrême et de très grande facilité de prise en main.

Il existe plusieurs autres cylindrées moyennes de nature sportive comme la FZ6R de Yamaha ou la GSX650F de Suzuki qui, comme la Ninja 650R, n'ont rien à voir avec des hypersportives comme les CBR-RR ou autres ZX-R. Mais même par rapport à ces autres sportives modérées, le niveau d'accessibilité de la 650R est extraordinaire.

On comprendrait qu'une certaine clientèle puisse souhaiter que la 400R soit nettement plus accessible que la 650R, mais ça n'est pas vraiment le cas en termes de comportement, puisque celui-ci est identique. Cela dit, cette clientèle ne devrait certainement pas mettre la 400R de côté pour cette seule raison, puisqu'une fois à ses commandes, l'impression de maniabilité est réellement exceptionnelle, et ce, sans jamais qu'elle fasse preuve de nervosité. Kawasaki semble décidément intouchable lorsqu'il s'agit de fabriquer des motos de petites cylindrées qui ne donnent pas l'impression d'être des jouets. L'un des rares reproches qu'on pourrait formuler à l'égard de leur accessibilité c'est une selle qui, bien que pas vraiment haute, gagnerait quand même à être un peu plus basse compte tenu de la clientèle visée. Un meilleur confort sur long trajet ne serait pas de refus non plus. La position de conduite relevée ne place aucun poids sur les mains en plus de mettre instantanément en confiance. Toutes les manœuvres, qu'il s'agisse de virages serrés dans un environnement urbain ou d'une série de courbes à négocier sur une route secondaire en lacet, s'accomplissent de manière presque instinctive, presque comme si la direction ne demandait aucun effort.

LE COMPORTEMENT DE LA 400R, QUI EST PLUS LÉGÈRE D'À PEINE UN KILO, EST IDENTIQUE À CELUI DE LA 650R.

La façon dont les chevaux sont livrés contribue elle aussi à grandement faciliter tous les aspects du pilotage. Dans le cas de la 650R, même si l'on dispose d'assez de puissance pour doubler la limite légale sur l'autoroute et pour vivre des accélérations d'une intensité plus que respectable, les performances arrivent d'une manière on ne peut plus civilisée. De plus, le Twin se montre étonnamment souple et accepte volontiers d'accélérer sur les rapports supérieurs à partir des tout premiers régimes, ce qui est certes inhabituel pour une telle cylindrée. Bien qu'elle propose des performances considérablement inférieures à celles de la 650R à tous les points de vue, la 400R se tire très bien d'affaire en ne donnant jamais l'impression d'être sous motorisée et en n'exigeant aucunement des régimes très élevés pour circuler normalement. Au quotidien, on pourrait ne jamais dépasser les 6000 ou 7000 tr/min tandis que maintenir un rythme d'autoroute, même rapide, ne lui cause pas le moindre problème.

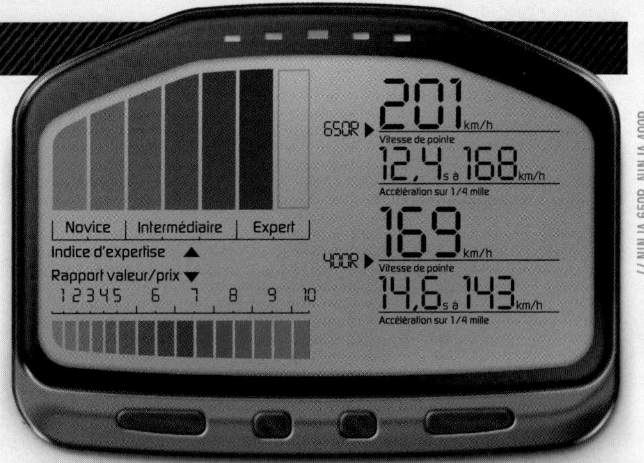

Voir légende en page 16

QUOI DE NEUF EN 2011 ?

Introduction d'une version de 400 cc

Retrait de la ER-6n

Aucune augmentation de prix et aucun changement pour la Ninja 650R

PAS MAL

Des moteurs qui impressionnent: par une étonnante souplesse et un niveau de performances relativement amusant pour la 650R et par une habileté à se montrer à la fois très accessible et parfaitement utilisable au quotidien pour la 400R

Un châssis agile, précis et stable qui se prête volontiers à tous les aspects de la conduite sportive et propose un avant-goût très représentatif du comportement des modèles plus pointus et rapides

Une facilité de prise en main exceptionnelle amenée par une selle plutôt basse, par une grande légèreté et par une position de conduite qui met même les motocyclistes craintifs ou peu expérimentés immédiatement en confiance

Une ligne soignée et une finition sans reproche

BOF

Un niveau de performances correct dans le cas de la 650R pour les motocyclistes novices ou peu gourmands, mais trop juste pour les plus exigeants

Des suspensions d'une qualité correcte et capables de soutenir un rythme assez élevé sur tracé sinueux, mais dont le travail est un peu rudimentaire

Des versions ABS qui existent, mais que Kawasaki n'offre pas au Canada, ce qui est très dommage, surtout compte tenu de la clientèle plus ou moins expérimentée visée

Un prix honnête, mais qui ne constitue pas une aubaine pour la 400R, ce qui s'explique par le fait qu'il s'agit en tous points d'une copie de la 650R

Une selle qui pourrait être un peu plus basse, surtout dans le cas de la 400R

CONCLUSION

Très peu de modèles sur le marché proposent la combinaison d'un comportement sportif authentique et d'un ensemble dont le niveau d'accessibilité est exceptionnel. En général, on a soit affaire à des montures beaucoup plus pointues ou plus imposantes, ou à de très petites cylindrées dont le faible niveau de puissance finit par être agaçant. En créant une version de 400 cc de son excellente 650R, Kawasaki offre quelque chose d'unique à deux types de motocyclistes. La plus petite permet à quiconque envisagerait une 250 de sauter une petite étape — bien que ce saut ait un prix — et de se retrouver tout de suite sur une «vraie» moto tandis que la 650 représente un véritable et très accessible préambule au pilotage d'une sportive plus pointue. Lorsqu'on parle de machines d'initiation ou de progression, il s'agit à peu près de ce qui se fait de mieux.

Ninja 650R

GÉNÉRAL

Catégorie	Routière Sportive
Prix	650R: 8699$; 400R: 7499$
Immatriculation 2011	650R: 633,55$; 400R: 377,55$
Catégorisation SAAQ 2011	«régulière»
Évolution récente	650R introduite en 2006 et revue en 2009; 400R introduite en 2011
Garantie	1 an/kilométrage illimité
Couleur(s)	650R: noir, orange 400R: vert, noir
Concurrence	650R: Hyosung GT650R, Suzuki SV650, Suzuki Gladius 400R: aucune

MOTEUR

Type	bicylindre parallèle 4-temps, DACT, 4 soupapes par cylindre, refroidissement par liquide
Alimentation	injection à 2 corps de 38 (34) mm
Rapport volumétrique	11,3:1 (11,0:1)
Cylindrée	649 (399) cc
Alésage et course	83 (68,4) mm x 60 (54,3) mm
Puissance	72 (44) ch @ 8500 (9500) tr/min
Couple	48,7 (27,3) lb-pi @ 7000 (7500) tr/min
Boîte de vitesses	6 rapports
Transmission finale	par chaîne
Révolution à 100 km/h	environ 4400 (5800) tr/min
Consommation moyenne	5,3 (4,8) l/100 km
Autonomie moyenne	292 (323) km

PARTIE CYCLE

Type de cadre	treillis tubulaire, en acier
Suspension avant	fourche conventionnelle de 41 mm non ajustable
Suspension arrière	monoamortisseur ajustable en précharge
Freinage avant	2 disques «à pétales» de 300 mm de Ø avec étriers à 2 pistons
Freinage arrière	1 disque «à pétales» de 220 mm de Ø avec étrier à 1 piston
Pneus avant/arrière	120/70 ZR17 & 160/60 ZR17
Empattement	1410 mm
Hauteur de selle	790 mm
Poids tous pleins faits	204 (203) kg
Réservoir de carburant	15,5 litres

Ninja 250R Édition Spéciale

BON ENDROIT, BON MOMENT... // Il faut revenir presque un demi-siècle en arrière pour trouver la dernière période de popularité des très petites cylindrées. Depuis, toutefois, les montures de 250 cc et moins n'ont généré qu'un enthousiasme très limité sur le marché nord-américain, pour ne pas dire qu'elles en ont presque disparu. Mais les temps changent et le contexte démographique aussi. Alors que ceux qui ont commencé à piloter sur ces petites montures quittent aujourd'hui le monde du motocyclisme, une nouvelle génération s'apprête à y entrer. Complètement renouvelée en 2008 et obtenant depuis un énorme succès, la Ninja 250R semble être au bon endroit, au bon moment. Elle n'a habituellement presque aucune concurrence sur notre marché, mais la situation change en 2011 avec l'arrivée d'une Honda CBR250R offerte exactement au même prix.

L'attrait d'une 250 sportive n'a certainement pas toujours été aussi grand qu'il ne l'est aujourd'hui. En 2007, par exemple, tout juste avant l'introduction de la génération actuelle de la Ninja 250R, il fallait débourser 6 299 $ pour faire l'acquisition de la petite Kawasaki, soit une somme considérable. Afin d'arriver à offrir le nouveau modèle pour environ 2 000 $ de moins (la Ninja 250R 2008 coûtait 4 249 $), un certain recul technologique fut effectué. Un cadre en acier remplaça, par exemple, l'ancien châssis en aluminium, et il fut décidé de conserver une alimentation par carburateur plutôt que de passer à l'injection. Même la puissance du moteur chuta de quelques chevaux. Bien que la fiche technique de la Ninja 250R semble ainsi indiquer une expérience de conduite moins intéressante que celle offerte par la génération précédente, sur la route, il n'en est rien.

À SES COMMANDES, TOUT RESSEMBLE À L'EXPÉRIENCE OFFERTE PAR UNE PLUS GROSSE CYLINDRÉE SPORTIVE.

La plus petite des Ninja affiche des proportions similaires à celles d'une sportive pure de 600 cc. Pour le néophyte, elle est néanmoins beaucoup plus accueillante et beaucoup moins intimidante. Ultra mince, dotée d'une selle inhabituellement basse pour la classe et offrant presque une légèreté de bicyclette, la Ninja 250R possède toutes les qualités pour mettre immédiatement à l'aise les débutants les plus craintifs. De plus, malgré sa nature sportive, le modèle offre un confort très convenable grâce à une bonne selle, à une position de conduite relevée et à une bonne protection au vent.

Si le niveau de performances n'est évidemment pas miraculeux, il demeure tout de même très suffisant pour suivre tout genre de circulation, ce qui inclut même un rythme rapide sur l'autoroute. Maintenir 120 km/h est notamment accompli sans problème puisqu'une bonne trentaine de kilomètres à l'heure sont alors encore en réserve, et même un peu plus avec de la patience. Bien qu'on ne puisse pas vraiment parler de souplesse mécanique, la petite Ninja produit assez de puissance à bas et moyen régimes pour ne pas forcer le pilote à étirer les rapports jusqu'à la zone rouge en conduite normale. On s'en sort même très bien en ville en passant les vitesses vers les mi-régimes. Même si le petit moteur tourne régulièrement haut et semble toujours travailler fort, ses vibrations sont très bien contrôlées et ne deviennent jamais gênantes. Kawaski a pratiquement fait une spécialité de ces petites mécaniques, et la petite Ninja le démontre bien.

L'une des caractéristiques les plus étonnantes de la petite Ninja est qu'au-delà de ses belles qualités de monture d'initiation, en matière de tenue de route, on a affaire à rien de moins qu'une véritable sportive. Le comportement routier a même de quoi impressionner puisque la petite Ninja se montre capable de supporter un rythme très élevé sur une route sinueuse. Il faut avoir piloté de «vraies» sportives pour réaliser à quel point le comportement général de la 250R est authentique. Une direction légère et précise, mais pas nerveuse, une grande sérénité en pleine courbe, une stabilité sans faute, un freinage aussi puissant que facile à doser et des suspensions capables d'encaisser une cadence agressive sont autant d'éléments faisant que tout, à ses commandes, ressemble à l'expérience offerte par une plus grosse cylindrée du même genre.

QUOI DE NEUF EN 2011 ?

Aucun changement

Aucune augmentation

PAS MAL

Un niveau d'accessibilité extraordinaire qui n'est surpassé que par celui d'une toute petite moto comme la Honda CBR125R; la Kawasaki offre en revanche deux fois plus de puissance, ce qui facilite beaucoup la conduite quotidienne

Un comportement dont l'authenticité sportive étonne franchement; la Ninja 250R propose un véritable avant-goût de la tenue de route d'une sportive plus puissante

Une très bonne valeur puisque pour le montant demandé, on obtient une vraie moto, bien fabriquée et bien finie, et non un jouet

Une ligne qui semble non seulement beaucoup plaire, mais aussi faire partie intégrante du succès du modèle

BOF

Un niveau de performances très correct et tout à fait approprié compte tenu de la mission de la moto, mais que même un débutant exploitera pleinement presque instantanément; on doit en être conscient, surtout si on n'achète pas le modèle pour s'initier au monde sportif, mais plutôt parce qu'il est seulement économique

Un problème récurant chez toutes ces très petites cylindrées qui n'arrivent souvent à distraire les acheteurs que sur une période relativement courte; la revente et le rachat d'un autre modèle arrivent donc plus vite qu'on l'anticipe parfois; cela dit, il s'agit du prix à payer pour une entrée progressive dans le monde du motocyclisme sportif ou pour un nouvel arrivant craintif, et ce prix en vaut pleinement le coup

CONCLUSION

On pourrait facilement ne voir en la sympathique petite Ninja 250R qu'une banale moto de novice, mais son importance est beaucoup plus grande, peut-être même historique. En effet, et sans oublier la contribution de la Honda CBR 125R, la petite Kawasaki a le mérite d'avoir réussi à rendre une petite cylindrée attrayante, et ce, autant par son aspect visuel et par son comportement que par son prix. Il s'agit non seulement d'une des montures les plus vendues au Canada, toutes catégories confondues, mais aussi du modèle responsable de l'intérêt renouvelé qu'ont désormais plusieurs constructeurs pour les petites cylindrées. L'arrivée d'une nouvelle Honda CBR250R cette année illustre d'ailleurs très bien ce fait. L'aspect de la Ninja 250R que nous apprécions le plus est néanmoins sa capacité à jouer presque parfaitement le rôle de porte d'entrée des tout nouveaux motocyclistes dans l'univers sportif.

Ninja 250R

Voir légende en page 16

GÉNÉRAL

Catégorie	Routière Sportive
Prix	4 999 $ (éd. spéciale : 5 199 $)
Immatriculation 2011	377,55 $
Catégorisation SAAQ 2011	« régulière »
Évolution récente	introduites en 1987, revue en 1988, en 2000 et en 2008
Garantie	1 an/kilométrage illimité
Couleur(s)	noir, bleu (éd. spéciale : blanc)
Concurrence	Honda CBR250R, Hyosung GT250R

MOTEUR

Type	bicylindre parallèle 4-temps, DACT, 4 soupapes par cylindre, refroidissement par liquide
Alimentation	2 carburateurs à corps 30 mm
Rapport volumétrique	11,6:1
Cylindrée	249 cc
Alésage et course	62,0 mm x 41,2 mm
Puissance	32 ch @ 11 000 tr/min
Couple	16 lb-pi @ 10 000 tr/min
Boîte de vitesses	6 rapports
Transmission finale	par chaîne
Révolution à 100 km/h	environ 7 400 tr/min
Consommation moyenne	4,3 l/100 km
Autonomie moyenne	418 km

PARTIE CYCLE

Type de cadre	épine dorsale, en acier
Suspension avant	fourche conventionnelle de 37 mm non ajustable
Suspension arrière	monoamortisseur ajustable en précharge
Freinage avant	1 disque « à pétales » de 290 mm de Ø avec étrier à 2 pistons
Freinage arrière	1 disque « à pétales » de 220 mm de Ø avec étrier à 2 pistons
Pneus avant/arrière	110/70-17 & 130/70-17
Empattement	1 400 mm
Hauteur de selle	775 mm
Poids tous pleins faits	170 kg
Réservoir de carburant	18 litres

MALAXEUR DE GENRES... // La Versys, dont le nom proviendrait de l'abréviation des termes Versatile et System, n'a pas vraiment d'équivalent sur le marché. Lancée en 2007, puis légèrement revue l'an dernier, elle fait partie de ces quelques motos semblant appartenir à la catégorie «réponse à une question que personne n'a posée». Cela ne veut certes pas dire que son concept est sans intérêt, bien au contraire, puisque l'idéologie du modèle se veut d'assembler les meilleurs éléments de plusieurs types de motos, ce qui semble décidément intrigant. Construite autour d'un cadre et d'un moteur dérivés de ceux qui équipent la Ninja 650R, la Versys est perchée sur des suspensions réglables de calibre sportif à long débattement. Les roues et les freins sont de toute évidence sportifs tandis que le style et la position de conduite sont semi-standard, semi-aventurière.

Il n'existe aucune moto à laquelle on peut directement comparer la Versys. La plus proche serait probablement la Tiger de Triumph, mais en selle, le résultat n'est pas tout à fait le même et la cylindrée est d'un tout autre ordre, ce qui confirme d'autant plus l'unicité de la Kawasaki. Proposant une position de conduite relevée de type aventurière, offrant une protection au vent similaire à celle d'une sportive semi-carénée, faisant appel à des suspensions à long débattement et retenant une partie cycle de nature décidément sportive, la Versys mélange vraiment les genres.

En raison de sa hauteur de selle relativement importante, elle perche son pilote assez haut au-dessus du sol, tandis que sa position de conduite est un mélange des postures dictées par une sportive pour le bas du corps et par une routière aventurière pour le haut du corps. Si, à ses commandes, la première impression ressentie en est une de confusion légère, on s'habitue en revanche assez vite et sans problème à cette façon d'être installé aux commandes d'une moto. Il est néanmoins plus difficile de s'adapter à la selle qui s'avère décente pour des sorties de courte ou moyenne durée, mais qui devient inconfortable sur long trajet. Il s'agit d'un point non seulement difficile à comprendre, mais aussi malheureux puisque l'un des buts premiers d'une moto ainsi conçue devrait être d'offrir un confort exemplaire.

LA TIGER DE TRIUMPH EST PROBABLEMENT LE MODÈLE LE PLUS PROCHE DE LA VERSYS, MAIS SA CYLINDRÉE EST D'UN AUTRE ORDRE.

Dans le même ordre d'idées, contrairement à ce que laissent présager les longs débattements des suspensions, celles-ci sont ajustées plutôt fermement, comme sur une sportive. Il s'agit d'une caractéristique qui, lorsqu'elle est combinée avec l'excellente partie cycle, permet à la Versys d'offrir une tenue de route d'un calibre étonnement élevé. L'effort requis pour la placer en angle est presque nul en raison du large guidon et la moto encaisse sans broncher un rythme soutenu sur une route sinueuse. Mais cette grande légèreté de direction est aussi à l'origine d'un genre d'instabilité qui découle des moindres mouvements du pilote. Un réglage plus souple des suspensions semblerait par ailleurs plus approprié pour la Versys puisqu'il favoriserait le confort sur mauvais revêtement sans enlever quoi que ce soit à la qualité de la tenue de route. Un tel compromis au niveau des suspensions est tout à fait réalisable puisqu'il est déjà offert par nombre de motos, bien qu'il soit vrai qu'on le retrouve généralement sur des modèles nettement plus coûteux que celui-ci.

Très similaire à l'excellent petit Twin parallèle qui anime la Ninja 650R, mais ajusté pour produire plus de couple, plus tôt dans sa plage de régimes, le moteur de la Versys est un vrai petit bijou. Sa souplesse est exemplaire compte tenu de sa cylindrée relativement faible — il accélère proprement en sixième dès 2 000 tr/min — et ses performances sont étonnamment satisfaisantes même si elles ne sont bien évidemment pas très élevées. Il vibrait un peu trop sur la version 2007-2009, mais depuis 2010, Kawasaki a ajouté des supports-moteur en caoutchouc et a modifié les repose-pieds pour justement réduire l'importance de ces vibrations.

197 km/h
Vitesse de pointe
12,5 s à 164 km/h
Accélération sur 1/4 mille
Novice | Intermédiaire | Expert
Indice d'expertise ▲
Rapport valeur/prix ▼
1 2 3 4 5 6 7 8 9 10

Voir légende en page 16

QUOI DE NEUF EN 2011 ?

Aucun changement

Aucune augmentation

PAS MAL

Une partie cycle dont la précision et la légèreté de direction permettent à la Versys d'offrir un comportement routier décidément relevé; elle aime se retrouver inclinée et ne craint pas du tout un rythme carrément sportif

Un charmant petit Twin parallèle qui semble plus souple qu'un moteur de cette cylindrée ne devrait normalement pouvoir l'être

Une position de conduite un peu particulière, mais à laquelle on s'habitue vite et qui donne un grand niveau de contrôle sur la moto

BOF

Une selle non seulement haute, mais aussi inconfortable sur long trajet en raison de sa forme peu naturelle

Des suspensions qui devraient bénéficier de leur long débattement afin d'être souples, mais qui sont plutôt ajustées de manière assez ferme; cela enlève l'avantage d'avoir de tels débattements et fait simplement de la Versys une moto haute

Une direction qui est légère au point d'être nerveuse si le pilote ne porte pas une attention particulière aux impulsions qu'il envoie dans le guidon par ses mouvements

Un concept prometteur, mais qui ne semble toujours pas arrivé à maturité

CONCLUSION

Son concept peut sembler loufoque aux motocyclistes habitués à des catégories établies, mais il reste que la Versys a le potentiel d'être carrément révolutionnaire. Grâce à sa nature accessible et à ses excellentes manières, elle pourrait facilement devenir une formidable machine à usages multiples. Mais quelques défauts l'empêchent pour le moment d'atteindre un tel niveau de polyvalence, comme des suspensions fermes qui ne se servent pas de leur long débattement, ou encore une selle peu confortable qui mine les bienfaits de la belle position de conduite. La Versys n'aurait donc pas besoin de grand-chose pour briller, mais il faudrait pour cela que Kawasaki devienne lui-même plus sûr de la nature qu'il souhaite donner à son modèle.

GÉNÉRAL

Catégorie	Routière Crossover
Prix	8 999 $
Immatriculation 2011	633,55 $
Catégorisation SAAQ 2011	« régulière »
Évolution récente	introduite en 2007, revue en 2010
Garantie	1 an/kilométrage illimité
Couleur(s)	noir, rouge
Concurrence	aucune

MOTEUR

Type	bicylindre parallèle 4-temps, DACT, 4 soupapes par cylindre, refroidissement par liquide
Alimentation	injection à 2 corps de 38 mm
Rapport volumétrique	10,6:1
Cylindrée	649 cc
Alésage et course	83 mm x 60 mm
Puissance	64 ch @ 8 000 tr/min
Couple	45 lb-pi @ 6 800 tr/min
Boîte de vitesses	6 rapports
Transmission finale	par chaîne
Révolution à 100 km/h	environ 4 500 tr/min
Consommation moyenne	4,9 l/100 km
Autonomie moyenne	387 km

PARTIE CYCLE

Type de cadre	treillis tubulaire, en acier
Suspension avant	fourche inversée de 41 mm ajustable en précharge et détente
Suspension arrière	monoamortisseur ajustable en précharge et détente
Freinage avant	2 disques « à pétales » de 300 mm de Ø avec étriers à 2 pistons
Freinage arrière	1 disque « à pétales » de 220 mm de Ø avec étrier à 1 piston
Pneus avant/arrière	120/70 ZR17 & 160/60 ZR17
Empattement	1 415 mm
Hauteur de selle	845 mm
Poids tous pleins faits	206 kg
Réservoir de carburant	19 litres

Vulcan 1700 Nomad

NOUVELLE VARIANTE 2011

APPROCHE CONSERVATRICE... // Les customs sont bel et bien en pleine évolution et il est franchement intéressant de constater comment chaque marque s'y prend pour faire progresser ses montures. Alors que chez Honda, par exemple, les très grosses cylindrées ont été abandonnées et qu'on semble avoir tout misé sur la tendance chopper, chez Kawasaki l'approche est beaucoup plus conservatrice. En fait, chaque décision de la marque d'Akashi semble suivre d'assez près le modèle d'affaire Harley-Davidson. À partir d'une nouvelle plateforme Vulcan 1700 ultra classique, une famille de modèles a été développée : d'abord une custom traditionnelle, bien sûr, la Classic, puis une version de tourisme léger, la Nomad, et enfin, une version de tourisme de luxe, la Voyager. Pour 2011, cette expansion se poursuit avec l'arrivée de la Vaquero, qui est une sorte de Street Glide japonaise.

Prévoir que certains constructeurs géreraient la période transitoire actuelle chez les customs en optant d'observer très attentivement Harley-Davidson et de suivre sa direction n'était pas difficile. Après tout, la marque de Milwaukee est à l'origine même du créneau et en établit les tendances depuis toujours. L'idée de faire confiance à ses choix n'a donc rien d'irresponsable, et c'est de toute évidence ce que Kawasaki a opté de faire en présentant cette année la nouvelle variante Vaquero, une monture à mi-chemin entre la Nomad et la Voyager. Il s'agit d'un équivalent direct de la Street Glide.

La plateforme Vulcan 1700 sur laquelle tous ces modèles sont basés fut introduite tout dernièrement. Élaborée selon une approche très classique du genre custom, elle offre tout ce à quoi l'on s'attend de ce genre de moto. Visuellement, chaque pièce est modelée dans le but de former un ensemble cohérent et élégant qui est d'ailleurs nettement réussi en termes d'image générale et d'attention aux détails. Stylistiquement, les Vulcan 1700 Classic et Nomad ne représentent aucunement une révolution, mais elles sont quand même très jolies. Quant à la nouvelle Vaquero, la conclusion n'est pas aussi évidente dans son cas en raison de certains choix esthétiques liés au carénage, mais le dernier mot reviendra aux acheteurs.

IMPOSANTES, MAIS SOLIDES ET BIEN MANIÉRÉES, ELLES SONT DÉCIDÉMENT ACCUEILLANTES.

Une fois en selle, on se retrouve dans tous les cas en terrain connu. Les dimensions sont imposantes, mais sans qu'elles soient exagérées. La leçon de l'éléphantesque Vulcan 2000 n'a donc pas été vaine. En fait, la masse considérable et les proportions généreuses sont même plutôt agréables.

Comme on s'y attend aujourd'hui sur une custom bien conçue, toute cette masse semble disparaître aussitôt que les roues sont en mouvement. Même la direction se montre légère à souhait, et ce, qu'on exécute une manœuvre dans un stationnement ou qu'on défile le long d'une route qui serpente dans la nature. Les Vulcan 1700 ne sont évidemment pas des machines de circuit, mais la solidité et la précision qui caractérisent leur comportement sont décidément invitantes. Malgré leur étonnante et fort plaisante souplesse, les suspensions demeurent tout à fait posées lorsque la route n'est plus droite. Les freins travaillent exactement comme on s'y attend sur ce genre de moto en permettant des ralentissements sûrs et faciles à maîtriser. Dommage, cependant, que le système K-TRC ABS de la Voyager ne soit pas du tout offert.

Émettant une sonorité peut-être pas exactement Harleyesque, mais non moins plaisante puisque profonde et feutrée, vrombissant juste assez pour qu'on n'oublie jamais sa présence et sa nature, le gros V-Twin qui anime les Vulcan 1700 est une pure joie à solliciter. Gorgé de couple dès le ralenti, il est amplement puissant pour propulser pilote, moto et, le cas échéant, passager et bagages avec suffisamment de force pour qu'on ne se plaigne jamais de manquer de quoi que ce soit. Une fois la vitesse de croisière sur l'autoroute atteinte, la sixième vitesse fait tomber les tours jusqu'à un régime si bas qu'on se sent tout entier traversé d'un doux mais puissant tremblement. En matière de custom poids lourd, on trouve peu de moteurs plus satisfaisants que celui-là.

Vulcan 1700 Vaquero

VULCAN 1700 VAQUERO

L'explication derrière le style assez particulier de la partie avant du carénage de la nouvelle Vaquero serait liée à l'âge mûr de la clientèle visée et à son intérêt pour les «muscle cars» de la Belle Époque, voitures que ces «entrées d'air» sont censées rappeler. Disons que le style a au moins le mérite d'être distinctif. L'attrait premier de la Vaquero ne se situe néanmoins pas à ce niveau, mais tient plutôt de son positionnement entre une custom de tourisme de luxe comme la Voyager et une monture de tourisme léger comme la Nomad. Il s'agit d'un compromis intéressant puisqu'il garde une bonne partie du confort et du côté pratique de la variante de tourisme, mais en laissant de côté une partie de l'encombrement de ce type de moto. L'équipement comprend un système audio de 40 watts à deux haut-parleurs avec commandes sur la poignée gauche, un régulateur de vitesse et une paire de valises latérales. Notons que ces dernières s'ouvrent par le côté et non par le haut comme sur la Voyager et la Nomad. Au niveau mécanique, la Vaquero est munie de la même version du gros V-Twin de 1,7 litre que ces dernières. Il s'agit donc de celle calibrée pour générer son couple maximum à des régimes plus hauts correspondant à des vitesses d'autoroute. Même si cette mécanique est essentiellement la même sur les trois variantes, elle est garantie durant 12 mois sur la Classic, durant 24 mois sur la Nomad et durant 36 mois sur la Vaquero, comme sur la Voyager.

Modèle

QUOI DE NEUF EN 2011 ?

Introduction de la nouvelle variante Vaquero

Retrait de la variante Classic LT

Silencieux redessinés et offrant une meilleure qualité sonore sur la Nomad

Révision mineure de la transmission et du système d'alimentation

Aucune augmentation

PAS MAL

Un gros V-Twin qui doit être considéré comme une réussite franche; il est extrêmement coupleux, gronde de belle façon et se montre doux quand il le faut, et présent quand il le faut

Une partie cycle très sérieusement bâtie qui est responsable d'un comportement très invitant sur la route, puisque solide, précis et léger

Des lignes classiques aussi élégantes que soignées qui ne révolutionnent pas le genre custom, mais qui le font néanmoins progresser avec classe

BOF

Une masse importante dans tous les cas, ce qui implique que les intéressés devront posséder un minimum d'expérience pour arriver à gérer les situations serrées et lentes

Des pare-brise qui remplissent très bien leur rôle en ce qui a trait à procurer une protection face aux éléments, mais qui génèrent encore et toujours une certaine turbulence au niveau du casque, à vitesse d'autoroute

Un système de freinage ABS assisté et combiné qui existe sur la Voyager, mais qui n'est malheureusement pas offert chez ces variantes

CONCLUSION

L'époque où les customs se vendaient toutes seules et où les acheteurs se bousculaient chez les concessionnaires pour les acquérir est aujourd'hui derrière nous. Ces acheteurs sont aujourd'hui plus vieux, plus exigeants et beaucoup plus connaisseurs. D'où la nécessité pour tous les constructeurs de customs d'offrir des produits plus raffinés et attrayants que jamais, une description qui définit d'ailleurs très bien ce qu'ont à offrir les Vulcan 1700 Classic, Nomad et Vaquero. En fait, leur comportement est si invitant et le rendement de leur mécanique est si raffiné que nous n'hésiterions pas à les qualifier de customs de connaisseurs.

Vulcan 1700 Classic

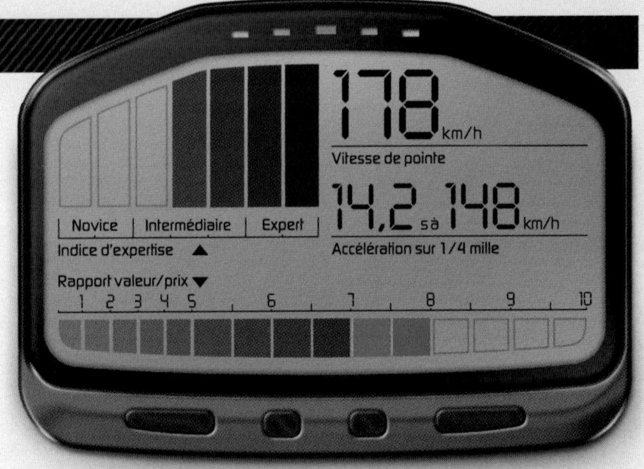

Voir légende en page 16

GÉNÉRAL

Catégorie	Custom/Tourisme léger
Prix	Vulcan 1700 Classic: 15 999 $ Vulcan 1700 Nomad: 18 699 $ Vulcan 1700 Vaquero: 19 999 $
Immatriculation 2011	633,55 $
Catégorisation SAAQ 2011	« régulière »
Évolution récente	Vulcan 1500 introduite en 1996, 1600 en 2003, 1700 Classic et Nomad en 2009, Vaquero en 2011
Garantie	C: 1 an; N: 2 ans; V: 3 ans/kilom. illimité
Couleur(s)	Classic: noir; Nomad: noir et gris, bleu et gris; Vaquero: rouge, noir
Concurrence	Classic: H-D Fat Boy, Victory Kingpin, Yamaha Road Star; Nomad : H-D Road King, Victory Cross Roads, Yamaha Road Star Silverado; Vaquero: H-D Street Glide, Victory Cross Country

MOTEUR

Type	bicylindre 4-temps en V à 52 degrés, SACT, 4 soupapes par cylindre, refroidissement par liquide
Alimentation	injection à 2 corps de 42 mm
Rapport volumétrique	9:5
Cylindrée	1 699,6 cc
Alésage et course	102 mm x 104 mm
Puissance	79 ch @ 4 500 tr/min (Classic) 82 ch @ 5 000 tr/min (Nomad, Vaquero)
Couple	108,4 lb-pi @ 2 250 tr/min (Classic) 107,7 lb-pi @ 2 750 tr/min (Nom., Vaqu.)
Boîte de vitesses	6 rapports
Transmission finale	par courroie
Révolution à 100 km/h	environ 2 200 tr/min
Consommation moyenne	6,6 l/100 km
Autonomie moyenne	303 km

PARTIE CYCLE

Type de cadre	double berceau, en acier
Suspension avant	fourche conventionnelle de 43 mm (Vaquero: 45 mm) non ajustable
Suspension arrière	2 amortisseurs ajustables en précharge et détente
Freinage avant	2 disques de 300 mm de Ø avec étriers à 4 pistons
Freinage arrière	1 disque de 300 mm de Ø avec étrier à 2 pistons
Pneus avant/arrière	130/90 B16 & 170/70 B16
Empattement	1 665 mm
Hauteur de selle	C: 720 mm; N: 750 mm; V: 730 mm
Poids tous pleins faits	C: 345 kg, Nomad: 373 kg; V: 379 kg
Réservoir de carburant	20 litres

Vulcan 900 Custom Édition Spéciale

GRAND FORMAT... // Les Vulcan 900 sont, d'une certaine manière, les grands formats des « petites » customs, puisque au lieu des 750 ou 800 cc que propose habituellement cette classe, les Kawasaki en offrent 900. En fait, seule la V-Star 950 de Yamaha fait mieux à ce sujet. Si l'un des aspects les plus intéressants de ces modèles se résume au fait que cet avantage de cylindrée est accompli sans trop augmenter la facture, l'autre a trait à la ligne, qui est tout ce qu'il y a de classique dans le cas de la... Classic, et franchement jolie dans le cas de la Custom. Pour 2011, une édition spéciale de cette dernière affiche d'ailleurs un traitement noir fort réussi inspiré des modèles Dark Custom de Harley-Davidson, tandis que la Classic, elle aussi une édition spéciale, prend un virage rétro en combinant des finis noirs mat et lustré, des pièces chromées et des pneus à flancs blancs.

Les customs proposant ce type de cylindrée attirent un très grand nombre d'acheteurs en raison de leur facture nettement plus accessible que celle des modèles poids lourds. Les mesures utilisées pour arriver à de tels prix amènent néanmoins, généralement, certains aspects indésirables, comme des mécaniques aux performances restreintes, une qualité de finition au mieux décente et une limite au niveau de la qualité des composantes utilisées. Mais comme la facture restait raisonnable, personne ne se plaignait trop de quoi que ce soit. En lançant la Vulcan 900 Classic en 2006, Kawasaki a changé les règles du jeu en éliminant presque tous les désavantages jusque-là inhérents à cette classe. Soudainement, pour un déboursé similaire à celui pour les autres modèles, on obtenait plus de cubage, une finition plus soignée, des composantes plus désirables et, finalement, une meilleure moto.

Parce que la Vulcan 900 possède une mécanique plus grosse que celle de modèles rivaux de 750 ou 800 cc, on pense parfois que ses performances sont largement supérieures. Cela ne reflète pas nécessairement la réalité, les accélérations du V-Twin de 903 cc ne pouvant pas vraiment être qualifiées d'excitantes. Elles s'avèrent toutefois satisfaisantes et décidément plus intéressantes que celles des cylindrées plus faibles. Cette différence de performance peut ne pas paraître très importante, mais dans cette classe où l'agrément de conduite est toujours restreint par la cylindrée, le cubage supérieur des Vulcan 900 est l'un de leurs plus grands atouts. Le niveau de performances n'est pas équivalant à celui d'une 1100 comme la V-Star de Yamaha, mais il permet aux Vulcan 900 de se montrer plus puissantes à tous les régimes, à toutes les vitesses et dans toutes les situations que les plus petits modèles. Ainsi, les accélérations sont plus plaisantes, les dépassements plus francs et le maintien d'une vitesse de croisière raisonnable sur l'autoroute plus aisé.

La transmission n'attire aucune critique, pas plus que l'injection ou l'entraînement final par courroie, d'ailleurs. En fait, mécaniquement, tout semble léger et précis, du relâchement de l'embrayage jusqu'au changement des vitesses en passant par le travail des freins qui se montrent toujours à la hauteur de la situation.

GRÂCE À UNE RÉPARTITION JUDICIEUSE DE LA MASSE, ELLES FONT PREUVE D'UNE GRANDE FACILITÉ DE PRISE EN MAIN.

Les proportions de ces Vulcan sont plus généreuses que celles des plus petites cylindrées de la catégorie et se rapprochent de celles d'une machine plus grosse comme l'ancienne Vulcan 1500 Classic ou la Harley-Davidson Fat Boy. Grâce à une répartition judicieuse de la masse, elles démontrent une bonne facilité de prise en main, ce qui les rend parfaitement envisageables par une clientèle novice. Malgré leur poids considérable, elles s'allègent dès qu'elles sont en mouvement, se montrent agréablement légères en amorce de virage, et plutôt solides lorsqu'elles s'inclinent. Le pilote bénéficie d'une position de conduite dégagée et équilibrée, mais la selle ne reste confortable que sur des distances moyennes. La suspension arrière peut se montrer sèche à l'occasion si l'état de la route se dégrade, une caractéristique qui n'est d'ailleurs pas rare chez les customs. Enfin, la version LT est plus pratique, mais son pare-brise crée de la turbulence.

QUOI DE NEUF EN 2011 ?

Aucun changement

Classic SE et Custom coûtent 100$ de plus qu'en 2010

PAS MAL

Une mécanique douce et relativement puissante qui travaille bien à tous les niveaux du pilotage grâce à l'avantage de cylindrée qu'elle offre par rapport à la moyenne de la classe; seule la V-Star 950 fait aussi bien à ce chapitre

Un châssis sain et une facilité de prise en main étonnante pour une moto d'un poids et d'un gabarit tout de même imposants

Une très bonne valeur résultant de l'une des plus grosses cylindrées de la classe, mais aussi d'un niveau de finition élevé, de l'attention accordée aux détails, de l'injection, de l'entraînement par courroie, etc.

BOF

Une selle acceptable sur de courtes ou moyennes distances, mais dont le confort est limité sur de longs trajets

Une suspension arrière occasionnellement sèche lorsque la qualité du revêtement se dégrade

Un pare-brise qui génère d'agaçantes turbulences au niveau du casque, à des vitesses d'autoroute, sur la version LT, comme c'est d'ailleurs le cas pour la majorité des customs ainsi équipées, malheureusement

CONCLUSION

Il n'est pas difficile de comprendre pourquoi les « petites » Vulcan représentent un choix très tentant pour quiconque s'intéresse à une custom abordable et pas trop lourde. Pour des sommes très similaires aux factures des modèles de plus faible cylindrée, elles offrent plus en matière de mécanique et, donc, d'agrément de conduite. Et elles n'y arrivent pas en coupant ailleurs, puisque toutes les caractéristiques prisées chez ces motos, comme l'injection, l'entraînement par courroie ou le freinage arrière par disque, font partie de l'équipement de base. Après avoir regardé ce que Harley faisait — tout le monde le fait —, Kawasaki a même effectué un travail considérable au niveau de la finition. En fait, la réalité c'est qu'il faut travailler fort pour trouver quelque chose de sérieux à leur reprocher.

Vulcan 900 Classic Édition Spéciale

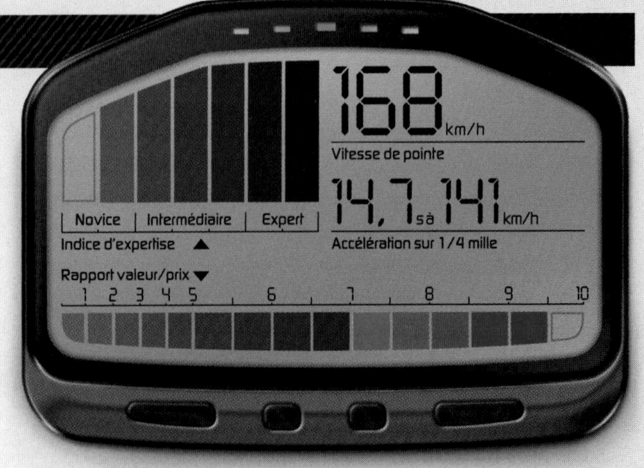

Voir légende en page 16

GÉNÉRAL

Catégorie	Custom / Tourisme léger
Prix	Classic SE : 9 699 $; Classic LT : 11 399 $ Custom : 9 999 $; Custom SE : 10 299 $
Immatriculation 2011	633,55 $
Catégorisation SAAQ 2011	« régulière »
Évolution récente	Classic introduite en 2006, Custom introduuite en 2007
Garantie	1 an (LT : 2 ans)/km illimité
Couleur(s)	Classic SE : noir; Classic LT : bleu, noir Custom : rouge; Custom SE : noir
Concurrence	Harley-Davidson Sportster 883, Honda Shadow 750, Suzuki Boulevard C50, Yamaha V-Star 950

MOTEUR

Type	bicylindre 4-temps en V à 55 degrés, SACT, 4 soupapes par cylindre, refroidissement par liquide
Alimentation	injection à 2 corps de 34 mm
Rapport volumétrique	9,5:1
Cylindrée	903 cc
Alésage et course	88 mm x 74,2 mm
Puissance	54 ch @ 6 000 tr/min
Couple	60,6 lb-pi @ 3 500 tr/min
Boîte de vitesses	5 rapports
Transmission finale	par courroie
Révolution à 100 km/h	n/d
Consommation moyenne	5,8 l/100 km
Autonomie moyenne	344 km

PARTIE CYCLE

Type de cadre	double berceau, en acier
Suspension avant	fourche conventionnelle de 41 mm non ajustable
Suspension arrière	monoamortisseur ajustable en précharge
Freinage avant	1 disque de 300 mm de Ø avec étrier à 2 pistons
Freinage arrière	1 disque de 270 mm de Ø avec étrier à 2 pistons
Pneus avant/arrière	130/90-16 (Custom : 80/90-21) & 180/70-15
Empattement	1 645 mm
Hauteur de selle	685 mm (Custom : 685 mm)
Poids tous pleins faits	Classic : 281 kg; Custom LT : 298 kg; Custom : 277 kg
Réservoir de carburant	20 litres

990 SMR

NOUVELLE VARIANTE 2011

DE TRÈS PARTICULIÈRES NICHES... // Rares sont les motocyclistes qui ne se questionnent pas sur la nature exacte de la 990 Supermoto T lorsqu'ils la contemplent pour la première fois. Mais qu'est-ce au juste? Le nom semble indiquer un certain lien avec la classe supermoto, mais le style dit autre chose, alors que les composantes clairement sportives pointent elles aussi dans une direction différente. Ajoutez à ce mélange un T pour Tourisme, une paire des sacoches latérales et des suspensions à long débattement, et la confusion devient encore plus profonde. Il s'agit d'un modèle lancé en 2009, mais qui est arrivé sur notre marché l'an dernier. Quant à la version R, dont la construction est très proche de celle de la T, il s'agit d'une authentique grosse supermoto qui fait face à l'Aprilia Dorsoduro 1200 et à la Ducati Hypermotard 1100EVO. Elle n'est pas évaluée.

La majorité des constructeurs préfèrent s'en tenir aux catégories qu'ils connaissent et dans lesquelles ils obtiennent un certain succès. On parle des classes établies que sont les customs, les sportives, les sport-tourisme, etc.

Le cas de KTM est différent puisque la marque autrichienne est très jeune, pour ne pas dire naissante, en ce qui concerne le marché de la moto de route. Or, avec ce jeune âge vient une difficulté tout à fait normale de la part du public à identifier ce qu'est une KTM de route. Vient aussi une difficulté de la part du manufacturier à définir la nature de ses machines routières.

On sait ce qu'est une Ducati ou une Harley-Davidson, mais qu'est une KTM routière? La réponse n'est pas encore claire, mais plusieurs modèles semblent indiquer une volonté de la part du constructeur de se faire connaître comme un producteur de montures à la fois amusantes et extrêmes. L'arrivée relativement récente de KTM sur la route permet par ailleurs au manufacturier d'expérimenter sans risquer sa réputation, puisqu'on ne s'attend à rien de précis de ses produits. Pour cette raison, KTM peut se permettre de prendre le risque que représente une monture aussi différente que la 990 SMT que nous avons brièvement évaluée. En fait, jusqu'à un certain point, si KTM entend établir une image de marque extrême et joueuse, l'on pourrait croire qu'il se doit de produire des modèles aussi surprenants et inhabituels que la 990 SMT. Si une chose devient très claire dès les premiers instants passés aux commandes du modèle, c'est qu'il est décidément surprenant et inhabituel.

LA SMT CHANGE DE L'UNE À L'AUTRE DE SES PERSONNALITÉS D'UNE MANIÈRE TRÈS NATURELLE.

La 990 SMT est un véritable cocktail de genres. Sa position rappelle un peu celle d'une Adventure, mais avec une saveur standard, voire sportive. La haute selle et les suspensions à grand débattement disent routière aventurière ou supermoto. Et au milieu du tout, un V-Twin LC8 en très bonne santé. Le résultat fait penser à une expérience qui, par accident, mène à une découverte inattendue.

Perché sur l'étrange création, guidon large en main, on se sent envahi d'une envie de tout faire. De partir pour une courte balade, d'attaquer sans pitié une route en lacet, de peut-être faire un tour en piste, d'avaler du sérieux kilométrage, d'enfiler les rapports avec la roue avant pointant les cieux... La 990 SMT n'est pas qu'un mélange de genres de motos, elle est plusieurs genres de motos. Elle est assez confortable et pratique pour faire tout ce qu'une standard peut accomplir. Elle est assez mince, agile et précise pour chauffer les fesses d'une sportive. Elle est assez coupleuse et puissante pour non seulement distraire le pilote expérimenté, mais aussi pour le divertir avec autant de folies qu'il le désirera.

La plus grande qualité du modèle et le plus bel accomplissement de KTM ne sont toutefois pas d'offrir une telle largeur d'utilisation. Le véritable exploit dans ce cas est d'être arrivé à proposer un tel amalgame de catégories de motos dans un ensemble qui ne semble d'aucune façon dérangé par cette étrange et hautement inhabituelle mission. Au contraire, la 990 SMT passe de l'une à l'autre de ses personnalités multiples d'une manière on ne peu plus naturelle.

QUOI DE NEUF EN 2011 ?

Version R de type Supermoto

990 Supermoto T coûte 300$ de plus qu'en 2010

PAS MAL

Un mélange de genres de conduite déroutant, mais aussi très amusant pour la T évaluée; on arrive difficilement à conclure qu'il s'agit d'une catégorie précise, mais le plaisir de pilotage est tel qu'on s'en fiche

Un moteur qui incite au vice, et ce, non seulement en raison de son caractère très fort et de ses vives montées en régimes, mais aussi à cause de son couple instantané qui soulève l'avant sans cesse

Un niveau de confort tout de même élevé pour la T évaluée grâce à une excellente position, à une bonne protection au vent, à des suspensions plutôt souples et à une selle très correcte

BOF

Une hauteur de selle assez importante pour mettre mal à l'aise les pilotes courts

Un comportement qui peut prendre par surprise, particulièrement en ce qui concerne la facilité avec laquelle l'avant se soulève à l'accélération

Une appellation Supermoto qui pourrait porter à confusion dans le cas de la T évaluée, puisqu'il s'agit d'une routière avant tout et non pas d'une moto qui a un quelconque lien avec la discipline que sont les épreuves de supermoto

Une ligne qui ne fait décidément pas l'unanimité dans le cas de la T, surtout avec les petites valises latérales en place

CONCLUSION

La meilleure manière de décrire très honnêtement la 990 Supermoto T après la courte évaluation que nous avons pu en faire serait de conclure qu'il s'agit d'une machine hautement désirable et gratifiante à piloter, mais dont il est difficile de préciser la vocation exacte tellement elle possède de personnalités diverses. Faire plus de kilomètres à ses commandes nous permettrait certainement de préciser cette nature, mais nous demeurons avec une impression positive de cette très particulière moto. Elle restera probablement toujours un peu étrange à piloter et nous croyons que l'appellation Supermoto ne devrait pas lui être associée, puisqu'elle ne la décrit pas correctement, contrairement à la version R non évaluée. Le plaisir de pilotage qu'elle procure dans une grande variété de circonstances demeure, pour le moment, ce que nous en retenons.

990 SMT

227 km/h
Vitesse de pointe
Novice | Intermédiaire | Expert
Indice d'expertise
11,7 s à 189 km/h
Accélération sur 1/4 mille
Rapport valeur/prix
1 2 3 4 5 6 7 8 9 10

Voir légende en page 16

GÉNÉRAL

Catégorie	Routière Crossover/Supermoto
Prix	T: 15598$; R: 15398$
Immatriculation 2011	633,55$
Catégorisation SAAQ 2011	« régulière »
Évolution récente	introduite en 2009
Garantie	2 ans/40 000 km
Couleur(s)	blanc
Concurrence	T: Ducati Multistrada 1200, Triumph Tiger 1050 R: Aprilia Dorsoduro 1200, Ducati Hypermotard 1100EVO

MOTEUR

Type	bicylindre 4-temps en V à 75 degrés, DACT, 4 soupapes par cylindre, refroidissement par liquide
Alimentation	injection à 2 corps de 48 mm
Rapport volumétrique	11,5:1
Cylindrée	999 cc
Alésage et course	101 mm x 62,4 mm
Puissance	115,6 ch @ 9000 tr/min
Couple	71,5 lb-pi @ 7000 tr/min
Boîte de vitesses	6 rapports
Transmission finale	par chaîne
Révolution à 100 km/h	environ 3900 tr/min (T)
Consommation moyenne	6,4 l/100 km (T)
Autonomie moyenne	297 km (T)

PARTIE CYCLE

Type de cadre	treillis, en acier
Suspension avant	fourche inversée de 48 mm ajustable en compression et détente
Suspension arrière	monoamortisseur ajustable en précharge, compression et détente
Freinage avant	2 disques de 305 mm de Ø avec étriers radiaux à 4 pistons
Freinage arrière	1 disque de 240 mm de Ø avec étrier à 2 pistons
Pneus avant/arrière	120/70 ZR17 & 180/55 ZR17
Empattement	1 505 mm (R: 1 510 mm)
Hauteur de selle	855 mm (R: 875 mm)
Poids à vide	196 kg (R: 189 kg)
Réservoir de carburant	19 litres (R: 15 litres)

990 Adventure Dakar 30e Édition

NOUVELLE VARIANTE 2011

LÉGITIME AVENTURIÈRE... // Les routières aventurières vendent l'aventure à son sens le plus pur. Elles vendent l'idée de la liberté la plus totale à moto, une liberté qui ne se limite pas aux routes pavées, mais qui s'étend plutôt jusqu'au bout de la nature. C'est du moins la théorie, puisque dans la pratique, rares sont les modèles de ce type dont les capacités hors-route sont légitimes. Grâce à l'expertise de son constructeur dans le domaine de la poussière et de la boue, l'Adventure est probablement le modèle dont le potentiel est le plus élevé du marché dans un environnement non asphalté. La nouvelle version Dakar se veut un mélange des versions de base, de laquelle elle reprend toute la partie cycle, et de la version R de laquelle elle récupère le V-Twin plus puissant.

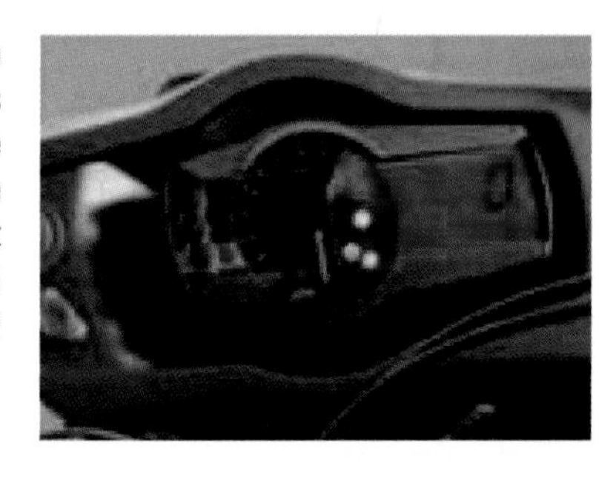

La riche histoire hors-route qui fait la réputation de la marque autrichienne ne tarde décidément pas à faire surface lorsqu'on s'installe aux commandes de la 990 Adventure. Avec son guidon large et plat et sa selle longue et étroite dont la hauteur fait pointer des pieds la plupart des pilotes à l'arrêt, la 990 propose une posture assise et avancée rappelant clairement celle d'une moto de sentier. Par rapport à la BMW R1200GS à laquelle l'autrichienne est souvent comparée, la saveur hors-route de cette position est aussi marquée et évidente que l'est le penchant routier qu'offre la position de l'allemande. Loin d'être un handicap, la position de conduite de l'Adventure est, au contraire, dégagée et laisse au pilote une impression de contrôle très marquée, surtout hors-route.

Les capacités tout terrain de la 990 ne sont évidemment pas illimitées, fort gabarit oblige, mais elles restent impressionnantes pour une machine de telles dimensions. Sur une route non pavée, peu importe qu'elle soit recouverte de gravier ou de terre, l'Adventure maintient facilement des vitesses élevées et passe sa puissance au sol de manière relativement progressive et accessible.

LES CAPACITÉS TOUT TERRAIN DE L'ADVENTURE NE SONT PAS ILLIMITÉES, MAIS ELLES RESTENT IMPRESSIONNANTES.

Pousser l'exploration jusqu'à s'engager carrément en sentier sur des revêtements plus glissants révèle néanmoins que tout l'héritage de KTM ne suffit pas à transformer une haute routière de 200 kilos en agile machine de sous-bois. Cela dit, bien qu'elle semble devenir plus haute et plus lourde au fur et à mesure que les conditions deviennent plus serrées, la 990 possède quand même d'excellentes qualités de passe-partout, du moins tant qu'on a assez d'expérience pour en profiter et surtout si on installe les pneus appropriés pour ce type d'utilisation. Notons que la version Dakar n'est pas équipée des suspensions à grand débattement qui donnaient à la R des possibilités encore plus sérieuses en pilotage hors-route.

Les talents de l'Adventure dépassent l'environnement de la poussière et se retrouvent aussi sur la route où elle affiche même quelques étonnantes qualités. La 990 est en effet capable d'enfiler une succession de virages avec un aplomb surprenant. Haute sur pattes, dotée de suspensions souples et chaussée de pneus double-usage à gomme tendre, elle se dandine un peu lorsqu'on attaque, mais pas au point de réduire le rythme, ou même le plaisir. Malgré son guidon plat et large qui allège la direction, il faut pousser énergiquement sur celui-ci pour incliner l'Adventure en amorce de virage ou pour passer d'un angle à l'autre, un phénomène attribuable à la longueur de l'arc que la hauteur de la moto la force à décrire.

Le V-Twin d'un litre de l'Adventure recevait une dose appréciable de vitamines en 2009 alors que sa puissance grimpait de 7 chevaux sur la version de base et de 17 sur la R. Notons que la version Dakar présentée cette année est animée par le moteur de 115 chevaux de la R.

Il s'agit d'une des mécaniques les plus particulières de l'univers de la moto, d'un moteur qui semble demander au pilote qu'il le fasse souffrir sur la route et qui remercie celui-ci par un plaisir de pilotage qu'on ne soupçonnerait jamais avec une moto de cette catégorie.

QUOI DE NEUF EN 2011 ?

Version Dakar 30e Édition

990 Adventure coûte 100$ de plus qu'en 2010

PAS MAL

Un V-Twin aussi caractériel que vif et puissant, qui monte très rapidement en régime et qui rugit d'une manière très particulière et tout aussi plaisante

Des suspensions souples à long débattement qui gomment les pires défauts de la route et se débrouillent très bien sur les chemins non pavés où l'Adventure roule comme s'il s'agissait d'asphalte

Un comportement routier étonnamment solide et précis qui permet un amusement réel en pilotage sportif

BOF

Une selle qui, bien que nettement améliorée par rapport à celle du modèle d'origine, n'est pas encore un standard en matière de confort

Une hauteur de selle considérable qui fait pointer des pieds la plupart des pilotes et qui gêne ceux qui sont courts sur pattes

Une allure torturée aux lignes angulaires qui dégage une certaine authenticité puisqu'elle est tirée de la silhouette des machines de rallye du constructeur, mais qui n'a jamais vraiment fait l'unanimité

CONCLUSION

Un peu comme l'appellation Supermoto qui commence à se retrouver sur des montures n'ayant rien à voir avec ce qu'est une machine de ce type, l'appellation «aventure» a, elle aussi, été utilisée à tort et à travers ces dernières années. Une utilisation d'ailleurs carrément trompeuse dans bien des cas, surtout si la définition qu'on a du terme «aventure» inclut des paysages désertiques, des pays en voie de développement et des coins tellement reculés qu'on n'en connaissait pas l'existence. Ce genre de capacités, très peu de motos sur le marché les possèdent vraiment. La 990 Adventure de KTM est l'une d'elles.

990 Adventure

209 km/h
Vitesse de pointe

11,7 s à 182 km/h
Accélération sur 1/4 mille

Novice | Intermédiaire | Expert
Indice d'expertise

Rapport valeur/prix
1 2 3 4 5 6 7 8 9 10

Voir légende en page 16

GÉNÉRAL

Catégorie	Routière Aventurière
Prix	16798$ (Dakar: 17698$)
Immatriculation 2011	633,55$
Catégorisation SAAQ 2011	«régulière»
Évolution récente	introduite en 2003
Garantie	2 ans/40000 km
Couleur(s)	blanc (Dakar: Bleu)
Concurrence	BMW R1200GS et R1200GS Adventure Yamaha Super Ténéré

MOTEUR

Type	bicylindre 4-temps en V à 75 degrés, DACT, 4 soupapes par cylindre, refroidissement par liquide
Alimentation	injection à 2 corps de 48 mm
Rapport volumétrique	11,5:1
Cylindrée	999 cc
Alésage et course	101 mm x 62,4 mm
Puissance	Adventure :104,6 ch @ 8250 tr/min Dakar : 114,9 ch @ 8750 tr/min
Couple	73,7 lb-pi @ 6750 tr/min
Boîte de vitesses	6 rapports
Transmission finale	par chaîne
Révolution à 100 km/h	environ 3900 tr/min
Consommation moyenne	6,2 l/100 km
Autonomie moyenne	314 km

PARTIE CYCLE

Type de cadre	treillis, en acier
Suspension avant	fourche inversée de 48 mm ajustable en précharge, compression et détente
Suspension arrière	monoamortisseur ajustable en précharge, compression et détente
Freinage avant	2 disques de 300 mm de Ø avec étriers à 2 pistons et système ABS
Freinage arrière	1 disque de 240 mm de Ø avec étrier à 2 pistons et système ABS
Pneus avant/arrière	90/90-21 & 150/70 R18
Empattement	1570 mm
Hauteur de selle	860 mm
Poids à vide	209 kg
Réservoir de carburant	19,5 litres

FORCE DE LA NATURE... // Le dévoilement de la Hayabusa originale en 1999 fut une surprise de taille tant pour le public motocycliste que pour le reste de l'industrie. Le choc ne vint pas de l'aspect technique du modèle qui devait lui permettre de rivaliser avec le niveau de performances établi par Kawasaki et sa grosse ZX-12R, mais plutôt de sa ligne. Dessiné avec des buts aérodynamiques très précis, le carénage de la GSX1300R affichait un genre de formes organiques qu'on n'avait jamais vu sur une moto. Suzuki gagna éventuellement son pari stylistique, puisque la silhouette très particulière du modèle est aujourd'hui largement responsable du mythe qui l'entoure. La révision de 2008 conserva d'ailleurs de manière très évidente l'esprit de la forme originale de ce modèle qui incarne l'équivalent à deux roues d'une supervoiture.

Chez les motos, le créneau sportif est impitoyable et exige des évolutions profondes et fréquentes pour garder l'intérêt des acheteurs. La GSX1300R Hayabusa fait partie des très rares modèles qui arrivent à ne pas se soumettre à cette règle. Elle fait partie d'une race de montures très exclusive et n'a de réelle rivale qu'un seul modèle, la Kawasaki Ninja ZX-14.

Bien que le type de performances qu'offre la Suzuki puisse être plus ou moins retrouvé sur une poignée de sportives d'un litre ultralégères, un facteur majeur distingue ces dernières de la grosse Suzuki puisqu'aucune ne possède la capacité de générer des vitesses aussi élevées d'une manière aussi naturelle. La « Busa » transforme littéralement l'acte de les atteindre en un jeu d'enfant. Bien installé derrière un pare-brise et un carénage qui semblent avoir été dessinés pour briser le mur du son, le pilote n'a qu'à enrouler l'accélérateur pour transformer sa vision périphérique en une image floue et confuse. Quelques maigres secondes suffisent pour tout faire disparaître sauf un point au loin. En pleine accélération, la vitesse augmente à un rythme tellement effarant qu'on peine à s'y habituer et qu'on finit par éprouver une certaine difficulté à évaluer précisément les distances. Le phénomène est normal pour qui ne se retrouve pas couramment dans ce genre de situation et peut être considérablement réduit avec une période d'acclimatation. Le lancement de la version courante de la Hayabusa nous avait d'ailleurs permis de commencer à nous habituer à l'étrange effet de telles vitesses, puisque le test s'était déroulé sur un circuit permettant d'atteindre les 300 km/h trois fois par tour... La stabilité de la Hayabusa dans ce genre de circonstances est absolument imperturbable, ce qui rend l'exercice étonnamment accessible. De retour sur la route, la longue et grosse Suzuki demande évidemment une grande retenue. Incroyablement posée et presque paisible à deux fois la vitesse légale, elle exige en effet de son propriétaire qu'il fasse preuve de jugement lorsque l'envie lui prend de vérifier les capacités de son engin. Par chance, comme c'est d'ailleurs le cas pour le type de voitures qui ont également un potentiel de vitesse frôlant ou dépassant les 300 km/h, la clientèle qu'attire habituellement la Hayabusa est plus intéressée par les capacités du modèle que par l'idée de les expérimenter.

AU-DELÀ DE SES FANTASTIQUES PERFORMANCES, LA HAYABUSA EST UNE ROUTIÈRE ÉTONNANTE.

Au-delà des fantastiques performances qui font sa réputation, la GSX1300R se veut une routière fiable, étonnamment bien maniérée et dont le niveau de confort n'est peut-être pas exceptionnel, mais reste quand même tout à fait raisonnable. Des poignées un peu plus hautes suffiraient même à en faire une surprenante routière. La tenue de route s'avère très respectable, puisqu'il s'agit d'une sportive en bonne et due forme dont les seuls réels handicaps en pilotage sur piste sont une masse et des dimensions clairement supérieures à la norme chez les machines construites pour tourner autour d'un circuit. Sur la route, la Hayabusa compense son recul en matière de finesse sportive par une stabilité exemplaire et un comportement considérablement moins nerveux que celui des sportives plus pointues. Elle est rapide, mais elle n'a pas tendance à surprendre son pilote, un fait surtout dû à ses proportions.

QUOI DE NEUF EN 2011 ?

Aucun changement

Aucune augmentation

PAS MAL

Des performances absolument ahurissantes, mais aussi étonnamment accessibles; si elle est capable de vitesses et d'accélérations démentes, la Hayabusa reste aussi une moto relativement calme et posée lorsqu'elle livre son plein potentiel

Un châssis long et un poids plutôt élevé qui garantissent une stabilité exceptionnelle malgré le niveau faramineux de performances; la Busa se montre aussi étonnamment agile en utilisation routière

Une ligne qui semble être une exagération de l'originale et qui colle très bien à la nature du modèle; n'importe quoi d'autre aurait été une erreur de la part de Suzuki

BOF

Une deuxième génération qui s'est amenée avec des améliorations techniques plutôt limitées; on a affaire à la même moto que Suzuki a introduite en 1999, mais à laquelle ont été greffées diverses technologies développées sur les GSX-R

Un 4-cylindres qui vibre moins que par le passé, mais qui n'est pas aussi doux et qu'on ne sent pas aussi sophistiqué que celui de la ZX-14, sa seule vraie rivale

Un niveau de performances tellement élevé qu'il devient non seulement difficile, mais carrément impossible d'en profiter au jour le jour à moins d'habiter dans le désert

Une absence de tout changement graphique en 2011

CONCLUSION

En raison de leurs performances extraordinaires, les motos comme la Hayabusa ont commencé à attirer une mauvaise presse il y a quelques années. Une poignée de politiciens européens s'étaient apparemment convaincus qu'une machine aussi puissante ne pouvait être que l'œuvre du démon. La menace qu'ils représentaient fut prise très au sérieux par Suzuki qui en limita la vitesse et qui ne fit plus d'efforts pour la développer davantage. Contrairement à la croyance populaire, les acheteurs de Hayabusa sont bien plus souvent dans la trentaine et la quarantaine que dans la vingtaine. Ils ne font pas l'acquisition du modèle avec l'intention de tripler la limite légale sur l'autoroute, mais plutôt afin de laisser savoir à toutes les têtes se tournant sur leur passage que s'ils le voulaient, ils le pourraient. La ligne très distinctive du modèle est instrumentale à ce sujet puisqu'on sait exactement à quelle moto on a affaire dès l'instant où on l'aperçoit. La Hayabusa représente l'équivalent dans l'univers du motocyclisme de ce que sont les supervoitures comme les Ferrari, Lamborghini et compagnie dans le monde de l'automobile.

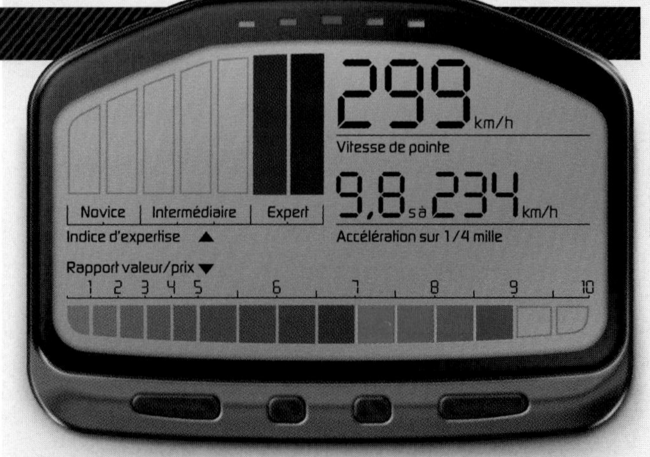

Voir légende en page 16

GÉNÉRAL

Catégorie	Sportive
Prix	16 299 $
Immatriculation 2011	1 425,55 $
Catégorisation SAAQ 2011	« à risque »
Évolution récente	introduite en 1999, revue en 2008
Garantie	1 an/kilométrage illimité
Couleur(s)	noir, bleu
Concurrence	BMW K1300S, Honda VFR1200F, Kawasaki Ninja ZX-14

MOTEUR

Type	4-cylindres en ligne 4-temps, DACT, 4 soupapes par cylindre, refroidissement par liquide
Alimentation	injection à 4 corps de 44 mm
Rapport volumétrique	12,5:1
Cylindrée	1 340 cc
Alésage et course	81 mm x 65 mm
Puissance	194 ch @ 9 700 tr/min
Couple	114 lb-pi @ 7 100 tr/min
Boîte de vitesses	6 rapports
Transmission finale	par chaîne
Révolution à 100 km/h	environ 3 400 tr/min
Consommation moyenne	7,3 l/100 km
Autonomie moyenne	287 km

PARTIE CYCLE

Type de cadre	périmétrique, en aluminium
Suspension avant	fourche inversée de 43 mm ajustable en précharge, compression et détente
Suspension arrière	monoamortisseur ajustable en précharge, compression et détente
Freinage avant	2 disques de 310 mm de Ø avec étriers radiaux à 4 pistons
Freinage arrière	1 disque de 260 mm de Ø avec étrier à 1 piston
Pneus avant/arrière	120/70 ZR17 & 190/50 ZR17
Empattement	1 480 mm
Hauteur de selle	805 mm
Poids tous pleins faits	260 kg
Réservoir de carburant	21 litres

LE SUMMUM DE L'AVANT-TC... // Avec le passage des années, tous les modèles du calibre de la GSX-R1000 n'ont fait que s'alléger et devenir de plus en plus puissants. Cette course effrénée à la performance représente un défi extrêmement complexe pour les quelques manufacturiers qui y participent. Afin de générer encore plus de chevaux, mais aussi de les contrôler, la génération actuelle de la GSX-R1000, qui fut lancée en 2009, affiche des changements tellement profonds qu'ils ont transformé la nature à laquelle le modèle nous a habitués depuis son introduction au début du siècle. Elle représente, d'une certaine façon, le summum de ce qu'on peut espérer de ces motos lorsqu'elles ne sont pas munies d'un système de contrôle de traction. Si le modèle 2011 est en tous points identique à la version 2010, une nouvelle génération devrait être présentée pour 2012.

La GSX-R1000 a non seulement toujours fait partie des modèles les plus puissants et les plus à point de sa classe, elle a aussi très souvent dominé cette dernière. Il s'agit d'un exploit accompli par Suzuki grâce à une recette assez conservatrice, mais qui s'est montrée très efficace au fil des ans. Pendant que les produits rivaux exploraient différentes avenues, la grosse GSX-R a toujours eu comme but de générer à la fois une puissance très élevée et un couple particulièrement gras dans les bas régimes, ainsi que d'offrir un châssis sûr et précis. La génération courante du modèle est différente. Pour la première fois, la GSX-R1000 ne peut plus être considérée comme un monstre de couple puisqu'elle produit désormais sa puissance comme la tendance semble de plus en plus le dicter dans cette classe, c'est-à-dire grâce à des hauts régimes. La zone rouge se situe d'ailleurs à 14 000 tr/min, ce qui est élevé pour une 1000. Il est toujours un peu étrange de qualifier la puissance à bas régime d'une sportive de 190 chevaux comme étant peu impressionnante, mais le fait est que cette GSX-R est moins coupleuse que l'ancienne à bas et moyen régimes. Cela dit, amenez l'aiguille du tachymètre jusqu'à la moitié supérieure de la plage de régimes et vous aurez droit à un véritable effet de catapulte provenant de la différence notable de puissance avec les tours inférieurs. En ligne droite, ce passage dans la zone de puissance de la GSX-R1000 se traduit par un soulèvement de l'avant non seulement instantané, mais aussi carrément brutal en pleine accélération sur le premier rapport. La réaction est beaucoup plus douce sur le second rapport, mais elle fait quand même partie du comportement de la GSX-R1000. Sur circuit, cette arrivée non pas soudaine, mais quand même marquée des chevaux aux régimes élevés complique le pilotage en demandant du pilote qu'il gère cette augmentation de puissance avec le plus grand doigté en sortie de courbe. Le passage au sol de l'immense puissance d'une 1000 constitue déjà la caractéristique la plus difficile à maîtriser sur un tour de piste. La nature de la livrée de la puissance rend ainsi cet aspect du pilotage encore plus complexe. Notons par ailleurs que le sélecteur de mode S-DMS n'est pas d'une grande utilité à ce chapitre. En éliminant le mode où il coupe une grande partie des chevaux et celui où la puissance est intacte, il n'en reste qu'un, le B, qui réduit la puissance en bas et la rétablit entièrement lorsqu'on arrive à haut régime. Or, avec ce mode sélectionné, le résultat est une arrivée encore plus soudaine des chevaux et un besoin encore plus grand de la part du pilote de faire très attention aux dérapages de l'arrière en sortie de courbe. La réalité est qu'un système de contrôle de traction est désormais requis sur ces motos si l'on compte en extraire le plein potentiel en piste.

POUR LA PREMIÈRE FOIS, LA GSX-R1000 N'EST PLUS UN MONSTRE DE COUPLE, MAIS UTILISE PLUTÔT LES HAUTS RÉGIMES.

Tout ce qui touche le comportement de la GSX-R1000 en pilotage sur circuit est absolument irréprochable. En fait, à ce chapitre, on a presque affaire à une magicienne de piste qui obéit aux souhaits du pilote avec une précision, un aplomb et même une facilité de pilotage qui sont difficiles à critiquer.

QUOI DE NEUF EN 2011 ?

Aucun changement

Aucune augmentation

PAS MAL

Un niveau de performances fabuleux; on doit absolument vivre une accélération de cette intensité pour arriver à comprendre de quel genre d'expérience il est ici question

Une partie cycle extrêmement bien équilibrée et dont les caractéristiques en pilotage sur piste sont exceptionnelles; des manœuvres les plus exigeantes jusqu'aux ajustements de trajectoire ou de freinage les plus fins, la GSX-R1000 se montre brillante

Un niveau de technologie extraordinairement avancé pour lequel la logique voudrait qu'on paie bien plus que le prix de détail suggéré

Une ligne qui progresse d'une manière presque prévisible, mais non moins réussie; il est intéressant de constater comment Suzuki arrive à garder un certain air de famille d'une génération à l'autre tout en continuant de plaire aux amateurs de GSX-R

BOF

Une arrivée marquée de la puissance à haut régime qui rend les accélérations maximales en sortie de virage, en piste, délicates à gérer; le sélecteur de mode S-DMS ne représente pas vraiment de solution à cette caractéristique; un système de contrôle de traction, par contre, pourrait régler le cas

Un niveau de performances tellement élevé qu'on ne peut vraiment l'exploiter qu'en piste; pilotée légalement sur la route, la GSX-R1000, comme ses semblables, d'ailleurs, est une moto jolie et agile, mais également inconfortable et ennuyeuse

Une souplesse exemplaire à bas régime qui était fort appréciée sur la route, mais qui a disparu avec l'arrivée de cette génération

CONCLUSION

Même les pilotes les plus exigeants et les plus rapides avouent être impressionnés au plus haut point par les performances de chacune des machines de cette classe. Leur niveau performances, la qualité de leur tenue de route et la technologie qu'elles utilisent sont d'un calibre extraordinaire dans tous les cas. Malgré cet environnement extrêmement relevé, la GSX-R1000 continue de faire très belle figure, puisqu'il s'agit d'une bête de piste absolument fabuleuse. Elle s'est régulièrement retrouvée à l'avant du peloton en termes de puissance, mais a aussi toujours été avantagée par une gestion très saine de tous ces chevaux. Cette situation a évidemment changé depuis l'arrivée de systèmes de contrôle de traction chez de plus en plus de manufacturiers (Aprilia, BMW, Ducati, Kawasaki) et Suzuki n'aura d'autre choix que de se mettre tôt ou tard à jour à ce chapitre.

Voir légende en page 16

GÉNÉRAL

Catégorie	Sportive
Prix	16 599 $
Immatriculation 2011	1 425,55 $
Catégorisation SAAQ 2011	« à risque »
Évolution récente	introduite en 2001, revue en 2003, 2005, 2007 et 2009
Garantie	1 an/kilométrage illimité
Couleur(s)	bleu et blanc, noir
Concurrence	BMW S1000RR, Honda CBR1000RR, Kawasaki Ninja ZX-10R, Yamaha YZF-R1

MOTEUR

Type	4-cylindres en ligne 4-temps, DACT, 4 soupapes par cylindre, refroidissement par liquide
Alimentation	injection à 4 corps de 44 mm
Rapport volumétrique	12,8:1
Cylindrée	999 cc
Alésage et course	74,5 mm x 57,3 mm
Puissance	191 ch
Couple	85 lb-pi
Boîte de vitesses	6 rapports
Transmission finale	par chaîne
Révolution à 100 km/h	environ 4 300 tr/min
Consommation moyenne	6,8 l/100 km
Autonomie moyenne	257 km

PARTIE CYCLE

Type de cadre	périmétrique, en aluminium
Suspension avant	fourche inversée de 43 mm ajustable en précharge, compression, et détente
Suspension arrière	monoamortisseur ajustable en précharge, en haute et en basse vitesses de compression, et détente
Freinage avant	2 disques de 310 mm de Ø avec étriers radiaux à 4 pistons
Freinage arrière	1 disque de 220 mm de Ø avec étrier à 1 piston
Pneus avant/arrière	120/70 ZR17 & 190/50 ZR17
Empattement	1 405 mm
Hauteur de selle	810 mm
Poids tous pleins faits	203 kg
Réservoir de carburant	17,5 litres

GSX-R600

NOUVEAUTÉ 2011

EFFICACITÉ PAR LE DÉTAIL... // Hier encore, les sportives pures évoluaient à un rythme tellement effréné qu'une année ne pouvait passer sans que la classe soit le théâtre d'un sérieux bouleversement. Mais ce contexte change. Ces motos ne se vendent plus tout à fait aussi bien et l'exercice que constitue leur refonte complète devient trop coûteux pour qu'il soit répété aussi souvent que par le passé. Si la tendance se maintient, une nouvelle génération de sportive pure pourrait même devenir un événement de moins en moins fréquent. Et, qui sait, peut-être l'apprécierait-on plus? Dans un tel environnement, l'arrivée de cette paire profondément remaniée de GSX-R de 600 et 750 centimètres cubes représente une fort intéressante nouvelle, et ce, même si les nouveautés se veulent bien davantage des modèles qui évoluent que des sportives révolutionnaires.

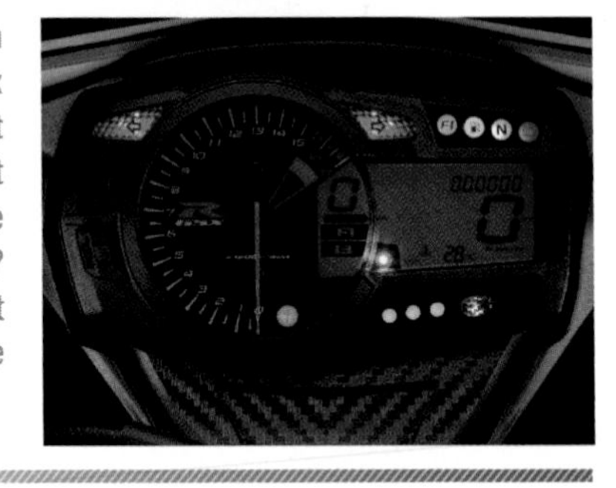

Technique

Jadis des modèles complètement distincts, les GSX-R750 et GSX-R600 se sont petit à petit mises à partager de plus en plus de pièces, pour finalement devenir une seule et unique moto propulsée par une mécanique de différentes cylindrées. Il s'agit d'une situation qui est absolument unique à Suzuki et qui existe seulement en raison du profond attachement du constructeur pour sa GSX-R750, un modèle qu'on pourrait presque qualifier de l'âme de la marque. En effet, si la GSX-R750 devait un jour disparaître, l'image de Suzuki ne serait probablement plus jamais la même. Toutefois, les véritables bénéficiaires de cet attachement ne sont nul autre que les fins connaisseurs qui optent pour le modèle plutôt que pour une 600 ou pour une 1000. Ceux-ci seront, à n'en pas douter, heureux de constater que la marque d'Hamamatsu reste fidèle à sa 750 en 2011 en la remaniant de manière aussi profonde que la version de 600 centimètres cubes.

LE TERME «EFFICACITÉ» DÉCRIT DE LA MANIÈRE LA PLUS APPROPRIÉE L'APPROCHE RETENUE PAR SUZUKI POUR CES MODÈLES.

Si l'on devait résumer en un mot la direction donnée à cette nouvelle génération de GSX-R, ce serait «efficacité». Le constructeur explique que la notion d'efficacité représente à ses yeux la clé de la performance de telles motos. En ce qui concerne la mécanique, ce principe s'interprète essentiellement par la mesure de la perte de puissance et de couple entre les niveaux produits par le moteur et ceux qui atteignent le point de contact entre le pneu arrière et le revêtement. Un revêtement de piste, bien entendu. D'un autre côté, comme la performance d'une sportive est directement liée au poids de celle-ci, la recherche d'efficacité maximale passe obligatoirement par un abaissement de la masse. Il s'agit de principes connus, mais que Suzuki a, dans ces cas, poussé vers de nouveaux extrêmes.

Afin de maximiser l'efficacité mécanique, une importante quantité de très petites modifications ont été portées au quatre-cylindres dont l'architecture ne change pas. Toutes ont pour but non pas d'augmenter la quantité de chevaux, mais plutôt de réduire les pertes de puissance. Le constructeur annonce par ailleurs que son programme de MotoGP a permis de concevoir des arbres à cames plus performants sur la 600.

C'est au chapitre de la réduction de masse que les GSX-R600 et 750 se distinguent le plus des modèles précédents, puisque la première a perdu 9 kilos et la seconde 8 kilos, ce qui représente des chiffres extraordinaires dans cette classe. Comme c'est généralement le cas lors de telles diètes, la liste des pièces allégées est interminable. Certaines réductions sont toutefois dignes de mention, comme la nouvelle fourche de type Big Piston, plus légère de près d'un kilo par rapport à l'ancienne, ou encore le nouveau système d'échappement qui permet de soustraire 1,7 kilo à la 600 et 1,1 kilo à la 750. On note également une transmission dont le premier rapport est plus long et les autres plus rapprochés sur la 600 tandis que les toutes dernières avancées en matière d'injecteurs sont retenues. Toutes les pièces de la suspension arrière sont également allégées alors que les nouveaux étriers de freins à montage radial proviennent dorénavant de chez Brembo, une première sur les GSX-R.

GSX-R600

GSX-R750

Même si les GSX-R600 et GSX-R750 2011 sont entièrement repensées, leur concept n'a que très peu varié. Il semble que le design d'une sportive de ce type ait atteint un genre de maturité, du moins chez Suzuki.

GSX-R750

SEMBLABLES, MAIS PAS PAREILLES

Elles ont beau ressembler aux modèles qu'elles remplacent, et ce, autant avec carénage que sans, le fait demeure que les versions 2011 des GSX-R600 et GSX-R750 sont des motos complètement nouvelles ne partageant pratiquement aucune pièce avec les versions 2010. Arriver à une telle réduction de poids, sur des motos qui étaient déjà très légères, a en effet demandé de la part du constructeur qu'il repense littéralement la conception de chacune des pièces qui composent les modèles. C'est exactement ce qu'il a fait, et les résultats sont là, puisque ce travail a permis une réduction de 9 kilos pour la 600 et de 8 kilos pour la 750.

GSXR-600

QUOI DE NEUF EN 2011 ?

Nouvelle génération des modèles

Coûtent 100 $ de plus qu'en 2010

PAS MAL

Un allègement du poids très impressionnant qui, comme c'est toujours le cas sur ces motos, devrait améliorer toutes les caractéristiques du pilotage en piste

Un équilibre absolument unique dans le cas de la 750 qui offre presque l'agilité d'une 600 et une puissance qui rappelle celle d'une 1000; rien n'indique que cet équilibre sera affecté par cette évolution des modèles

Une ligne qui évolue de manière très habile, et ce, bien qu'elle puisse paraître stagnante aux yeux des amateurs de longue date; les GSX-R affichent un style qui les identifie immédiatement et qui semble beaucoup plaire aux acheteurs

BOF

Un côté pratique presque inexistant, que ce soit en raison de l'inconfort sur des distances le moindrement longues ou de l'accueil symbolique offert au passager

Un système S-DMS qui modifie, comme c'est annoncé, les performances selon la sélection de l'une de trois cartographies d'injection, mais dont la réelle utilité reste floue; le constructeur continue d'en parler comme étant une manière de gérer la traction dans des situations délicates, mais la vraie réponse à ce problème est un système de contrôle de traction

Une étonnante absence du type d'avancées électroniques qu'on commence à voir chez d'autres constructeurs, comme un contrôle de traction des freins ABS

CONCLUSION

À la lumière du très sérieux travail effectué par Suzuki sur ces nouvelles GSX-R600 et GSX-R750, prédire qu'elles seront encore plus précises et agiles en piste — l'environnement où toutes leurs améliorations devraient, à n'en pas douter, porter fruit— n'est certainement pas la prévision la plus risquée qui soit, puisque ni l'une ni l'autre n'affiche de refonte révolutionnaire en matière de design. En d'autres mots, les versions 2011 de ces modèles sont des sportives dont chacune des facettes du pilotage devrait se trouver améliorée, mais pas transformée par rapport à ce qu'offraient les modèles précédents. S'il est possible que ça ne soit pas assez à se mettre sous la dent pour les amateurs d'annonces sensationnelles, pour les motocyclistes qui amènent ces machines en piste, il est on ne peut plus clair que ces GSX-R représentent ce qui se fait de plus sérieux et de plus fin en la matière.

Voir légende en page 16

GÉNÉRAL

Catégorie	Sportive
Prix	GSX-R600 : 13 399 $ GSX-R750 : 13 999 $
Immatriculation 2011	1 425,55 $
Catégorisation SAAQ 2011	« à risque »
Évolution récente	750 introduite en 1985, revue en 1988, 1992, 1996, 2000, 2004, 2006, 2008 et 2011; 600 introduite en 1997, revue en 2001, 2004, 2006 et 2008 et 2011
Garantie	1 an/kilométrage illimité
Couleur(s)	bleu et blanc, noir
Concurrence	GSX-R600 : Honda CBR600RR, Kawasaki Ninja ZX-6R, Triumph Daytona 675, Yamaha YZF-R6 GSX-R750 : aucune

MOTEUR

Type	4-cylindres en ligne 4-temps, DACT, 4 soupapes par cylindre, refroidissement par liquide
Alimentation	injection à 4 corps de 40 (42) mm
Rapport volumétrique	12,9:1 (12,5:1)
Cylindrée	599 (749) cc
Alésage et course	67 (70) mm x 42,5 (48,7) mm
Puissance	600 : 126 ch @ 13 500 tr/min 750 : 152 ch @ 13 200 tr/min
Couple	600 : 51,4 lb-pi @ 11 500 tr/min 750 : 65,7 lb-pi @ 11 000 tr/min
Boîte de vitesses	6 rapports
Transmission finale	par chaîne
Révolution à 100 km/h	environ 5 500 (4 600) tr/min (2010)
Consommation moyenne	6,4 (6,7) l/100 km (2010)
Autonomie moyenne	258 (246) km (2010)

PARTIE CYCLE

Type de cadre	périmétrique, en aluminium
Suspension avant	fourche inversée de 41 mm ajustable en précharge, compression et détente
Suspension arrière	monoamortisseur ajustable en précharge, compression, détente et hauteur de l'assiette
Freinage avant	2 disques de 310 mm de Ø avec étriers radiaux à 4 pistons
Freinage arrière	1 disque de 220 mm de Ø avec étrier à 1 piston
Pneus avant/arrière	120/70 ZR17 & 180/55 ZR17
Empattement	1 385 mm (1 390 mm)
Hauteur de selle	810 mm
Poids tous pleins faits	187 kg (190 kg)
Réservoir de carburant	17 litres

BANDIT ULTIME... // Derrière l'élégant carénage plein et derrière le nom évocateur d'un lien avec la lignée des GSX-R, la GSX1250FA cache un ensemble extrêmement familier pour quiconque s'est un jour intéressé à une Bandit. Propulsée par un gros quatre-cylindres refroidi par liquide de 1 255 cc dont l'architecture est dérivée de celle des mécaniques des GSX-R, elle est construite à partir d'éléments simples mais solides qui auraient été tout à fait à leur place sur une sportive vieille de quelques générations. Or, ce principe est précisément le même que celui qui a permis aux Bandit de faire le bonheur de nombreux motocyclistes au portefeuille moyennement garni. En fait, la GSX1250FA est non seulement la descendante directe de la Bandit de grosse cylindrée, elle en représente une version ultime, puisqu'elle est désormais techniquement à jour, mais encore abordable.

❖ Si la plus grosse des Bandit n'a jamais été plus, pour les motocyclistes nord-américains, qu'une routière compétente et économique, mais pas nécessairement désirable, il s'agit en revanche depuis toujours de l'une des motos les plus populaires du marché européen. C'est en partie parce qu'il a enfin réalisé l'intérêt beaucoup plus grand des motocyclistes d'ici pour les modèles entièrement carénés que pour les montures semi-carénées que Suzuki choisit l'an dernier d'habiller sa Bandit 1250S qui fut rebaptisée GSX1250FA pour l'occasion.

Les Bandit ont traditionnellement eu recours à une mécanique relativement simpliste provenant de très vieilles GSX-R, mais celle qui propulse la GSX1250FA est au contraire tout à fait à jour et renvoie même une fort plaisante impression de finesse. L'aspect le plus intéressant et probablement le plus important de ce moteur est qu'il s'agit d'un quatre-cylindres conçu expressément pour les besoins routiers de ce modèle et absolument pas d'une mécanique d'abord conçue pour une hypersportive, puis adaptée pour la route. Clairement calibré afin de produire autant de couple que possible dès les premiers tours, sa puissance maximale relativement modeste et ses montées en régimes absolument linéaires ne font toutefois pas de ce moteur le plus excitant qui soit. À l'exception des inconditionnels de hautes performances, qui seraient d'ailleurs bien mieux servis avec un modèle comme la Ninja 1000 de Kawasaki, la plupart des motocyclistes intéressés par ce type de routières sportives devraient se déclarer satisfaits des accélérations, surtout s'ils apprécient la présence continuelle d'une généreuse quantité de couple. En pleine accélération à partir d'un arrêt, l'avant de la GSX1250F reste sagement au sol, la stabilité n'attire aucun reproche et pilote et moto s'élancent avec grâce et puissance. Le moteur s'éveille dès le ralenti et offre une poussée musclée et plaisante à partir de régimes aussi bas que 2 000 tr/min. On peut même faire descendre les tours jusqu'à 1 500 tr/min en sixième, puis enrouler complètement l'accélérateur sans que le moteur rouspète le moindrement, ce qui représente une très belle démonstration de souplesse.

❖ SON MOTEUR S'ÉVEILLE DÈS LES TOUT PREMIERS TOURS ET FAIT PREUVE D'UNE SOUPLESSE EXCEPTIONNELLE.

L'injection se montre toutefois abrupte à l'ouverture des gaz, ce qui peut provoquer une conduite saccadée surtout à basse vitesse. Elle fonctionne parfaitement le reste du temps, tout comme l'embrayage et la transmission, d'ailleurs.

Compte tenu de sa masse tout de même considérable, de ses bonnes dimensions et de sa cylindrée, la GSX1250FA fait preuve d'une étonnante agilité et possède même la capacité de se débrouiller de manière très honorable sur une route sinueuse. Sa conduite est complètement exempte de toute réaction nerveuse. Le niveau de confort s'avère suffisamment bon pour qu'elle soit envisagée pour de longs trajets, et ce, malgré une selle bonne, mais pas exceptionnelle et des suspensions un peu plus fermes qu'elles n'ont besoin de l'être compte tenu de l'utilisation routière modérée qui définit la vocation du modèle. Notons enfin que les freins se montrent parfaitement à la hauteur des performances et qu'ils bénéficient en équipement de série d'un système ABS, ce qui ajoute encore plus à la valeur du modèle.

QUOI DE NEUF EN 2011 ?

Retrait de la version SE

Aucune augmentation

PAS MAL

Une excellente valeur, et ce, même si la facture de GSX1250FA est clairement plus élevée que celle de la bonne vieille Bandit 1200 refroidie par huile; ce montant achète par ailleurs une moto d'un calibre nettement supérieur propulsée par un moteur moderne et équipée de série de l'ABS

Un 4-cylindres conçu avec une seule et unique mission, celle de produire beaucoup de couple aussi tôt que possible en régime, ce qu'il fait très bien

Une ligne réussie, puisqu'elle est à la fois sobre et sportive

Un genre de sportive raisonnable et confortable qui est malheureusement trop rare; à part la CBF1000 de Honda, on ne trouve à peu près rien de directement comparable

Un niveau d'accessibilité qui étonne toujours; malgré sa forte cylindrée, elle peut être envisagée sans problème par des motocyclistes de tout calibre

BOF

Une selle qui se montre très confortable lors de déplacements de courte et moyenne durée, mais qui n'est pas exceptionnelle sur très longue route

Une injection qui se comporte parfaitement dans toutes les situations, mais qui se montre abrupte lors de l'ouverture des gaz

Des suspensions qui se sont raffermies lors de la dernière révision et qui sont maintenant un peu plus fermes qu'elles n'ont besoin de l'être sur une telle moto

CONCLUSION

La GSX1250FA représente, d'une certaine façon, l'aboutissement du concept de la grosse Bandit. Après de nombreuses années à très bien servir les motocyclistes avides de gros cubage, mais dont les moyens étaient limités, la Bandit a fait place à une monture moderne dont les principes sont demeurés les mêmes. Mécanique généreuse en couple et techniquement à jour, châssis simple, mais solide et efficace, freinage ABS, carénage plein et instrumentation soignée sont autant de caractéristiques donnant sa valeur à celle qu'on doit dorénavant appeler la GSX1250FA. S'il est vrai que tout ça a fait grimper la facture, il reste que ce qu'on achète pour moins de 12000$ demeure exceptionnellement généreux. Il s'agit d'une excellente routière sportive «d'adultes» qui se situe nez à nez avec la Honda CBF1000 en matière de clientèle et qui s'adresse surtout aux motocyclistes désirant combiner sport et confort, mais sans aller jusqu'à envisager une véritable et bien plus coûteuse machine de tourisme sportif.

233 km/h
Vitesse de pointe
11,3 s à 193 km/h
Accélération sur 1/4 mille
Novice | Intermédiaire | Expert
Indice d'expertise
Rapport valeur/prix
1 2 3 4 5 6 7 8 9 10

Voir légende en page 16

GÉNÉRAL

Catégorie	Routière Sportive
Prix	11799$
Immatriculation 2011	633,55$
Catégorisation SAAQ 2011	«régulière»
Évolution récente	introduite en 1996, revue en 2001, 2006, 2007 et 2010
Garantie	1 an/kilométrage illimité
Couleur(s)	gris, noir
Concurrence	Honda CBF1000, Kawasaki Ninja 1000, Yamaha FZ1

MOTEUR

Type	4-cylindres en ligne 4-temps, DACT, 4 soupapes par cylindre, refroidissement par liquide
Alimentation	injection à 4 corps de 36 mm
Rapport volumétrique	10,5:1
Cylindrée	1255 cc
Alésage et course	79 mm x 64 mm
Puissance	98 ch @ 7500 tr/min
Couple	79,6 lb-pi @ 3700 tr/min
Boîte de vitesses	6 rapports
Transmission finale	par chaîne
Révolution à 100 km/h	environ 3300 tr/min
Consommation moyenne	6,1 l/100 km
Autonomie moyenne	311 km

PARTIE CYCLE

Type de cadre	double berceau, en acier
Suspension avant	fourche conventionnelle de 43 mm ajustable en précharge
Suspension arrière	monoamortisseur ajustable en précharge et détente
Freinage avant	2 disques de 310 mm de Ø avec étriers à 4 pistons et système ABS
Freinage arrière	1 disque de 240 mm de Ø avec étrier à 1 piston et système ABS
Pneus avant/arrière	120/70 ZR17 & 180/55 ZR17
Empattement	1485 mm
Hauteur de selle	805/825 mm
Poids tous pleins faits	257 kg
Réservoir de carburant	19 litres

ROUTIÈRE SPORTIVE POIDS MOYEN... // Les fabricants de motos démontrent continuellement que rien n'est impossible pour eux. Ils conçoivent des engins extraordinaires, puis les surpassent encore et encore avec des modèles encore Plus. Et pourtant, il arrive que certaines choses toutes simples leur échappent. Par exemple, durant des années on leur a demandé des sportives de cylindrée moyenne dont la ligne serait aussi attrayante que celle des modèles extrêmes, mais dont le prix serait bien plus abordable et dont le comportement serait davantage orienté vers une utilisation routière. Tout le monde ne veut pas absolument rouler une machine de course sur la route. S'ils ont répondu à cette demande, ce ne fut qu'avec des modèles très bons d'un point de vue technique, mais visuellement modestes. Dérivée de la Bandit 650S semi-carénée, la GSX650F répond enfin un peu mieux à ce besoin.

Même si les 600 et les 1000 hypersportives sont très populaires, il reste que les motocyclistes n'ont jamais exigé de manière unanime que les manufacturiers produisent uniquement des sportives pures, pas plus qu'ils n'ont exigé que celles-ci gagnent des championnats pour qu'ils daignent en envisager l'achat. Il existe, bien entendu, une clientèle que ces critères intéressent beaucoup, mais pour beaucoup d'autres amateurs de motos, un comportement accessible, un bon niveau de confort et un côté pratique élevé sont préférables.

À ces derniers, on ne proposait jusqu'à tout récemment que des routières semi-carénées conçues exclusivement pour les Européens. Or, ceux-ci ont des goûts très différents de ceux des motocyclistes nord-américains.

La GSX650F est l'une des rares motos du marché dont le but consiste à combler ce besoin. Il s'agit, d'une certaine manière, d'une «fausse sportive», puisque sous cette robe d'inspiration GSX-R ne se trouve nulle autre que la Bandit 650S, une excellente petite routière sportive qui fut vendue sur notre marché seulement en 2007, l'année de son introduction.

POUR UNE RARE FOIS SUR UNE MOTO DE CE STYLE, LES PILOTES DE TAILLE MOYENNE TOUCHENT CONFORTABLEMENT LE SOL.

Malgré les traits effilés de son carénage sportif, malgré l'air de famille existant entre son visage et celui des GSX-R et malgré une instrumentation «sport», la GSX650F fait partie des routières sportives les plus accessibles et pratiques qu'on puisse trouver. Étonnamment légère de direction, elle se distingue dès les premiers tours de roues par une très agréable agilité dont est surtout responsable une bonne répartition du poids. La selle exceptionnellement basse pour une machine de style sportif contribue également à mettre le pilote en confiance, puisque ce dernier, pour une rare fois, touchera le sol même s'il n'est que de taille moyenne. Comme cette selle est également confortable, comme la position de conduite de type assise est naturelle et équilibrée et comme la protection au vent est très bonne, les longs trajets de même que les courtes promenades peuvent être entrepris sans crainte de courbatures ou d'inconfort prématuré.

Les quelque 85 chevaux ne battront aucun record, mais pour se déplacer confortablement dans toutes les situations et même pour s'amuser, surtout si on n'a pas une grande expérience de la conduite d'une deux-roues, c'est absolument parfait comme niveau de performances. L'une des plus belles qualités du quatre-cylindres est une souplesse qui surprend franchement compte tenu de la cylindrée. Le moteur accepte sans rouspéter de reprendre à partir de 2 000 tr/min sur le sixième rapport, ce qui n'est pas du tout commun pour une 650.

Malgré le fait qu'elle n'est pas conçue pour gagner des courses, la GSX650F se débrouille quand même admirablement bien au chapitre de la tenue de route. Stable en toutes circonstances même en pleine accélération, légère en entrée de courbe et solide une fois inclinée, elle dispose d'une réelle capacité de rouler vite et précisément sur une route sinueuse. À ce sujet, on pourrait d'ailleurs lui reprocher ses réglages de suspensions un peu trop fermes. Compte tenu de la nature du modèle, une meilleure souplesse à ce niveau serait probablement plus appropriée. L'ABS est livré de série.

QUOI DE NEUF EN 2011 ?

Aucun changement

Aucune augmentation

PAS MAL

Une ligne sympathique qui réussit assez bien à imiter les traits des sportives extrêmes que sont les GSX-R et qui donne au modèle l'attrait nécessaire pour attirer une clientèle recherchant le style d'une sportive pure, mais le comportement d'une routière

Un comportement routier qui n'est pas du tout aussi vif et pointu que celui d'une GSX-R, mais qui reste d'une excellente qualité et qui se montre très accessible

Un très bon niveau de confort amené par une protection au vent correcte, une bonne selle, une position de conduite relevée et dégagée, et une mécanique douce, du moins à bas et moyen régimes

Une bonne valeur, surtout compte tenu de l'ABS livré de série

BOF

Un niveau de performances que les amateurs de sensations fortes pourraient trouver un peu juste, et ce, même s'ils ne possèdent pas une grande expérience de la moto; tous les autres devraient s'en déclarer satisfaits

Des suspensions qui ne sont pas rudes, mais qui restent calibrées avec une certaine fermeté dans le but de maximiser le potentiel de la tenue de route; si nous avions le choix, compte tenu de la vocation routière du modèle, nous les souhaiterions un peu plus souples

Une injection qui travaille bien dans la plupart des situations, mais qui n'est pas tout à fait douce à la remise des gaz; le système donne l'impression d'être une version satisfaisante, mais économique

CONCLUSION

La plupart des amateurs de sportives ont toujours donné beaucoup d'importance au style de leur monture en plus, bien entendu, de souhaiter pouvoir profiter de hautes performances. Un ample choix de modèles sexy et performants s'offre à eux. D'autres, toutefois, en raison d'une moins grande témérité, de préférences différentes ou d'une expérience de conduite limitée, préfèrent plutôt joindre polyvalence et confort à une ligne sportive. La GSX650F est l'une des rares motos construites expressément pour ce type de motocyclistes. Elle propose un intéressant mélange de tempérament sportif et d'accessibilité dans un ensemble qui favorise avant tout le côté routier de la conduite d'une moto. Offerte pour une somme très raisonnable et équipée de série de l'ABS, elle incarne le concept de la routière sportive de cylindrée moyenne.

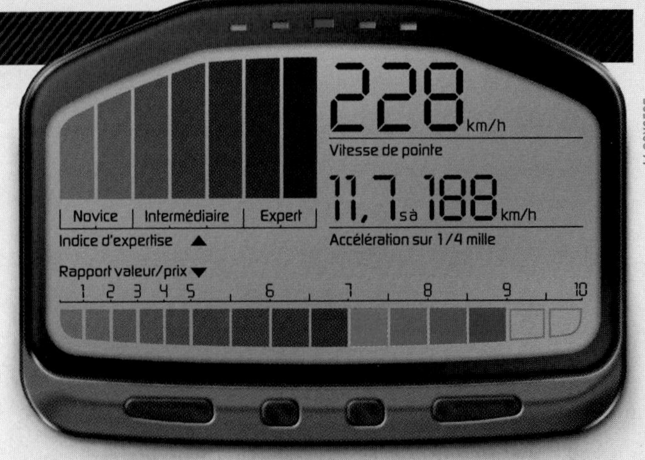

Voir légende en page 16

GÉNÉRAL

Catégorie	Routière Sportive
Prix	9 299 $
Immatriculation 2011	633,55 $
Catégorisation SAAQ 2011	« régulière »
Évolution récente	introduite en 2008
Garantie	1 an/kilométrage illimité
Couleur(s)	blanc et noir, bleu et argent
Concurrence	Honda CBF600, Kawasaki Ninja 650R, Yamaha FZ6R

MOTEUR

Type	4-cylindres en ligne 4-temps, DACT, 4 soupapes par cylindre, refroidissement par liquide
Alimentation	injection à 4 corps de 36 mm
Rapport volumétrique	11,5:1
Cylindrée	656 cc
Alésage et course	65,5 mm x 48,7 mm
Puissance	85 ch @ 10 500 tr/min
Couple	45,6 lb-pi @ 8 900 tr/min
Boîte de vitesses	6 rapports
Transmission finale	par chaîne
Révolution à 100 km/h	environ 5 200 tr/min
Consommation moyenne	5,4 l/100 km
Autonomie moyenne	351 km

PARTIE CYCLE

Type de cadre	double berceau, en acier
Suspension avant	fourche conventionnelle de 41 mm ajustable en précharge
Suspension arrière	monoamortisseur ajustable en précharge et détente
Freinage avant	2 disques de 310 mm de Ø avec étriers à 4 pistons et système ABS
Freinage arrière	1 disque de 240 mm de Ø avec étrier à 1 piston et système ABS
Pneus avant/arrière	120/70 ZR17 & 160/60 ZR17
Empattement	1 470 mm
Hauteur de selle	770 mm
Poids tous pleins faits	245 kg
Réservoir de carburant	19 litres

Gladius

AVIS AUX JEUNES NOUVEAUX... // À force de construire des sportives toujours plus puissantes, des customs toujours plus grosses et des machines de tourisme toujours plus équipées, l'industrie de la moto a complètement oublié de penser à la relève. Entre la majorité des motos offertes aujourd'hui sur le marché et les besoins d'une nouvelle génération, un immense fossé s'est ainsi creusé, et combler ce dernier représente l'un des plus grands défis auxquels doivent aujourd'hui faire face les constructeurs. Dérivée de la SV650S, qui est une petite sportive présentée de manière classique, la Gladius introduite en 2009 se veut l'un des premiers modèles destinés à séduire cette nouvelle génération de motocyclistes. Toutes deux sont propulsées par un excellent petit V-Twin et bénéficient de freins ABS en équipement de série.

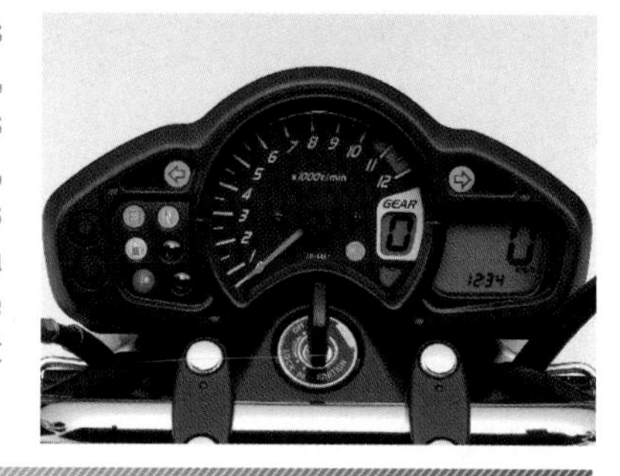

La mission de la Gladius semble simple, puisqu'elle se résume à attirer une clientèle bien plus jeune que le motocycliste moyen actuel. En réalité, cette tâche représente plutôt le plus grand casse-tête que les manufacturiers de motos doivent aujourd'hui résoudre s'ils comptent encore être en affaires au tournant de la prochaine décennie. La Gladius possède-t-elle les qualités requises pour séduire ces convoités jeunes nouveaux motocyclistes? Non seulement la réponse est affirmative, mais dans ce contexte bien particulier, la Gladius s'avère même presque parfaite, entre autres parce qu'elle offre visuellement quelque chose de nouveau et de frais qui semble concorder avec la clientèle visée. Mais c'est avant tout au niveau mécanique que la Gladius brille, un constat qui n'a rien d'étonnant lorsqu'on se rappelle qu'il s'agit d'une très proche parente de la SV650S.

LA GLADIUS POSSÈDE L'UNE DES DIRECTIONS LES PLUS LÉGÈRES QUI SOIENT TANDIS QUE LA SV650S DEMEURE UNIQUE.

La Gladius propose une combinaison de caractéristiques très habilement choisies afin de rendre son pilotage le plus aisé et plaisant possible. On s'en rend compte dès le tout premier contact puisqu'il s'agit d'une monture particulièrement légère. Qu'on ait à la soulever de sa béquille ou à la déplacer lorsque le moteur est à l'arrêt, l'opération requiert un effort minimum. Une fois en route, cette impression de légèreté prend encore plus d'importance lorsqu'on découvre chez elle l'une des directions les plus légères qui soient. La poussée nécessaire sur le guidon pour la faire changer de cap est même tellement faible que cette qualité peut se transformer en une sorte d'instabilité si le pilote ne fait pas attention aux impulsions qu'il transmet involontairement dans les poignées, au passage de bosses, par exemple. L'un des autres attraits prédominants de la Gladius n'est nul autre que l'adorable V-Twin de 645 cc qui l'anime. Par rapport aux prestations qu'il propose sur la SV650S, Suzuki affirme avoir amélioré le couple à bas régime sans pour autant avoir réduit la puissance à haut régime, et c'est exactement ce qu'on constate. Les accélérations sont immédiates et ne font que s'intensifier à mesure que les tours grimpent. Aucun besoin, donc, d'amener le moteur jusqu'à la toute fin de sa plage de régimes pour s'amuser. Les performances absolues ne sont pas extraordinaires, comme cela n'a jamais été le cas pour la SV650S, d'ailleurs, mais dans le contexte qui est celui de ces deux modèles, elles sont décidément plus qu'appropriées, puisqu'elles en mettront plein les bras à la clientèle convoitée. Compte tenu de l'expérience de conduite limitée de celle-ci, la présence de l'ABS de série est un grand avantage.

La position compacte, mais relevée de la Gladius s'avère aussi naturelle que reposante, tandis que sa selle est relativement basse. Quant à la SV650S, il s'agit de la même sportive très compétente qu'on connaît depuis si longtemps. Son comportement n'est peut-être pas aussi fin que celui d'une 600 plus pointue, mais elle est tout de même capable d'effectuer des tours de piste à un rythme très élevé. La SV650S s'est toujours distinguée par sa très rare capacité à divertir son pilote sans le placer dans une fâcheuse position ou lui faire trop enfreindre la loi. L'un de ses rares défauts est une position de conduite un peu trop agressive pour son positionnement avant tout routier.

QUOI DE NEUF EN 2011 ?

Aucun changement

Aucune augmentation

PAS MAL

Un petit V-Twin charmant au caractère débordant dont la puissance est assez élevée pour permettre à un large éventail de pilotes de s'amuser sans pour autant — trop — enfreindre la loi

Une tenue de route sportive facile à exploiter; tant la SV que la Gladius représentent des outils parfaits pour s'initier à la conduite sur piste ou pour préparer le passage vers un autre modèle de type sportif

Une ligne très intéressante pour la Gladius qui troque le style haute performance de la SV pour une apparence haute couture et qui affiche un style beaucoup plus accessible

Une excellente valeur puisque les prix sont très intéressants et que les produits s'avèrent exceptionnels, surtout maintenant que l'ABS est livré en équipement de série.

BOF

Un niveau de performances qui pourrait être plus excitant, du moins pour les pilotes expérimentés et exigeants

Une position de conduite trop radicale qui taxe les poignets sur la SV; il s'agit d'un défaut inutile puisque le positionnement de la SV650S n'a jamais été celui d'une sportive pure destinée à la piste, mais plutôt celui d'une sportive modérée destinée surtout à une utilisation routière

Une direction tellement légère sur la Gladius qu'elle peut devenir nerveuse si le pilote ne prête pas une attention aux impulsions qu'il renvoie dans le guidon, lors du passage de bosses par exemple

CONCLUSION

Si l'on peut conclure que la Gladius est effectivement une moto qu'il est possible de qualifier d'appropriée pour la fameuse nouvelle génération de motocyclistes que tous les constructeurs cherchent actuellement à séduire, c'est surtout en raison de l'ensemble qu'elle représente, car seules une direction légère ou une excellente mécanique n'auraient, bien entendu, pas été suffisantes pour arriver à un tel résultat. En agrémentant le tout d'une ligne distincte et d'une position invitante, et en ne lésinant pas sur des détails comme l'instrumentation ou la qualité de la finition, Suzuki peut considérer avoir mis toutes chances de son côté. Bien qu'on espère toujours que cette convoitée clientèle finisse par réagir comme prévu, pour le moment, disons qu'elle n'arrive pas en courant. Quant à la SV650S, qui est en fait la même moto dans un format sportif, elle représente la principale raison derrière l'attrait et les qualités de la Gladius. Elle demeure une proposition unique pour quiconque recherche une véritable sportive dans un format moyen offrant à la fois les grisantes sensations d'un V-Twin et un niveau d'accessibilité élevé.

SV650S

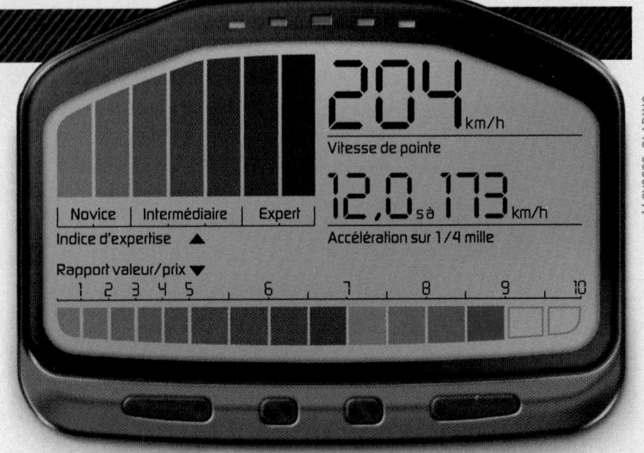

Voir légende en page 16

GÉNÉRAL

Catégorie	Sportive/Standard
Prix	SV650S: 9499$ Gladius: 9399$
Immatriculation 2011	633,55$
Catégorisation SAAQ 2011	«régulière»
Évolution récente	SV650 introduite en 1999, revue en 2003; Gladius introduite en 2009
Garantie	1 an/kilométrage illimité
Couleur(s)	SV650 : blanc, noir Gladius : noir et argent, noir
Concurrence	Ducati Monster 696, Hyosung GT650, Kawasaki Ninja 650R

MOTEUR

Type	bicylindre 4-temps en V à 90 degrés, DACT, 4 soupapes par cylindre, refroidissement par liquide
Alimentation	injection à 2 corps de 39 mm
Rapport volumétrique	11,5:1
Cylindrée	645 cc
Alésage et course	81 mm x 62,6 mm
Puissance	SV650S: 74 ch @ 9000 tr/min Gladius : 72 ch @ 8400 tr/min
Couple	SV650S: 45 lb-pi @ 7400 tr/min Gladius : 46,3 lb-pi @ 6400 tr/min
Boîte de vitesses	6 rapports
Transmission finale	par chaîne
Révolution à 100 km/h	environ 4700 tr/min
Consommation moyenne	6,0 l/100 km
Autonomie moyenne	SV650S: 283 km; Gladius: 241 km

PARTIE CYCLE

Type de cadre	SV650S: treillis périmétrique, en aluminium Gladius: treillis périmétrique, en acier
Suspension avant	fourche conventionnelle de 41 mm ajustable en précharge
Suspension arrière	monoamortisseur ajustable en précharge
Freinage avant	2 disques de 290 mm de Ø avec étriers à 2 pistons et système ABS
Freinage arrière	1 disque de 220 mm (G: 240mm) de Ø avec étrier à 1 piston et système ABS
Pneus avant/arrière	120/60 ZR17 & 160/60 ZR17
Empattement	SV650S: 1430 mm; Gladius: 1445 mm
Hauteur de selle	SV650S: 800 mm; Gladius: 785 mm
Poids tous pleins faits	SV650S: 203 kg; Gladius: 202 kg
Réservoir de carburant	SV650S: 17 litres; Gladius: 14,5 litres

VOCATION ROUTIÈRE... // C'est un fait universellement reconnu que le concept de la moto d'aventure provient de chez BMW, puisque celui-ci fut le premier à présenter une routière aux capacités tellement variées en termes de conditions et de terrains qu'elle fut qualifiée d'aventurière. Personne ne nie non plus que c'est de cette idée que sont nés tant la V-Strom que le reste des modèles de la classe. Mais la vocation de la Suzuki n'a jamais été exactement la même que celle de l'allemande, puisqu'elle se distingue par une construction presque exclusivement plus axée sur une utilisation routière. En fait, la V-Strom est une routière à laquelle certaines composantes typiques des aventurières ont été greffées. Son moteur provient des regrettées TL1000, tandis que son cadre périmétrique en aluminium pourrait très bien être celui d'une sportive. À part le retrait de la version SE, rien ne change en 2011.

Si le nombre de modèles dérivés du concept de la routière aventurière lancé il y a plus de 30 ans par BMW ne cesse de croître, le fait est que ces montures prennent petit à petit des directions différentes les unes des autres. Dans le cas de la V-Strom d'un litre, il s'agit d'une direction avant tout routière dont les principaux points d'intérêt sont un comportement accessible et un caractère mécanique fort provenant du V-Twin qui l'anime.

La V-Strom a la faculté de mettre son pilote immédiatement à l'aise lorsqu'il y prend place. Seule l'importante hauteur de selle constitue une ombre au tableau à ce sujet. En revanche, la position de conduite se montre particulièrement équilibrée. Le large guidon tubulaire tombe naturellement sous les mains tandis que son effet de levier important permet d'incliner la V-Strom avec une facilité déconcertante. La qualité de la tenue de route est de calibre sportif et le châssis renvoie une impression surprenante de rigueur et de précision pour une moto de ce genre. La V-Strom 1000 se laisse d'ailleurs facilement convaincre de jouer les sportives sur une route sinueuse. Ces caractéristiques sont en fait tellement prononcées qu'on a par moments l'impression de simplement piloter une routière sportive avec une position de conduite d'aventurière.

ELLE SE MONTRE FACILEMENT PLUS RAPIDE QU'UNE SPORTIVE POINTUE SUR UNE ROUTE SINUEUSE DONT L'ÉTAT EST ABÎMÉ.

L'une des plus belles qualités du modèle est l'impressionnante capacité d'absorption des suspensions à long débattement. En plus d'être en bonne partie responsables du très bon niveau de confort, ces suspensions permettent d'élever le rythme du pilotage jusqu'à un degré très surprenant. Parce que la V-Strom laisse le pilote se concentrer sur la route plutôt que sur l'état dans lequel elle se trouve, elle peut même facilement se montrer plus rapide qu'une sportive pointue sur un tracé en lacet dont le revêtement est abîmé, ce qui surprend d'ailleurs toujours les propriétaires de ces sportives.

Un autre grand attrait du modèle est le très plaisant V-Twin qui l'anime. Générant près d'une centaine de chevaux, bien injecté et marié à une boîte à 6 rapports douce et précise, il gronde et tremble d'une façon non seulement typique des V-Twin, mais aussi très agréable. Si son niveau de performances absolu ne s'avère pas époustouflant, le couple qu'il produit est par contre abondant à tous les régimes. Ses reprises franches et ses accélérations assez intenses pour soulever l'avant en pleine accélération sont amplement suffisantes pour distraire un motocycliste expérimenté.

Parmi les rares reproches qu'on peut formuler à l'égard de la V-Strom 1000 se trouve un certain jeu dans le rouage d'entraînement qui, combiné avec le couple élevé et le frein moteur important du V-Twin, peut provoquer une conduite saccadée à basse vitesse sur les rapports inférieurs, une particularité encore plus agaçante avec un passager à bord. Par ailleurs, même si elle est très à l'aise sur des sorties de longues distances, la V-Strom mériterait une selle mieux dessinée et plus confortable. La situation du pare-brise est semblable puisque s'il offre une bonne protection du torse et qu'il possède deux réglages en hauteur, il génère en revanche une turbulence constante et gênante au niveau du casque, peu importe son ajustement.

QUOI DE NEUF EN 2011 ?

Retrait de la version SE

Aucune augmentation

PAS MAL

Un V-Twin d'un litre performant et très plaisant, car aussi souple et fougueux que doté d'un caractère absolument charmant

Une tenue de route étonnamment solide et précise, mais aussi très facilement exploitable; la V-Strom ne se fait pas prier pour jouer les sportives de manière très convaincante sur une route sinueuse, et se montre même particulièrement efficace si la chaussée est abîmée

Un niveau de confort élevé pour le pilote et le passager qui découle d'une position de conduite équilibrée et de suspensions dont la souplesse arrive à aplanir les pires routes

BOF

Une hauteur de selle trop importante pour une moto dont le rôle n'est pas d'explorer les sentiers, mais plutôt de circuler sur la route

Un pare-brise qui se règle sur deux positions, mais qui crée une turbulence gênante au niveau du casque quel que soit l'ajustement

Une selle perfectible qui nuit légèrement aux aptitudes de la V-Strom pour les voyages au long cours

Un système ABS qui tarde toujours à faire son apparition

Un concept qui vieillit et qui semble être prêt pour une révision

CONCLUSION

Très efficace sur tout genre de routes, assez confortable pour permettre d'envisager de longs trajets, dotée de capacités sportives étonnantes et offrant un niveau de praticité très élevé, la V-Strom en format d'un litre se montre aussi facile à piloter que plaisante à vivre au quotidien, et ce, même si elle n'a jamais évolué depuis 2002. Elle a longtemps été et demeure encore une moto pour laquelle nous avons beaucoup d'affection. Le simple fait qu'elle mérite toujours autant de bons mots après si longtemps sans le moindre changement est d'ailleurs la plus belle preuve de son attrait. Mais le concept commence à prendre de l'âge, elle n'est plus unique et son prix se rapproche de celui de modèles beaucoup plus jeunes et plus intéressants comme la Triumph Tiger 1050. Elle reste une très intéressante moto et un bon achat, mais, comme de plus en plus de modèles dans la gamme Suzuki, elle aurait besoin d'évoluer.

Voir légende en page 16

GÉNÉRAL

Catégorie	Routière Aventurière
Prix	12 299 $
Immatriculation 2011	633,55 $
Catégorisation SAAQ 2011	« régulière »
Évolution récente	introduite en 2002, SE introduite en 2009
Garantie	1 an/kilométrage illimité
Couleur(s)	noir, rouge
Concurrence	Ducati Multistrada, KTM 990 Supermoto T, Triumph Tiger

MOTEUR

Type	bicylindre 4-temps en V à 90 degrés, DACT, 4 soupapes par cylindre, refroidissement par liquide
Alimentation	injection à 2 corps de 45 mm
Rapport volumétrique	11,3:1
Cylindrée	996 cc
Alésage et course	98 mm x 66 mm
Puissance	98 ch @ 8 200 tr/min
Couple	65 lb-pi @ 7 000 tr/min
Boîte de vitesses	6 rapports
Transmission finale	par chaîne
Révolution à 100 km/h	environ 3 700 tr/min
Consommation moyenne	7,0 l/100 km
Autonomie moyenne	314 km

PARTIE CYCLE

Type de cadre	périmétrique, en aluminium
Suspension avant	fourche conventionnelle de 43 mm ajustable en détente
Suspension arrière	monoamortisseur ajustable en précharge et détente
Freinage avant	2 disques de 310 mm de Ø avec étriers à 2 pistons
Freinage arrière	1 disque de 260 mm de Ø avec étrier à 1 piston
Pneus avant/arrière	110/80 R19 & 150/70 R17
Empattement	1 535 mm
Hauteur de selle	840 mm
Poids tous pleins faits	238 kg
Réservoir de carburant	22 litres

PIONNIÈRE... // Dérivée de sa grande sœur la V-Strom 1000, la 650 du même nom fut la première véritable routière aventurière poids léger. Sa conception ne demanda pas de recherches complexes, puisque Suzuki n'a pas fait grand-chose de plus pour la créer que de coincer le moteur d'une SV650S dans le cadre d'une V-Strom 1000. Le résultat est néanmoins indiscutablement réussi. Et il est surtout très plaisant, raison pour laquelle la V-Strom 650, elle qui était encore unique jusqu'à tout récemment, commence aujourd'hui à avoir de la compagnie de la part de BMW et Triumph. Malgré son âge, elle conserve un niveau de désirabilité technique élevé en raison du V-Twin qui l'anime et de sa très solide partie cycle. Il s'agit d'une monture dont la conduite est avant tout axée sur l'accessibilité, la polyvalence et le plaisir de pilotage et qui demeure la plus abordable du genre.

C'est certainement moins vrai depuis l'arrivée récente de modèles concurrents ou similaires à la V-Strom, mais durant longtemps, la nature de la petite Suzuki s'est avérée difficile à comprendre pour certains motocyclistes. La petite cylindrée, la ligne inhabituelle et l'étrange combinaison de suspensions à long débattement et de cadre sportif représentaient en effet un ensemble dont plusieurs ne saisissaient pas l'intérêt. Un essai, même bref, était toutefois suffisant pour qu'elle prenne tout son sens. En raison de la popularité grandissante des routières aventurières, la moyenne des amateurs de motos comprend beaucoup mieux aujourd'hui cette nature.

La mission première du modèle consiste à remplir une multitude de rôles et de le faire à bon compte. Pour y parvenir, Suzuki a combiné le V-Twin injecté de 645 cc de la sportive SV650S à la partie cycle de la V-Strom 1000. Le résultat est une monture dotée d'un comportement à saveur routière absolument charmant qui, grâce à son faible poids et au caractère docile de sa mécanique, se montre extrêmement facile d'accès, et ce, sans égard au degré d'expérience du pilote. Non seulement la V-Strom 650 peut être envisagée comme première moto, mais elle constitue aussi une excellente manière de s'initier au sport et d'y progresser.

L'AISANCE ET LA PRÉCISION AVEC LESQUELLES ELLE ATTAQUE UNE ROUTE TORTUEUSE SONT TRÈS ÉTONNANTES.

En dépit d'une puissance limitée découlant de sa cylindrée moyenne, le petit V-Twin se montre étonnamment coupleux à bas régime et propose une aisance d'utilisation hors du commun. Une injection qui fonctionne parfaitement à l'exception d'un léger à-coup à l'ouverture des gaz ainsi qu'une excellente transmission et un embrayage doux confèrent à la petite mécanique une très agréable finesse. Il s'agit d'un V-Twin extrêmement attachant en raison du caractère unique qu'il dégage. Il s'agit aussi d'une mécanique qui, malgré ses performances limitées, arrive à satisfaire un pilote expérimenté, ce qu'il n'est certes pas fréquent de retrouver chez ces cylindrées. Ses vibrations très bien contrôlées rendent par ailleurs possible l'utilisation fréquente des hauts régimes.

Compte tenu de la facture raisonnable accompagnant le modèle, on s'étonne franchement de retrouver un comportement routier d'une qualité aussi élevée. L'aisance et la précision avec lesquelles la V-Strom 650 dévore une route tortueuse sont stupéfiantes. La combinaison de suspensions judicieusement calibrées, d'un châssis solide et d'une direction légère, neutre et précise est la grande responsable de cette qualité qui permet au modèle de maintenir un rythme carrément sportif sur un tracé sinueux. Sur une route en lacets au revêtement abîmé, un bon pilote aux commandes de la V-Strom pourrait même ridiculiser une sportive, puisque celle-ci serait très difficile à maîtriser sur ce type de pavé.

Avec une position de conduite relevée, une bonne selle autant pour le pilote que pour le passager, une protection au vent honnête et des suspensions qui semblent comme par magie embellir les mauvaises routes, la V-Strom 650 se prête sans problème au jeu des longues distances. Une selle un peu plus confortable pour ce genre de long trajet et un pare-brise ne causant pas de turbulences à la hauteur du casque sont les plus évidentes améliorations dont elle a besoin.

QUOI DE NEUF EN 2011 ?

Retrait de la version SE

Aucune augmentation

PAS MAL 

Un V-Twin absolument charmant qui compense sa puissance limitée par un caractère étonnamment fort et qui constitue l'une des plus attrayantes caractéristiques de la petite V-Strom

Une tenue de route impressionnante, surtout sur chaussée dégradée où les suspensions effacent les irrégularités et permettent un rythme étonnant

Un niveau de confort appréciable et une position relevée très agréable

Un système ABS efficace livré de série, ce qui contribue a faire du modèle une très bonne valeur, même aussi longtemps après son introduction

BOF 

Une bonne selle, mais qui n'est pas du genre à demeurer confortable durant plusieurs centaines de kilomètres sans pauses

Une hauteur de selle légèrement réduite par rapport à celle de la 1000, mais qui reste trop élevée pour la plupart des motocyclistes, et ce, inutilement puisque le modèle n'a aucune prétention de machine de sentier

Un pare-brise qui génère une turbulence gênante au niveau du casque, et ce, malgré le fait qu'il est réglable en deux positions

CONCLUSION

Avant la dernière F650GS de BMW et avant la toute nouvelle Tiger 800 de Triumph, il y a eu la plus petite des V-Strom, un fait qui donne beaucoup de crédibilité à son concept de routière aventurière poids léger. Un peu moins prestigieuse que les européennes, elle offre quand même une combinaison de qualités très impressionnantes. Encore aujourd'hui, bien peu de montures roulent si bien, sont si confortables et procurent un tel plaisir de conduite au jour le jour, dans une si large variété de situations pour un déboursé aussi raisonnable. Elle n'est pas exempte de petits défauts, puisque Suzuki n'a jamais daigné repenser le pare-brise afin qu'il ne génère plus de turbulences, pas plus qu'il n'a jugé bon d'abaisser un peu la selle, mais il s'est rattrapé en l'équipant de série avec l'ABS. Elle commence à vieillir, mais son attrait demeure étonnamment intact.

187 km/h
Vitesse de pointe

12,4 s à 167 km/h
Accélération sur 1/4 mille

Novice | Intermédiaire | Expert
Indice d'expertise

Rapport valeur/prix
1 2 3 4 5 6 7 8 9 10

Voir légende en page 16

GÉNÉRAL 

Catégorie	Routière Aventurière
Prix	9699 $
Immatriculation 2011	633,55 $
Catégorisation SAAQ 2011	« régulière »
Évolution récente	introduite en 2004, SE introduite en 2009
Garantie	1 an/kilométrage illimité
Couleur(s)	noir, orange
Concurrence	BMW F650GS, Triumph Tiger 800

MOTEUR 

Type	bicylindre 4-temps en V à 90 degrés, DACT, 4 soupapes par cylindre, refroidissement par liquide
Alimentation	injection à 2 corps de 39 mm
Rapport volumétrique	11,5:1
Cylindrée	645 cc
Alésage et course	81 mm x 62,6 mm
Puissance (SV650S)	67 ch @ 8800 tr/min
Couple (SV650S)	44,3 lb-pi @ 6400 tr/min
Boîte de vitesses	6 rapports
Transmission finale	par chaîne
Révolution à 100 km/h	environ 4600 tr/min
Consommation moyenne	5,8 l/100 km
Autonomie moyenne	380 km

PARTIE CYCLE 

Type de cadre	treillis périmétrique, en aluminium
Suspension avant	fourche conventionnelle de 43 mm ajustable en précharge
Suspension arrière	monoamortisseur ajustable en précharge et détente
Freinage avant	2 disques de 310 mm de Ø avec étriers à 2 pistons et système ABS
Freinage arrière	1 disque de 260 mm de Ø avec étrier à 1 piston et système ABS
Pneus avant/arrière	110/80 R19 & 150/70 R17
Empattement	1540 mm
Hauteur de selle	820 mm
Poids tous pleins faits	220 kg
Réservoir de carburant	22 litres

Boulevard M109R Limited

L'AUDACIEUSE M109R... // Comme la plupart des manufacturiers incluant des customs dans leur gamme, Suzuki s'est durant très longtemps limité à offrir des modèles de ce type dont le style était prévisible et commun et dont la mission se voulait de participer au créneau, sans plus. La marque d'Hamamatsu fit néanmoins preuve d'une très étonnante créativité en lançant la M109R en 2006. Affichant une ligne non seulement audacieuse, mais qu'on aurait presque été tenté de qualifier de sportive, la M109R se voulait probablement la custom la plus particulière de l'époque. À l'exception des Night Rod Special et V-Rod Muscle de Harley-Davidson, on ne trouve, encore aujourd'hui, rien de semblable sur le marché en matière de style. Mais l'attrait de la M109R va bien plus loin, puisqu'elle est également propulsée par l'un des V-Twin les plus puissants et caractériels jamais développés.

Ce fut Honda qui, le premier, lança la course aux véritables customs de performances en présentant sa VTX1800 en 2001. Les unes après les autres, la plupart des grandes marques emboîtèrent le pas avec leur propre interprétation du concept. Suzuki fut peut-être le dernier à rejoindre la classe, suivant la Vulcan 2000 de Kawasaki, la Roadliner 1900 de Yamaha et même l'immense Rocket III de 2,3 litres de Triumph, mais il ne fut certainement pas le moindre. En limitant la cylindrée de la M109R à 1,8 litre à une époque où tout le monde semblait viser plus de 2 litres et en habillant le modèle d'un inhabituel «carénage», Suzuki créa décidément la surprise.

La présence visuelle de la M109R ne peut être vraiment appréciée que lorsqu'on l'observe en chair et en os. Longue, basse et très massive, elle paraît immense et renvoie immédiatement une impression de largeur extrême dont sont surtout responsables le réservoir surdimensionné et toute la partie arrière, qui est construite autour d'un pneu ultra-large de 240 mm de section. Certaines motos imposantes semblent disparaître une fois qu'on y prend place, mais ce n'est pas du tout le cas de la M109R dont le côté massif reste tout à fait présent lorsqu'on en prend les commandes, ce qui n'a d'ailleurs rien de désagréable et qui, au contraire, représente un attrait pour les amateurs de machines costaudes.

CERTAINES MOTOS IMPOSANTES SEMBLENT DISPARAÎTRE UNE FOIS QU'ON Y PREND PLACE, MAIS PAS LA M109R.

Si la M109R ne semble pas tellement lourde à l'arrêt en raison de son centre de gravité bas, sa position de conduite très typée peut en revanche gêner les pilotes aux jambes courtes puisqu'il faut étendre les pieds assez loin pour atteindre les repose-pieds. L'emplacement tout aussi avancé du guidon bas et plat crée une posture en C très accentuée. Le niveau de confort n'est, malgré cela, pas mauvais du tout, en partie grâce à la selle large et bien rembourrée et en partie grâce à la surprenante protection apportée par l'avant de la moto. Celle-ci permet de maintenir de façon très tolérable des vitesses d'autoroute qui seraient inconfortables sur une custom classique, ce qui constitue un avantage considérable en utilisation quotidienne. Si la suspension avant n'attire pas de critiques, l'amortisseur arrière est sec sur tout ce qui est plus que moyennement abîmé.

Bien qu'il soit très possible que la ligne de la M109R constitue son premier facteur d'intérêt, une fois en route, l'attention se détourne immanquablement vers le gros V-Twin qui l'anime. Il s'agit d'un moteur absolument fabuleux qu'on entend carrément renifler et souffler au ralenti. Il génère non seulement l'une des accélérations les plus puissantes de l'univers custom, mais aussi l'une des plus particulières, puisqu'il continue d'étirer les bras du pilote jusqu'aux tout derniers régimes. L'intense tremblement et la profonde sonorité qui s'en échappent à tous les régimes ajoutent également beaucoup à l'agrément de conduite.

Le comportement routier de la M109R est caractérisé par une stabilité de tous les instants, par un bon freinage et par une direction qui demande un effort légèrement supérieur à la moyenne en amorce et en milieu de virage à cause du large pneu arrière. La présence de celui-ci touche par ailleurs tous les autres aspects de la tenue de route, sans pour autant que cela soit vraiment dérangeant.

QUOI DE NEUF EN 2011 ?

Aucun changement

Aucune augmentation

PAS MAL

Un moteur dont la manière de renifler et de souffler au ralenti est presque bestiale et dont le niveau de performances est vraiment impressionnant

Une partie cycle qui encaisse sans broncher toute la fougue du gros V-Twin et dont le large pneu arrière ne sabote pas trop les bonnes manières dont elle fait preuve dans la plupart des situations

Des prix raisonnables, puisque comparables à ceux de customs poids lourds classiques de plus faible cylindrée et moins performantes

Une ligne qui, même si elle n'a jamais fait l'unanimité, représente l'un des plus audacieux design customs du marché; elle représente la signature stylistique de Suzuki dans ce créneau

BOF

Une injection qui se montre abrupte à la réouverture des gaz et un frein moteur inhabituellement fort qui se combinent pour rendre la conduite saccadée sur les rapports inférieurs, à basse vitesse

Un rouage d'entraînement dont on perçoit le sifflement presque chaque instant en selle et qui compte parmi les raisons pour lesquelles nous disons qu'il ne s'agit pas de la grosse custom la plus raffinée qui soit

Une suspension arrière qui digère mal les routes très abîmées et dont la capacité d'absorption semble se limiter aux revêtements peu endommagés

CONCLUSION

De nombreuses customs ont été présentées sous l'angle de la performance à travers les années. Très peu, toutefois, ont vraiment livré une marchandise digne d'une telle appellation. La M109R est non seulement l'un de ces très rares modèles, mais ses prestations sont telles qu'elle fait carrément honte aux nombreuses machines ayant faussement affiché cette étiquette. Au-delà de son audacieux style exploitant de manière fort originale des lignes fuyantes presque sportives, elle se distingue surtout par le rendement brutalement plaisant du monstre cracheur de feu qu'est le V-Twin qui la propulse. Extrêmement coupleuse et puissante, il s'agit d'une mécanique dont la nature bestiale est très attachante et qui donne au modèle la nature d'un boulet de canon en ligne droite. Ce moteur constitue d'ailleurs l'une des principales raisons pour lesquelles on devrait envisager une M109R.

Boulevard M109R

Voir légende en page 16

GÉNÉRAL

Catégorie	Custom
Prix	M109R: 16 799 $ M109R Limited: 17 299 $
Immatriculation 2011	633,55 $
Catégorisation SAAQ 2011	« régulière »
Évolution récente	introduite en 2006
Garantie	1 an/kilométrage illimité
Couleur(s)	M109R: noir, bleu M109R Limited: noir et orange
Concurrence	Harley-Davidson Night Rod Special, Victory Hammer

MOTEUR

Type	bicylindre 4-temps en V à 54 degrés, DACT, 4 soupapes par cylindre, refroidissement par liquide
Alimentation	injection à 2 corps de 56 mm
Rapport volumétrique	10,5:1
Cylindrée	1 783 cc
Alésage et course	112 mm x 90,5 mm
Puissance	127 ch @ 6 200 tr/min
Couple	118,6 lb-pi @ 3 200 tr/min
Boîte de vitesses	5 rapports
Transmission finale	par arbre
Révolution à 100 km/h	environ 2 900 tr/min
Consommation moyenne	7,8 l/100 km
Autonomie moyenne	250 km

PARTIE CYCLE

Type de cadre	double berceau, en acier
Suspension avant	fourche inversée de 46 mm non ajustable
Suspension arrière	monoamortisseur ajustable en précharge
Freinage avant	2 disques de 310 mm de Ø avec étriers radiaux à 4 pistons
Freinage arrière	1 disque de 275 mm de Ø avec étrier à 2 pistons
Pneus avant/arrière	130/70 R18 & 240/40 R18
Empattement	1 710 mm
Hauteur de selle	705 mm
Poids tous pleins faits	347 kg
Réservoir de carburant	19,5 litres

UNE BONNE BASE... // Bien que les customs de performances comme les V-Rod Muscle soient spectaculaires, la très grande majorité des modèles vendus dans ce créneau sont de type classique. Deux ans après avoir lancé son étonnante M109R, Suzuki en présenta donc en 2008 une version de tourisme léger aux lignes beaucoup plus typiques, la C109R T. Dans le but de conserver une partie de l'esprit très particulier de la M109R, le constructeur décida d'en maintenir certaines de caractéristiques clés, notamment le gros V-Twin de 1,8 litre et le gigantesque pneu arrière de 240 mm. Une puissance un peu moins élevée permettant un couple plus présent correspondrait à la mission classique de la C109R T. Équipée de série d'un gros pare-brise, de sacoches en cuir et d'un dossier de passager, la C109R T est en plus munie d'un système de freinage combiné, mais sans ABS.

La C109R T est propulsée par la plus grosse mécanique de moto jamais produite par Suzuki. Il s'agit d'un V-Twin fougueux, vivant et très caractériel emprunté à la M109R, puis adapté la mission de tourisme léger du modèle en augmentant la disponibilité du couple au prix d'une douzaine de chevaux. Présentée comme la version classique de la M109R, la C109R T arbore une ligne prévisible mais élégante et affiche tous les détails stylistiques populaires chez les motos de ce type. Notons qu'elle est en plus munie d'un système de freinage combiné. Si la C109R T semble particulièrement intéressante sur papier, plusieurs lacunes apparaissent néanmoins une fois sur la route. Par exemple, alors que les impressionnantes dimensions du châssis, des suspensions et des roues devraient se traduire par une sensation de solidité et par une stabilité de tous les instants, on sent plutôt la C109R T vague et floue dès qu'un virage doit être amorcé. L'une des caractéristiques coupables est le gros pneu arrière qui résiste aux inclinaisons et avec lequel moto et pilote semblent constamment avoir à se battre. Si un tel comportement peut à la limite être toléré sur un chopper à la géométrie extrême, dans le cas de la C109R T, on a plutôt affaire à un classique modèle custom de tourisme léger, ce qui est très différent.

LA C109R T EST PROPULSÉE PAR UN V-TWIN PLUTÔT DOUX ET AGRÉABLEMENT CARACTÉRIEL, MAIS...

Selon les informations annoncées par Suzuki, le V-Twin qui anime la C109R T générerait un peu moins de puissance, mais se montrerait en revanche plus généreux en couple que celui de la M109R duquel il est dérivé. Pourtant, sur la route, on se rend compte que malgré tous ses chevaux, il peine à pousser de manière autoritaire le poids énorme du modèle et semble même, étrangement, moins coupleux à bas régime que celui de la M109R. Même les freins amènent la critique, car bien que le système combiné fonctionne adéquatement, il augmente l'effort au levier de manière démesurée et inappropriée lors d'un arrêt d'urgence.

La C109R T n'est pas pour autant exempte de qualités, puisqu'elle bénéficie quand même d'une partie cycle solidement construite et d'un style classique réussi. Elle offre une position de conduite dégagée typique de ce genre de motos et propose un niveau de confort décent sur un long trajet. Et bien qu'elle soit très lourde à l'arrêt, elle camoufle plutôt bien son embonpoint une fois en mouvement. Elle est aussi mue par une mécanique relativement douce à vitesse d'autoroute et dont la sonorité et le caractère sont assez plaisants.

Mais il reste que dans son ensemble, la C109R T commet un nombre d'erreurs inhabituellement élevé. Il est fort possible qu'il s'agisse d'une situation s'expliquant par la volonté du constructeur de mettre le paquet en matière de style et de mécanique, mais sans toutefois vraiment comprendre l'esprit de ce genre de customs. Pour arriver à l'ambitieux but, il fut décidé de produire l'un des plus massifs modèles du genre. L'ajout d'un gros pneu arrière, une caractéristique très populaire à l'époque, fit partie du concept. Une version remaniée du V-Twin de la M109R représentera le choix parfait de mécanique. Enfin, un système de freinage combiné — le seul chez Suzuki — compléterait le tout en augmentant la sécurité. L'idée semblait donc bonne, mais l'exécution n'est de toute évidence pas ce qu'elle aurait dû être.

QUOI DE NEUF EN 2011 ?

Aucun changement

Aucune augmentation

PAS MAL

Une ligne à la fois costaude et classique que la plupart des amateurs du genre trouvent réussie

Une mécanique plutôt douce et plaisante à l'oreille dont le niveau de performances n'est pas aussi grisant que celui de la M109R, mais qui reste suffisant pour pleinement satisfaire la moyenne des pilotes

Une liste de composantes toutes plus massives les unes que les autres qui contribuent non seulement à l'aspect musclé du modèle, mais aussi à la stabilité en ligne droite

BOF

Un comportement altéré par la combinaison du gros pneu arrière et de la direction très légère due au large guidon; le résultat est une série de réactions floues et imprécises chaque fois que la moto doit quitter la verticale pour s'incliner; ça reste tout à fait contrôlable, mais ça n'a rien d'agréable

Un moteur qu'on a retravaillé pour qu'il produise plus de couple à bas régime, mais qui, dans les faits, ne donne pas l'impression d'accomplir ce but; cela dit, quiconque ne sait pas de quoi est capable le V-Twin de la M109R n'aura pas de déception liée à la comparaison

Un système combinant la pédale de frein arrière au frein avant qui fonctionne, mais qui augmente trop la pression au levier

Un pare-brise qui crée d'agaçantes turbulences à la hauteur du casque à vitesses d'autoroute, et ce, pour des pilotes courts ou grands

CONCLUSION

La C109R fut développée avec la ferme intention de créer une sorte de custom poids lourd ultime, une idée pour laquelle la M109R était une base très naturelle. Mais il semble qu'une compréhension limitée ou erronée de l'univers custom fit, d'une certaine manière, dévier le projet. Par exemple, si, dans cet univers, un gros pneu arrière a évidemment sa place, ce n'est pas à n'importe quel prix en termes de comportement routier dans le cas où la mission du modèle en est plus une de balade ou de tourisme que de performances, comme c'est le cas ici. La C109R T est une custom classique, ce qui est très différent d'une M109R ou d'une V-Rod Muscle. Or, en installant quand même un très gros pneu arrière et en ayant en plus recours à un guidon large qui démultiplie les effets indésirables souvent associés à ces pneus, Suzuki n'a pas donné beaucoup de chance au modèle de faire belle figure. À plus de 19 000 $, la C109R T est également chère, ce qui nous laisse bien peu d'éléments pour la recommander. Trop peu.

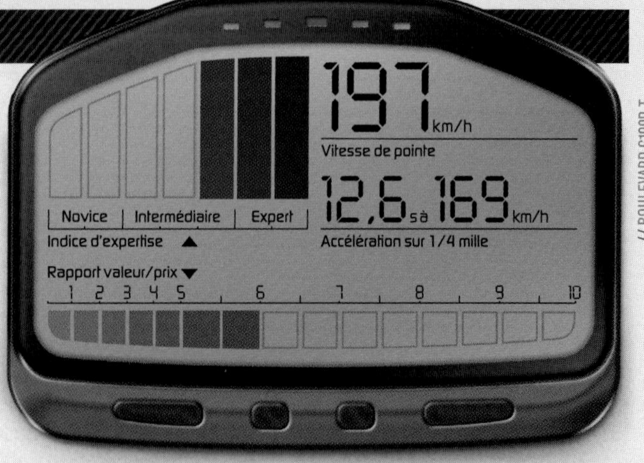

Voir légende en page 16

GÉNÉRAL

Catégorie	Tourisme léger
Prix	19 299 $
Immatriculation 2011	633,55 $
Catégorisation SAAQ 2011	« régulière »
Évolution récente	introduite en 2008
Garantie	1 an/kilométrage illimité
Couleur(s)	noir et gris
Concurrence	Triumph Rocket III Touring

MOTEUR

Type	bicylindre 4-temps en V à 54 degrés, DACT, 4 soupapes par cylindre, refroidissement par liquide
Alimentation	injection à 2 corps de 56 mm
Rapport volumétrique	10,0:1
Cylindrée	1 783 cc
Alésage et course	112 mm x 90,5 mm
Puissance	114 ch @ 5 800 tr/min
Couple	116 lb-pi @ 3 200 tr/min
Boîte de vitesses	5 rapports
Transmission finale	par arbre
Révolution à 100 km/h	n/d
Consommation moyenne	7,6 l/100 km
Autonomie moyenne	250 km

PARTIE CYCLE

Type de cadre	double berceau, en acier
Suspension avant	fourche conventionnelle de 49 mm non ajustable
Suspension arrière	monoamortisseur ajustable en précharge
Freinage avant	2 disques de 290 mm de Ø avec étriers à 3 pistons
Freinage arrière	1 disque de 275 mm de Ø avec étrier à 2 pistons
Pneus avant/arrière	150/80 R16 & 240/55 R16
Empattement	1 755 mm
Hauteur de selle	705 mm
Poids tous pleins faits	401 kg
Réservoir de carburant	19 litres

Boulevard M50

RÉSISTANCE... // Certains constructeurs, notamment Kawasaki et Yamaha, pour ne pas les nommer, tentent depuis quelques années d'attirer chez eux les nombreux acheteurs de ce type de petites customs en offrant un cubage supérieur, mais pas Suzuki. Le constructeur d'Hamamatsu semble même avoir choisi de résister à cette tendance tout en continuant de développer sa gamme de modèles de 800 cc. Trois variantes sont offertes en 2011, à commencer par la C50 originale qui est une accessible petite custom de format classique. Équipée des traditionnels gros pare-brise, sacoches en cuir et dossier de passager, la C50T se veut la version de tourisme léger de cette dernière. Enfin, la M50 arbore une ligne plus sportive clairement inspirée du style de la M109R. À l'exception de ses roues coulées et de sa fourche inversée, il s'agit pratiquement de la jumelle des autres d'un point de vue technique.

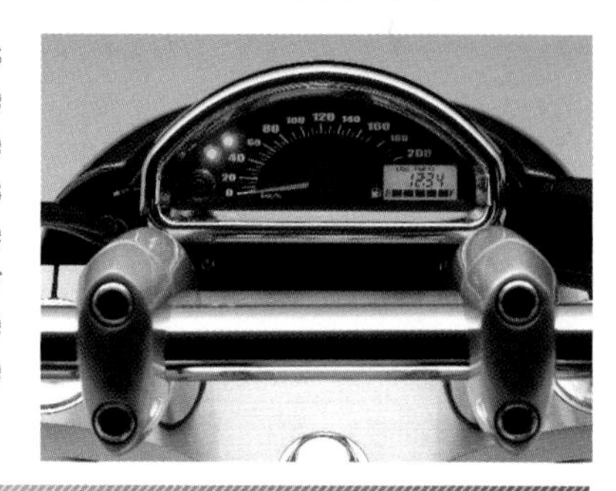

Malgré une cylindrée qu'on peut presque qualifier de « petite » dans le contexte courant, et ce, surtout face aux modèles poids lourds, les customs de cylindrée moyenne représentent certaines des meilleures valeurs du marché et figurent souvent parmi les modèles les plus vendus des constructeurs qui les offrent. Elles constituent d'ailleurs un défi de taille pour ceux-ci, puisque les acheteurs insistent pour retrouver toutes les caractéristiques des convoités customs de plus grosse cylindrée, mais à une fraction du prix. Le modèle le plus généreux verra ses ventes grimper et celui qui résiste à la tendance sera délaissé. Les C50 et la M50 se débrouillent relativement bien dans cet environnement en offrant pratiquement tous les critères recherchés. Une alimentation par injection, une ligne à jour et réussie, des proportions généreuses, une finition soignée et un entraînement final propre par arbre sont autant de critères exigés par les acheteurs de modèles de cette classe. La C50 et ses variantes se montrent par contre avares au niveau du frein arrière qui est toujours du type à tambour. Par ailleurs, la cylindrée de 800 cc, qui a longtemps été la norme de la classe, commence maintenant à être surpassée par des modèles qui approchent le litre. Suzuki cédera-t-il à la pression? Pour le moment, il semblerait que non, le constructeur paraissant plutôt satisfait de se distinguer en offrant plusieurs versions de sa custom poids moyen. L'arrivée en 2010 d'une M50 redessinée dont la ligne imite la signature stylistique de la convoitée M109R représente un autre pas dans la même direction.

LEUR POIDS MODÉRÉ, LEUR SELLE BASSE ET LEUR POSITION NATURELLE LES RENDENT TRÈS ACCESSIBLES.

Les C50 et M50 se présentent comme des choix moyens dans leur catégorie en se situant en termes de performances entre les 900/950 de Kawasaki et Yamaha et les Shadow 750 de Honda. Le V-Twin de 805 cc qui anime toutes les variantes fait correctement son travail sans toutefois montrer beaucoup de caractère. Il est doux, tremble et gronde gentiment, et procure des accélérations et des reprises satisfaisantes. L'injection fonctionne sans accroc tandis que les performances, sans s'avérer excitantes, peuvent être qualifiées d'honnêtes et de tout à fait suffisantes lorsque l'esprit reste à la balade. Un effort léger au levier d'embrayage et une transmission plutôt douce et précise sont d'autres points qui rendent ces motos amicales durant la besogne quotidienne. En raison du poids modéré, de la selle basse et de la position de conduite naturelle et décontractée, la prise en main se montre très aisée, même pour un pilote peu expérimenté. Les manœuvres lentes et serrées souvent délicates sur les customs de plus grosse cylindrée s'accomplissent ici sans complication, tandis qu'une fois en mouvement, elles se montrent faciles à mettre en angle tout en demeurant neutres et saines le long des virages. Les plateformes finissent par frotter, mais pas trop prématurément pour la classe. Si la stabilité reste généralement bonne quand la vitesse grimpe, la sensation de mollesse du levier et la puissance limitée du frein avant sont responsables d'un freinage qui n'est que moyen. De meilleures composantes et un frein à disque à l'arrière seraient bienvenus, sans parler de l'ABS qui, lui non plus, ne serait pas de refus.

QUOI DE NEUF EN 2011 ?

Retrait de la C50SE

Aucune augmentation

PAS MAL 

De bonnes customs de cylindrée moyenne affichant une finition soignée et une ligne classique pour les C50, et un style inspiré de celui de la M109R pour la M50 qui va bien mieux au modèle que l'étrange silhouette de la version précédente

Une tenue de route relativement solide et équilibrée ainsi qu'un comportement général facile d'accès

Un V-Twin qui fonctionne en douceur et dont les performances sont dans la moyenne pour la catégorie

BOF 

Un moteur qui n'est pas très caractériel sans toutefois que cela en fasse une mécanique désagréable; par ailleurs, bien qu'il soit plus puissant que le V-Twin des Shadow 750, il n'est pas aussi intéressant que les moteurs des Yamaha V-Star 950 et Kawasaki Vulcan 900

Une suspension arrière qui ne digère pas toujours avec élégance les routes abîmées

Un freinage qui n'impressionne pas, surtout à cause du frein avant peu puissant et spongieux

CONCLUSION

La classe à laquelle appartiennent ces motos en est une hautement concurrentielle, car les motocyclistes qui s'intéressent à ces modèles forment un groupe de consommateurs à la fois exigeants et très gâtés par les constructeurs. Ceux-ci, pour attirer la faveur des acheteurs, ont même été jusqu'à augmenter les cylindrées, ce qui n'a rien de banal et qui démontre bien le niveau élevé des rivalités. Dans cet environnement, les diverses variantes de la C50 et la M50 proposent de bonnes manières et des performances honnêtes pour un prix correct. Leur ligne est classique et soignée, leur mécanique s'avère amicale et leur comportement se montre accessible. La version de tourisme léger, quant à elle, offre de série, une liste d'équipements qui coûteraient plus cher à acheter et à faire installer séparément. Il s'agit de produits équivalents, si bien qu'aucune variante n'est supérieure à une autre d'un point de vue du comportement ou de la valeur.

Boulevard C50T

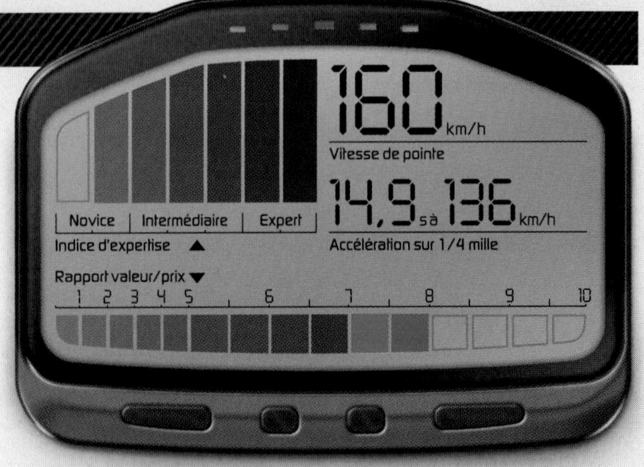

Voir légende en page 16

GÉNÉRAL 

Catégorie	Custom / Tourisme léger
Prix	C50 : 9299 $ C50T : 10799 $ M50 : 9499 $
Immatriculation 2011	633,55 $
Catégorisation SAAQ 2011	« régulière »
Évolution récente	introduites en 2001, M50 revue en 2010
Garantie	1 an/kilométrage illimité
Couleur(s)	C50 : noir; C50T : blanc et argent, noir et gris M50 : noir, bleu
Concurrence	Harley-Davidson Sportster 883, Honda Shadow 750, Kawasaki Vulcan 900, Yamaha V-Star 950

MOTEUR 

Type	bicylindre 4-temps en V à 45 degrés, SACT, 4 soupapes par cylindre, refroidissement par liquide
Alimentation	injection à 2 corps de 34 mm
Rapport volumétrique	9,4:1
Cylindrée	805 cc
Alésage et course	83 mm x 74,4 mm
Puissance	51 ch @ 6000 tr/min
Couple	51 lb-pi @ 3500 tr/min
Boîte de vitesses	5 rapports
Transmission finale	par arbre
Révolution à 100 km/h	environ 3800 tr/min
Consommation moyenne	5,2 l/100 km
Autonomie moyenne	298 km

PARTIE CYCLE 

Type de cadre	double berceau, en acier
Suspension avant	fourche conventionnelle (M50 : inversée) de 41 mm non ajustable
Suspension arrière	monoamortisseur ajustable en précharge
Freinage avant	1 disque de 300 mm de Ø avec étrier à 2 pistons
Freinage arrière	tambour mécanique de 180 mm de Ø
Pneus avant/arrière	130/90 H16 & 170/80 H15
Empattement	1655 mm
Hauteur de selle	700 mm
Poids tous pleins faits	C50 : 277 kg; C50T : 295 kg; M50 : 269 kg
Réservoir de carburant	15,5 litres

CUSTOM D'UNE AUTRE ÈRE... //

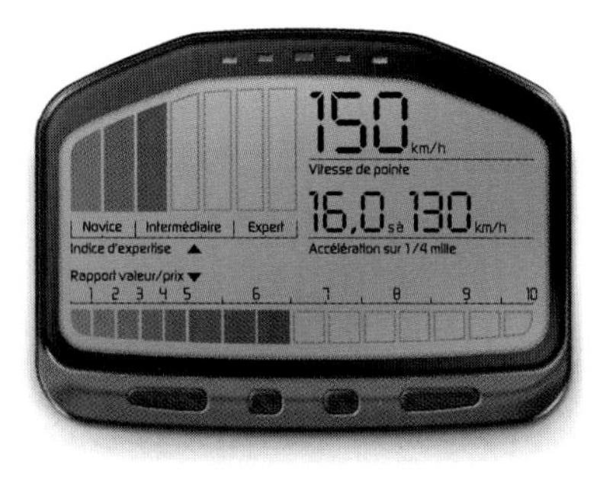

L'aspect le plus particulier de la toute petite custom qu'est la S40 est qu'un monocylindre de 650 cc lui sert de mécanique au lieu d'un traditionnel V-Twin, une caractéristique qu'elle possède surtout par souci d'économie. Le modèle, qui était connu depuis 1986 sous le nom de Savage, bénéficie depuis 2005 d'un guidon de style drag. Il représente l'une des rares motos encore alimentées par carburateur et ne serait-ce que pour cette raison, ces jours sont probablement comptés, puisqu'il serait très étonnant de voir Suzuki la faire évoluer.

La principale raison pour laquelle la S40, alias Savage 650, n'a jamais vraiment évolué durant sa carrière qui s'étend maintenant sur un quart de siècle est qu'elle n'est ni plus ni moins qu'un outil d'initiation. Son rôle n'est donc pas d'exciter les sens, d'être performante ou de faire tourner les têtes, mais plutôt de permettre à une catégorie bien précise de motocyclistes d'entreprendre l'aventure du pilotage d'une moto dans les conditions les plus simples et les plus amicales possible. Ces derniers la trouvent en général immédiatement basse et légère, ce qui augmente leur niveau de confiance. Bien qu'elles n'aient rien de très excitant, même pour un novice, les performances que propose la S40 sont quand même beaucoup plus intéressantes que celles des petites 250 d'initiation. La sonorité agricole du monocylindre n'a rien de vraiment agréable non plus. Il n'y a pas de problème à suivre la circulation automobile, mais cela devient toutefois plus ardu avec un passager ou s'il faut dépasser rapidement. Comme la mécanique se débrouille bien à bas régime, on peut généralement éviter les tours élevés et leurs vibrations. Le prix peut sembler bas pour une moto neuve, mais on doit réaliser que ce qu'il permet d'obtenir est un véhicule techniquement vétuste. La S40 est en fin de compte une moto qui ne devrait être envisagée que si et seulement si le seul but de l'exercice est d'acquérir une monture qui permettra une période d'apprentissage aussi amicale que possible.

GÉNÉRAL

Catégorie	Custom
Prix	6799$
Immatriculation 2011	633,55$
Catégorisation SAAQ 2011	« régulière »
Évolution récente	introduite en 1986
Garantie	1 an/kilométrage illimité
Couleur(s)	S40 : orange et noir, argent et blanc
Concurrence	aucune

MOTEUR

Type	monocylindre 4-temps, SACT, 4 soupapes, refroidissement par air
Alimentation	1 carburateur à corps de 40 mm
Rapport volumétrique	8,5:1
Cylindrée	652 cc
Alésage et course	94 mm x 94 mm
Puissance	31 ch @ 5400 tr/min
Couple	37 lb-pi @ 3000 tr/min
Boîte de vitesses	5 rapports
Transmission finale	par courroie
Révolution à 100 km/h	n/d
Consommation moyenne	5,1 l/100 km
Autonomie moyenne	206 km

PARTIE CYCLE

Type de cadre	berceau semi-double, en acier
Suspension avant	fourche conventionnelle de 36 mm non ajustable
Suspension arrière	2 amortisseurs ajustables en précharge
Freinage avant	1 disque de 260 mm de Ø avec étrier à 2 pistons
Freinage arrière	tambour mécanique
Pneus avant/arrière	110/90-19 & 140/80-15
Empattement	1480 mm
Hauteur de selle	700 mm
Poids tous pleins faits	173 kg
Réservoir de carburant	10,5 litres

NOUVEAUTÉ 2011

MINI RÉTRO... //

Prenant la place dans la gamme Suzuki de la Marauder 250, la nouvelle TU250X reprend le monocylindre de la petite custom et l'utilise pour propulser un ensemble présenté comme une standard de style rétro. Offerte à 5 299$, la TU250X est en fait l'une des réponses de Suzuki face à la difficile situation économique qui continue de sévir aux États-Unis, puisqu'elle représente un mode de transport relativement peu coûteux à l'achat et extrêmement peu énergivore.

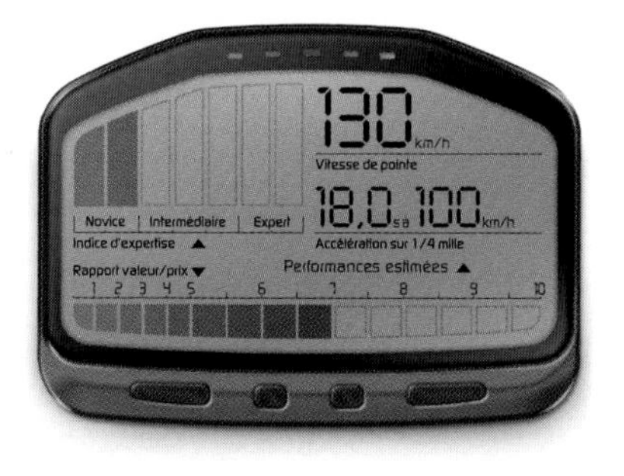

Technique

Il est pratiquement impossible de trouver un véhicule motorisé techniquement plus simple que cette TU250X de Suzuki. Il s'agit d'une toute petite moto de type standard que le constructeur offre pour la première fois sur notre marché en 2011. Propulsée par un monocylindre refroidi par air de 249 cc injecté et non carburé, la petite TU semble être le type de motos qui sont généralement retenues par les écoles de conduite en raison de leur mécanique fiable et peu exigeante en coûts d'entretien, mais surtout parce qu'elles résistent bien aux chutes mineures. Munie de roues à rayon de 18 pouces de diamètre et chaussée de minces pneus à tubes, la TU250X devrait effectivement s'avérer d'une grande maniabilité et offrir une très grande facilité de pilotage. Le freinage est confié à un seul disque à l'avant et à un tambour mécanique à l'arrière tandis que la suspension non ajustable est composée des pièces les plus simples dans le genre. La position de conduite a été déterminée de manière à installer le pilote comme il le serait sur une standard de plus grosse cylindrée, sans le coincer, tandis que la hauteur de selle a été gardée aussi faible que possible afin de bien convenir au type de clientèle peu expérimentée qui pourrait s'y intéresser. Le prix de la TU250X est toutefois un peu surprenant, puisqu'il est plus élevé que celui d'une toute nouvelle CBR250R, et ce, même si celle-ci est équipée de l'ABS. La TU250X est également plus chère qu'une Ninja 250R de Kawasaki.

GÉNÉRAL

Catégorie	Standard
Prix	5 299 $
Immatriculation 2011	377,55 $
Catégorisation SAAQ 2011	« régulière »
Évolution récente	introduite en 2009
Garantie	1 an/kilométrage illimité
Couleur(s)	noir et gris
Concurrence	Hyosung GT250

MOTEUR

Type	monocylindre 4-temps, SACT, 2 soupapes, refroidissement par air
Alimentation	injection
Rapport volumétrique	9,2:1
Cylindrée	249 cc
Alésage et course	72 mm x 61,2 mm
Puissance	n/d
Couple	n/d
Boîte de vitesses	5 rapports
Transmission finale	par chaîne
Révolution à 100 km/h	n/d
Consommation moyenne	n/d
Autonomie moyenne	n/d

PARTIE CYCLE

Type de cadre	épine dorsale, en acier
Suspension avant	fourche conventionnelle de 37 mm non ajustable
Suspension arrière	2 amortisseurs non ajustable
Freinage avant	1 disque de 275 mm de Ø avec étrier à 2 pistons
Freinage arrière	tambour mécanique
Pneus avant/arrière	90/90-18 & 100/90-18
Empattement	1 375 mm
Hauteur de selle	770 mm
Poids tous pleins faits	n/d
Réservoir de carburant	12 litres

GROS LUXE... //

Comme on n'avait jamais vu un tel engin sur nos routes, Suzuki en surprit plusieurs en décidant d'offrir en 2002 sur notre marché son gros Burgman 650, un mégascooter conçu pour le marché européen. Propulsé par un bicylindre de 55 chevaux, aussi lourd qu'une monture de sport-tourisme et coûtant aujourd'hui tout près de 12 000 $, le modèle rendait tout simplement impossible l'idée de prédire ses chances de succès. Mais le gros Burgman fut bien reçu. La version 2011 est identique à l'originale et bénéficie d'un freinage avec ABS en série.

L'expérience proposée par le Burgman 650 se veut un genre de croisement entre le pilotage d'une moto et d'un scooter, la balance penchant toutefois décidément du côté scooter. Ceux qui voudraient avoir le contrôle de la transmission automatique n'ont qu'à presser un bouton à n'importe quel moment pour transformer celle-ci en boîte séquentielle à cinq vitesses dont les rapports sont montés ou descendus à partir de commandes Up et Down placées sur la poignée gauche. Par ailleurs, un bouton Power force le moteur à conserver des tours plus élevés où il produit plus de puissance. On s'en sert par exemple lorsque vient le temps de dépasser rapidement, pour ensuite le désactiver et revenir à un régime moteur plus bas. Les 55 chevaux annoncés s'avèrent plus que suffisants sur l'autoroute où l'on n'a jamais l'impression que la mécanique est surmenée. La position de conduite est non seulement dégagée, mais aussi variable, puisque les jambes du pilote peuvent être pliées ou détendues. Avec sa grande protection au vent et sa selle haute, mais accueillante tant pour le pilote que pour le passager, le Burgman 650 n'est pas du tout un mauvais partenaire de longue route. Malgré une suspension et des freins qu'on ne sent pas très sophistiqués, mais qui accomplissent tout de même leur travail de façon honnête, le comportement routier est généralement sain. Un effort minimal suffit à inscrire le gros scooter en courbe, tandis que le châssis se montre assez rigide pour que la stabilité soit généralement bonne. Enfin, un compartiment d'impressionnantes dimensions situé sous la selle ajoute beaucoup au côté pratique du modèle.

GÉNÉRAL

Catégorie	Scooter
Prix	11 899 $
Immatriculation 2011	633,55 $
Catégorisation SAAQ 2011	« régulière »
Évolution récente	introduite en 2002
Garantie	1 an/kilométrage illimité
Couleur(s)	noir
Concurrence	aucune

MOTEUR

Type	bicylindre parallèle 4-temps, DACT, 4 soupapes, refroidissement par liquide
Alimentation	injection à 2 corps de 32 mm
Rapport volumétrique	11,2:1
Cylindrée	638 cc
Alésage et course	75,5 mm x 71,3 mm
Puissance	55 ch @ 7 000 tr/min
Couple	46 lb-pi @ 5 000 tr/min
Boîte de vitesses	automatique/séquentielle à 5 rapports
Transmission finale	par courroie
Révolution à 100 km/h	environ 4 500 tr/min
Consommation moyenne	5,8 l/100 km
Autonomie moyenne	258 km

PARTIE CYCLE

Type de cadre	tubulaire, en acier
Suspension avant	fourche conventionnelle de 41 mm non ajustable
Suspension arrière	2 amortisseurs ajustables en précharge
Freinage avant	2 disques de 260 mm de Ø avec étriers à 2 pistons et système ABS
Freinage arrière	1 disque de 250 mm de Ø avec étrier à 2 pistons et système ABS
Pneus avant/arrière	120/70 R15 & 160/60 R14
Empattement	1 595 mm
Hauteur de selle	750 mm
Poids tous pleins faits	277 kg
Réservoir de carburant	15 litres

PETIT GROS... //

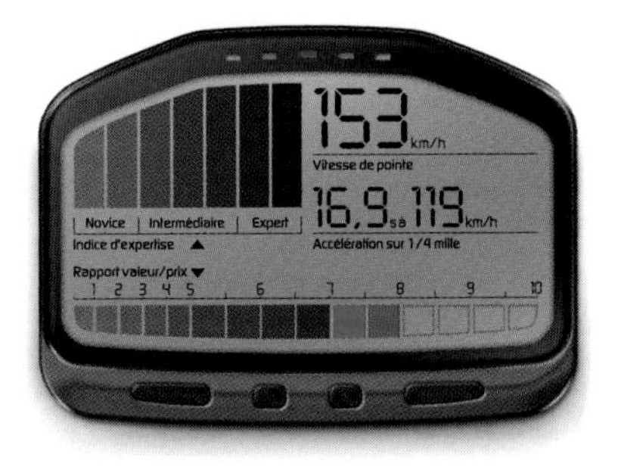

Introduit chez nous en 2007 alors qu'il venait tout juste d'être profondément révisé, le Burgman 400 est une version de moindre cylindrée et considérablement plus légère et facile d'accès du modèle de 650 cc portant le même nom. Il représente aussi une manière bien plus économique d'acquérir un engin de ce type, puisque sa facture est inférieure à celle du 650 de quelque 3 000 $, et ce, bien que l'ABS fait partie de l'équipement de série. Son rival le plus direct, chez nous, est le Majesty de Yamaha, dont la cylindrée et le prix sont presque identiques.

Les véhicules comme le Burgman 400 s'avèrent non seulement étonnement amusants à piloter, mais ils font aussi preuve d'un côté pratique insoupçonnable, proposent une très grande facilité d'utilisation et offrent des performances tout à fait suffisantes pour rouler aux côtés de la circulation automobile sans le moindre problème. En fait, le monocylindre injecté permet de rouler largement au-dessus des vitesses légales, puisqu'il passe rapidement le cap des 100 km/h et ne commence à s'essouffler qu'une fois les 140 km/h atteints. Le Burgman 400 se distingue de n'importe quelle moto grâce au gros coffre de 55 litres situé sous sa selle, un volume suffisant pour loger deux casques intégraux ou une foule de choses qui sont un casse-tête à transporter sur une moto sans valises. Le petit Burgman n'est pas un véhicule de tourisme, mais il n'y a aucune raison pour qu'il ne puisse être utilisé à cette fin. La position de conduite assise est reposante, les jambes ont une grande latitude de mouvements, la selle est bonne pour le pilote comme pour le passager, qui profite d'ailleurs d'un agréable dossier, et la protection au vent est excellente en plus d'être agréablement exempte de turbulences. Les suspensions ne sont pas des merveilles de raffinement, mais elles restent assez souples pour adéquatement filtrer la plupart des irrégularités de la route. À l'exception de freins qui font leur travail, mais qu'on sent spongieux aux leviers, le comportement routier est sain. La stabilité est bonne, la direction est ultra-légère sans être nerveuse et la tenue de route en courbe, tant qu'on n'exagère pas, reste posée et relativement précise.

GÉNÉRAL

Catégorie	Scooter
Prix	8 599 $
Immatriculation 2011	377,55 $
Catégorisation SAAQ 2011	« régulière »
Évolution récente	introduite en 2007
Garantie	1 an/kilométrage illimité
Couleur(s)	blanc
Concurrence	Yamaha Majesty

MOTEUR

Type	monocylindre 4-temps, DACT, 4 soupapes, refroidissement par liquide
Alimentation	injection
Rapport volumétrique	11,2:1
Cylindrée	399,9 cc
Alésage et course	81 mm x 77,6 mm
Puissance	34 ch @ 7 500 tr/min
Couple	26,8 lb-pi @ 6 000 tr/min
Boîte de vitesses	automatique
Transmission finale	par courroie
Consommation moyenne	4,9 l/100 km
Autonomie moyenne	275 km

PARTIE CYCLE

Type de cadre	tubulaire, en acier
Suspension avant	fourche conventionnelle de 41 mm non ajustable
Suspension arrière	monoamortisseurs ajustables en précharge
Freinage avant	2 disques de 260 mm de Ø avec étriers à 2 pistons et système ABS
Freinage arrière	1 disque de 210 mm de Ø avec étrier à 2 pistons et système ABS
Pneus avant/arrière	120/80-14 & 150/70-13
Empattement	1 585 mm
Hauteur de selle	710 mm
Poids tous pleins faits	222 kg
Réservoir de carburant	13,5 litres

Sprint GT accessoirisée

NOUVEAUTÉ 2011

EN ATTENDANT LA TROPHY? // Après une absence de plusieurs années, la Trophy de sport-tourisme serait bientôt de retour au sein de la gamme Triumph, fort probablement en 2012. Il serait facile de croire, compte tenu d'une telle information, que cette évolution de la Sprint ST appelée Sprint GT et introduite pour 2011 représente un produit transitoire destiné à défendre les couleurs du constructeur chez les touristes sportives en attendant le retour de la grosse artillerie qu'est censée être la prochaine Trophy. Mais cette nouvelle GT pourrait aussi très bien être là pour rester, puisque sa mission n'est pas la même que celle de montures comme les BMW R1200RT et Yamaha FJR1300. En fait, avec ses volumineuses valises et son généreux carénage, la GT propose plutôt une amélioration du concept de la ST précédente qui se voulait une sorte de sport-tourisme poids léger.

❯ Triumph a récemment accouché de modèles extrêmement impressionnants, comme la Daytona 675 ou les toutes nouvelles Tiger 800, pour ne nommer que ceux-ci. Dans presque tous les cas, on remarque qu'il s'agit d'une véritable nouveauté, de modèles conçus de manière très spécifique pour le genre d'utilisation visée. La «nouvelle» Sprint GT diffère de ces exemples en ce sens qu'elle est plutôt dérivée d'une monture introduite en 2005, la Sprint ST. Or, bien que nous ayons eu de très bons mots à l'égard de la ST au fil des ans, la réalité est qu'elle commence aujourd'hui à vieillir et devrait normalement être revue prochainement. En basant la GT sur la ST, Triumph étire la vie de la plateforme, ce qui est très compréhensible, mais il n'offre rien de révolutionnaire.

Cette réalité est toutefois loin de faire de la GT une mauvaise moto. Bien au contraire, en fait, puisqu'on a un peu l'impression à ses commandes d'avoir affaire à la monture que la ST aurait dû être depuis le début. En effet, parce que la ST a toujours été plus routière que sportive, le fait de la retrouver équipée de série de valises, de l'ABS, d'une meilleure selle, de suspensions recalibrées et de freins revus représente une amélioration très notable du concept original. De plus, la version du tricylindre de 1 050 cc qui anime la GT est un peu plus puissante et surtout plus coupleuse que celle de la ST, ce qui ne fait qu'ajouter aux qualités routières du modèle. Bref, aux commandes de la GT, on se sent surtout en train de piloter une version revue et corrigée de la ST plutôt qu'un tout nouveau modèle, une situation qui a ses bons et ses moins bons côtés.

INTIMEMENT LIÉE À LA SPRINT ST, LA GT EST UNE NETTE AMÉLIORATION, MAIS ELLE RESTE DÉRIVÉE D'UNE MONTURE VIEILLISSANTE.

En ce qui concerne les moins bons côtés, le plus marquant est l'impression de piloter un modèle qui n'est plus tout à fait à jour. Bien entendu, cette impression ne se manifestera que chez les motocyclistes très expérimentés avec des modèles récents. Les autres découvriront plutôt la machine qui nous a tant plu ces dernières années. Un niveau de vibrations mécaniques pas dérangeant, mais quand même toujours présent ainsi qu'une position demandant de s'étirer jusqu'à un guidon un peu éloigné et un peu bas sont les seules caractéristiques révélant l'âge de la plateforme. Pour le reste, la Sprint GT demeure une joie à piloter. Beaucoup plus agile et beaucoup moins encombrante que les sport-tourisme classiques construites sur le moule d'une FJR1300, par exemple, la GT représente une option presque unique sur le marché, celle d'une touriste sportive poids léger. Merveilleusement plantée en virage et parfaitement à l'aise en pilotage sportif, elle propose un très invitant équilibre entre stabilité et rapidité de direction. Par ailleurs, bien qu'on souhaiterait des guidons un peu plus hauts, le confort reste excellent grâce à une généreuse protection au vent, à une très bonne selle et à des suspensions assez souples.

L'un des plus grands attraits du modèle a toujours été le très plaisant 3-cylindres qui l'anime avec un caractère si attachant. Il s'agit d'une qualité retrouvée de manière intégrale sur la GT. Pas extraordinairement puissant, bien que tout de même assez rapide en ligne droite et surtout agréablement coupleux, il séduit littéralement le pilote par sa musique unique en pleine accélération.

QUOI DE NEUF EN 2011 ?

Nouveauté basée sur la Sprint ST qui disparaît de la gamme cette année

Coûte 700$ de plus que la Sprint ST 2010

PAS MAL

L'un des meilleurs moteurs sur le marché; puissant et doté d'une très large plage de régimes utilisables, il émet une mélodie envoûtante en pleine accélération

Une sport-tourisme d'un format unique; la Sprint GT propose des proportions qui sont davantage celles d'une routière sportive et s'avère donc nettement moins encombrante que des modèles comme les FJR et Concours 14

Un bon niveau d'équipement de série qui comprend des valises rigides et l'ABS

Un comportement routier invitant marqué par une grande stabilité dans toutes les circonstances ainsi que par une très honnête capacité à jouer les sportives

BOF

Une proposition unique qui doit bien être comprise par les acheteurs, puisque la Sprint GT n'offre pas un niveau de confort aussi poussé que celui des «vraies» touristes sportives que sont les FJR ou Concours 14

Une mécanique très plaisante à solliciter, mais qu'on sent légèrement vibrer à travers tous les points de contact entre pilote et moto

Une position de conduite qui trahit l'âge de la plateforme puisqu'elle force le pilote à s'étirer au-dessus d'un réservoir assez long pour atteindre les guidons; les modèles plus récents offrent une position plus compacte

Une mise à jour très potable, mais qui ne représente certainement pas la refonte complète du modèle qu'on aimerait voir la Sprint recevoir

CONCLUSION

Les produits du constructeur britannique se sont améliorés de manière phénoménale ces dernières années. La Sprint ST de 2005 fut l'une des premières Triumph aisément comparables à des montures japonaises. Nous l'avons d'ailleurs nous-mêmes qualifiée de rivale directe de la VFR800, ce qui n'est pas peu dire. Les dernières Triumph sont d'un calibre encore nettement supérieur, ce qui en dit long sur les efforts déployés par le constructeur pour s'approprier une plus grande part du marché global. Ce que cela signifie pour la Sprint GT, qui est intimement liée à la Sprint ST, c'est qu'elle ne représente pas le dernier cri dans la gamme anglaise. D'un autre côté, cela signifie aussi qu'elle se veut une excellente monture de tourisme sportif proposée dans un format presque unique dans cette classe et animée par un moteur génial. Ce n'est quand même pas si mal.

Voir légende en page 16

GÉNÉRAL

Catégorie	Sport-Tourisme
Prix	14699$
Immatriculation 2011	633,55$
Catégorisation SAAQ 2011	«régulière»
Évolution récente	introduite en 1999, revue en 2005, réintroduite en 2011 comme GT
Garantie	2 ans/kilométrage illimité
Couleur(s)	bleu, argent
Concurrence	Honda CBF1000, Suzuki GSX1250FA

MOTEUR

Type	3-cylindres en ligne 4-temps, DACT, 4 soupapes par cylindre, refroidissement par liquide
Alimentation	injection à 3 corps
Rapport volumétrique	12,0:1
Cylindrée	1050 cc
Alésage et course	79 mm x 71,4 mm
Puissance	128 ch @ 9200 tr/min
Couple	80 lb-pi @ 6300 tr/min
Boîte de vitesses	6 rapports
Transmission finale	par chaîne
Révolution à 100 km/h	environ 3400 tr/min
Consommation moyenne	6,9 l/100 km
Autonomie moyenne	290 km

PARTIE CYCLE

Type de cadre	périmétrique, en aluminium
Suspension avant	fourche conventionnelle de 43 mm ajustable en précharge
Suspension arrière	monoamortisseur ajustable en précharge et détente
Freinage avant	2 disques de 320 mm de Ø avec étriers à 4 pistons et système ABS
Freinage arrière	1 disque de 255 mm de Ø avec étrier à 2 pistons et système ABS
Pneus avant/arrière	120/70 ZR17 & 180/55 ZR17
Empattement	1537 mm
Hauteur de selle	815 mm
Poids tous pleins faits	268 kg
Réservoir de carburant	20 litres

Daytona 675R

NOUVELLE VARIANTE 2011

EXCEPTION À LA RÈGLE... // Aucune autre classe de moto n'est techniquement aussi rigide que celle des sportives de 600 centimètres cubes, si bien que tous les modèles qui la composent semblent carrément provenir du même moule. À plusieurs niveaux, la Daytona 675 incarne l'exception à la règle dans cette catégorie. D'abord, parce qu'il s'agit d'une Triumph et non pas d'une des marques japonaises traditionnellement exclusives à cette classe, mais surtout parce qu'en lieu et place d'un 4-cylindres de 600 cc, la Daytona est animée par un unique tricylindre en ligne de 675 cc. La version de base, qui fut lancée en 2006 et légèrement revue en 2009, continue d'être offerte à un prix inférieur à celui des modèles japonais, tandis qu'une version R équipée de suspensions Öhlins et d'étriers à montage radial Brembo vient s'ajouter à la gamme en 2011.

La Daytona 675 représente une proposition absolument unique dans cette classe où les choix traditionnels offerts par les constructeurs japonais s'avèrent tellement similaires que les amateurs éprouvent souvent de la difficulté à choisir. Plusieurs continuent d'argumenter qu'il ne s'agit pas vraiment d'une 600 en raison de sa cylindrée plus importante de 75 cc et ils n'ont pas tort, mais comme il lui manque aussi un cylindre, conclure qu'elle est directement comparable aux 600 japonaises n'a rien d'exagéré. Et puis, n'oublions pas que l'introduction de la Daytona 675 remonte à 2006, ce qui n'en fait pas exactement une base très récente pour ce type de moto, et ce, même si elle évolua légèrement en 2009. Elle fut alors allégée de 3 kilos, des modifications au moteur lui firent gagner 3 chevaux et retardèrent de 450 tr/min l'entrée en jeu du limiteur de régimes, les suspensions gagnèrent une capacité d'ajustement en haute et en basse vitesses de compression et, finalement, la partie avant du carénage fut légèrement redessinée.

COUPLEUX ET GÉNÉRANT UNE SONORITÉ ENVOÛTANTE, SON 3-CYLINDRES LA PLACE DANS UNE AUTRE CLASSE.

La Daytona 675 est à la fois très similaire et très différente des 600 japonaises traditionnelles. Elle ressemble à celles-ci au niveau de sa très grande légèreté et de ses proportions très compactes, particulièrement en ce qui concerne l'étonnante impression d'étroitesse qu'elle renvoie. Sa position de conduite, qui est même plus sévère que celle des modèles japonais en raison d'une selle haute et de poignées très basses, est par ailleurs particulièrement inconfortable dans toutes autres circonstances que celle du pilotage sur piste. Mais l'environnement du circuit est celui pour lequel elle a été conçue et c'est là que les grandes différences avec les modèles japonais commencent à devenir claires. En termes de tenue de route, la 675 propose une finesse et une précision qui sont presque équivalentes à ce qu'offrent les modèles nippons qui, eux, ont tout de même évolué depuis 2006. La nouvelle version R avec ses suspensions Öhlins et ses freins Brembo pourrait d'ailleurs beaucoup réduire cet écart. Elle n'avait pas encore été dévoilée à la presse à notre date d'impression.

Relativement comparable aux 600 japonaises jusqu'à ce point, la 675 ouvre un autre monde en ce qui concerne la mécanique. Son tricylindre la place en effet littéralement dans une classe à part. D'abord, au lieu de la sonorité presque électrique des 4-cylindres, la Daytona émet plutôt une musique aussi unique qu'enivrante, surtout lorsqu'elle est équipée d'un silencieux un peu plus libre. Le tricylindre se met alors à chanter, rien de moins. L'avantage de cette configuration mécanique va toutefois beaucoup plus loin, puisqu'il s'agit également d'un moteur doté d'une bande de puissance dont un propriétaire de 600 ne peut que rêver. Offrant des accélérations presque aussi fortes au-delà de la barre des 10 000 tr/min, la 675 se démarque complètement du rendement des 600 à bas et moyen régimes où l'on peut carrément parler de souplesse. Presque toujours très doux, le tricylindre se montre en effet parfaitement utilisable dès le relâchement de l'embrayage et génère une très plaisante poussée aussitôt que les mi-régimes sont atteints, ce qui augmente nettement l'agrément de pilotage.

QUOI DE NEUF EN 2011 ?

Introduction d'une version R équipée de suspensions Öhlins, de freins Brembo et d'un sélecteur de vitesses à assistance électrique offerte pour 2000$ de plus que la 675

Daytona 675 coûte 400$ de plus qu'en 2010

PAS MAL

Un moteur à 3 cylindres absolument brillant qui se montre beaucoup plus coupleux à bas et moyen régimes que celui d'une 600 japonaise à 4 cylindres, ainsi que beaucoup plus agréable à l'oreille

Un niveau de performances maximal très proche de celui des 600 japonaises et une tenue de route très similaire: la 675 est encore dans le coup

Une ligne presque exotique et un prix moins élevé que celui d'une 600 japonaise en font une très intéressante valeur, dans le cas de la 675 de base

BOF

Une position de conduite très agressive qui met beaucoup de poids sur les poignets et un niveau de confort général qui n'est pas du tout impressionnant, notamment en raison d'une selle dure comme du bois

Un très léger recul en matière de performances et de finesse de tenue de route sur circuit qui agace généralement les acheteurs

Une hauteur de selle considérable qui ne fera pas l'affaire des pilotes un peu courts sur pattes

Un design qui entame maintenant sa sixième année sans grand changement, ce qui est très long pour cette catégorie; à la défense de Triumph et de la 675, la ligne est encore attrayante et le recul de performances minimal; bref, la 675 vieillit bien

CONCLUSION

La Daytona 675 continue de proposer l'un des plus intéressants et des plus intelligents compromis du marché sportif de cylindrée moyenne. Au cœur de cette qualité se trouve sa mécanique à trois cylindres dont la souplesse ne cesse d'impressionner, surtout dans cette classe où une telle notion n'existe en fait même pas. Mais ce superbe moteur ne fait pas qu'agrémenter le pilotage en raison de sa très généreuse plage de puissance, puisqu'il se veut également l'un des plus excitants du marché à écouter rugir en pleine accélération. Les 600 japonaises sont des sportives extraordinaires et demeurent marginalement supérieures à la 675 à plusieurs égards, mais à d'autres niveaux, comme celui de la souplesse et du caractère, l'anglaise leur donne une bonne leçon.

Daytona 675

Voir légende en page 16

GÉNÉRAL

Catégorie	Sportive
Prix	675: 11 999$; 675R: 13 999$
Immatriculation 2011	1 425,55$
Catégorisation SAAQ 2011	«à risque»
Évolution récente	675 introduite en 2006, revue en 2009; 675R introduite en 2011
Garantie	2 ans/kilométrage illimité
Couleur(s)	rouge, noir, bleu (675R: blanc)
Concurrence	Honda CBR600RR, Kawasaki Ninja ZX-6R, Suzuki GSX-R600, Yamaha YZF-R6

MOTEUR

Type	3-cylindres en ligne 4-temps, DACT, 4 soupapes par cylindre, refroidissement par liquide
Alimentation	injection à 3 corps 44 mm
Rapport volumétrique	12,65:1
Cylindrée	675 cc
Alésage et course	74 mm x 52,3 mm
Puissance	124 ch @ 12 600 tr/min
Couple	53 lb-pi @ 11 700 tr/min
Boîte de vitesses	6 rapports
Transmission finale	par chaîne
Révolution à 100 km/h	environ 5 100 tr/min
Consommation moyenne	6,4 l/100 km
Autonomie moyenne	272 km

PARTIE CYCLE

Type de cadre	périmétrique, en aluminium
Suspension avant	fourche inversée de 41 mm (R: 43 mm) ajustable en précharge, en détente et en haute et basse vitesses de compression
Suspension arrière	monoamortisseur ajustable en précharge, en détente et en haute et basse vitesses de compression
Freinage avant	2 disques de 308 mm de Ø avec étriers radiaux à 4 pistons
Freinage arrière	1 disque de 220 mm de Ø avec étrier à 1 piston
Pneus avant/arrière	120/70 ZR17 & 180/55 ZR17
Empattement	1 395 mm
Hauteur de selle	830 mm
Poids tous pleins faits	185 kg
Réservoir de carburant	17,4 litres

NOUVEAUTÉ 2011

IDENTITÉ ENFIN PROPRE... // La réputation dont jouit la Speed Triple est probablement l'une des plus enviables de l'industrie de la moto, puisqu'elle est mondialement reconnue tant par la presse que par les motocyclistes comme étant l'origine des standards de style « street fighter ». Fait assez surprenant, le modèle est arrivé à ce statut sans jamais qu'il soit conçu de manière spécifique. Autrement dit, depuis toujours, il s'agit d'une monture dérivée d'un autre modèle, dans ce cas, de la sportive Daytona 955i lancée au début du siècle. En 2011, pour la première fois, Triumph donne à la vénérable Speed Triple une identité propre en la révisant complètement. Si l'excellent tricylindre n'est que légèrement revu, la partie cycle est, quant à elle, toute neuve, tandis que la ligne est considérablement travaillée. Par ailleurs, l'ABS est offert pour la première fois en option.

Technique

Triumph connaît de manière très intime les éléments responsables du succès de son emblématique Speed Triple. Le constructeur de Hinckley a donc pris grand soin de ne pas les altérer lors de cette révision majeure du modèle. La ligne, par exemple, est complètement repensée, mais sans affecter l'identité du modèle qui demeure instantanément reconnaissable. Le seul écart que s'est permis Triumph est retrouvé au niveau des phares qui n'affichent désormais plus la classique forme ronde. Le tricylindre et son caractère joueur semblent également avoir été protégés, car malgré une légère révision mécanique amenant une amélioration de puissance et de couple, il s'agit encore d'un moteur doté d'une zone rouge d'à peine 10 000 tr/min et dont la mission reste celle de donner au pilote l'impression de bénéficier d'un fort couple à tous les régimes. En fait, les changements les plus importants sont retrouvés au niveau de la partie cycle, et plus particulièrement à celui du nouveau cadre qui, pour la première fois, est exclusif à la Speed Triple. Non seulement ce cadre, qui conserve une construction en aluminium tubulaire, affiche une géométrie de direction modifiée, mais il amène aussi un positionnement du pilote considérablement différent, puisque celui-ci est désormais installé de manière plus compacte et se trouve plus rapproché du guidon. Selon Triumph, ce repositionnement améliorerait la maniabilité de façon notable.

LE NOUVEAU CADRE EST EXCLUSIF À LA SPEED TRIPLE. UNE PREMIÈRE. IL OFFRIRAIT UNE POSITION NETTEMENT PLUS COMPACTE.

QUOI DE NEUF EN 2011 ?

Nouvelle génération du modèle

Système ABS offert en option

Coûte 745 $ de plus qu'en 2010

PAS MAL

Un tricylindre envoûtant dont Triumph peut être fier; à lui seul, il s'est avéré responsable d'une importante partie de l'agrément que l'on ressent au guidon de la dernière version, une qualité que l'on s'attend à retrouver intégralement sur celle-ci

Un changement au niveau de la position qui, sur d'autres modèles ayant subi une modification semblable, a amélioré l'agrément de conduite et la maniabilité

Une partie cycle dont la révision est digne d'une sportive et qui devrait garantir au modèle une tenue de route très relevée

BOF

Un manque de protection contre les éléments qui, s'il est inhérent au style standard, ne permet pas d'exploiter pleinement les performances du modèle; la pression de l'air devient vite trop forte avec la vitesse

Un réglage des suspensions qui se montrait trop ferme sur l'ancienne version, au point de générer un certain inconfort sur mauvais revêtement

Une légèreté de direction extrême qui pouvait se transformer en instabilité sur l'ancienne version, surtout si le pilote ne faisait pas attention aux mouvements qu'il induisait lui-même dans le guidon; la nature plus sportive de la partie cycle de cette nouvelle version amplifiera-t-elle ce point?

CONCLUSION

Le genre de révision qu'a fait subir Triumph à la Speed Triple peut paraître sommaire à première vue, mais elle est en réalité très excitante, et voilà pourquoi. D'abord, l'esprit joueur du modèle a de toute évidence été respecté, ce qui n'aurait pas été le cas, par exemple, si une mécanique tournant à très haut régime avait remplacé la machine à couple qu'est cette version du tricylindre. Ensuite, il y a la transformation de la position de pilotage qui, si l'on se fie sur l'effet d'autres mises à jour du genre, laisse croire qu'on aura affaire à une moto qu'on pilote de manière encore plus intuitive. Mais le côté le plus intéressant de cette révision, c'est le très haut niveau de finesse et de désirabilité qu'ont atteint les plus récentes Triumph. Bref, c'est l'idée de voir la Speed Triple, une monture pour laquelle nous n'avons jamais caché notre grande affection, subir la toute dernière médecine du manufacturier anglais que nous trouvons la plus excitante.

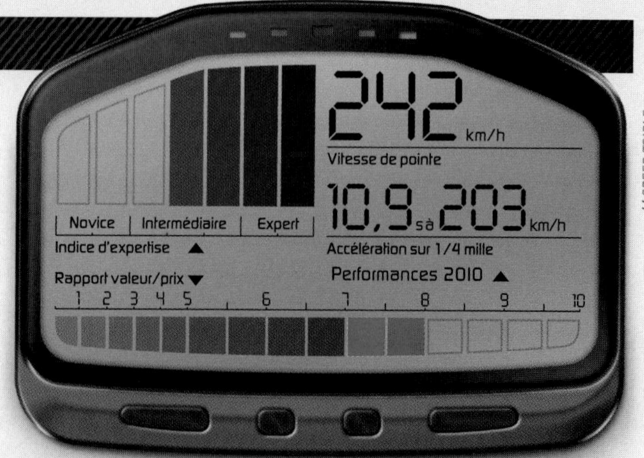

Voir légende en page 16

GÉNÉRAL

Catégorie	Standard
Prix	13 495 $ (ABS : 14 295 $)
Immatriculation 2011	633,55 $
Catégorisation SAAQ 2011	« régulière »
Évolution récente	introduite en 1994, revue en 1997, 2002, 2005 et en 2011
Garantie	2 ans/kilométrage illimité
Couleur(s)	blanc, rouge, noir
Concurrence	Ducati Streetfighter, Kawasaki Z1000

MOTEUR

Type	3-cylindres en ligne 4-temps, DACT, 4 soupapes par cylindre, refroidissement par liquide
Alimentation	injection à 3 corps
Rapport volumétrique	12:1
Cylindrée	1 050 cc
Alésage et course	79 mm x 71,4 mm
Puissance	133 ch @ 9 400 tr/min
Couple	82 lb-pi @ 7 750 tr/min
Boîte de vitesses	6 rapports
Transmission finale	par chaîne
Révolution à 100 km/h	n/d
Consommation moyenne	n/d
Autonomie moyenne	n/d

PARTIE CYCLE

Type de cadre	périmétrique, en aluminium tubulaire
Suspension avant	fourche inversée de 43 mm ajustable en précharge, compression et détente
Suspension arrière	monoamortisseur ajustable en précharge, compression et détente
Freinage avant	2 disques de 320 mm de Ø avec étriers radiaux à 4 pistons (et ABS optionnel)
Freinage arrière	1 disque de 220 mm de Ø avec étrier à 2 pistons (et ABS optionnel)
Pneus avant/arrière	120/70 ZR17 & 190/55 ZR17
Empattement	1 435 mm
Hauteur de selle	825 mm
Poids tous pleins faits	214 kg
Réservoir de carburant	17,5 litres

Street Triple R

CONCENTRÉ DE FOLIE... // La marque de Hinckley n'est certainement pas étrangère à la notion d'élaborer plusieurs modèles à partir d'une base commune, puisque c'est même de cette façon qu'elle a, durant très longtemps, créé sa gamme. La Street Triple suit d'une certaine manière cette philosophie puisqu'elle est directement dérivée de la Daytona 675. La puissance du moteur a été réduite et le couple augmenté, le carénage a été retiré, la position a été relevée et les suspensions proposent quelques réglages en moins. Bref, sur papier, on semble avoir affaire à la typique standard construite sur une base de sportive. Bâillement... Si c'est techniquement ce qu'est la Street Triple, qui est aussi offerte en version R équipée d'une suspension avant réglable et d'étriers Brembo, on réalise toutefois sur la route qu'il s'agit de quelque chose de bien plus particulier qu'une banale standard.

Il existe peu de manières plus simples de créer une standard que celle de déshabiller une sportive, ce qui résume exactement la recette utilisée par Triumph pour arriver à la Street Triple, puisque celle-ci n'est rien d'autre qu'une Daytona 675 soulagée de son carénage. Le résultat, toutefois, varie grandement d'un exercice à l'autre, un phénomène dû aux détails de la transformation. Les caractéristiques de la mécanique ont-elles été laissées identiques à celles de la sportive originale, ou a-t-on au contraire aseptisé le moteur? La position de conduite a-t-elle été repensée, ou a-t-on plutôt simplement haussé les poignées? Derrière cette manière très rapide de concocter une standard se cachent donc une foule de détails qui, ensemble, jouent considérablement sur le produit final. Nous avons rarement vu un cas où chacun de ces détails a été aussi bien déterminé que celui de la Street Triple qui n'est rien de moins qu'une petite merveille. En fait, même s'il existe des modèles techniquement proches de la petite Triumph, comme la BMW F800R ou la Yamaha FZ8, une fois en selle, on réalise très vite qu'on a affaire à quelque chose d'absolument unique.

L'ergonomie est assez particulière, une caractéristique découlant du fait qu'il s'agit à la base d'une des «600» les plus compactes du marché. La selle est heureusement bien meilleure que celle de la 675 et les poignées sont suffisamment hautes pour soulager les mains de tout poids, mais le pilote est décidément installé de manière serrée, sans toutefois que cela soit dérangeant. L'impression d'étroitesse entre les jambes encore plus prononcée que sur la 675 contribue aussi à donner à la Street Triple la sensation de machine très compacte qui s'en dégage. Il ne s'agit néanmoins, encore une fois, de rien de dérangeant, mais plutôt d'un environnement donnant au pilote une impression de contrôle instantanée. Un contrôle d'ailleurs bienvenu lorsqu'on réalise, après une généreuse ouverture des gaz, que malgré une vingtaine de chevaux en moins que la Daytona 675, la Street Triple est un véritable petit animal crachant une quantité de couple à moyen régime presque incroyable pour une telle cylindrée. Mais ce couple est bel et bien réel et, sur le premier rapport, il aura tôt fait de réveiller le pilote inattentif en mettant la Street à la verticale. En ligne droite, avec plus d'une centaine de chevaux disponibles et un poids plume, la Street Triple ne tiendra peut-être pas tête à une 600 sportive, mais elle amusera décidément son pilote, peu importe son degré d'expérience. En revanche, elle pourrait aisément surprendre le motocycliste moins chevronné, du moins s'il ne fait pas preuve d'un minimum de respect envers elle. Comme c'est le cas sur la 675, chaque instant de conduite est agrémenté d'une sonorité fabuleuse, d'un chant mécanique qu'on ne retrouve nul par ailleurs que chez ces fameux tricylindres anglais.

LA STREET TRIPLE EST UN PETIT ANIMAL CRACHANT UNE QUANTITÉ DE COUPLE PRESQUE INCROYABLE POUR UNE TELLE CYLINDRÉE.

En matière de comportement, la Street Triple est exceptionnelle, ce qui ne devrait étonner personne, puisqu'elle reprend la partie cycle de la 675 de façon presque intégrale. Disons simplement qu'il s'agit d'une moto capable de tourner à un rythme très impressionnant en piste. Avec ses meilleures suspensions et ses freins plus puissants, la version R offre par ailleurs un avantage dans ces circonstances.

QUOI DE NEUF EN 2011 ?

Aucun changement

Aucune augmentation

PAS MAL

Un petit tricylindre absolument fabuleux qui propose non seulement des performances tout à fait satisfaisantes, mais qui agrémente aussi la conduite en générant une quantité de couple totalement inattendue pour cette cylindrée; son unique sonorité rauque est également digne de mention

Une tenue de route littéralement digne de celle d'une sportive de 600 cc, une qualité qui s'explique par le fait qu'il s'agit d'une 600 —675...— sportive

Une valeur très élevée et une proposition pratiquement unique, puisqu'on ne trouve rien d'autre sur le marché d'aussi excitant, dans ce genre de cylindrée

BOF

Une position de conduite très compacte qui ne dérange pas, mais que les pilotes de très grande taille pourraient trouver serrée

Une selle correcte, mais pas extraordinaire sur de longs trajets

Un comportement qui peut franchement surprendre, particulièrement en ce qui concerne le soulèvement de l'avant dû au fort couple, sur le premier rapport; certains pilotes pourraient trouver qu'il s'agit là d'un bon point...

Une ligne standard qui est très réussie, mais qui l'éliminera des choix de bien des motocyclistes; une version semi-carénée semblable à la Fazer 8 pourrait être très intéressante

CONCLUSION

Toutes les standards se ressemblent un peu et, comme elles sont souvent des versions dénudées et adoucies d'une quelconque sportive, elles sont faciles à sous-estimer, tout particulièrement lorsqu'elles n'ont que 675 cc. On ne peut tout simplement pas s'imaginer ce que réserve la Street Triple en la regardant ou en examinant sa fiche technique. Il s'agit, et ce, sans le moindre doute, de la machine la plus excitante qu'on puisse acheter dans cet ordre de prix et de cylindrée. Il s'agit aussi d'une moto nettement plus intéressante et amusante qu'une Daytona 675 pour quiconque ne compte pas s'aligner sur une ligne de départ. En fait, pour les amateurs de journées de piste qui veulent aussi profiter de leur monture tous les jours sans souffrir le martyr, on trouve très peu de choix aussi invitants sur le marché.

Street Triple

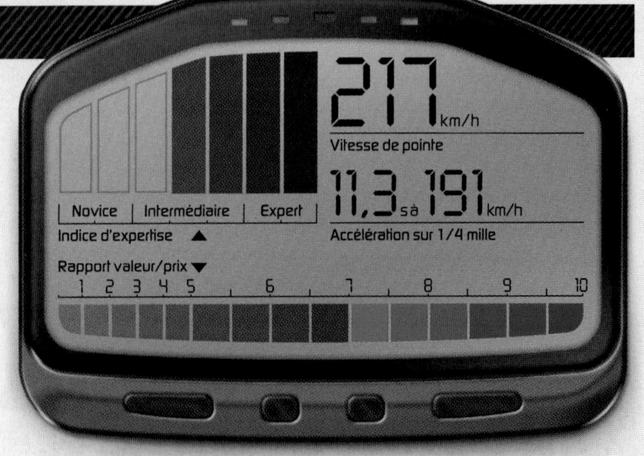

Voir légende en page 16

GÉNÉRAL

Catégorie	Standard
Prix	9999$ (R: 11199$)
Immatriculation 2011	633,55$
Catégorisation SAAQ 2011	« régulière »
Évolution récente	introduite en 2008
Garantie	2 ans/kilométrage illimité
Couleur(s)	blanc, rouge, noir, bleu R: orange, noir, gris
Concurrence	BMW F800R, Ducati Monster 796, Yamaha FZ8

MOTEUR

Type	3-cylindres en ligne 4-temps, DACT, 4 soupapes par cylindre, refroidissement par liquide
Alimentation	injection à 3 corps
Rapport volumétrique	12,65:1
Cylindrée	675 cc
Alésage et course	74 mm x 52,3 mm
Puissance	105 ch @ 11700 tr/min
Couple	50 lb-pi @ 9200 tr/min
Boîte de vitesses	6 rapports
Transmission finale	par chaîne
Révolution à 100 km/h	environ 5200 tr/min
Consommation moyenne	6,5 l/100 km
Autonomie moyenne	267 km

PARTIE CYCLE

Type de cadre	périmétrique, en aluminium
Suspension avant	fourche inversée de 41 mm non ajustable (R: ajustable en précharge, compression et détente)
Suspension arrière	monoamortisseur ajustable en précharge et détente
Freinage avant	2 disques de 308 mm de Ø avec étriers à 2 pistons (R: radiaux à 4 pistons)
Freinage arrière	1 disque de 220 mm de Ø avec étrier à 2 pistons
Pneus avant/arrière	120/70 ZR17 & 180/55 ZR17
Empattement	1410 mm
Hauteur de selle	800 mm
Poids tous pleins faits	189 kg
Réservoir de carburant	17,4 litres

BEAUTÉ CLASSIQUE... // Tout motocycliste connaît l'un de ces vieux routiers qui raconte sans jamais s'en lasser des anecdotes remontant à l'époque où les sportives anglaises dominaient autant les courses improvisées entre deux feux de circulation que les circuits routiers. La Thruxton est l'héritière de cette époque. Elle a pour mission de faire revivre aux nostalgiques cette ère de gloire qui a fait de Triumph l'un des constructeurs le plus en vue du globe. Basée sur la plateforme de la Bonneville, elle se distingue surtout par son style aussi soigné que fidèle à celui des modèles sportifs commercialisés durant les années 60. Une position de conduite basculée vers l'avant, des rétroviseurs en bout de poignées et des roues à rayons ne sont que quelques-uns des détails qui lui permettent d'atteindre cette authenticité visuelle.

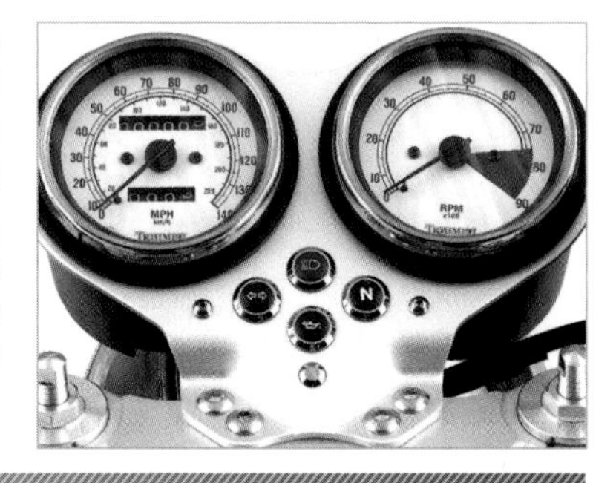

La Thruxton n'a d'autre mission ou d'utilité que celle de faire revivre l'époque relativement lointaine des années 60 et de ses Café Racer. Elle s'adresse soit à ceux qui sont de cette génération, soit à ceux que celle-ci fascine. Son allure très « British » éveillera à coup sûr chez ces passionnés un fort sentiment de nostalgie. Comme ses sœurs de la lignée Bonneville, la Thruxton semble tout droit sortie des années glorieuses de l'industrie motocycliste anglaise et demeure l'un des modèles rétro les plus réussis sur le marché. En suivant méticuleusement le thème de la sportive d'antan, Triumph a créé une monture unique, ce que l'on remarque d'ailleurs dès l'instant où on l'enfourche. L'étonnante fidélité avec laquelle la Thruxton respecte les proportions qui étaient courantes il y a un demi-siècle — mais considérées minuscules aujourd'hui— attire immanquablement l'attention. La selle est basse, étroite et mince, tandis que la moto ne semble pas plus large que son pneu avant. Cette impression n'est d'ailleurs pas très loin de la réalité puisqu'à l'exception du réservoir, des silencieux de style mégaphone et des couvercles latéraux du Twin parallèle, tout est étonnamment étroit. La position de conduite surprend elle aussi. Le buste penché vers l'avant, les poignets supportant tout le poids du corps basculé au-dessus du guidon et les jambes repliées à l'excès, le pilote se sent décidément à l'étroit. Bien qu'on finisse par s'y habituer après un moment, il s'agit d'une posture peu commune.

LA THRUXTON SEMBLE TOUT DROIT SORTIE DES ANNÉES GLORIEUSES DE L'INDUSTRIE DE LA MOTO ANGLAISE.

En dépit de ses 865 cc, le bicylindre vertical s'est toujours montré peu énergique et ses performances n'ont jamais impressionné, pas plus que son caractère d'ailleurs. Délivrant sa puissance de façon très linéaire, il génère des accélérations modestes à bas régime, décentes au milieu et qui finissent par s'intensifier à mesure que les tours grimpent. Doux jusqu'à 5 000 tr/min, il s'agite par la suite jusqu'à devenir considérablement vibreux à l'approche de la zone rouge de 7 500 tr/min. Il est donc préférable de ne pas tirer les rapports à l'excès et de maintenir les révolutions dans la partie médiane de la bande de puissance. La Thruxton n'est pas lente, mais elle n'a décidément rien d'intéressant à proposer aux accros de puissance et de sensations fortes. L'arrivée de l'injection il y quelques années a permis d'éveiller un peu les accélérations, mais elle ne les a pas transformées.

Le faible effet de levier généré par le guidon étroit nuit à la maniabilité de la Thruxton. Il faut pousser fort sur les poignées pour amorcer un virage et travailler aussi fort pour la faire passer d'un angle à l'autre rapidement. La sensation n'est pas désagréable puisqu'elle donne l'impression d'avoir à travailler un peu pour manier la moto, ce qui représente un net contraste par rapport au comportement souvent presque télépathique des modèles récents. Neutre et solide en courbe, la Thruxton fait toujours preuve d'une grande stabilité.

Le confort n'est pas le point fort de la petite sportive rétro d'Hinckley. La suspension arrière est simpliste et se montre rude sur une route en mauvais état, un fait que la dureté de la selle ne fait que mettre en évidence. En d'autres motos, les longues sorties ne sont pas sa spécialité.

QUOI DE NEUF EN 2011 ?

Aucun changement

Coûte 200 $ de plus qu'en 2010

PAS MAL

Une allure néo-rétro admirablement bien rendue grâce à des proportions très habiles et équilibrées; la Thruxton joue la carte de la nostalgie sans la moindre retenue

Une tenue de route contemporaine; ni la stabilité en ligne droite ni le comportement en courbe n'attirent de critiques, du moins tant qu'on se met dans la bonne ambiance et qu'on ne tente pas de jouer aux «vraies» sportives

Une expérience de conduite «sportive» différente puisqu'elle n'est pas axée que sur les performances brutes

BOF

Un niveau de confort à l'ancienne; les poignées basses mettent du poids sur les mains, la selle étroite ne tarde pas à devenir douloureuse, la mécanique vibre à haut régime et les suspensions ne sont pas particulièrement souples, surtout à l'arrière

Des performances peu impressionnantes; la Thruxton n'arrive à satisfaire que les pilotes qui la comprennent et qui ne s'attendent pas à une avalanche de chevaux, ce que le Twin anglais est loin de générer

Une mécanique qui manque de caractère surtout en raison du système d'échappement étouffé qui semble être commun à tous les modèles dérivés de la Bonneville

CONCLUSION

La Thruxton fait partie de ces motos vers lesquelles on se sent attiré pour des raisons purement émotives. Les intéressés doivent donc bien réaliser qu'au-delà de ses attrayantes proportions et de sa silhouette rappelant la Belle Époque, la Thruxton affiche un certain nombre de caprices avec lesquels il faut accepter vivre. Vibreuse, lourde de direction, assez inconfortable et n'ayant certes rien d'une fusée en ligne droite, elle offre finalement peu au motocycliste moyen. La Thruxton ne s'adresse toutefois évidemment pas à ce dernier, mais plutôt au nostalgique intéressé par autre chose qu'une quantité infinie de chevaux ou une technologie de pointe. La Thruxton est destinée au puriste, au romantique attiré par l'idée de rouler comme on le faisait il y a un demi-siècle aux commandes des mythiques sportives de cette époque qu'on appelait Café Racer.

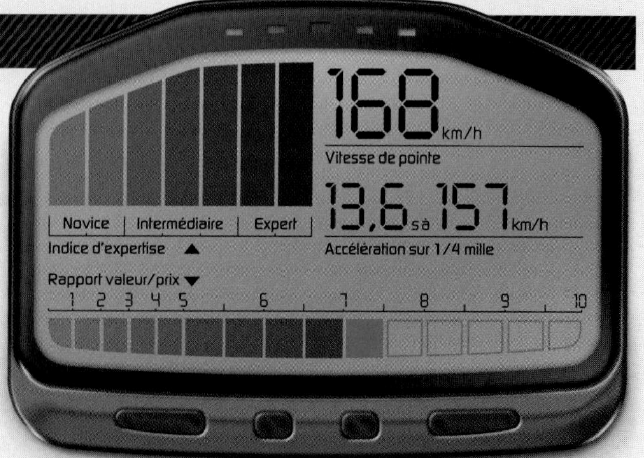

Voir légende en page 16

GÉNÉRAL

Catégorie	Standard
Prix	10 199 $
Immatriculation 2011	633,55 $
Catégorisation SAAQ 2011	«régulière»
Évolution récente	introduite en 2004
Garantie	2 ans/kilométrage illimité
Couleur(s)	noir, rouge
Concurrence	Harley-Davidson Sportster XR1200, Moto Guzzi V7 Classic

MOTEUR

Type	bicylindre parallèle 4-temps, DACT, 4 soupapes par cylindre, refroidissement par air
Alimentation	injection à 2 corps
Rapport volumétrique	9,2:1
Cylindrée	865 cc
Alésage et course	90 mm x 68 mm
Puissance	68 ch @ 7 400 tr/min
Couple	51 lb-pi @ 5 800 tr/min
Boîte de vitesses	5 rapports
Transmission finale	par chaîne
Révolution à 100 km/h	environ 3 900 tr/min
Consommation moyenne	5,5 l/100 km
Autonomie moyenne	291 km

PARTIE CYCLE

Type de cadre	double berceau, en acier
Suspension avant	fourche conventionnelle de 41 mm ajustable en précharge
Suspension arrière	2 amortisseurs ajustables en précharge
Freinage avant	1 disque de 320 mm de Ø avec étrier à 2 pistons
Freinage arrière	1 disque de 255 mm de Ø avec étrier à 2 pistons
Pneus avant/arrière	100/90 R18 & 130/80 R17
Empattement	1 490 mm
Hauteur de selle	790 mm
Poids tous pleins faits	230 kg
Réservoir de carburant	16 litres

Bonneville T100

TRIUMPH INC... // Faire évoluer la ligne d'une monture construite autour d'un thème rétro représente un exercice stylistique très complexe, puisque cette ligne est justement censée être intemporelle. Mais il s'agit d'un exercice nécessaire, bien que rare, et un seul coup d'oeil à la Bonneville que Triumph a revue en 2009 illustre bien à quel point le constructeur anglais est arrivé à respecter le passé du modèle tout en le mettant à jour. L'intervention technique fut limitée à l'installation de roues coulées à la place des roues à rayons, tandis que les silencieux «tire-pois» firent place à ceux de la Thruxton. Enfin, les garde-boue furent redessinés. La T100 est en fait la version précédente qui est toujours offerte en raison de sa ligne d'époque dont l'authenticité est telle que les observateurs se demandent très souvent s'ils regardent une moto des années 60 qui aurait été restaurée.

Motocyclistes actifs ou pas, ceux qui éprouvent de l'affection pour les modèles anglais des années 60 ne peuvent pratiquement pas résister au charme de la Bonneville et ne peuvent que succomber à tout ce que son look véhicule d'émotions et de souvenirs. D'autres constructeurs jouent également la carte de la nostalgie, mais Triumph s'en distingue en proposant des produits dont l'authenticité visuelle est frappante. La méthode utilisée par la marque anglaise pour arriver à un tel résultat est relativement simple puisqu'on a tout bonnement calqué la version d'époque pour créer le modèle courant. En plus de proportions très fidèlement reproduites, une foule de détails allant de la forme des couvercles du moteur à celle des silencieux en passant par le respect des emblèmes d'époque se combinent pour donner à l'ensemble un air d'antan extrêmement crédible. Il n'y a donc rien d'étonnant à ce que les curieux confondent très souvent la Bonneville avec une moto restaurée. Deux versions sont offertes: la Bonneville (la SE est mieux finie et possède un tachymètre) inspirée des années 70 et la T100 arborant une ligne des années 60. Dans les deux cas, il s'agit de montures construites avec des technologies parfaitement contemporaines.

LA T100 N'EST PAS LOURDE DE DIRECTION, MAIS LA BONNEVILLE OFFRE UNE AGILITÉ DE BICYCLETTE PAR RAPPORT À ELLE.

Avec une puissance relativement modeste de 67 chevaux, le Twin parallèle de celle qu'on appelle avec affection Bonnie accomplit très honnêtement son travail, sans toutefois en faire la moto la plus excitante qui soit en ligne droite. Il est très silencieux et n'émet qu'une sourde sonorité métallique, tandis que ses vibrations sont très faibles à bas régime et ne se manifestent que lorsqu'on étire les rapports jusqu'à s'approcher de la zone rouge. Certains motocyclistes apprécieront une telle tranquillité, mais d'autres trouveront que ça manque un peu de caractère.

Si la partie cycle a été élaborée de manière à ne pas entrer en conflit avec le style d'époque recherché par Triumph, elle reste solide et moderne. Et même si les composantes des suspensions sont plutôt rudimentaires et offrent un comportement plutôt moyen sur chaussée dégradée, l'ensemble reste assez bien conçu pour garantir un comportement routier sûr et précis. À moins de la pousser dans ses derniers retranchements, la Bonneville ne louvoie pas en courbe. La version T100, qui n'est pourtant pas lourde de direction, demande nettement plus d'effort à faire changer de cap que la Bonneville, qui offre véritablement une agilité de bicyclette. Il s'agit de la plus grande différence de comportement entre les deux versions et de caractéristiques découlant des différentes roues et des différents pneus dont elles sont équipées. Basses, minces et légères, toutes deux s'avèrent très faciles d'accès, démontrent une grande maniabilité dans un contexte urbain et permettent même de s'amuser franchement sur une route sinueuse. En termes d'agilité, la Bonneville se montre néanmoins toujours supérieure à la T100.

La position de pilotage tout simplement assise offre amplement de dégagement pour les jambes et laisse le dos droit. Comme les selles ne sont pas mauvaises et que les suspensions accomplissent décemment leur travail, le confort est acceptable lorsque l'atmosphère est à la balade, mais elles ne sont pas conçues pour les voyages sur de longues distances.

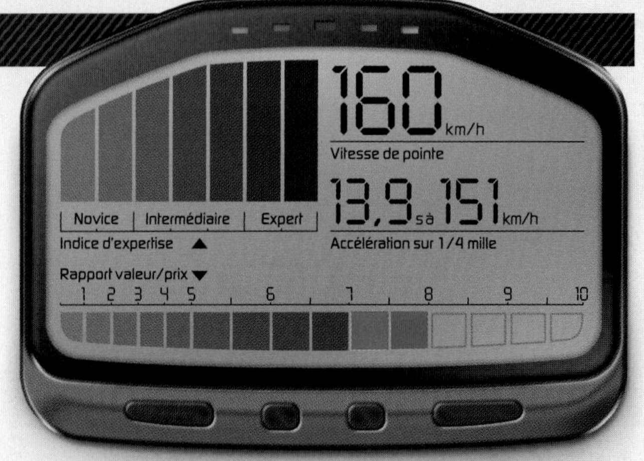

Voir légende en page 16

QUOI DE NEUF EN 2011 ?

Aucun changement

Coûtent 200$ de plus qu'en 2010

PAS MAL

Un style rétro tellement fidèle à celui des Bonneville d'antan que les curieux la confondent très souvent avec une moto restaurée

Un comportement routier tout à fait satisfaisant, puisque solide et exempt de vices majeurs; la Bonneville à roues coulées se montre par ailleurs non seulement exceptionnellement maniable, mais aussi très accessible

Un niveau pratique étonnamment élevé qu'on ne soupçonne pas toujours en raison de toute l'attention portée au style et au côté historique du modèle

Un prix raisonnable qui, lorsque combiné à la bonne qualité de l'ensemble fait de la Bonneville une bonne valeur

BOF

Un niveau de performances bien plus intéressant que celui des premiers modèles de 790 cc, surtout depuis l'arrivée de l'injection, mais qui reste quand même modeste; le Twin est plaisant, mais pas excitant et on ne dirait certes pas non à plus de 1 000 cc

Un moteur au caractère fade; ses pulsations sont presque imperceptibles sur la route en utilisation normale et ses silencieux souffrent d'un étouffement profond

Un niveau de confort très correct pour la besogne quotidienne et les balades de moyennes durées, mais la selle plate n'est pas conçue pour demeurer confortable sur de longues distances, tandis que les suspensions ne sont pas des merveilles de technologie moderne

CONCLUSION

Malgré son petit air sympathique et sans prétention, la Bonneville est peut-être le plus important modèle du catalogue anglais, puisque c'est elle qui ancre la réputation de la marque et qui donne toute sa profondeur à son histoire. Elle a cela en commun avec les Thruxton et Scrambler qu'elle doit en premier lieu être comprise pour être appréciée. On doit donc bien saisir qu'il s'agit d'une monture dont le but est d'abord de spirituellement remonter le temps, un peu comme une Harley, et ensuite de le faire de manière aussi aisée et fonctionnelle que possible en s'appuyant sur de la technologie moderne. Ce qui étonne, c'est qu'avec toute cette attention à l'histoire et au style, la Bonnie s'avère aussi plaisante à piloter au jour le jour. Il s'agit d'un symbole, mais aussi d'une excellente moto.

Bonneville SE

GÉNÉRAL

Catégorie	Standard
Prix	Bonneville T100 : 10 199$ (noir : 9 839$) Bonneville SE : 9 899$ (2 tons) Bonneville SE : 9 599$ Bonneville : 8 899$
Immatriculation 2011	633,55$
Catégorisation SAAQ 2011	« régulière »
Évolution récente	introduite en 2001, revue en 2009
Garantie	2 ans/kilométrage illimité
Couleur(s)	T100 : vert et crème, noir et blanc, brun et blanc, noir SE : bleu et blanc, orange et noir, noir Bonneville : noir, blanc
Concurrence	Harley-Davidson Sportster 883 Honda Shadow RS

MOTEUR

Type	bicylindre parallèle 4-temps, DACT, 4 soupapes par cylindre, refroidissement par air
Alimentation	injection à 2 corps
Rapport volumétrique	9,2:1
Cylindrée	865 cc
Alésage et course	90 mm x 68 mm
Puissance	67 ch @ 7 500 tr/min
Couple	50 lb-pi @ 5 800 tr/min
Boîte de vitesses	5 rapports
Transmission finale	par chaîne
Révolution à 100 km/h	environ 3 700 tr/min
Consommation moyenne	5,0 l/100 km
Autonomie moyenne	320 km

PARTIE CYCLE

Type de cadre	double berceau, en acier
Suspension avant	fourche conventionnelle de 41 mm non ajustable
Suspension arrière	2 amortisseurs ajustables en précharge
Freinage avant	1 disque de 310 mm de Ø avec étrier à 2 pistons
Freinage arrière	1 disque de 255 mm de Ø avec étrier à 2 pistons
Pneus avant/arrière	110/70 R17 & 130/80 R17 T100 : 100/90 R19 & 130/80 R17
Empattement	1 490 mm (T100 : 1 500 mm)
Hauteur de selle	740 mm (T100 : 775 mm)
Poids tous pleins faits	225 kg (T100 : 230 kg)
Réservoir de carburant	16 litres

COMME DANS LE TEMPS... // Après avoir été ramenée à la vie au début des années 90 grâce à des modèles décents, mais relativement fades, Triumph a fini par réaliser la valeur commerciale de son passé et par se mettre à exploiter cette riche histoire. Le résultat est une gamme de modèles classiques destinée, évidemment, à séduire une clientèle d'un certain âge, mais aussi à établir la crédibilité historique de la marque anglaise. La Scrambler est l'un de ces modèles. Elle se veut la réincarnation de la légendaire Triumph TR6C qui a permis à Steve McQueen de s'évader de prison de façon spectaculaire dans le classique long métrage de 1963 *The Great Escape*. Inchangée depuis son lancement en 2006, elle évoluait récemment légèrement du côté mécanique en recevant un système d'alimentation par injection.

Force est d'admettre que les stylistes de Triumph sont aisément aussi talentueux que ceux de Harley-Davidson lorsque vient le temps de jouer sur le sentiment de nostalgie. La qualité du travail des responsables du style des modèles de la gamme classique est d'autant plus évidente que toutes ces motos à saveur rétro sont élaborées à partir d'une même plateforme. Or, ce fait n'empêche aucun de ces modèles d'afficher une authenticité visuelle remarquable, un accomplissement dont la Scrambler est un parfait exemple.

Les réactions générées par la Scrambler sont étonnantes puisqu'elle n'a aucune difficulté à passer pour la vraie chose, donc pour une vieille moto restaurée, du moins aux yeux d'observateurs non spécialisés. L'alimentation par injection représente un exemple particulièrement approprié à ce sujet puisque Triumph a installé les composantes du système à l'intérieur de boîtiers imitant des carburateurs justement dans le but de protéger l'authenticité historique de la ligne. Toutes les autres pièces de la moto sont également à jour et parfaitement fonctionnelles. Sous sa silhouette rétro extrêmement réussie, la Scrambler cache ainsi un niveau de technologie tout à fait actuel.

SOUS SA SILHOUETTE RÉTRO TOUT À FAIT RÉUSSIE, LA SCRAMBLER CACHE UN NIVEAU DE TECHNOLOGIE ACTUEL.

Si cette façon de procéder, qui est tout à l'honneur de Triumph, explique en partie le succès que ses modèles néo-rétro remportent sur le marché, elle se justifie aussi lorsqu'on constate les belles manières dont fait preuve le modèle sur la route. En effet, au-delà du rôle nostalgique qu'elle joue avec beaucoup de crédibilité, la Scrambler s'avère aussi une monture démontrant une surprenante facilité de prise en main. Dotée d'une selle un peu haute, affichant un poids plutôt faible, agréablement étroite et très légère de direction, elle est propulsée par un Twin parallèle dont les performances sont livrées de manière on ne peut plus amicale. À ses commandes, rien n'intimide, si bien que même un débutant s'y sentirait à l'aise. Cela dit, elle saura satisfaire les pilotes plus expérimentés par des performances raisonnables et surtout par une capacité à transformer la moindre balade en petit plaisir instantané. Sortie imprévue de quelques kilomètres, escapade de quelques heures ou promenade sans but, la Scrambler s'adapte aisément à toutes ces situations et constitue un agréable retour à l'essentiel, à la simplicité.

En ces temps de spécialisation aiguë où tout semble finement calculé et déterminé par un niveau d'électronique toujours grandissant, la position de conduite de cette ancêtre des double-usage est tellement simple et logique qu'on se demande à quoi sert tout cet arsenal. On est tout bonnement assis sur une selle plate avec un large guidon entre les mains. La posture est bêtement celle que le corps demande. Toutes les commandes fonctionnent de manière fluide et naturelle. La puissance n'est pas énorme, mais le bicylindre est suffisamment coupleux pour qu'on ne manque jamais de rien en conduite urbaine comme sur l'autoroute. Il n'y a pas de protection contre le vent ni de suspensions très sophistiquées. Pas d'ordinateur de bord, pas d'instrumentation numérique et pas le moindre gadget en vue non plus. Aux commandes de la Scrambler, on se contente de rouler.

QUOI DE NEUF EN 2011 ?

Aucun changement

Coûte 200$ de plus qu'en 2010

PAS MAL

Un autre modèle rétro de Triumph au style classique parfaitement réussi; cette machine dérivée de la Bonneville démontre très bien que Harley n'est pas le seul à maîtriser l'art de multiplier les modèles sur une plateforme commune

Une facilité de pilotage hors du commun qui la rend accessible à tous; la solidité de la partie cycle, la position de conduite naturelle et la livrée de puissance très amicale du Twin parallèle anglais en font une excellente moto d'initiation que même les pilotes expérimentés peuvent apprécier, du moins s'ils comprennent le thème du modèle

Une bonne valeur, même si la Scrambler n'est pas vraiment une aubaine

BOF

Une capacité hors-route limitée malgré le look tout-terrain à l'ancienne; s'aventurer à l'occasion sur une route de gravier demeure néanmoins possible

Une selle plate qui est parfaite pour la besogne quotidienne, mais qui n'est pas vraiment dessinée pour être confortable sur de longues distances

Un moteur dont le niveau de performances est correct lorsque l'on a l'esprit à la balade, mais qui n'a rien de très excitant; comme sur tous les modèles dérivés de la Bonneville, le caractère du bicylindre doux et silencieux s'avère plutôt timide; une sérieuse augmentation de cylindrée transformerait le modèle

CONCLUSION

La magie de la technologie moderne rend possible le fait que l'attachante silhouette antique de la Scrambler ne l'empêche pas de se comporter avec solidité et précision en courbe, de freiner avec assurance ni même — une fois n'est pas coutume — de s'aventurer dans un sentier pas trop abîmé. Comme d'autres Triumph conçues dans le but de replonger leur propriétaire dans le passé, la Scrambler n'est pas destinée au motocycliste moyen, qui ne s'y intéressera pas plus qu'il ne la comprendra. Mais pour une poignée de nostalgiques jeunes et moins jeunes, la seule vue de la Triumph Scrambler générera un sourire qui ne s'effacera assurément pas une fois sur la route. Sa simplicité en fait un genre de retour à la case départ, une moto qu'on enfourche simplement pour le plaisir de rouler. En fait, ne serait-ce que pour cette raison, elle mériterait d'être mieux connue.

166 km/h
Vitesse de pointe

13,6 s à 157 km/h
Accélération sur 1/4 mille

Novice | Intermédiaire | Expert
Indice d'expertise

Rapport valeur/prix
1 2 3 4 5 6 7 8 9 10

Voir légende en page 16

GÉNÉRAL

Catégorie	Standard
Prix	10199 $
Immatriculation 2011	633,55 $
Catégorisation SAAQ 2011	« régulière »
Évolution récente	introduite en 2006
Garantie	2 ans/kilométrage illimité
Couleur(s)	vert, noir
Concurrence	aucune

MOTEUR

Type	bicylindre parallèle 4-temps, DACT, 4 soupapes par cylindre, refroidissement par air
Alimentation	injection à 2 corps
Rapport volumétrique	9,2:1
Cylindrée	865 cc
Alésage et course	90 mm x 68 mm
Puissance	58 ch @ 6800 tr/min
Couple	50 lb-pi @ 4750 tr/min
Boîte de vitesses	5 rapports
Transmission finale	par chaîne
Révolution à 100 km/h	environ 3500 tr/min
Consommation moyenne	5,5 l/100 km
Autonomie moyenne	291 km

PARTIE CYCLE

Type de cadre	double berceau, en acier
Suspension avant	fourche conventionnelle de 41 mm non ajustable
Suspension arrière	2 amortisseurs ajustables en précharge
Freinage avant	1 disque de 310 mm de Ø avec étrier à 2 pistons
Freinage arrière	1 disque de 255 mm de Ø avec étrier à 2 pistons
Pneus avant/arrière	100/90 R19 & 130/80 R17
Empattement	1500 mm
Hauteur de selle	825 mm
Poids tous pleins faits	230 kg
Réservoir de carburant	16 litres

Tiger 1050

FORFAIT... // L'idée de proposer une concurrente à la R1200GS de BMW ne date pas d'hier chez Triumph, puisque ce fut même la mission de la Tiger entre son introduction de 1994 et l'arrivée de la génération actuelle en 2007. Mais il semble que désirer rivaliser BMW et arriver à le faire, dans cette classe que le constructeur allemand a d'ailleurs inventée, soit une histoire bien différente. Après avoir très sérieusement songé à continuer d'orienter sa Tiger vers la BMW, Triumph a plutôt choisi de diriger la nouvelle génération du modèle vers un créneau complètement différent, où aucune allemande n'était en vue... Propulsée par le superbe tricylindre de 1 050 cc de la marque de Hinckley et désormais offerte de série avec l'ABS, la Tiger 1050 est proposée en version de base ou SE, celle-ci étant livrée avec une paire de valises dont la couleur est agencée à celle de la moto et des protège-mains.

Lorsqu'il révisa sa Tiger en 2007, Triumph prit décidément le monde du motocyclisme par surprise. Compte tenu de la vocation aventurière du modèle, personne ne s'attendait à voir ce dernier s'éloigner autant de la mission à moitié routière et à moitié hors-routière qui le définissait jusque-là. En dirigeant la Tiger exclusivement vers la route, mais en conservant les proportions d'aventurières de la génération précédente, Triumph s'aventurait dans un tout nouveau créneau. Avec du recul, on peut aujourd'hui voir la logique de cette décision puisque les premières générations n'étaient guère plus que des routières hautes et chaussées de pneus double-usage.

Malgré le changement d'orientation qu'a subi la Tiger, elle conserve une position de conduite relevée typique de la classe aventurière tandis que les suspensions affichent encore un débattement relativement long. Ces caractéristiques expliquent d'ailleurs l'impression de déjà vu ressentie lorsqu'on s'installe à ses commandes. Cette impression se dissipe néanmoins dès l'instant où l'on enroule l'accélérateur ou que l'on s'engage sur un tracé sinueux, puisqu'il devient alors évident que cette génération de la Tiger a clairement hérité de gênes sportifs. En fait, sur le genre de routes tortueuses et bosselées souvent retrouvées lorsqu'on s'éloigne des centres urbains, la Tiger s'avère même facilement supérieure à la plupart des sportives pures pourtant beaucoup plus pointues d'un point de vue technique. La raison est simple et se veut une conséquence directe de l'utilisation de ces fameuses suspensions capables à la fois d'absorber d'importants défauts de la chaussée et de demeurer posées en courbe.

LE DÉBATTEMENT LONG DE SES SUSPENSIONS LUI PERMET DE RESTER POSÉE SUR DES COURBES DONT LE REVÊTEMENT EST ABÎMÉ.

Qui dit Triumph dit aussi tricylindre charismatique et à ce chapitre, la Tiger ne déçoit décidément pas. Bien que la version du renommé moteur anglais qui anime ce modèle soit un peu moins puissante que celle qu'on retrouve sur les Speed Triple et Sprint GT, elle conserve une personnalité tout aussi forte. Souple et coupleux à souhait, et ce, quel que soit le régime ou le rapport, le tricylindre en ligne de 1 050 cc donne l'impression de toujours livrer suffisamment de puissance pour satisfaire et amuser. L'avant s'envole doucement en pleine accélération sur le premier rapport et la poussée demeure très divertissante sur le reste des 6 vitesses. Au-delà de ses belles performances et de son étonnante douceur de fonctionnement, l'une des caractéristiques les plus attrayantes de cette mécanique est l'unique sonorité rauque qu'elle émet lorsqu'elle est sollicitée, surtout lorsqu'un silencieux accessoire est installé. Triumph en propose d'ailleurs lui-même un qui n'est pas excessivement bruyant.

Les qualités de routières de la Tiger sont nombreuses. Munie de l'ABS en équipement de série et, dans le cas de la version SE, également d'une paire de valises rigides et de protège-mains très appréciés par temps froid, la Triumph propose un bon niveau de confort résultant d'une position très équilibrée, d'une bonne selle, d'une bonne protection au vent et de suspensions bien calibrées pour faire face à la plupart des situations. L'un des seuls reproches à ce chapitre est un pare-brise qui génère de la turbulence au niveau du casque, sur l'autoroute.

QUOI DE NEUF EN 2011 ?

Aucun changement

Aucune augmentation

PAS MAL

Une moto d'un genre très particulier qui tente d'être plusieurs choses à plusieurs types de pilotes, ce qui est plutôt réussi dans ce cas

Un moteur délicieux du ralenti à la zone rouge; il livre des performances élevées, se montre très coupleux et produit une véritable musique, surtout avec l'un des silencieux accessoires de Triumph, dont certains conservent un niveau sonore raisonnable

Une tenue de route impressionnante qui découle de la manière dont la Tiger est construite; il s'agit d'une sportive avec des suspensions à long débattement, ni plus ni moins

BOF

Un pare-brise qui offre une bonne protection, mais qui génère un niveau de turbulences agaçant à la hauteur du casque dès qu'on dépasse les limites légales sur l'autoroute

Une transmission qui fonctionne correctement, mais sans plus et qui pourrait se montrer plus fluide

Une hauteur de selle considérable qui n'a pas sa raison d'être puisque le modèle n'est plus du tout appelé à rouler en terrain abîmé

Une suspension arrière qui se montre occasionnellement un peu trop ferme

CONCLUSION

Ce fut la Ducati Multistrada qui la première lança la classe des routières crossover. Un peu confuse dans sa mission, il s'agissait encore à l'époque d'une routière aventurière, mais dont la conception avait clairement été biaisée afin de favoriser le côté routier de l'utilisation. La génération actuelle de la Tiger pousse ce penchant routier encore plus loin en abandonnant complètement toute aspiration poussiéreuse. Il s'agit d'une sorte de croisement de genres très bien reflété par le nom que nous avons donné à la classe que nous avons d'ailleurs créée pour ces motos puisqu'elle n'existait tout simplement pas avant. En partie sportive, en partie routière et en partie aventurière, elle incarne un type de montures qui commence à prendre de l'expansion et dont le but premier est de satisfaire plusieurs genres d'utilisations, d'environnements et d'humeurs.

Tiger 1050 SE

237 km/h
Vitesse de pointe
Novice | Intermédiaire | Expert
Indice d'expertise
11,6 s à 193 km/h
Accélération sur 1/4 mille
Rapport valeur/prix
1 2 3 4 5 6 7 8 9 10

Voir légende en page 16

GÉNÉRAL

Catégorie	Routière Crossover
Prix	13 999 $ (SE : 14 599 $)
Immatriculation 2011	633,55 $
Catégorisation SAAQ 2011	« régulière »
Évolution récente	introduite en 1994, revue en 1999 et 2007
Garantie	2 ans/kilométrage illimité
Couleur(s)	noir, blanc (SE : gris, orange)
Concurrence	KTM 990 Supermoto T, Ducati Multistrada

MOTEUR

Type	3-cylindres en ligne 4-temps, DACT, 4 soupapes par cylindre, refroidissement par liquide
Alimentation	injection à 3 corps
Rapport volumétrique	12:1
Cylindrée	1 050 cc
Alésage et course	79 mm x 71,4 mm
Puissance	113 ch @ 9 400 tr/min
Couple	72 lb-pi @ 6 250 tr/min
Boîte de vitesses	6 rapports
Transmission finale	par chaîne
Révolution à 100 km/h	environ 3 600 tr/min
Consommation moyenne	6,3 l/100 km
Autonomie moyenne	277 km

PARTIE CYCLE

Type de cadre	périmétrique, en aluminium
Suspension avant	fourche inversée de 43 mm ajustable en précharge, compression et détente
Suspension arrière	monoamortisseur ajustable en précharge et détente
Freinage avant	2 disques de 320 mm de Ø avec étriers radiaux à 4 pistons et système ABS
Freinage arrière	1 disque de 255 mm de Ø avec étrier à 2 pistons et système ABS
Pneus avant/arrière	120/70 ZR17 & 180/55 ZR17
Empattement	1 510 mm
Hauteur de selle	835 mm
Poids tous pleins faits	228 kg (SE : 245 kg)
Réservoir de carburant	20 litres

Tiger 800XC

NOUVEAUTÉ 2011

PERSISTANCE... // La dominance de la vénérable R1200GS de BMW est telle que la plupart des modèles ayant tenté d'infiltrer le créneau qu'elle a créé se sont littéralement cassé le nez. Triumph en sait d'ailleurs quelque chose, sa Tiger 1050 ayant même été forcée de délaisser sa vocation première d'aventurière pour tenter sa chance avec une mission plus routière. Mais le constructeur britannique, dont la progression continue par ailleurs d'impressionner au plus haut point, n'avait de toute évidence pas dit son dernier mot en matière de routières aventurières, puisque ces toutes nouvelles Tiger 800 n'ont nul autre dans leur mire que les populaires F650/800GS. Propulsées par un nouveau tricylindre de 800 cc, elles ont été construites sans compromis et de manière très spécifique pour cette utilisation. La 800 se veut la variante routière du duo tandis que la XC s'adresse carrément aux globe-trotters.

L'ambition de Triumph semble n'avoir aucune limite. En matière de quantité, de variété et de qualité de montures, le «petit» constructeur britannique n'a décidément plus rien à envier aux japonais, pour ne pas dire que les rôles sont en train de s'inverser. Les nouvelles Tiger 800 sont non seulement de parfaits exemples de ce fulgurant progrès, mais aussi de cette étonnante capacité à créer des machines toujours plus désirables dont fait preuve la compagnie de Hinckley.

On a affaire à de véritables petits bijoux qui se comparent sans la moindre gêne aux produits rivaux de BMW que sont les F650/800GS, modèles desquels s'est d'ailleurs directement inspiré Triumph pour créer ses Tiger poids moyen.

La 800XC est une aventurière en bonne et due forme, une moto capable de franchir de sérieux obstacles et de passer comme si de rien n'était de routes asphaltées à des chemins non pavés. Mais il s'agit aussi d'une routière accomplie capable d'affronter de longs trajets en offrant un très bon niveau de confort et dont la tenue de route est suffisamment relevée pour pleinement satisfaire un pilote exigeant et expérimenté en conduite sportive. La Tiger 800 propose en plus une facilité d'utilisation extraordinaire, puisqu'il s'agit d'une de ces motos sur lesquelles on se sent immédiatement à l'aise et aux commandes desquelles toutes les manœuvres et toutes les opérations semblent intuitives, transparentes. En fait, les Tiger 800 proposent un ensemble de qualités qui rappelle beaucoup celui qu'offre non pas les F650/800GS, mais plutôt la R1200GS. Non seulement jamais elles ne donnent l'impression d'être des modèles de second rang, comme le font à certains égards les BMW 650/800, mais elles renvoient carrément un fort sentiment de désirabilité, une caractéristique dont est grandement responsable le moteur. Triumph aurait aisément pu se simplifier la tâche en reprenant le tricylindre en ligne de 675 cc de la Street Triple, mais il a plutôt choisi de concevoir une toute nouvelle mécanique de 800 cc dont les propriétés devraient parfaitement servir les besoins d'une routière aventurière de poids moyen. Le résultat est admirable, puisqu'on croirait littéralement solliciter une petite version du moteur de 1 050 cc de la Speed Triple qui se veut ni plus ni moins que l'une des meilleures mécaniques au monde. L'embrayage est léger, les rapports s'engagent sans effort et le couple disponible dès les premiers tours permet de lancer la moto autoritairement. Presque toujours très doux, ce moteur offre une répartition de puissance tellement généreuse à tous les régimes qu'il semble ne jamais y avoir de tours ou de rapports inappropriés. Aussi confortable à haut régime en pleine accélération qu'à rouler sur le couple à bas régime, il se montre tout aussi à l'aise dans un environnement routier qu'en sentier et, en plus, est particulièrement plaisant à écouter. La réduction poussée du jeu du rouage d'entraînement et le calibrage sans faute de l'injection sont par ailleurs d'autres facteurs qui permettent à la mécanique de se montrer très satisfaisante.

TRIUMPH AURAIT PU CHOISIR DE REPRENDRE LE 675 DE LA STREET TRIPLE, MAIS IL A PLUTÔT CONÇU UN TOUT NOUVEAU 800.

Une selle confortable, bien que plutôt haute dans le cas de la 800XC, une bonne protection au vent, des suspensions judicieusement calibrées et d'excellents freins font également partie de l'ensemble proposé par ces Tiger 800.

Les excellentes Tiger 800 sont de parfaits exemples de la continuelle transformation de Triumph qu'on ne peut tout simplement plus qualifier de « petit » constructeur anglais. On a désormais affaire à un joueur global qui devrait sérieusement inquiéter les « grands ».

L'état de l'Arizona est parsemé du type de scènes lunaires que la Tiger 800XC est conçue pour explorer. Celle-ci, pour laquelle le crédit photo revient à Brian J. Nelson, se trouve dans la Tonto National Forest qui s'étend sur pas moins de trois millions d'acres.

❯ TIGER 800

Contrairement aux F650/800GS de BMW, qui représentent les principales, sinon les seules rivales directes des Tiger 800, les Triumph sont propulsées par un seul moteur, un tout nouveau tricylindre de 799 cc de 94 chevaux. Si un grand nombre de pièces sont communes, comme le cadre et l'instrumentation, plusieurs autres sont uniques à chacun des modèles. Parmi ces différences, on note des débattements de suspension plus longs sur la XC (220 mm avant et 215 mm arrière contre 180 mm et 170 mm); des roues à rayon de 17 pouces avant et 21 pouces arrière chaussées de pneus à tube pour la XC contre des roues de 17 et 19 pouces avec pneus sans tube pour la 800; un guidon ajustable un peu plus étroit et plus rapproché du pilote, ainsi qu'une selle plus basse sur la 800; un monoamortisseur arrière avec réservoir séparé pour la XC; et finalement des protège-mains et un garde-boue avant haut (qui peuvent être rajoutés sur la 800) sur la XC. Dans les 2 cas, un système ABS débrayable est offert en option.

❯ À L'AVENTURE...

Triumph ne s'est pas lancé dans le créneau des routières aventurières avant d'avoir sérieusement étudié les préférences des acheteurs. Parmi ces dernières, l'une des plus importantes concerne les accessoires. Le manufacturier anglais propose donc, en option, une liste très complète d'équipements. On y retrouve des kits de valises rigides et souples, diverses pièces protégeant l'échappement, le moteur, les phares et les mains, des phares auxiliaires, une selle de pilote basse, des selles en gel et des poignées chauffantes, entre autres. Le site Internet du constructeur permet d'ailleurs de « construire » sa propre moto en voyant le résultat après chaque ajout.

QUOI DE NEUF EN 2011 ?

Nouveaux modèles

PAS MAL

Un ensemble d'une homogénéité très impressionnante; la Tiger 800 est l'une de ces motos qui sont un charme à piloter et à opérer à presque tous les niveaux

Un moteur génial qui reprend toutes les caractéristiques du très renommé tricylindre de 1 050 cc dans un format un peu plus petit, et ce, sans que l'agrément de conduite n'en souffre: ça tire bien, c'est coupleux à souhait et ça sonne bien

Une capacité d'aventurière tout à fait réelle dans le cas de la 800XC qui possède à la fois la capacité d'affronter tout genre de terrains et la légèreté permettant une très bonne agilité dans un environnement hors-route

Un comportement routier solide et précis marqué par une très grande facilité de pilotage

BOF

Une selle assez haute pour faire pointer des pieds la plupart des pilotes, voire les déranger dans un environnement hors-route dans le cas de la 800XC, et qu'on aurait souhaité encore plus basse dans le cas de la Tiger 800, compte tenu de la clientèle visée par cette dernière ainsi que de sa mission urbaine

Des poignées chauffantes qui sont absentes en équipement de série et qu'on ne tarde pas à souhaiter retrouver dès que la température descend

Une protection au vent qui n'est pas mauvaise du tout, mais qu'un pare-brise un peu plus grand améliorerait beaucoup, surtout s'il était ajustable; tout cela serait possible avec des équipements optionnels, selon le constructeur

CONCLUSION

Triumph est sur une phénoménale lancée, un fait directement lié à la décision prise par la marque britannique d'investir de façon massive dans de nouveaux modèles et de nouveaux créneaux durant la période de récession qui a considérablement ralenti la plupart des autres constructeurs. Il y a toutefois bien plus aux Tiger 800 qu'une simple étiquette «nouveauté». Il ne s'agit pas de montures dérivées d'un modèle existant, mais plutôt de nouvelles conceptions développées de manière très spécifique pour cette classe où les BMW sont généralement en tête de file. Nous disons «généralement», parce que face aux F650/800GS auxquelles ces Tiger s'attaquent d'ailleurs on ne peut plus directement, la lutte est loin d'être gagnée d'avance pour la marque allemande. En fait, ces 800 anglaises sont tellement réussies que même en y réfléchissant bien, nous aurions très peu, sinon pas d'arguments à présenter contre elles dans cette comparaison, pour ne pas dire que nous serions très tentés d'en faire notre premier choix.

Tiger 800XC accessoirisée

Voir légende en page 16

GÉNÉRAL

Catégorie	Routière Aventurière
Prix	Tiger 800: 10 799 $ (ABS: 11 699 $) Tiger 800XC: 12 199 $ (ABS: 13 099 $)
Immatriculation 2011	633,55 $
Catégorisation SAAQ 2011	« régulière »
Évolution récente	introduite en 2011
Garantie	2 ans/kilométrage illimité
Couleur(s)	800: noir, blanc, vert; 800XC: noir, blanc
Concurrence	800: BMW F650GS; Suzuki V-Strom 650 800XC: BMW F800GS

MOTEUR

Type	3-cylindres en ligne 4-temps, DACT, 4 soupapes par cylindre, refroidissement par liquide
Alimentation	injection à 3 corps
Rapport volumétrique	12,0:1
Cylindrée	799 cc
Alésage et course	74 mm x 61,9 mm
Puissance	94 ch @ 9 300 tr/min
Couple	58 lb-pi @ 7 850 tr/min
Boîte de vitesses	6 rapports
Transmission finale	par chaîne
Révolution à 100 km/h	environ 4 200 tr/min
Consommation moyenne	6,0 l/100 km
Autonomie moyenne	316 km

PARTIE CYCLE

Type de cadre	périmétrique, en acier tubulaire
Suspension avant	fourche inversée de 43 mm ajustable en précharge, compression et détente
Suspension arrière	monoamortisseur ajustable en précharge et détente
Freinage avant	2 disques de 308 mm de Ø avec étriers à 4 pistons (avec système ABS optionnel)
Freinage arrière	1 disque de 255 mm de Ø avec étrier à 2 pistons (avec système ABS optionnel)
Pneus avant/arrière	800: 110/80 ZR19 & 150/70 ZR17 800XC: 90/90 ZR21 & 150/70 ZR17
Empattement	800: 1 555 mm; 800XC: 1 568 mm
Hauteur de selle	800: 810/830 mm; 800XC: 845/865 mm
Poids tous pleins faits	800: 210 kg; 800XC: 215 kg
Réservoir de carburant	19 litres

Rocket III Touring

GROSSES ANGLAISES... // Les Rocket III constituent des preuves roulantes qu'en quelques années à peine, le milieu de la moto a beaucoup changé. En effet, si ce n'était d'une période décidément pas si lointaine durant laquelle plusieurs constructeurs se sont engagés dans une course au cubage, des engins comme ceux-ci n'existeraient probablement même pas, faute d'intérêt. Mais Triumph a investi gros pour développer cette très particulière plateforme propulsée par un tricylindre géant de 2,3 litres et il ne compte certainement pas la mettre au rancart à court terme. Le modèle original a disparu et est aujourd'hui remplacé par la Roadster, un véritable monstre de couple chaussé d'un pneu arrière de 240 mm, tandis que la variante Touring et sa mécanique considérablement adoucie incarnent plutôt la classique custom de tourisme léger en format géant.

Il est très rare qu'un constructeur puisse affirmer qu'il possède quelque chose de véritablement unique et d'inimitable dans sa gamme, mais en ce qui concerne Triumph et ses Rocket III, c'est bel et bien le cas. En fait, il est même franchement difficile d'imaginer une autre grande marque, quelle qu'elle soit, s'engager dans un projet visant à surpasser les Rocket III en termes de cylindrée. L'intérêt des motocyclistes semble tout simplement ne plus être suffisant face à ce genre de course à l'extrême pour qu'une telle aventure soit considérée viable. Triumph l'a fait en 2004 pour prouver qu'il pouvait bousculer les grands, et c'est fait. Aujourd'hui, il tente de rentabiliser l'exercice.

Des deux versions de la Rocket III, la Touring est de loin la moins dramatique. Sa cylindrée est la même que dans le cas de la Roadster, mais sa puissance est nettement inférieure, puisqu'elle lui concède pas moins d'une quarantaine de chevaux. Étrangement, même le couple est moins élevé. Ces caractéristiques de puissance s'expliquent probablement par le vœu de Triumph de rendre la Touring plus accessible à un plus grand nombre. Le résultat est une monture de tourisme léger assez intéressante dans l'environnement normal pour ce genre de moto, c'est-à-dire les longues balades. Le côté pratique des valises est alors mis en évidence, tout comme le très bon niveau de confort offert par la selle. Il s'agit par ailleurs d'une des rares customs qui prennent vraiment soin du passager. Celui-ci profite non seulement d'une très bonne selle, mais aussi de plateformes. En fait, seul un dossier manque à l'appel. La position de conduite à saveur typiquement custom est très dégagée et ne cause aucun inconfort sur de longs trajets. La Touring, qui rappelle un peu la regrettée Valkyrie, n'est toutefois pas parfaite en mode tourisme, puisque sa suspension arrière se montre occasionnellement sèche et que son pare-brise génère d'agaçantes turbulences au niveau du casque à vitesse d'autoroute. Le comportement routier sûr et solide est marqué par une direction très légère résultant d'un guidon très large. La stabilité est impossible à prendre en faute dans des circonstances normales, mais l'énorme masse de l'ensemble devient problématique à basse vitesse, lors de manœuvres serrées où toute l'attention du pilote est requise.

LA TOURING N'A RIEN D'UNE FUSÉE, MAIS LA ROADSTER CORROMPT SON PILOTE AU PREMIER TOUR D'ACCÉLÉRATEUR.

En termes de performances, la différence entre les versions est majeure. Alors que la Touring n'a rien d'une fusée et préfère clairement tourner à bas régime où elle se montre très souple et assez douce, la Roadster corrompt son pilote au premier tour d'accélérateur. Il s'agit d'une moto dotée d'une très grande puissance et capable de performances élevées pour une custom, mais elle a aussi la particularité de livrer toute cette cavalerie de manière étonnamment civilisée. Les accélérations plein gaz s'avèrent très amusantes, voire impressionnantes, mais la réalité est qu'elles n'ont rien à voir avec la violence explosive dont est capable une VMAX, un modèle auquel la Roadster est souvent comparée, faute d'autres choix. Chaque instant de conduite est accompagné d'un profond bourdonnement provenant du gros tricylindre. Si l'on ne peut vraiment qualifier celui-ci de musical, il demeure décidément unique et amène une couleur très particulière à l'expérience de conduite.

QUOI DE NEUF EN 2011 ?

ABS livré de série sur la version Touring

Rocket III Roadster coûte 1 000 $ de plus qu'en 2010; aucune augmentation pour la Rocket III Touring

PAS MAL

Un tricylindre unique autant par son concept que par les sensations qu'il fait vivre à chaque ouverture des gaz; il s'agit d'une des rares configurations mécaniques dont on ne peut vivre l'expérience qu'à une et une seule adresse

Un niveau de confort très correct sur la Roadster dont la position à saveur custom est dégagée, relaxe et très bon sur la Touring en raison de sa position encore plus spacieuse et de son excellente selle

Un comportement étonnamment décent pour des machines de telles proportions

Un niveau de performances assez impressionnant dans le cas de la Roadster puisqu'elle est à la fois très puissante et totalement docile

BOF

Une ligne très polarisante qui continue d'être controversée dans les 2 cas; cela dit, il semblerait que les acheteurs soient justement attirés par cet aspect très distinct

Une masse élevée et des proportions immenses qui demandent toute l'attention du pilote à basse vitesse et dans les situations serrées

Une selle qui n'est pas particulièrement basse dans le cas de la Roadster, ce qui ne fait qu'amplifier le problème du poids élevé

Un concept intéressant qui mériterait peut-être d'être poussé encore plus loin, comme une Rocket III transformée en standard de 200 chevaux

CONCLUSION

Les Rocket III ne sont certainement pas pour tout le monde, mais elles ont beaucoup de mérite. En plus d'être une démonstration roulante de savoir-faire de la part de la marque anglaise, elles se veulent surtout des montures offrant une expérience de conduite totalement unique aux motocyclistes que de telles propositions pourraient intéresser. Si cette expérience est évidemment marquée par les performances très particulières de leur grosse mécanique, elle se vit également à un autre niveau, puisqu'elles représentent aussi une garantie d'individualisme pour les propriétaires. Quant au fait qu'elles se comportent de manière aussi civilisée, que ce soit par rapport à la manière dont tous les chevaux de la Roaster sont livrés ou en ce qui concerne la qualité de leur comportement routier, il est tout à l'honneur de Triumph. Il fallait le faire.

Rocket III Roadster

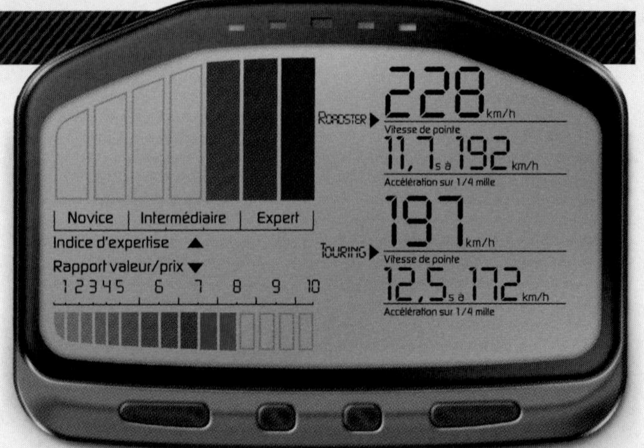

Voir légende en page 16

GÉNÉRAL

Catégorie	Custom / Tourisme léger
Prix	Rocket III Roadster : 17 999 $ Rocket III Touring noir : 18 699 $ Rocket III Touring 2 tons : 19 199 $
Immatriculation 2011	633,55 $
Catégorisation SAAQ 2011	« régulière »
Évolution récente	Rocket III introduite en 2004, Touring introduite en 2008, Roadster introduite en 2010
Garantie	2 ans/kilométrage illimité
Couleur(s)	Roadster : noir, noir mat Touring : noir, noir et blanc
Concurrence	Roadster : Yamaha VMAX Touring : H-D Road King, Kawasaki Vulcan Nomad, Victory Cross Roads

MOTEUR

Type	3-cylindres en ligne 4-temps, DACT, 4 soupapes par cylindre, refroidissement par liquide
Alimentation	injection à 3 corps de 56 mm
Rapport volumétrique	8,7:1
Cylindrée	2 294 cc
Alésage et course	101,6 mm x 94,3 mm
Puissance	Roadster : 146 ch @ 5 750 tr/min Touring : 105 ch @ 6 000 tr/min
Couple	Roadster : 163 lb-pi @ 2 750 tr/min Touring : 150 lb-pi @ 2 500 tr/min
Boîte de vitesses	5 rapports
Transmission finale	par arbre
Révolution à 100 km/h	environ 2 400 tr/min
Consommation moyenne	7,3 l/100 km (Touring : 7,1 l/100 km)
Autonomie moyenne	328 km (Touring : 314 km)

PARTIE CYCLE

Type de cadre	double épine dorsale, en acier
Suspension avant	fourche inversée de 43 mm non ajustable (Touring : conventionnelle)
Suspension arrière	2 amortisseurs ajustables en précharge
Freinage avant	2 disques de 320 mm de Ø avec étriers à 4 pistons et système ABS
Freinage arrière	1 disque de 316 mm de Ø avec étrier à 2 pistons et système ABS
Pneus avant/arrière	Roadster : 150/80 R17 & 240/50 R16 Touring : 150/80 R16 & 180/70 R16
Empattement	1 695 mm (Touring : 1 705 mm)
Hauteur de selle	750 mm (Touring : 730 mm)
Poids tous pleins faits	367 kg (Touring : 395 kg)
Réservoir de carburant	24 litres (Touring : 22,3 litres)

Thunderbird Storm

NOUVELLE VARIANTE 2011

IDÉES NOIRES... // L'engagement de la part de Triumph de rester strictement fidèle à sa culture mécanique de bicylindres verticaux et de tricylindres aurait dû lui causer un sérieux problème en matière de custom. En effet, traditionnellement, soit ces dernières sont propulsées par un V-Twin, soit elles sont ridiculisées. De toute évidence, la Thunderbird représente un autre de ces cas où Triumph arrive à se tirer d'affaire en jouant la carte de l'exception à la règle, puisqu'elle n'est certainement pas animée par un V-Twin, mais plutôt par le plus gros Twin parallèle jamais vu, et que le total des ventes durant sa première année de production n'a pas été ridicule. En 2011, le constructeur de Hinckley pousse la « Triumphisation » de sa custom encore plus loin en l'ornant du fameux phare double servant de signature visuelle à la marque et en poussant la cylindrée à 1 700 cc.

Attirer l'attention d'une tranche démographique moins âgée que celle qui achète traditionnellement des customs n'est pas une mince affaire, mais compte tenu de la fossilisation imminente de la clientèle dans ce créneau, le projet est de la plus haute importance pour l'industrie du motocyclisme. Alors que les génies du marketing se penchaient sur cette énigme, Harley-Davidson, de son côté, se mettait à peindre quelques pièces en noir. L'idée parut primitive, mais la preuve que personne ne connaît les customs et leurs acheteurs comme la marque de Milwaukee, c'est que son look Dark Custom a commencé à intéresser de jeunes adultes. Si la Thunderbird Storm introduite cette année suit sans la moindre gêne cette nouvelle tendance, elle a au moins le mérite de pousser le stylisme un peu plus loin en affichant une paire d'yeux typiques des Triumph. Le constructeur a également choisi de rehausser d'un cran l'aspect performances du modèle en installant de série le kit de 1 700 cc toujours offert en option sur la Thunderbird de base de 1 600 cc. Désormais armée de tout près d'une centaine de chevaux, soit une bonne douzaine de plus que la version originale, la Storm se veut l'une des customs à moteur V-Twin les plus rapides du marché. Par rapport à la 1600 de base, la différence de performances en ligne droite n'est pas majeure, mais elle reste parfaitement notable. En fait, nous serions les derniers surpris si toutes les versions de la Thunderbird devenaient animées par le V-Twin de 1 700 cc dans un avenir rapproché. À l'exception de l'accélération et du couple supérieurs de la Storm, les deux versions se comportent de façon identique.

ARMÉE DE TOUT PRÈS D'UNE CENTAINE DE CHEVAUX, LA STORM EST L'UNE DES CUSTOMS RAPIDES DU MARCHÉ.

Bien qu'elle paraisse très différente en raison de sa configuration mécanique, l'expérience de conduite qu'offre la Thunderbird se rapproche énormément de celle que propose la moyenne des grosses customs. À plusieurs égards, la Triumph est toutefois nettement supérieure à cette moyenne. Par exemple, elle fait preuve d'une précision et d'une rigueur très surprenantes en virage, deux qualités attribuables à une construction particulièrement rigide du cadre, aux solides composantes de suspensions et aux roues larges chaussées de pneus presque sportifs. Des suspensions qui fonctionnent, ce qui est loin d'être la norme chez les customs, ainsi que de très bons freins pouvant être équipés d'un système ABS servent également d'explication pour la qualité du comportement routier.

D'une façon assez inattendue, les sensations renvoyées par la mécanique, et ce, autant à un niveau sonore que tactile, ressemblent à s'y méprendre à l'expérience offerte par un V-Twin de cylindrée semblable. En selle, on jurerait même carrément piloter une moto non seulement animée par un V-Twin, mais aussi par un V-Twin fort plaisant générant un profond grondement et tremblant au rythme saccadé des gros pistons. Le moteur se montre particulièrement doux à gaz constants et ne s'anime en tremblant de manière plaisante qu'en pleine accélération. L'aspect confort du modèle n'attire par ailleurs aucune véritable critique, puisque l'ergonomie, qui est très semblable sur les deux versions, est dictée par une très agréable posture cool, tandis que la selle bien formée et bien rembourrée ne cause pas d'inconfort de manière prématurée.

❯ Ayant déjà un peu — beaucoup — trop attiré l'attention des forces constabulaires arizoniennes faisant preuve d'un très faible sens de l'humour, l'auteur et le duo de photographes Riles & Nelson optent pour le stationnement de leur hôtel pour effectuer ce très scientifique test de puissance.

❯ Quand on nous dit qu'il y a plus de puissance, nous, on vérifie. Donc, y a-t-il plus de puissance ? Oui. ❮

Thunderbird accessoirisée

CUSTOM CAMÉLÉON

La Thunderbird de base ne gagnera jamais de prix d'originalité en matière de style. Elle a d'ailleurs été volontairement dessinée de manière très prévisible afin de ne pas surprendre la majorité très conservatrice de la clientèle qui achète ce genre de moto. Notons par ailleurs qu'avec son traitement noir et son phare double, la variante Storm présentée cette année s'éloigne nettement de cette philosophie et du look de custom classique dans le but de donner une option à un autre type d'acheteur. L'un des aspects du stylisme de la Thunderbird qui surprennent le plus est la facilité avec laquelle l'image de l'ensemble peut varier avec l'ajout de quelques accessoires bien choisis. On a souvent l'impression, en observant la version de base, que certains angles sont intéressants, mais que l'ensemble est finalement timide. Il semblerait donc que Triumph l'ait intelligemment dessinée en lui donnant une ligne originale sobre, mais aisément transformable. Ou alors, et c'est aussi possible, qu'il agisse tout simplement d'un coup de crayon chanceux.

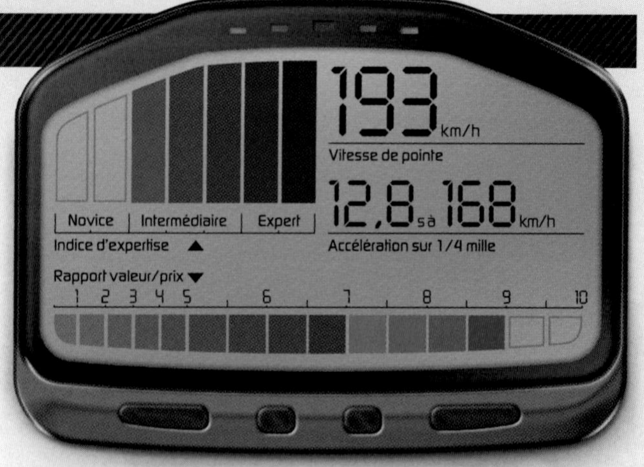

Voir légende en page 16

QUOI DE NEUF EN 2011 ?

Introduction de la Thunderbird Storm

Thunderbird coûte 100 $ de plus qu'en 2010

PAS MAL

Un Twin parallèle dont la sonorité et la cadence ressemblent à s'y méprendre aux sensations renvoyées non seulement par un V-Twin, mais bien par un bon V-Twin

Un niveau de performances très intéressant puisque le couple à bas régime est excellent et que les accélérations sont plus puissantes qu'on s'y attendrait sur une custom de cette cylindrée; la Storm fait grimper le tout d'un cran

Un prix très intéressant compte tenu de la qualité de la marchandise; Twin parallèle ou pas, la Thunderbird représente une bonne valeur dans ce créneau

Un comportement routier qui doit être qualifié d'exemplaire, ce qui s'explique par le fait que la partie cycle est construite avec une rigueur presque sportive

BOF

Une ligne élégante dans le cas de la Thunderbird de base, mais aussi très prévisible; Triumph ne voulait pas trop bousculer la clientèle conservatrice visée à laquelle il demande déjà d'accepter un Twin parallèle plutôt qu'un V-Twin, et il ne voulait pas prendre en plus un risque au niveau du style

Un système ABS anormalement cher

Une image générale qui est très marquée par la présence d'un Twin parallèle là où devrait normalement se trouver un V-Twin; on a beau essayer, mais on continue de s'étonner chaque fois qu'on aperçoit ces cylindres verticaux

Un choix de silencieux double qui semble ne pas correspondre à l'image haut de gamme du produit; oserions-nous faire allusion à la Kawasaki Vulcan 500 LTD ?

CONCLUSION

Nous sommes les derniers à nous gêner lorsqu'il faut conclure qu'une quelconque custom est une copie plus ou moins réussie d'une quelconque Harley-Davidson, ce qui arrive d'ailleurs assez souvent. Bien que la ligne plutôt prévisible de la Thunderbird et que le traitement Dark Custom appliqué à la nouvelle version Storm constitueraient normalement les arguments parfaits pour arriver à une telle conclusion, celle-ci serait injuste. Il est vrai que Triumph s'est généreusement inspiré du catalogue américain pour créer sa custom, mais il est également indéniable que le constructeur anglais a osé injecter une dose extrêmement rare d'identité non milwaukienne dans sa Thunderbird. Il l'a d'abord fait en l'animant avec un massif Twin parallèle, puis en s'attardant de manière décidément inhabituelle à la qualité de la partie cycle et enfin, en lui donnant un visage clairement identifiable à la marque. Bref, pour une rare fois, un constructeur a osé transformer la formule custom à son image. La Thunderbird ne risque pas de mettre Harley-Davidson en faillite, mais comme les motocyclistes ont tendance à récompenser l'authenticité, nous ne serions pas étonnés qu'elle en attire quelques-uns.

Thunderbird

GÉNÉRAL

Catégorie	Custom
Prix	T-Bird : 14 999 $ (ABS : 15 999 $) T-Bird 2 tons : 15 499 $ (ABS : 16 499 $) T-Bird Storm : 16 299 $
Immatriculation 2011	633,55 $
Catégorisation SAAQ 2011	« régulière »
Évolution récente	Thunderbird introduite en 2010 Thunderbird Storm introduite en 2011
Garantie	2 ans/kilométrage illimité
Couleur(s)	noir, argent, bourgogne, bleu, bleu et blanc, bleu et blanc et rouge
Concurrence	Harley-Davidson Super Glide Custom et Fat Bob, Kawasaki Vulcan 1700 Classic, Victory Hammer, Yamaha Road Star

MOTEUR

Type	bicylindre parallèle 4-temps, DACT, 4 soupapes par cylindre, refroidissement par liquide
Alimentation	injection à 2 corps de 42 mm
Rapport volumétrique	9,7:1
Cylindrée	1 597 (1 699) cc
Alésage et course	103,8 (107,1) mm x 94,3 mm
Puissance	85 (97) ch @ 4 850 (5 200) tr/min
Couple	108 (115) lb-pi @ 2 750 (2 950) tr/min
Boîte de vitesses	6 rapports
Transmission finale	par courroie
Révolution à 100 km/h	environ 2 300 tr/min
Consommation moyenne	6,7 l/100 km
Autonomie moyenne	328 km

PARTIE CYCLE

Type de cadre	double épine dorsale, en acier
Suspension avant	fourche conventionnelle de 47 mm non ajustable
Suspension arrière	2 amortisseurs ajustables en précharge
Freinage avant	2 disques de 310 mm de Ø avec étriers à 4 pistons (et système ABS optionnel)
Freinage arrière	1 disque de 310 mm de Ø avec étrier à 2 pistons (et système ABS optionnel)
Pneus avant/arrière	120/70 R19 & 200/50 R17
Empattement	1 615 mm
Hauteur de selle	700 mm
Poids tous pleins faits	339 kg
Réservoir de carburant	22 litres

America

RÉVISION 2011

REPOSITIONNEMENT... // Ce duo de petites customs a d'abord été ajouté à la gamme du constructeur anglais dans un but purement pécuniaire. Les ventes de customs explosaient et Triumph voulait en profiter. Malgré sa configuration mécanique « inappropriée », le moteur de la Bonneville fut retenu et une nouvelle partie cycle fut habillée de pièces aux formes très prévisibles. Ni l'America ni la Speedmaster n'avaient pour ambition de remporter des prix de design. En 2011, près d'une décennie après l'introduction de l'America, Triumph revoit le positionnement des modèles en les adaptant aux besoins du jour. L'America affiche désormais une ergonomie revue dans le but de plaire à ces nouveaux motocyclistes que tout le monde cherche ces temps-ci, tandis que toutes deux voient leur facture considérablement réduite, une mesure directement reliée à la récession qui frappe le marché américain.

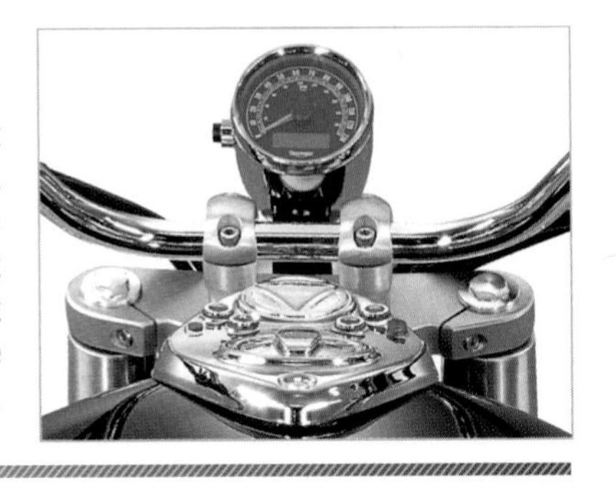

D'un point de vue éthique, les Speedmaster et America n'ont jamais été très crédibles, un fait dû à deux facteurs : leur ligne très prévisible, surtout dans le cas de l'America, et leur Twin parallèle qui, encore aujourd'hui, jure dans ce monde de V-Twin. La marque britannique leur fit probablement la plus grande des faveurs en lançant l'an dernier la Thunderbird 1600, une nouvelle custom propulsée non pas par un V-Twin, mais bien par un Twin vertical. L'engagement de Triumph envers ce type de moteur, qui est intimement lié à sa riche histoire, venait d'être démontré. Or, avec cet engagement, le nuage d'imposture qui suivait l'America et la Speedmaster se dissipait presque instantanément. Littéralement du jour au lendemain, elles gagnaient l'authenticité qui leur manquait depuis toujours.

En 2011, la persistance de Triumph à offrir ces modèles amène un nouveau chapitre pour ceux-ci, puisqu'ils se voient tous deux repositionnés afin de mieux refléter les besoins du marché courant. En premier lieu, le prix est réduit jusqu'à un niveau pratiquement équivalent à celui des modèles concurrents nippons ou américains, ce qui est d'ailleurs parfaitement logique, puisqu'il n'y avait auparavant aucune manière de justifier le surplus commandé par Triumph.

En second lieu, la nature de l'America et de la Speedmaster passe désormais de customs normales de cylindrée moyenne à celle de customs d'initiation. Il s'agit d'une transformation qui rappelle beaucoup celle que subit cette année la Harley-Davidson Sportster 883 SuperLow, le but étant dans tous les cas d'offrir des montures plus appropriées pour une toute nouvelle génération de motocyclistes.

LA TRANSFORMATION QU'ELLES SUBISSENT RAPPELLE LE TRAVAIL FAIT PAR HARLEY-DAVIDSON SUR LA SUPERLOW.

Pour y arriver, Triumph a modifié la position de conduite en rapprochant considérablement du pilote le guidon et les repose-pieds, en abaissant la selle et en installant une béquille laissant la moto plus droite à l'arrêt afin d'en faciliter le soulèvement. Notons que le design des roues est nouveau et que la forme de quelques pièces, comme les garde-boue, les phares et les clignotants, a été revue. La nouvelle ergonomie des modèles atteint son but, puisqu'elle permet à des pilotes novices ou physiquement petits de se sentir immédiatement à l'aise. Le poids est très bien masqué et la proximité des commandes confère à l'ensemble une accessibilité réellement très élevée. En revanche, dans le cas de l'America, les pilotes plus grands se sentent serrés, tandis que les motocyclistes plus expérimentés ont l'impression d'être assis sur une monture de novice. Sa position détendue plaçant pieds et mains devant est typique pour une custom de style classique.

La position de conduite de la Speedmaster est nettement plus dégagée et ne causera aucun problème aux pilotes plus grands ou plus expérimentés pour lesquels elle est d'ailleurs nettement plus intéressante. Dans le cas des deux modèles, la mécanique injectée tire proprement et propose des performances adéquates, à défaut d'être excitante. Il s'agit d'un moteur excessivement doux et silencieux qui renvoie très peu de sensations. Sur la route, les deux se montrent toujours stables et très intuitives à manier et proposent un niveau de confort raisonnable sauf en ce qui concerne la suspension arrière occasionnellement rude.

Voir légende en page 16

QUOI DE NEUF EN 2011 ?

Révision du positionnement et de l'ergonomie des deux versions

Coûtent 1 000$ en noir et 1 100$ en couleur ou 2 tons de moins qu'en 2010

PAS MAL

Une certaine originalité provenant de la configuration mécanique propre à Triumph qu'est le bicylindre vertical, un moteur qui se montre par ailleurs doux et coopératif

Un comportement routier faisant preuve de belles manières à presque tous les niveaux, de la stabilité en ligne droite à la solidité en virage en passant par la légèreté de direction

Une facilité de prise en main exceptionnelle, particulièrement dans le cas de l'America qui a justement été revue pour paraître aussi accessible que possible à une clientèle physiquement petite ou novice; la Speedmaster est également très peu intimidante

BOF

Une ergonomie tellement compacte dans le cas de l'America que celle-ci devient exclusivement une monture destinée à une clientèle physiquement petite ou novice; la position de conduite de la Speedmaster est nettement plus dégagée

Un niveau de performances qui n'est pas mauvais et qui s'avère tout à fait suffisant dans la majorité des situations, mais qui n'arrivera à satisfaire que les pilotes peu gourmands en chevaux ou les novices

Une suspension arrière qui se montre sèche sur les défauts prononcés de la chaussée

Une mécanique dont le caractère est très timide en raison de la très grande douceur de fonctionnement du moteur et de la sonorité étouffée du système d'échappement

CONCLUSION

Durant longtemps, l'America et sa cousine la Speedmaster n'ont été que des manières relativement faciles pour Triumph de participer au créneau custom. Chères, aussi timides au niveau des sensations mécaniques que des performances et propulsées par un Twin parallèle carrément inapproprié dans cette classe, elles ne s'adressaient finalement qu'aux maniaques aveugles de la marque anglaise. Même si ces versions révisées demeurent techniquement très similaires aux modèles originaux, leur attrait, lui, est maintenant très différent. Ce regain d'intérêt découle en grande partie du fait qu'elles affichent désormais des factures presque identiques à celles de leurs rivales directes, ce qui les rend beaucoup plus faciles à envisager. Et bien qu'elles aient toujours été très amicales en termes de pilotage, la grande attention portée cette année à l'accessibilité de l'America en fait désormais une option que la clientèle visée ne pourra ignorer.

Speedmaster

GÉNÉRAL

Catégorie	Custom
Prix	9 199$; version noire: 8 999$
Immatriculation 2011	633,55$
Catégorisation SAAQ 2011	«régulière»
Évolution récente	America introduite en 2002, revue en 2011; Speedmaster introduite en 2003, revue en 2011
Garantie	2 ans/kilométrage illimité
Couleur(s)	America : bleu et blanc, noir Speedmaster : rouge, noir
Concurrence	Harley-Davidson Sportster 883, Honda Shadow 750, Kawasaki Vulcan 900 Classic, Suzuki Boulevard C50 et M50, Yamaha V-Star 950

MOTEUR

Type	bicylindre parallèle 4-temps, DACT, 4 soupapes par cylindre, refroidissement par air
Alimentation	injection à 2 corps
Rapport volumétrique	9,2:1
Cylindrée	865 cc
Alésage et course	90 mm x 68 mm
Puissance	60 ch @ 6 800 tr/min
Couple	53 lb-pi @ 3 300 tr/min
Boîte de vitesses	5 rapports
Transmission finale	par chaîne
Révolution à 100 km/h	environ 3 500 tr/min
Consommation moyenne	4,9 l/100 km
Autonomie moyenne	393 km

PARTIE CYCLE

Type de cadre	double berceau, en acier
Suspension avant	fourche conventionnelle de 41 mm non ajustable
Suspension arrière	2 amortisseurs ajustables en précharge
Freinage avant	1 disque de 310 mm de Ø avec étrier à 2 pistons
Freinage arrière	1 disque de 285 mm de Ø avec étrier à 2 pistons
Pneus avant/arrière	America : 130/90 R16 & 170/80 R15 Speedmaster : 100/90 R19 & 170/80 R15
Empattement	1 610 mm (Speedmaster: 1 600 mm)
Hauteur de selle	690 mm
Poids tous pleins faits	250 kg
Réservoir de carburant	19,3 litres

Cross Roads

LE MEILLEUR DE VICTORY... // Il a fallu beaucoup de courage à Victory pour lancer la Vision et sa ligne de vaisseau intergalactique. Car lorsqu'on évolue dans un environnement aussi conservateur que celui de l'univers custom, une ligne aussi particulière représente non seulement un risque considérable, mais peut-être aussi trop grand, puisque l'ouverture d'esprit de la clientèle type dans ce créneau s'avère souvent, malheureusement, inexistante. Lorsque le temps de présenter les premières variantes de la plateforme Vision l'an dernier arriva, les Cross Roads et Cross Country, le constructeur du Minnesota s'en est donc tenu à des styles beaucoup moins polarisants. La bonne nouvelle c'est qu'en dessous de ces diverses robes se trouve ni plus ni moins que le meilleur de Victory en matière de motorisation et partie cycle.

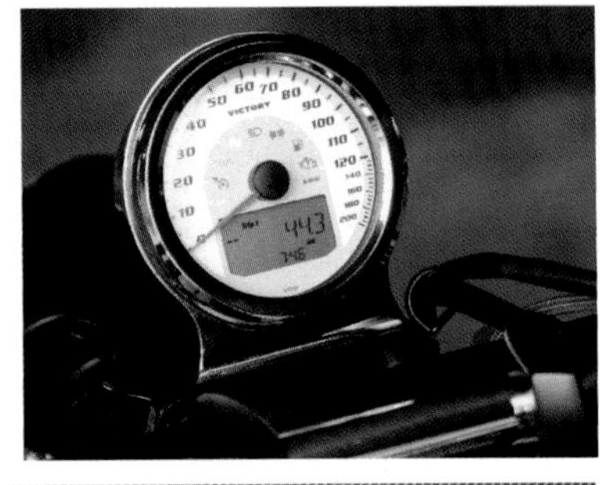

Selon d'assez bonnes sources desquelles nous tenons directement ces informations, Victory songerait très sérieusement à s'éloigner de la stratégie consistant à systématiquement comparer ses produits à ceux de Harley-Davidson. La décision inviterait enfin les amateurs de customs à purement et simplement envisager une Victory pour ce qu'elle est plutôt qu'à s'enliser dans une comparaison dont l'issue est facilement prévisible. Arracher un amateur de Harley-Davidson à Harley-Davidson tient en effet de la mission impossible, ou presque. Il serait par contre très étonnant que les ressemblances entre la structure de la gamme de tourisme de Victory et de celle du constructeur de Milwaukee disparaissent, et ce, pour la simple et bonne raison que cette structure représente une excellente solution. Comme Harley-Davidson, Victory propose ainsi une série de montures basées sur une plateforme commune inaugurée avec la luxueuse Vision, un modèle qui se veut littéralement une custom de tourisme. Le fait que cette dernière propose un comportement général aussi sain dans un environnement aussi difficile que celui du tourisme de longue distance — la Vision joue du coude avec une Gold Wing sans problème en voyage — est très important puisqu'il implique que les variantes du modèle que sont les Cross Roads et Cross Country bénéficient de qualités très similaires. Par exemple, nous avons été franchement impressionnés par la Cross Roads, qui est ironiquement la moins équipée et la moins chère de la série par une bonne marge. Construite autour d'une plateforme conçue pour une moto beaucoup plus massive, la Cross Roads affiche un comportement routier marqué par une impression d'aisance et de sérénité dans toutes les circonstances. À ses commandes, toutes les manœuvres semblent faciles et sûres, tout se fait légèrement et précisément. Elle se montre même au mieux de sa forme lorsqu'on retire son gros pare-brise, un choix qui réduit évidemment la protection au vent, mais qui remplace aussi un écoulement d'air turbulent par un flot d'air parfaitement pur et constant. La Cross Country est à très peu de choses près la même moto équipée d'un carénage fixe.

CONSTRUITE AUTOUR DE LA PLATEFORME DE LA VISION, LA CROSS ROADS OFFRE UN COMPORTEMENT SOLIDE ET SEREIN.

Bien assis sur une selle qui demeure confortable même sur de longues distances, installé de manière typiquement détendue pour ces motos, mais sans jamais souffrir de la moindre exagération dans la position, on sent que la Cross Roads incarne l'esprit même de la balade en custom haut de gamme. Surtout que, sur le plan mécanique, le gros V-Twin commun à toutes les variantes commet bien peu de fautes. Considérablement raffinée cette année grâce à une transmission beaucoup plus silencieuse et à un fonctionnement général agréablement resserré, la mécanique de 106 pouces cubes est un fort plaisant spécimen au sein de cette race de gros bicylindres en V expressément conçus pour pousser aussi fort que possible, aussi tôt que possible. Si on peine à noter l'amélioration de la sonorité des silencieux annoncée par le constructeur, et si les plus fins connaisseurs trouveront également que la musicalité de la mécanique n'est pas à la hauteur de celle d'une Harley-Davidson, il reste qu'on a affaire à un excellent V-Twin.

» Libérée de tout le poids et de tout l'équipement de la Vision, mais bénéficiant du même gros cadre en aluminium, la Cross Roads de base offre une expérience dont la simplicité est très attachante. Elle est aussi la moins chère des montures de tourisme de Victory. «

» Brian J. Nelson, à qui revient le crédit de cette photo prise à l'occasion du lancement de presse des modèles Victory 2011 dans le Colorado, avoua qu'il fut très difficile de décider de l'endroit d'où il prendrait ses photos. Le «problème» était qu'à chaque quelques mètres, un paysage plus époustouflant que le dernier apparaissait. Avec les rochers brunâtres typiques du coin en toile de fond, une route qui les épouse et juste la bonne lumière, son choix final est indiscutable.

CROSS ROADS

Victory introduit en 2011 le programme Core Custom pour la Cross Roads. Il s'agit d'une intéressante variation sur le thème de la personnalisation qui consiste à laisser l'acheteur «habiller» sa monture dès l'acquisition en choisissant en magasin le genre de valises latérales désirées, la présence ou pas d'un pare-brise et le type d'accessoires souhaités. Les avantages de cette façon de faire sont nombreux, puisqu'ainsi, aucun délai de livraison n'est nécessaire, que le concessionnaire possède tous les accessoires en main et qu'aucune pièce d'origine n'est perdue au moment de la modification. Il s'agit du seul modèle de la gamme Victory bénéficiant pour le moment d'un tel programme.

CORY NESS CROSS COUNTRY

Les éditions «Ness Signature» de Victory sont le fruit d'une association ayant débuté entre le manufacturier et l'artiste Arlen Ness. Le fils Cory, et depuis 2011 le petit fils Zach signent également chacun un modèle. Cette Cross Country représente le projet d'édition limitée dont est responsable Cory cette année. Pour un surplus de près de 8 000 $, la Cory Ness Cross Country est équipée, entre autres, d'une liste plutôt longue de pièces chromées ou taillées dans la masse, d'une selle en suède et de roues uniques. Une peinture spéciale et une plaque numérotée font aussi partie de l'ensemble. En termes de mécanique, elle est la jumelle parfaite de la Cross Country de série.

Vision Tour

➤ VISION TOUR

Il est très possible que la Vision affiche le style le plus controversé du monde du motocyclisme, toutes catégories confondues. Il est effectivement discutable, mais son rôle — attirer autant d'attention que possible vers la marque Victory — exigeait une telle audace. Le danger avec ce genre de ligne polarisante se situe à deux niveaux. Le premier est qu'un tel style n'est tout simplement pas envisageable pour les acheteurs conservateurs, et le second est qu'il détourne l'attention du fait que sous ces courbes et ces arêtes très osées se trouve une monture de tourisme très particulière qui marie un environnement rappelant celui d'une Gold Wing à l'ambiance mécanique d'un V-Twin. Moyennant un surplus de près de 5 500 $, l'édition à tirage limité Arlen Ness est livrée avec une série d'accessoires chromés ou taillés dans la masse, des roues spéciales et plusieurs pièces gravées.

Arlen Ness Vision

PENDANT QU'ON S'AMUSAIT...

L'individu exécutant avec élégance et fierté cette figure décidément un peu irresponsable n'est nul autre que Brian J. Nelson, celui à qui revient le crédit de bon nombre des magnifiques photos d'action publiées dans Le Guide de la Moto. Il est aussi une moitié du duo des très talentueux photographes Riles & Nelson. Dans ce cas, toutefois, la photo fut prise par l'auteur de ces lignes juste après une séance de photos de presse lors du lancement des modèles Victory 2011, dans la région de Grand Junction, dans le magnifique état du Colorado. Brian et moi avions convenu de continuer à travailler lorsque les journalistes du groupe avec lequel je roulais auraient terminé leurs photos. Comme la prochaine étape de notre itinéraire était une pose dîner dans un restaurant situé dans le minuscule village de Placerville, je les rejoindrais simplement un peu plus tard, dès que j'aurais terminé mes propres photos. Ça, c'était le plan... Après une bonne heure à s'échanger des modèles et à défiler devant la lentille de Nelson, notre groupe de journalistes, accompagné de nos hôtes, quitta l'aire de repos qu'il avait monopolisée pour la séance, et Brian et moi nous mîmes au travail. Il écouta le genre de composition que je recherchais, puis alla chercher un escabeau dans sa camionnette, l'installa à quelques centimètres à peine du bord du canyon nous servant de toile de fond, le stabilisa autant qu'il fut possible de le faire sur du sable et des cailloux, et y grimpa. «D'ici, ça va être bon.» La scène me parut tellement absurde que je lui ordonnai de rester là pendant que je le photographiais. Il en profita pour en rajouter un peu en faisant la démonstration de ses qualités d'équilibriste. Heureusement, Brian n'a pas perdu pied et ne s'est pas désintégré sur la paroi du précipice. Et les images qu'il a prises ne furent pas perdues. En fait, tout se passa même très bien, puisque ses photos se sont avérées superbes et que nous avons pu terminer la séance sans nous faire déranger. Brian dans sa camionnette blanche et l'équipe de Victory dans leur VR retournèrent ensuite vers l'hôtel, alors que je prenais la route en sens inverse afin de tenter de rejoindre mon groupe. Aucun besoin de carte, m'avait-on dit, puisque je n'aurais qu'à rouler «environ 75 kilomètres» et à faire attention au petit restaurant «qu'on ne peut pas manquer» sur la «seule route du coin». La «trentaine de Victory stationnées devant» servirait aussi d'indice. Même si tout ça semblait assez simple, je me dis que, compte tenu du rythme modéré du groupe, je pourrais peut-être le rattraper en roulant vite, ce que la nature déserte du majestueux coin de pays où nous nous trouvions me permettrait de faire sans le moindre risque. L'air était sec et chaud, les courbes longues et gracieuses et le paysage parmi les plus prenants que j'ai vus. Franchement, je vivais un beau moment de moto. Trop beau, probablement. À ce qui sembla être environ mi-chemin, l'atmosphère changea. De toute évidence, le plein de ma moto n'avait pas été fait, puisque j'étais presque à sec. Il est fort possible qu'on l'ait oubliée parce que j'étais un peu à l'écart du groupe avec Brian. Pas de panique, en ralentissant le rythme, je réduirais sûrement la consommation suffisamment pour atteindre Placerville. C'est du moins ce que j'espérais, jusqu'à ce que la marque de 75 kilomètres passe et qu'aucune ville ne soit en vue. Que des canyons, de très beaux paysages et un indicateur de niveau d'essence bas qui clignotait depuis un moment déjà. Puis, une chaleur me traversa. Mon sac à dos, dans lequel je traîne appareil photo et imperméable, contenait aussi mon portefeuille avec tous mes papiers. Or, avec tous les échanges de modèles de la séance de photo, ce sac était resté dans la valise d'une autre moto. Ce qui n'est généralement ni rare ni grave, puisque le groupe reste habituellement ensemble. Pas cette fois... Quelques très longs kilomètres passèrent et, avec probablement à peine des vapeurs d'essence dans le réservoir, j'atteignis finalement une petite ville... pour en sortir presque aussitôt, et ce, sans avoir vu une seule Victory, et encore bien moins une trentaine. Un demi-tour et un examen plus attentif du microscopique «centre-ville» n'y changèrent rien.

«Auriez-vous, à tout hasard, aperçu une trentaine de motos comme celle-là passer par ici?» demandais-je à un commerçant. «Oh oui! Il y a environ une heure.» «Dites-moi, c'est bien Placerville, ici, non?» «Non, ici c'est Norwood. Pour Placerville, il faut continuer au moins une autre cinquantaine de kilomètres.» «Ah bon!... Dites-moi, il n'y a bien qu'une route ici, non? Mon groupe devra donc repasser par ici tôt ou tard?» «Pas nécessairement. Ils peuvent passer par une ou deux autres routes s'ils le veulent.»

La complexité de la situation me frappa vraiment lorsque je réalisai que même si j'étais assoiffé et affamé au point d'en avoir mal à la tête, je ne pouvais rien acheter puisque j'étais sans un sou et sans carte de crédit ou débit. Tout était dans mon sac à dos. Même des Advil étaient hors de mes moyens. Je n'avais pas de téléphone non plus et même si joindre quelqu'un à partir d'un commerce ou d'un téléphone public avait été possible, tous les contacts des organisateurs de l'évènement étaient dans mon sac. J'aurais pu tenter de contacter l'hôtel, mais je n'avais pas la moindre idée de quel hôtel il s'agissait. Était-ce la fin? Allait-on me retrouver, après des semaines de recherches, mort de faim à côté d'une Victory Cross Country blanche toute neuve? Devais-je me mettre à mendier pour arriver à boire ou manger un peu, ou encore pour obtenir de l'essence? Je pris plutôt la décision de rester sur place en misant sur la probabilité qu'on se rende sûrement compte de mon absence, et en faisant le pari que le groupe repasserait par la même route. En attendant, j'aurais besoin de mettre la moto bien en évidence afin qu'on puisse la repérer facilement, et de trouver de l'ombre afin d'éviter que le soleil et la chaleur n'empirent ma situation. J'aperçus une toute petite église dont les escaliers étaient couverts d'un petit toit. En pleine semaine, en début d'après-midi, l'endroit serait probablement tranquille. Je stationnai donc la Cross Country devant, m'assis dans les escaliers, et me mis à attendre. Et à attendre. Soudain, une voix me demanda si j'avais besoin d'aide. C'était le pasteur de l'église, accompagné d'un jeune poussant une tondeuse à gazon. J'avais tellement eu mal à la tête que je m'étais endormi dans les escaliers. Environ deux heures s'étaient écoulées depuis mon arrivée. Un peu confus et très gêné, je tentai de lui expliquer la situation. Un lancement pour une nouvelle moto, le groupe perdu, pas un sou pour acheter eau, nourriture ou essence, aucun moyen de contacter mon monde, la tête qui élance, etc. Sans hésiter, le pasteur m'invita à entrer pour manger quelque chose. Je le remerciai beaucoup, mais lui expliquai que je me sentais surtout très gêné de m'être endormi sur le pas de la porte de son église et que je ne pouvais pas bouger du bord de la route au cas où le groupe passerait. En espérant qu'il n'était pas passé durant mon sommeil... Mais le pasteur insista et ressortit quelques instants plus tard avec une assiette de macaroni au fromage bien chaude, un bout de pain tartiné de beurre et une cannette de Pepsi glacé. Ce fut sans le moindre doute l'un de mes meilleurs repas, et certainement un dont je me souviendrai longtemps. Boire et manger un peu me remit presque instantanément en forme et fit disparaître le mal de tête. Nous nous mîmes ensuite à examiner sa tondeuse qui ne démarrait pas. Le réservoir était presque vide et je suggérai de faire le plein pour éliminer la possibilité d'un manque d'essence dans le carburateur. Bidon à la main, le jeune se mit donc à marcher vers la station d'essence. À son retour, quelques minutes plus tard, il m'annonça avoir vu d'autres motos ressemblant à la mienne arrêtées à la station. Il affirma avoir demandé aux pilotes s'ils cherchaient quelqu'un avec ce genre de moto, ce à quoi ils répondirent avec beaucoup d'étonnement que oui. Ça n'était pas le groupe, mais plutôt deux employés de Victory qui me cherchaient depuis un bon moment. Ils commençaient d'ailleurs à sérieusement s'inquiéter et avaient même été jusqu'à jeter un coup d'œil au bas de certains ravins. Lorsque je leur expliquai que j'étais bêtement tombé en panne d'essence, ils marmonnèrent un nom et secouèrent la tête. Je leur présentai le pasteur qu'ils remercièrent beaucoup d'avoir pris soin de leur journaliste égaré. Après avoir laissé quelques dollars empruntés au personnel de Victory au pasteur pour sa paroisse en guise de remerciement, nous fîmes le plein et nous nous mîmes en route vers l'hôtel. Je ne suis pas certain de la morale de cette histoire ou de la leçon qui devrait en être tirée. Je sais toutefois que je ne me séparerai plus jamais de ma Visa. Je sais aussi que si je me retrouve un jour dans ce coin de pays, je devrai absolument retourner dire bonjour à mon ami le pasteur. Je doute qu'il ne se souvienne pas du type à moto qui dormait dans ses escaliers. B.G.

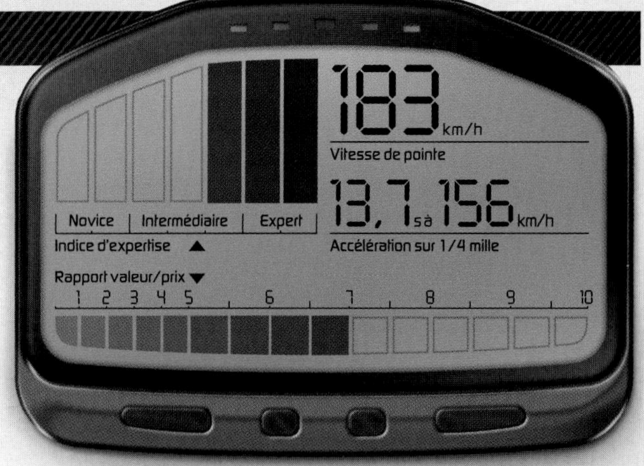

Voir légende en page 16

QUOI DE NEUF EN 2011 ?

Introduction du programme de personnalisation Core Custom pour la Cross Roads

Transmission adoucie dont 40 pour cent des pièces sont nouvelles et bénéficiant d'une fonction d'accès au neutre facilité; intervalles d'entretien augmentés à 8 000 km

Valise centrale offerte en option pour Cross Country et Cross Roads Custom

ABS livré en équipement de série sur la Vision Tour et sa version Arlen Ness

Introduction d'une version Cory Ness de la Cross Country

Vision Tour coûte 555 $ de moins et Arlen Ness Vision 3 345 $ de plus qu'en 2010

PAS MAL

Un excellent niveau de confort sur la Vision découlant d'une très bonne selle, d'une position très dégagée et variable, de bonnes suspensions et d'un pare-brise électrique qui ne génère presque pas de turbulences

Une partie cycle extrêmement solide qui se montre stable et rassurante, peu importe les conditions ou la vitesse, et ce, sur toutes les variantes

Un niveau d'équipement intéressant pour la Vision

Des selles très basses pour des montures de tourisme

BOF

Un V-Twin qui réussit à pousser toute cette masse avec une étonnante facilité, mais qui le fait sans sonorité vraiment particulière

Un poids très élevé qui ne dérange aucunement une fois en mouvement, mais qui demande toute l'attention du pilote à basse vitesse, dans les situations serrées

Des plateformes de passager sur la Vision qui entrent en contact avec l'arrière des mollets du pilote lorsqu'il recule la moto en étant assis dessus; elles agissent comme protection en cas de chute et ne sont donc pas repliables

Des valises latérales rigides dont le volume n'est pas très généreux

Une garantie qui devrait être bien plus longue ; trois ans semblerait logique

Des lignes osées et audacieuses dans le cas de la Vision, mais aussi polarisantes

Des factures tantôt raisonnables, comme celle de la Cross Roads Custom, et tantôt bien trop élevées, comme celle de la Vision Arlen Ness qui n'offre mécaniquement rien de plus que la Vision Tour et coûte 50 pour cent de plus que la Vision 8-Ball

CONCLUSION

La plateforme de la Vision et les variantes qui en sont dérivées sont de très belles démonstrations du très long chemin parcouru par Victory depuis l'introduction de la V92C en 1998. Il s'agit dans tous les cas de montures qui, lorsqu'elles se retrouvent dans leur environnement, font preuve d'une très longue liste de qualités. Elles n'ont pas le charisme des Harley-Davidson, et ce, tant au niveau psychologique que mécanique, mais la réalité est qu'aucune autre marque ne possède ce fameux charisme non plus, surtout dans ce créneau. Nous croyons depuis longtemps que la bonne manière d'analyser une Victory n'est pas en le faisant en fonction de son pays d'origine, mais plutôt en fonction de son rendement, comme on le fait pour un produit concurrent japonais, par exemple. Vues de cette façon, elles deviennent étonnamment intéressantes. Si Victory arrivait à rendre la Vision et la Cross Country aussi concurrentielles que la Cross Roads en termes de prix, et elles n'en sont pas très loin, nous ne serions pas du tout étonnés de voir les constructeurs asiatiques perdre quelques ventes aux dépens de la marque du Minnesota.

Cross Country accessoirisée

GÉNÉRAL

Catégorie	Tourisme de luxe
Prix	Vision Tour : 25 869 $; 8-Ball : 20 069 $ Arlen Ness Vision : 31 219 $ Cross Roads : 16 729 $ Cross Country : 20 069 $
Immatriculation 2011	633,55 $
Catégorisation SAAQ 2011	« régulière »
Évolution récente	Tour introduite en 2008, Cross Roads et Cross Country en 2010
Garantie	1 an/kilométrage illimité
Couleur(s)	choix multiples
Concurrence	Harley-Davidson Electra Glide, Road King et Street Glide; Kawasaki Voyager et Nomad, Yamaha Royal Star Venture

MOTEUR

Type	bicylindre 4-temps en V à 50 degrés (Freedom 106/6), SACT, 4 soupapes par cylindre, refroidissement par air et huile
Alimentation	injection à 2 corps de 45 mm
Rapport volumétrique	9,4:1
Cylindrée	1 731 cc
Alésage et course	101 mm x 108 mm
Puissance	92 ch
Couple	109 lb-pi
Boîte de vitesses	6 rapports
Transmission finale	par courroie
Révolution à 100 km/h	environ 2 300 tr/min
Consommation moyenne	6,6 l/100 km
Autonomie moyenne	Vision : 344 km; Cross : 333 km

PARTIE CYCLE

Type de cadre	épine dorsale, en aluminium
Suspension avant	fourche conventionnelle de 46 mm non ajustable (Cross : 43 mm)
Suspension arrière	monoamortisseur ajustable en pression d'air
Freinage avant	2 disques de 300 mm de Ø avec étriers à 4 pistons (Tour : C-ABS)
Freinage arrière	1 disque de 300 mm de Ø avec étrier à 2 pistons (Tour : C-ABS)
Pneus avant/arrière	130/70 R18 & 180/60 R16
Empattement	1 670 mm
Hauteur de selle	VT : 673 mm; C : 667 mm; AN, 8B : 622 mm
Poids à vide	VT : 395 kg; 8B : 364 kg; CR : 338 kg, CC : 347 kg
Réservoir de carburant	Vision : 22,7 litres; Cross : 22 litres

Vegas Jackpot

NOUVELLES VARIANTES 2011

MATURITÉ ATTEINTE... // Depuis la mise en marché de la première Victory en 1998, les produits de la marque du Minnesota n'ont cessé de progresser. Parmi ceux-ci, le duo Vegas/Kingpin, direct descendant de la V92C originale, est celui qui a le plus de vécu. Cette constante évolution se continue en 2011, puisque le V-Twin 100/5 disparaît et que toutes les variantes sont dorénavant propulsées par le puissant 106/6, et ce, même dans le cas des versions économiques 8-Ball. Avec leur traitement noir étonnamment soigné et leur fort intéressante facture, ces derniers font d'ailleurs un peu mentir leur étiquette économique en faisant plutôt partie des montures les plus attrayantes de cette « autre » gamme américaine. Avec ses prix plus raisonnables que par le passé, sa mécanique peaufinée et une belle finition, la famille de modèles semble enfin avoir atteint la maturité.

La Vegas et la Kingpin sont, d'une certaine façon, le coeur de la gamme Victory en ce sens qu'elles représentent les customs classiques de la gamme, celles qui n'ont aucune prétention en matière de tourisme et dont le style assez conservateur a pour but de plaire au plus grand nombre.

Dès les premiers moments aux commandes de l'une ou de l'autre, l'on constate avoir affaire à des montures agréablement bien maniérées. Très basses, élancées et relativement minces, elles s'avèrent étonnamment peu intimidantes pour des machines d'un tel poids, d'une telle cylindrée et de telles proportions. Il s'agit d'une qualité qui n'est pas du tout commune chez Victory qui produit aussi une immense et lourde Vision, sans parler d'une Hammer dont le large pneu arrière engendre un comportement demandant un certain apprivoisement. À la fois très stables et légères de direction, les Vegas et Kingpin sont même si faciles d'accès qu'on pourrait sans problème les recommander à une clientèle ne détenant pas un niveau d'expérience très élevé. L'adoption l'an dernier de la position de conduite plus basse et plus compacte des anciennes variantes Low amplifiait d'ailleurs encore cette qualité. En revanche, le débattement réduit de la suspension arrière de la plupart des modèles amène occasionnellement des réactions sèches sur mauvais revêtement.

PROPULSANT DÉSORMAIS TOUTES LES VERSIONS INCLUANT LES 8-BALL, LE 106/6 SURPREND PAR SA PUISSANCE.

Très typée sans être extrême, la positon de conduite, qui est semblable sur les deux modèles, tend les jambes et place les pieds plus ou moins loin devant, selon la version, tout en offrant un guidon juste assez reculé pour qu'il tombe bien sous les mains. Toutes les commandes renvoient une impression de qualité.

Le V-Twin de 106 pouces cubes à transmission à 6 rapports qui anime en 2011 toutes les variantes incluant les versions 8-Ball est responsable de l'un des plus grands atouts des modèles puisqu'il livre un niveau de performances plus élevé que celui auquel on s'attendrait sur des montures dont ni le style ni le positionnement ne font allusion à des accélérations particulièrement fortes. Elles tirent proprement à partir de très bas régimes sur n'importe quel rapport et continuent de générer une poussée étonnamment forte jusqu'à l'entrée en jeu du rupteur.

La Jackpot est littéralement l'exception à la règle et le mouton noir de la famille. À ses commandes, les belles manières et l'invitante accessibilité des modèles normaux sont introuvables. Elle affiche plutôt une direction dont la nature est handicapée par la largeur extrême du pneu arrière et demande de la part du pilote une bonne dose d'expérience dans la plupart des situations. Son comportement routier rappelle en fait celui d'un chopper artisanal, ce qui n'est pas le plus beau compliment. Mais la Jackpot n'est pas à éviter pour autant. Il s'agit tout simplement d'une custom extrême avec un caractère bien particulier qui s'adresse à des amateurs avertis. D'ailleurs, en termes de style, il s'agit d'une des Victory les plus abouties et désirables. À ce chapitre, la nouvelle version Zach Ness de la Vegas n'est pas mal du tout non plus, bien que le constructeur fasse payer bien cher les quelques détails esthétiques qui la distinguent d'une Vegas de série.

VEGAS, KINGPIN, HIGH-BALL

DERNIÈRE MINUTE!

Tout juste avant que nous mettions *Le Guide de la Moto 2011* sous presse, et juste au moment où nous concluions que Victory gagnerait à se dégourdir un peu stylistiquement, voilà qu'il lance cette très étonnante High-Ball. Clairement inspirée de la tendance Dark Custom développée par les voisins de Milwaukee, elle est basée sur la Vegas, mais équipée de roues à rayons de 16 pouces, d'une fourche large et d'un guidon Ape Hanger. Offerte pour la fort raisonnable somme de 15 059 $, elle représente une combinaison qui pourrait valoir des résultats à Victory.

KINGPIN

La Kingpin est ce qui se rapproche le plus chez Victory de l'image qu'on se fait d'une custom classique comme une Fat Boy ou une Vulcan 1700 Classic. Il s'agit de la seule variante de cette famille dont le débattement de la suspension arrière n'est pas réduit, ce qui lui confère un niveau de confort légèrement supérieur sans grande pénalité au niveau de la hauteur de selle. En plus de la version courante, une variante 8-Ball est aussi offerte. Cette dernière est livrée avec son habituelle finition noire et est équipée d'une selle solo.

ZACH NESS VEGAS

Les modèles à tirage limité Ness Signature de Victory représentent traditionnellement un exercice stylistique basé sur une version de base. C'est exactement le cas de la Zach Ness Vegas dont les superbes roues représentent facilement l'accessoire ajouté le plus désirable. Ces motos sont un peu les équivalents lointains des modèles CVO chez Harley-Davidson, mais l'étendue des modifications qui leur sont apportées est nettement plus restreinte et leur prix est moins élevé.

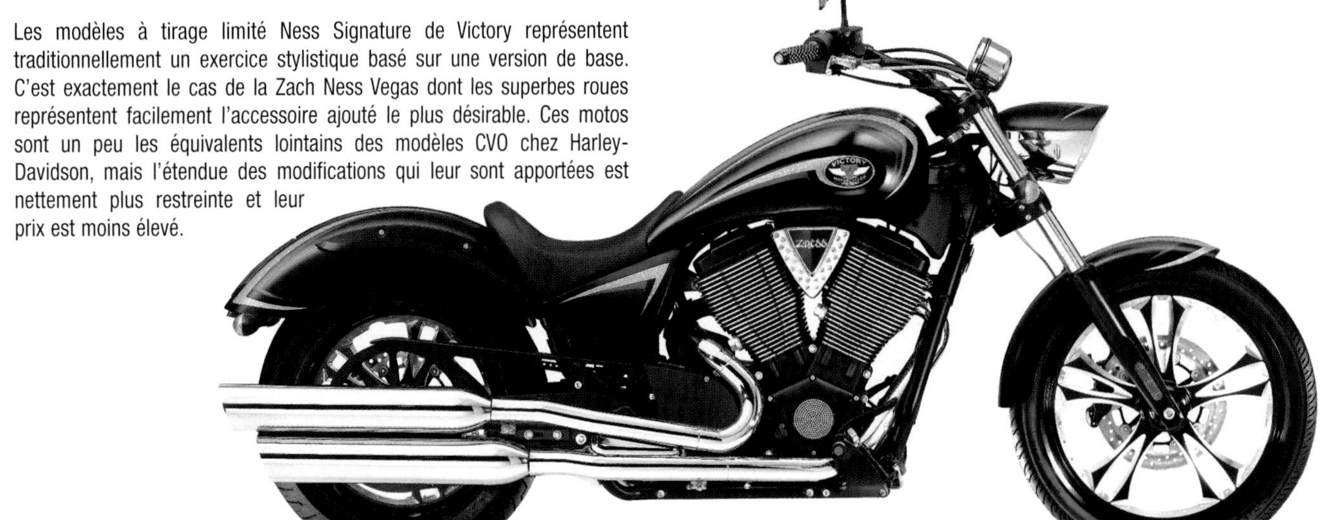

VEGAS

Alors que la Kingpin joue le rôle de la custom classique au sein de la gamme Victory, la Vegas prend plutôt celui de la version « custom » plus effilée et épurée. L'effet est surtout réalisé en remplaçant les ailes enveloppantes par des garde-boue beaucoup plus discrets, puisqu'en ce qui concerne la mécanique, on a carrément affaire à des jumelles. La principale différence entre les deux au niveau de la partie cycle concerne la roue avant dont le diamètre est de 18 pouces sur la Kingpin et de 21 pouces sur la Vegas. Cette dernière est aussi offerte en version 8-Ball dont la facture est étonnamment abordable puisqu'elle est aisément inférieure à celle de la plupart des customs japonaises.

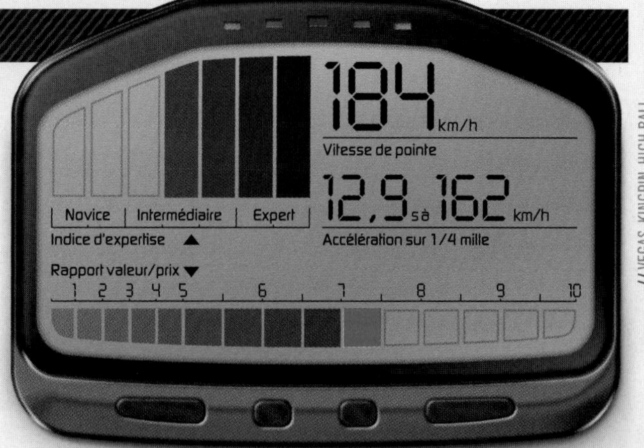

Voir légende en page 16

QUOI DE NEUF EN 2011 ?

8-Ball: V-Twin Freedom 100/5 remplacé par le 106/6 qui propulse désormais toutes les versions; phare avant noir de forme profilée; plusieurs composantes dont le système d'échappement et le guidon peintes en noir

Silencieux revu pour émettre une sonorité plus grave; transmission adoucie; écran LCD avec caractéristique multifonction

Plateformes reculées de 2 pouces sur la Kingpin

Introduction d'une édition limitée signée Zach Ness de la Vegas

Vegas coûte 30$, Vegas 8-Ball 60$ et Kingpin 70$ de moins qu'en 2010

PAS MAL

Des lignes fluides sympathiques qui identifient le style Victory, une version Jackpot particulièrement osée et un large choix de variantes

Un V-Twin 106/6 aux performances très respectables qui se retrouve maintenant sur tous les modèles

Des selles basses que les pilotes de petite stature apprécieront

Des versions 8-Ball à la fois réussies visuellement et agréablement abordables

Un comportement solide, stable et plutôt précis qui rend la conduite accessible sur toutes les variantes sauf la Jackpot

BOF

Des factures qui ne sont pas toujours logiques (une Kingpin devrait coûter moins qu'une Cross Roads) et parfois encore élevées, comme pour la Jackpot et la Zach Ness Vegas, cette dernière offrant relativement peu pour le surplus qu'elle commande

Un comportement routier étonnamment pauvre dans le cas de la Jackpot dont la combinaison du très large pneu arrière et très mince pneu avant ne se fait pas de manière harmonieuse

Des styles plutôt élégants, mais qui commencent à sentir le réchauffé; Victory gagnerait probablement à diversifier sa plateforme en ajoutant d'autres lignes

Une mécanique puissante, mais qui fait son travail de manière un peu froide, sans caractère ni sonorité particulière

CONCLUSION

Les Vegas et Kingpin sont de très bonnes motos. Il s'agit aujourd'hui de customs qui sont assez difficiles à prendre en fautes d'un point de vue purement technique. En effet, tant au niveau de la performance qu'à celui de la tenue de route — la Jackpot étant bien entendu l'exception —, elles proposent des caractéristiques parfaitement compétitives, pour ne pas dire avantageuses. Sans qu'on puisse les qualifier d'aubaines, leur prix est maintenant plutôt raisonnable, ce qui est loin d'avoir toujours été le cas. En fait, il ne leur manque pas grand-chose pour satisfaire pleinement l'amateur moyen de custom. Ce qui serait néanmoins intéressant, ce serait de voir Victory se dégourdir un peu en matière de style, de le voir habiller cette très bonne base mécanique avec des lignes qui surprendraient.

Vegas 8-Ball

GÉNÉRAL

Catégorie	Custom
Prix	Kingpin: 16729$ (8-Ball: 14499$) Vegas: 16169$ (8-Ball: 13939$) Jackpot: 20629$; ZNV: 21189$
Immatriculation 2011	633,55$
Catégorisation SAAQ 2011	«régulière»
Évolution récente	Vegas introduite en 2003, Kingpin en 2004 et Jackpot en 2006
Garantie	1 an/kilométrage illimité
Couleur(s)	choix multiples
Concurrence	Kingpin: Harley-Davidson Fat Boy Vegas: Harley-Davidson Wide Glide Jackpot: Yamaha Raider

MOTEUR

Type	bicylindre 4-temps en V à 50 degrés, (Freedom 106/6) SACT, 4 soupapes par cylindre, refroidissement par air et huile
Alimentation	injection à 2 corps de 45 mm
Rapport volumétrique	9,4:1
Cylindrée	1731 cc
Alésage et course	101 mm x 108 mm
Puissance	97 ch
Couple	113 lb-pi
Boîte de vitesses	6 rapports
Transmission finale	par courroie
Révolution à 100 km/h	environ 2200 tr/min
Consommation moyenne	6,4 l/100 km
Autonomie moyenne	265 km

PARTIE CYCLE

Type de cadre	double berceau, en acier
Suspension avant	fourche conventionnelle de 43 mm non ajustable (Kingpin: inversée)
Suspension arrière	monoamortisseur ajustable en précharge
Freinage avant	1 disque de 300 mm de Ø avec étrier à 4 pistons
Freinage arrière	1 disque de 300 mm de Ø avec étrier à 2 pistons
Pneus avant/arrière	130/70 R18 (Vegas: 90/90-21) & 180/55 R18 (Jackpot: 250/40R18)
Empattement	Kingpin: 1666 mm; Vegas: 1684 mm
Hauteur de selle	Kp: 673 mm; Jp: 653 mm; autres: 640 mm
Poids à vide	Kp: 303 kg; Kp8B: 300 kg; V: 293 kg; V8B, ZNV: 290 kg; Jp: 296 kg
Réservoir de carburant	17 litres

Hammer S

RARETÉ... // Une bonne quinzaine d'années après l'arrivée des premières customs dites de performances, le concept d'une telle monture n'est toujours pas clairement défini. Les — rares — constructeurs y voyant encore un créneau ont donc chacun leur propre approche. Alors que chez Harley-Davidson, l'idée se traduit par les V-Rod Muscle et Night Rod Special, chez le voisin du Minnesota qu'est Victory, ce rôle revient plutôt à la Hammer. Caractérisée par sa silhouette fuyante, par son puissant V-Twin refroidi par air et par son immense pneu arrière de 250 mm, elle est offerte en trois variantes. Outre la version de base, on peut opter pour la S avec ses roues sport et son traitement graphique unique, ou pour l'édition «économique» 8-Ball. Celle-ci est d'ailleurs plus intéressante que jamais en 2011 puisqu'elle aussi se voit équipée du V-Twin Freedom 106/6.

Pour des raisons qui demeurent mystérieuses, l'idée d'une custom de performances n'a jamais semblé plus attirante que celle d'une custom classique aux yeux des amateurs de ce type de motos. Très peu de modèles furent donc développés et très peu d'information fut donc disponible afin de les faire évoluer. Le résultat est un créneau formé d'une poignée de montures représentant chacune la vision de leur constructeur respectif quant à ce à quoi devrait ressembler une telle moto. Chez Victory, cette vision a d'abord été illustrée de manière relativement anonyme par la défunte V92SC Sport Cruiser, puis, en 2005, par la bien plus intéressante Hammer, une custom de nouvelle génération caractérisée par la présence d'un immense pneu arrière de 250 mm. Ce pneu et la gigantesque aile qui le couvre confèrent un côté très impressionnant à la Hammer, surtout lorsqu'elle est observée par un angle arrière. Sans qu'elle verse dans l'extrême, la position de conduite reste assez typée et reflète bien l'esprit du modèle. Pieds devant, mains qui tombent sur un guidon relativement bas et plat reculant juste assez, assis sur une selle très basse, on s'y sent rapidement à l'aise. La version 8-Ball propose une selle plus basse et plus rapprochée des repose-pieds.

UN SÉRIEUX TRAVAIL AU NIVEAU DES QUALITÉS SENSORIELLES DU 106/6 POURRAIT EN FAIRE UNE RÉFÉRENCE.

Peu importe la variante, l'effet du gros pneu arrière sur le comportement devient évident dès qu'on relâche l'embrayage, puisqu'on constate alors immédiatement un effort à la direction considérablement plus élevé que la normale. Qu'il s'agisse d'amorcer une longue courbe prononcée à vitesse d'autoroute ou de circuler dans un stationnement, on sent toujours le gros pneu arrière tenter d'empêcher la moto de s'incliner. On s'y habitue en apprenant simplement à pousser plus fort et de manière plus déterminée sur le guidon. Une fois ces exigences particulières assimilées, le tout devient tout à fait vivable. La stabilité en ligne droite est imperturbable tandis qu'on est presque surpris de découvrir une bonne tenue de cap dans les longues courbes ainsi qu'un étonnant aplomb dans une enfilade de virages. Du moins si cette dernière est négociée avec un minimum de retenue, puisque ces «belles manières» ne sont pas inconditionnelles et se détériorent rapidement sur chaussée dégradée, surtout si l'on exagère le rythme ou encore si le revêtement est détrempé.

Le niveau de performances proposé par la Hammer surprend agréablement. Toutes les versions sont maintenant propulsées par un massif V-Twin de 106 pouces cubes générant tout près d'une centaine de chevaux. Quoique laissant toujours à désirer en matière de sonorité, il s'agit d'une mécanique qui impressionne par la force avec laquelle elle arrive à faire accélérer la Hammer à partir des tout premiers tours et sur toute la plage de régimes. En plus d'être admirablement souple, il s'agit d'un V-Twin au fonctionnement doux qui ne tremble franchement qu'en pleine accélération. Il est dommage que cette mécanique manque de charisme, puisqu'une présence sensorielle plus recherchée en ferait potentiellement une référence. Dans son état actuel, elle rappelle un peu les V-Twin des premières customs japonaises qui tiraient fort, mais n'avaient pas de caractère particulier. Notons par ailleurs que le travail de la transmission, qui a été revue pour 2011, est plus doux et précis.

QUOI DE NEUF EN 2011 ?

8-Ball : V-Twin Freedom 100/5 remplacé par le 106/6 qui propulse désormais toutes les versions; phare avant noir de nouvelle forme; plusieurs composantes dont le système d'échappement et le guidon peintes en noir

Silencieux revu pour émettre une sonorité plus grave; transmission adoucie; écran LCD avec caractéristique multifonction

Hammer 8-Ball et S coûtent 3 $ et Hammer coûte 1 335 $ de moins qu'en 2010

PAS MAL

Une ligne « musclée » surtout marquée par l'immense pneu arrière, qui semble plaire en général et qui compte beaucoup dans la décision d'achat; le thème sportif de la version S est par ailleurs bien réussi

Un V-Twin dont les performances sont impressionnantes et dont la livrée de couple à bas régime est grasse, dense et très plaisante

Une belle position de conduite, typée sans être extrême et qui colle bien au modèle

BOF

Un V-Twin proposant une expérience sensorielle qui n'est que moyenne; Victory arrive clairement à extraire beaucoup de puissance de ses moteurs, mais il ne semble pas encore en maîtriser tout à fait les caractéristiques auditives et tactiles

Un gros pneu arrière qui a beaucoup d'effets sur le comportement et la direction; la Hammer demande au pilote de constamment compenser la résistance du pneu en inclinaison; on s'y fait, mais une bonne expérience de pilotage est préférable et il faut rester sur ses gardes sous la pluie lorsque ces réactions sont plus délicates

Des factures assez élevées dans le cas des Hammer et Hammer S et un écart de prix considérable entre celles-ci et la variante 8-Ball qui ressemble de plus en plus à une belle valeur, surtout maintenant qu'elle aussi est animée par le V-Twin 106/6

CONCLUSION

La Hammer est un cas très intéressant dans l'univers custom puisqu'elle propose un concept et une ligne qui vont au-delà de la simple imitation d'une quelconque Harley-Davidson. Il s'agit d'une des rares interprétations encore vivantes du thème de la custom de performances, rôle qu'elle joue surtout en misant sur le style et l'accélération, mais pas vraiment sur la tenue de route. Elle est l'une de ces Victory qui se démarquent, qui offrent quelque chose d'authentique. Si le constructeur doit donc être félicité pour cet élan d'originalité ainsi que pour les belles notes que la Hammer mérite sur la plupart des plans techniques, nous ne pouvons nous empêcher de nous imaginer à quel point un tel produit serait plus désirable s'il faisait preuve d'un stylisme beaucoup plus audacieux. La Hammer a le potentiel d'être la V-Rod de Victory.

Hammer 8-Ball

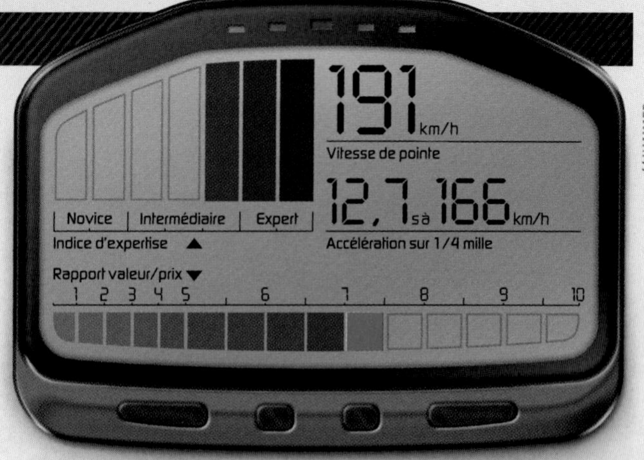

Voir légende en page 16

GÉNÉRAL

Catégorie	Custom
Prix	Hammer S : 20 629 $ Hammer : 19 849 $ Hammer 8-Ball : 16 169 $
Immatriculation 2011	633,55 $
Catégorisation SAAQ 2011	« régulière »
Évolution récente	introduite en 2005, variante 8-Ball introduite en 2010
Garantie	1 an/kilométrage illimité
Couleur(s)	Hammer S : rouge et noir Hammer : bleu Hammer 8-Ball : noir
Concurrence	Harley-Davidson V-Rod Muscle et Night Rod Special, Yamaha Road Star Warrior

MOTEUR

Type	bicylindre 4-temps en V à 50 degrés (Freedom 106/6), SACT, 4 soupapes par cylindre, refroidissement par air et huile
Alimentation	injection à 2 corps de 45 mm
Rapport volumétrique	9,4:1
Cylindrée	1 731 cc
Alésage et course	101 mm x 108 mm
Puissance	97 ch
Couple	113 lb-pi
Boîte de vitesses	6 rapports
Transmission finale	par courroie
Révolution à 100 km/h	environ 2 100 tr/min
Consommation moyenne	6,4 l/100 km
Autonomie moyenne	265 km

PARTIE CYCLE

Type de cadre	double berceau, en acier
Suspension avant	fourche inversée de 43 mm non ajustable
Suspension arrière	monoamortisseur ajustable en précharge
Freinage avant	2 disques (8-Ball :1) de 300 mm de Ø avec étriers à 4 pistons
Freinage arrière	1 disque de 300 mm de Ø avec étrier à 2 pistons
Pneus avant/arrière	130/70 R18 & 250/40 R18
Empattement	1 669 mm
Hauteur de selle	673 mm (8-Ball : 660 mm)
Poids à vide	305 kg
Réservoir de carburant	17 litres

PERTINENCE DÉMOGRAPHIQUE... // L'âge moyen du motocycliste approche aujourd'hui 50 ans et, durant la dernière décennie, celui-ci a en grande majorité acheté et piloté des customs. Expérimenté, désireux de rouler plus loin et plus confortablement, il représente le client tout désigné pour une custom de tourisme comme la Royal Star Venture. Cette réalité démographique est d'ailleurs la raison pour laquelle Kawasaki et Victory ont dernièrement rejoint cette catégorie et elle explique également l'énorme succès qu'obtient Harley-Davidson avec sa série de montures de tourisme. La Venture est néanmoins la plus vieille de ce groupe, ayant été introduite en 1999 et étant restée inchangée depuis. Elle est basée sur les premières Royal Star de 1996 et utilise un V4 carburé de 1,3 litre produisant tout près d'une centaine de chevaux.

Le fait que la Royal Star Venture soit sur le marché depuis 1999 et qu'elle n'ait jamais profité de la moindre mise à jour n'en fait pas nécessairement une monture déclassée sur le marché actuel, et ce, même si certaines lacunes techniques, comme l'alimentation par carburateurs, entres autres, sont évidentes chez elle. En raison du type de moteur qui l'anime, un rare V4, on peut même encore la considérer comme une façon intéressante d'aborder le tourisme à saveur custom. Il s'agit là, en effet, d'une caractéristique qui la distingue de tous les autres modèles semblables, ces derniers étant plutôt propulsés par un bicylindre en V. Il ne faudrait d'ailleurs pas s'étonner si, le temps venu de faire évoluer la Venture, Yamaha choisissait de favoriser son excellent V-Twin de 1 900 cc plutôt que de réviser le V4.

PERSONNE NE DEVRAIT S'ÉTONNER SI, LE TEMPS VENU DE LA FAIRE ÉVOLUER, YAMAHA FAVORISAIT SON V-TWIN DE 1 900 CC.

Depuis leur arrivée sur le marché, on a vanté la qualité de la tenue de route des customs Royal Star. Leur châssis ayant été rigidifié lors de son adaptation pour la Venture, il arrive à supporter sans problème l'excès de poids qu'elle affiche par rapport aux boulevardières dont elle est dérivée. Dans les virages pris à grande vitesse comme en ligne droite, la Venture fait preuve d'une stabilité irréprochable alors que la direction s'avère agréablement légère et précise, pour une moto de ce genre bien sûr. En courbe, son comportement est solide tandis que la direction se montre neutre. Les imperfections de la route rencontrées en virage ne l'incommodent pas outre mesure. Le freinage est puissant et précis. Il serait néanmoins grand temps que Yamaha la dote d'un système de freinage ABS, une technologie qu'offrent la plupart de ses rivales. En raison de son gros gabarit et de son poids élevé, la Venture demande une certaine expérience et un bon niveau d'attention lors des manœuvres à l'arrêt ou à très basse vitesse. Le centre de gravité bas facilite la conduite dès qu'on se met en mouvement, mais une hauteur de selle un peu plus faible aiderait à donner encore plus confiance au pilote dans ces circonstances.

En utilisation routière, le pilote et son passager avalent les kilomètres en tout confort et bénéficient de la plupart des accessoires habituellement associés aux machines de tourisme de luxe comme la Gold Wing. L'équipement s'avère fonctionnel et plutôt complet, la position de conduite est détendue et dégagée, la selle reste confortable pendant des heures, les suspensions s'en tirent avec une surprenante efficacité et la protection au vent demeure excellente. La hauteur du pare-brise risque néanmoins d'entraver la visibilité par temps pluvieux puisqu'on doit regarder au travers plutôt qu'au-dessus. La finition est irréprochable et la garantie de cinq ans est la meilleure de l'industrie.

Les performances du gros V4 de 1,3 litre qui anime la plus grosse des Royal Star sont intéressantes. Il développe tout près d'une centaine de chevaux, ce qui est supérieur au rendement de la plupart des V-Twin des modèles rivaux, bien que pas de beaucoup dans certains cas. Coupleuse à bas et moyen régimes, la Venture accélère franchement jusqu'à sa zone rouge, tandis que la sonorité rauque et veloutée qui accompagne chaque montée en régime du V4 contribue, elle aussi, à l'agrément de conduite que l'on ressent à ses commandes.

QUOI DE NEUF EN 2011 ?

Retrait de la version de base

Aucune augmentation

PAS MAL

Un V4 doux et souple qui gronde de façon plaisante; il s'agit d'une architecture moteur non seulement unique dans la classe, mais qui colle aussi très bien au rôle de machine de tourisme du modèle

Une solide partie cycle dont le comportement sain est bien secondé par des suspensions judicieusement calibrées

Une liste d'équipements exhaustive, un confort royal, une finition sans reproche et la meilleure garantie de l'industrie

BOF

Un gabarit imposant qui complique les manœuvres lentes et demande une bonne expérience de conduite

Un pare-brise dont la hauteur fait qu'on doit regarder au travers plutôt qu'au-dessus, ce qui devient dérangeant par temps pluvieux ou lorsqu'il est couvert d'insectes, une situation qui empire la nuit; il semble évident que toutes ces montures devraient offrir un certain ajustement du pare-brise, ne serait-ce que manuel

Un concept qui commence à dater, même s'il est encore intéressant; de plus, on regrette l'absence d'options indispensables aujourd'hui sur ce type de motos: poignées et selle chauffantes, ABS, injection, GPS, système audio moderne, etc.

Un prix qui devrait logiquement refléter l'âge du modèle, ce qui n'est pas le cas

CONCLUSION

L'une des raisons principales derrière le fait qu'une Venture n'ayant absolument pas évolué depuis 1999 ne représente pas nécessairement aujourd'hui un choix à éviter c'est que tout bouge traditionnellement très lentement dans le créneau custom. Elle demeure ainsi un moyen efficace, confortable et plaisant de parcourir de longues distances. La proposition unique qu'est son moteur V4, dans cet univers où les V-Twin représentent la norme, ajoute par ailleurs un côté aussi particulier qu'agréable à son pilotage. Impeccablement finie et appuyée par la meilleure garantie de l'industrie, la Venture arrive néanmoins clairement à la fin de sa vie sous cette forme. Compte tenu du fait que l'opportunité qu'offre l'âge relativement avancé de la moyenne des motocyclistes, nous ne serions pas du tout étonnés de la voir finalement repensée très prochainement. La question à laquelle nous n'avons toutefois aucune idée de comment répondre est: s'agira-t-il d'une moto propulsée par un V4 ou par un V-Twin?

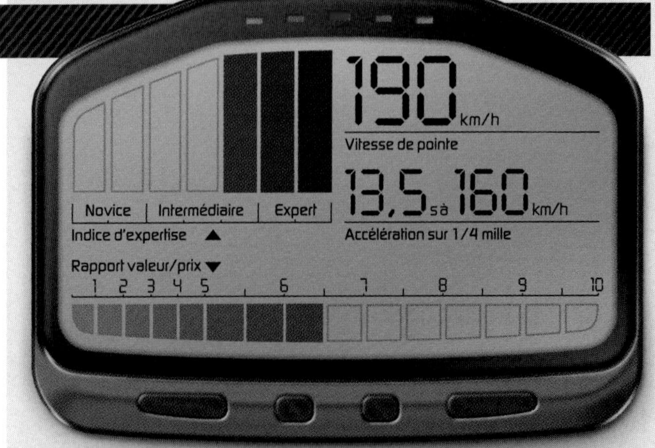

Voir légende en page 16

GÉNÉRAL

Catégorie	Tourisme de luxe
Prix	23 899 $
Immatriculation 2011	633,55 $
Catégorisation SAAQ 2011	« régulière »
Évolution récente	introduite en 1999
Garantie	5 ans/kilométrage illimité
Couleur(s)	bleu
Concurrence	Harley-Davidson Electra Glide, Kawasaki Vulcan 1700 Voyager Victory Vision Tour

MOTEUR

Type	4-cylindres 4-temps en V à 70 degrés, DACT, 4 soupapes par cylindre, refroidissement par liquide
Alimentation	4 carburateurs à corps de 32 mm
Rapport volumétrique	10.0:1
Cylindrée	1 294 cc
Alésage et course	79 mm x 66 mm
Puissance	98 ch @ 6 000 tr/min
Couple	89 lb-pi @ 4 750 tr/min
Boîte de vitesses	5 rapports
Transmission finale	par arbre
Révolution à 100 km/h	environ 3 000 tr/min
Consommation moyenne	7,5 l/100 km
Autonomie moyenne	300 km

PARTIE CYCLE

Type de cadre	double berceau, en acier
Suspension avant	fourche conventionnelle de 43 mm avec ajustement pneumatique de la précharge
Suspension arrière	monoamortisseur avec ajustement pneumatique de la précharge
Freinage avant	2 disques de 298 mm de Ø avec étriers à 4 pistons
Freinage arrière	1 disque de 320 mm de Ø avec étrier à 4 pistons
Pneus avant/arrière	150/80-16 & 150/90-15
Empattement	1 705 mm
Hauteur de selle	750 mm
Poids tous pleins faits	394 kg
Réservoir de carburant	22,5 litres

POSITIONNEMENT MÉDIAN... // Lancée en 2003 au Canada, deux ans après son apparition sur le marché européen, la FJR1300 amenait finalement un peu de concurrence nippone à la ST de Honda. Elle fut la première moto de ce type à revendiquer des capacités plus sportives que la tradition l'a toujours dicté dans ce créneau, une direction que Kawasaki s'est toutefois appropriée depuis avec sa Concours 14. La version actuelle, dont la dernière révision remonte à 2006, représente une évolution sérieuse du modèle original, mais pas une refonte complète. La FJR1300 s'affiche aujourd'hui comme un genre de choix médian ne tirant pas l'équilibre sport-tourisme d'un côté ou de l'autre de manière marquée. L'ABS est livré de série tandis que des poignées chauffantes sont installées en usine pour 2011.

Grâce à une nature accessible et sans surprise ainsi qu'à de bonnes performances, la FJR1300 s'est très vite imposée comme un choix incontournable du micro-univers du tourisme sportif. Construite autour d'un châssis rigide, affichant un poids raisonnable et animée par un gros 4-cylindres de 145 chevaux, elle se positionna comme le modèle de prédilection des anciens propriétaires de sportives, dans cette classe. En plus de son ADN sportif, la FJR offrait à ces derniers un niveau de confort élevé, une position de conduite relevée et une excellente protection contre les éléments, sans oublier le côté pratique des valises rigides de série et suffisamment de caractéristiques pour rendre un passager heureux. Au fil des ans, l'évolution de la FJR1300 s'est poursuivie dans la même philosophie, mais sans jamais s'éloigner de l'équilibre original. En ce qui concerne le comportement routier, on a toujours affaire à une moto qui fait mentir la balance et le ruban à mesurer. Confortablement installé sur une selle dont la hauteur est réglable, assis bien droit et sans poids sur les mains, le pilote audacieux peut attaquer franchement une route en lacet sans que la moto semble s'y opposer.

LA FJR A PEU ÉVOLUÉ DEPUIS SON LANCEMENT, ET LORSQU'ELLE L'A FAIT, CE FUT SANS S'ÉLOIGNER DE LA PHILOSOPHIE D'ORIGINE.

En conduite très sportive, les repose-pieds de la FJR frottent relativement tôt, mais c'est plus en raison de son étonnante facilité à atteindre des angles d'inclinaison importants que par manque de garde au sol. Les freins de type semi-combinés (le frein arrière active l'un des étriers du frein avant, mais pas l'inverse afin de garder la tenue de route aussi pure que possible) sont livrés de série avec l'ABS. Quant à la stabilité, elle s'avère toujours irréprochable. Profitant de la puissance et de la souplesse de la mécanique, bien caché derrière le pare-brise à ajustement électrique, on se surprend à dépasser les limites de vitesse avec une facilité dérisoire.

L'un des objectifs principaux de Yamaha, lorsque vint le temps de faire évoluer la FJR1300 en 2006, fut de remédier aux problèmes d'inconfort plus ou moins sérieux soulevés par les propriétaires, dont un dégagement de chaleur excessif. La FJR actuelle chauffe toujours dans la circulation, mais elle le fait désormais de façon normale plutôt qu'extrême.

La volonté d'améliorer l'écoulement de l'air amena plusieurs modifications qui ont toutes eu un effet bénéfique. Le pare-brise n'est toutefois pas encore un modèle d'efficacité. Il continue de générer, surtout lorsqu'il se trouve en position haute, un niveau de turbulences gênant, même si celles-ci sont moins présentes que par le passé. Le retour d'air poussant le pilote dans le dos a quant à lui été considérablement réduit. L'ajout d'ouïes latérales qui s'ouvrent pour dévier l'air des jambes du pilote constitue un dispositif peu complexe qui fonctionne finalement bien.

Sur l'autoroute, le moteur de la FJR1300 a toujours tourné un peu haut. Plutôt qu'ajouter un sixième rapport, ce qui aurait été complexe et coûteux, Yamaha a simplement allongé légèrement le tirage final. Le compromis s'avère acceptable, mais pas idéal. Enfin, l'instrumentation est complète, claire et bien disposée, et on dispose désormais de poignées chauffantes installées en équipement de série.

QUOI DE NEUF EN 2011 ?

Poignées chauffantes installées de série

Aucune augmentation

PAS MAL

Un plaisant mélange de sportivité et de confort dans un ensemble équilibré qui permet de se faire plaisir sur une route sinueuse tout en proposant un niveau pratique élevé

Un 4-cylindres qui pousse fort des bas régimes à la zone rouge, et qui est bien secondé par une partie cycle qui se montre aussi sportive que stable dans toutes les circonstances

Un intéressant compromis entre la complexité et le coût d'une BMW et la sportivité prédominante de la Kawasaki qui fait de la FJR1300R la sport-tourisme au caractère relativement neutre capable de satisfaire une large variété de pilotes; il s'agit du choix médian dans cette classe

BOF

Un moteur qui tourne un peu moins haut sur l'autoroute que sur le modèle original, mais une sixième vitesse surmultipliée serait toujours la bienvenue

Un pare-brise qui, en position haute, cause un certain retour d'air poussant le pilote vers l'avant et génère toujours d'agaçantes turbulences — moins que le précédent cependant — au niveau du casque, surtout à haute vitesse

Une ligne élégante, mais qui commence à montrer ses premières rides

Une garantie qui devrait être plus longue; la concurrence offre 3 ans, ce qui semble approprié et logique pour des machines de ce prix et dont l'utilisation est axée sur les longues distances

CONCLUSION

Le modèle courant de la FJR1300 représente une évolution prudente du concept original introduit au début de la dernière décennie. En ajoutant à celui-ci une foule de raffinements, Yamaha en a fait une machine de tourisme sportif dont le comportement est exemplaire et dont l'efficacité sur long trajet est du plus haut niveau. Elle s'adresse à l'amateur de tourisme sportif souhaitant retrouver à parts égales sport, confort et praticité sur ce type de moto. Par rapport à la sportive Kawasaki et à la coûteuse nouvelle BMW, et compte tenu du fait que la Honda a disparu cette année, elle fait clairement figure du choix médian. Ni la plus rapide ni la plus équipée ni la plus sportive, elle se montre quand même plus que respectable pour chacun de ces critères et fait quand même vivre pleinement l'aventure du sport-tourisme au pilote qui en prend les commandes.

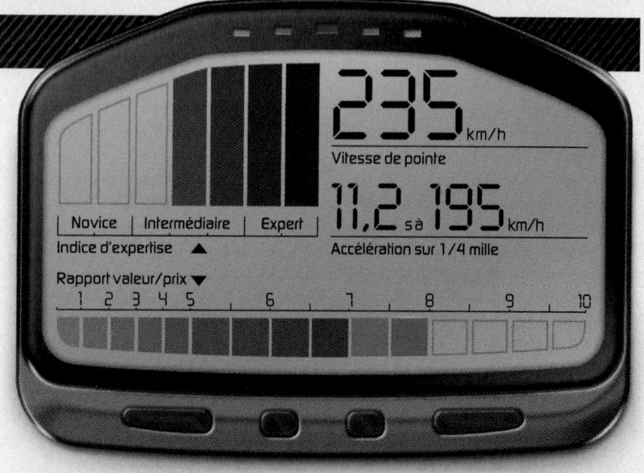

Voir légende en page 16

GÉNÉRAL

Catégorie	Sport-Tourisme
Prix	20 199 $
Immatriculation 2011	633,55 $
Catégorisation SAAQ 2011	« régulière »
Évolution récente	introduite en 2001; revue en 2006; version AE introduite en 2006
Garantie	1 an/kilométrage illimité
Couleur(s)	argent
Concurrence	BMW K1600GT, Kawasaki Concours 14

MOTEUR

Type	4-cylindres en ligne 4-temps, DACT, 4 soupapes par cylindre, refroidissement par liquide
Alimentation	injection à 4 corps de 42 mm
Rapport volumétrique	10,8:1
Cylindrée	1 298 cc
Alésage et course	79 mm x 66,2 mm
Puissance	145 ch @ 8 000 tr/min
Couple	99,1 lb-pi @ 7 000 tr/min
Boîte de vitesses	5 rapports
Transmission finale	par arbre
Révolution à 100 km/h	environ 3 200 tr/min
Consommation moyenne	7,4 l/100 km
Autonomie moyenne	337 km

PARTIE CYCLE

Type de cadre	périmétrique, en aluminium
Suspension avant	fourche conventionnelle de 48 mm ajustable en précharge, compression et détente
Suspension arrière	monoamortisseur ajustable en précharge et détente
Freinage avant	2 disques de 320 mm de Ø avec étriers à 4 pistons et système ABS
Freinage arrière	1 disque de 282 mm de Ø avec étrier à 2 pistons combiné avec le frein avant et système ABS
Pneus avant/arrière	120/70 ZR17 & 180/55 ZR17
Empattement	1 545 mm
Hauteur de selle	805/825 mm
Poids tous pleins faits	291 kg
Réservoir de carburant	25 litres

HISTOIRE DE COURSE... // Parce que les constructeurs se sont rendu compte que plus les capacités d'une sportive de route étaient proches de celles d'une véritable machine de course, plus cette sportive était désirable aux yeux des acheteurs, ils se sont mis à produire des sportives de plus en plus semblables à de véritables machines de course. Inévitablement, tous les obstacles rencontrés dans l'univers des courses sont tôt ou tard apparus chez les montures de production. D'où les récentes avancées spectaculaires chez ces dernières au niveau des châssis, des freins, des pneus et des suspensions, pour ne nommer que ces points. Aujourd'hui, chez les 1000, le plus gros problème découle d'une puissance qui approche les 200 chevaux. Et, encore une fois, la solution qui, dans le cas de la YZF-R1 est un unique vilebrequin «Crossplane», vient du monde de la course.

L'aspect très intéressant du point où en est arrivée cette manière de construire des sportives c'est que les solutions proposées par les constructeurs ne semblent plus être les mêmes. Si, par exemple, tous ont fini par adopter des fourches de type inversées ou des châssis en aluminium à flexibilité contrôlée, la bonne façon de gérer une puissance élevée ne semble pas du tout faire l'unanimité. Ainsi, la solution choisie par Yamaha, et dont la base est ce fameux vilebrequin de type Crossplane, ne se retrouve nulle part ailleurs que sur la YZF-R1.

On ne peut tout simplement pas être préparé à la surprise que réserve cette technologie. L'unicité et la particularité de la R1 deviennent en effet évidentes dès que sa mécanique prend vie, car jamais on ne croirait qu'il s'agit d'une moto animée par un 4-cylindres en ligne, ce qui est pourtant le cas. On jurerait plutôt entendre et ressentir un V4, ce qui est absolument stupéfiant. Ce constat se veut une conséquence directe de l'utilisation de ce type de vilebrequin qui fut à l'origine développé pour la M1 de MotoGP. Celui-ci serait d'ailleurs extrêmement complexe à produire, selon le manufacturier. Son but est d'améliorer la traction en sortie de virage en générant une livrée de puissance plus saccadée que coulée afin de maximiser la «morsure» du pneu au sol et de réduire son patinage. Le moteur de la R1 cherche ainsi à imiter les propriétés d'un V-Twin, voire d'un V4. Notons que Aprilia, dont la RSV4 est munie d'un authentique V4, semble également croire aux avantages d'une telle configuration mécanique.

IL N'EST PAS DU TOUT DIFFICILE D'IMAGINER LE GENRE D'AVANTAGES QU'UN SYSTÈME DE CONTRÔLE DE TRACTION LUI APPORTERAIT.

En piste, on constate que la génération actuelle de la R1 est une 1000 très particulière et complètement différente du modèle qui l'a précédée. Alors qu'il y avait des années que la R1 était animée par une mécanique pointue qui demandait absolument de tourner haut pour livrer son plein potentiel, cette R1 se veut plutôt un véritable tracteur à bas régime. Elle produit plus de couple, plus tôt que n'importe quelle autre 1000 rivale. Sur circuit, ce couple, qui arrive de manière assez précipitée, s'avère même si grand qu'il rend les sorties de virages assez délicates à gérer. La livrée de puissance de type «V4» aide un peu à favoriser l'adhérence lors des accélérations en pleine inclinaison, mais le couple est tellement fort qu'une précision extrême du contrôle de l'accélérateur doit constamment faire partie du pilotage. Si le sélecteur de mode permet de faciliter ce contrôle en optant pour le mode qui adoucit la puissance à bas régime, il est évident que la véritable solution réside dans l'utilisation d'un système antipatinage. BMW, Ducati, Aprilia et Kawasaki ont d'ailleurs chacun le leur.

Le comportement de la R1 sur circuit surprend un peu puisqu'elle demande un effort notable pour être pilotée rapidement, surtout sur une piste serrée, un peu comme si on avait affaire à une monture plus lourde. Une fois qu'on s'habitue à cette particularité, les manières du châssis sont aussi difficiles à prendre en faute que sur les 1000 rivales puisqu'au niveau de toutes les manœuvres effectuées en piste, la YZF-R1 s'avère brillante, en grande partie grâce à la grande précision et au degré très élevé de communication de sa partie cycle. Il n'est pas du tout difficile de s'imaginer le genre d'avantages qu'une aide électronique lui apporterait.

QUOI DE NEUF EN 2011 ?

Aucun changement

Coûte 100$ de plus qu'en 2010

PAS MAL

Une mécanique stupéfiante qui renvoie des sensations telles qu'on jurerait avoir affaire à un V4 et non à un 4-cylindres en ligne; non seulement ses performances sont exceptionnelles et son couple à bas régime très élevé, mais la sonorité de gros V8 qu'elle émet en pleine accélération est aussi enivrante; il s'agit de la seule 1000 à 4 cylindres en ligne qui possède une mécanique caractérielle

Une partie cycle extrêmement compétente, ce dont on ne s'étonne d'ailleurs même plus avec ces motos chez lesquelles quoi que ce soit de moins serait simplement inconcevable compte tenu des performances

Une ligne très particulière qui ne fait peut-être pas l'unanimité, mais qui donne un côté original au modèle ainsi qu'un traitement graphique innovateur dans le cas de la rouge

BOF

Une mécanique dont l'aspect particulier amené par le vilebrequin «Crossplane» est aussi plaisant pour les sens que performant en ligne droite, mais qui n'est pas pour autant parfaite puisque le moteur ne semble pas aimer traîner à très bas régime sur un rapport élevé; par ailleurs, le couple à bas régime, qui se montre étonnamment élevé, complique les accélérations fortes en sorties de virage; seul un vrai système antipatinage semble être la solution à ce type de problème

Un comportement en piste marqué par une certaine lourdeur lors des changements de direction qui se transforme en un effort de pilotage plus élevé que la moyenne

Un potentiel de vitesse tellement élevé qu'on n'arrive que très rarement à en bénéficier pleinement, comme sur les autres 1000

CONCLUSION

On ne s'étonne plus qu'une machine appartenant à cette classe offre une tenue de route pratiquement irréprochable et un niveau de performances extrêmement élevé, deux facteurs qui font décidément partie de l'expérience proposée par la R1. Mais on ne s'attend décidément pas à ce qu'un 4-cylindres en ligne renvoie la très agréable combinaison de sons et de sensations qui caractérise plutôt un V4, ce qui est incroyablement le cas de la YZF-R1. Le but derrière la technologie responsable de cette unique particularité — maximiser la traction en sortie de courbe, en piste —, n'est toutefois que partiellement atteint. En effet, la très grande quantité de couple produit pousse autant le pneu arrière à déraper que les propriétés du vilebrequin Crossplane ne l'aident à rester accroché. La seule vraie solution est un contrôle électronique de la traction, une technologie dont ne pourra pas être privée la prochaine génération.

Voir légende en page 16

GÉNÉRAL

Catégorie	Sportive
Prix	16 899 $ (bleu: 16 799 $)
Immatriculation 2011	1 425,55 $
Catégorisation SAAQ 2011	«à risque»
Évolution récente	introduite en 1998; revue en 2001, 2004, 2007 et en 2009
Garantie	1 an/kilométrage illimité
Couleur(s)	noir, rouge, bleu
Concurrence	BMW S1000RR, Honda CBR1000RR, Kawasaki ZX-10R, Suzuki GSX-R1000

MOTEUR

Type	4-cylindres en ligne 4-temps, DACT, 4 soupapes par cylindre, refroidissement par liquide
Alimentation	injection à 4 corps de 45 mm
Rapport volumétrique	12,7:1
Cylindrée	998 cc
Alésage et course	78 mm x 52,2 mm
Puissance sans Ram Air	179,6 ch @ 12 500 tr/min
Couple sans Ram Air	84,6 lb-pi @ 10 000 tr/min
Boîte de vitesses	6 rapports
Transmission finale	par chaîne
Révolution à 100 km/h	environ 4 200 tr/min
Consommation moyenne	6,8 l/100 km
Autonomie moyenne	264 km

PARTIE CYCLE

Type de cadre	périmétrique «Deltabox», en aluminium
Suspension avant	fourche inversée de 43 mm ajustable en précharge, compression et détente
Suspension arrière	monoamortisseur ajustable en précharge, en haute et en basse vitesses de compression, et en détente
Freinage avant	2 disques de 310 mm de Ø avec étriers radiaux à 6 pistons
Freinage arrière	1 disque de 220 mm de Ø avec étrier à 1 piston
Pneus avant/arrière	120/70 ZR17 & 190/55 ZR17
Empattement	1 415 mm
Hauteur de selle	835 mm
Poids tous pleins faits	206 kg
Réservoir de carburant	18 litres

MISSION SANS AMBIGUÏTÉ... // Toutes les sportives pures de 600 centimètres cubes offertes sur le marché courant n'ont d'autres aspirations que celle d'arriver à boucler un tour de piste le plus rapidement possible. Aucune, toutefois, n'approche cette mission avec un tel abandon que la Yamaha YZR-R6. Cette détermination de la part du constructeur ne se traduit absolument pas par un comportement d'une quelconque façon violent ou par un niveau de puissance ou de vitesse nettement supérieur à ce qu'offre le reste de la classe, mais se constate plutôt par la pureté du concept ne laissant aucune place à la moindre concession routière. Avec son accélérateur électronique et ses tubulures d'admission à longueur variable, la R6 est actuellement la plus avancée des 600, mais elle est aussi celle dont la vocation de pistarde affecte le plus l'utilisation quotidienne.

❖ Nous répétons sans cesse que ces sportives ont comme unique mission de réaliser des temps rapides autour d'un circuit, et c'est vrai, mais il reste que les constructeurs, sans qu'ils le crient pour autant sur tous les toits, tentent quand même un peu de rendre ces motos aussi tolérables que possible sur la route. Ce ne fut pas le cas de cette génération de la YZF-R6, qui fut lancée en 2006, puisque sa mécanique s'était avérée particulièrement creuse à bas et moyen régimes. Yamaha tenta de corriger le tir et installa en 2008 un complexe système YCC-I (Yamaha Chip Controlled Intake) variant la longueur des tubulures d'admission dans le but d'améliorer un peu cet aspect. Il en profita aussi, la même année, pour complètement revoir les caractéristiques de rigidité du châssis. Les suspensions furent également revues et la distribution du poids ajustée par une modification de la position de conduite qui basculait désormais le pilote encore plus sur l'avant de la moto.

S'il est vrai que l'arrivée du YCC-I visait l'amélioration du «couple», la véritable intention de toutes ces modifications n'était toutefois autre, on s'en doute, que de permettre à la R6 de rouler encore plus fort dans son environnement de prédilection : le circuit.

Bien qu'ils soient réels, les résultats ne sont pas nécessairement évidents à ressentir, surtout pour le motocycliste moyen qui ne roule que sur la route, ou même pour l'occasionnel adepte de journées d'essais libres en piste. Il reste que si minimes soient-ils à certains niveaux, ces changements demeurent positifs.

LA R6 RESTE TRÈS IMPRESSIONNANTE LORSQUE LE BUT DE L'EXERCICE EST DE DISSÉQUER UNE PISTE.

Parmi les améliorations, l'une des plus faciles à percevoir est également l'une de celles qu'on aurait aimé voir encore plus prononcées. Elle concerne la livrée de puissance dans les régimes inférieurs. Toute la technologie de Yamaha fonctionne de façon absolument transparente et arrive bel et bien à éveiller le moteur plus tôt puisque la R6 actuelle n'oblige désormais plus son pilote à garder l'aiguille en haut de 12 000 tr/min pour livrer ses meilleures performances. Ce régime est maintenant abaissé à environ 10 000 tr/min, ce qui est mieux, mais qui demeure tout de même assez élevé. Il reste que sous cette barre, et particulièrement beaucoup plus bas, dans les tours auxquels on a affaire tous les jours, la nature creuse de la R6 demeure. Bref, dans ce cas, l'électronique aide la situation, mais il ne la transforme pas.

Une utilisation routière ne mettra pas en évidence les améliorations apportées à la partie cycle, si ce n'est qu'on note une position légèrement plus sévère. En piste, toutefois, la YZF-R6 actuelle semble moins exigeante que le modèle 2006-2007. Sa précision dans le choix de lignes, sa capacité à s'inscrire en courbe en plein freinage et son aisance à soutenir chaque once de puissance de la mécanique en sortie de courbe sont autant de qualités qui restent inchangées, mais qui ne demandent plus un effort de concentration aussi élevé pour être atteintes. Cette mouture de la R6 demeure donc l'un des outils les plus impressionnants qui soient si le but de l'exercice est uniquement de disséquer une piste. Dans cet environnement, elle constitue une machine absolument exceptionnelle.

QUOI DE NEUF EN 2011 ?

Aucun changement

Aucune augmentation

PAS MAL

Une mécanique au tempérament furieux à haut régime; garder la R6 dans les tours élevés et l'écouter littéralement hurler jusqu'à sa zone rouge est une expérience en soi

Une partie cycle absolument brillante sur circuit, où la R6 semble enfin prendre tout son sens et dévoiler sa raison d'être

Une ligne qui, malgré qu'elle soit restée plus ou moins la même depuis plusieurs années, ne demeure rien de moins que spectaculaire; la R6 est l'une de ces motos auxquelles les photos ne rendent pas complètement justice et qu'on n'apprécie vraiment qu'en 3 dimensions

BOF

Une mécanique que Yamaha a tenté de rendre un peu moins creuse par l'ajout de diverses technologies, mais qui demeure probablement la plus faible à bas régime chez les 600; s'il ne s'agit pas d'un défaut en piste, sur la route, il manque décidément de jus en bas

Un concept qui ne fait pas la moindre concession aux réalités d'une utilisation routière et qui n'existe que pour accomplir des choses extraordinaires sur circuit

Un niveau de confort très faible et un côté pratique sérieusement handicapé par la pureté sportive du modèle

Un prix qui grimpe, comme chez les autres constructeurs, d'ailleurs; ça commence à faire cher pour une 600

CONCLUSION

La YZF-R6 est la plus extrême des 600 extrêmes. Ça peut sembler attirant pour une certaine catégorie d'acheteurs recherchant absolument l'arme de piste la plus redoutable et celle faisant le moins de compromis, et ce, même si la large majorité d'entre eux n'ont jamais roulé et ne rouleront jamais sur une piste. Le fait qu'elle arrive à se démarquer de façon aussi nette dans un environnement aussi compétitif illustre par ailleurs bien à quel genre de monture unidimensionnelle on a affaire. Il s'agit d'une très attrayante pièce technologique, mais on ne devrait l'envisager que si l'on est prêt à accepter le genre de sacrifices inhérents à un concept dont la mission est aussi pure et pointue.

Voir légende en page 16

GÉNÉRAL

Catégorie	Sportive
Prix	13 299 $
Immatriculation 2011	1 425,55 $
Catégorisation SAAQ 2011	« à risque »
Évolution récente	introduite en 1999; revue en 2003, 2006 et en 2008
Garantie	1 an/kilométrage illimité
Couleur(s)	noir, rouge, bleu
Concurrence	Honda CBR600RR, Kawasaki ZX-6R, Suzuki GSX-R600, Triumph Daytona 675

MOTEUR

Type	4-cylindres en ligne 4-temps, DACT, 4 soupapes par cylindre, refroidissement par liquide
Alimentation	injection à 4 corps de 41 mm
Rapport volumétrique	13,1:1
Cylindrée	599 cc
Alésage et course	67 mm x 42,5 mm
Puissance avec Ram Air	133 ch @ 14 500 tr/min
Puissance sans Ram Air	127 ch @ 14 500 tr/min
Couple avec Ram Air	49,9 lb-pi @ 10 500 tr/min
Couple sans Ram Air	48,5 lb-pi @ 10 500 tr/min
Boîte de vitesses	6 rapports
Transmission finale	par chaîne
Révolution à 100 km/h	environ 5 600 tr/min
Consommation moyenne	6,4 l/100 km
Autonomie moyenne	273 km

PARTIE CYCLE

Type de cadre	périmétrique, en aluminium
Suspension avant	fourche inversée de 41 mm ajustable en précharge, en haute et en basse vitesses de compression, et en détente
Suspension arrière	monoamortisseur ajustable en précharge, en haute et en basse vitesses de compression, et en détente
Freinage avant	2 disques de 310 mm de Ø avec étriers à 4 pistons
Freinage arrière	1 disque de 220 mm de Ø avec étrier à 1 piston
Pneus avant/arrière	120/70 ZR17 & 180/55 ZR17
Empattement	1 380 mm
Hauteur de selle	850 mm
Poids tous pleins faits	188 kg (à vide : 166 kg)
Réservoir de carburant	17,3 litres

MODÉRATION SPORTIVE... // En 2001, Yamaha mettait sur le marché une routière sportive d'un litre relativement performante propulsée par une version adoucie de la mécanique de la YZF-R1, mais présentée dans un emballage confortable et pratique. La FZ1 était née et, compte tenu de la spécialisation extrême qui transformait alors chaque sportive en machine de piste, l'idée d'une sportive modérée était parfaitement pertinente. La FZ1 ne fut modifiée qu'en 2006 lorsque Yamaha la révisa complètement. Quelques chevaux furent ajoutés grâce à l'utilisation du moteur de la R1 de l'époque, mais le confort recula et un accent plus important fut mis sur l'aspect performances du modèle. Une version standard non carénée est offerte sur le marché européen, mais seul le modèle semi-caréné est vendu par Yamaha en Amérique du Nord.

On peut difficilement trouver inintéressante l'idée d'une monture basée de près sur la YZF-R1, mais priorisant la réalité de la route plutôt que celle de la piste. Une idée d'ailleurs réalisée de manière beaucoup plus crédible dans le cas de cette génération de la FZ1 que dans celui du modèle original, puisque ce dernier se voulait plutôt une alternative moderne et performante à une Bandit 1200S.

En lieu et place des poignées basses d'une sportive pure, on retrouve sur la FZ1 un large guidon tubulaire plat, tandis qu'un demi-carénage révélant un impressionnant châssis d'aluminium remplace l'habituel habillage complet. Une discrète peinture unie donne à l'ensemble un air sobre lui permettant de passer presque inaperçu. Sous cette apparence sobre, la FZ1 cache néanmoins un tempérament bouillant capable de distraire même un habitué de sportives pures, et ce, autant en courbe qu'en ligne droite. Pour y arriver, elle utilise les arguments classiques: 150 chevaux pour 220 kg tous pleins faits. La FZ1 vous catapulte à 140 km/h en première et à 170 km/h en deuxième. La troisième vous fait déjà violer par un facteur de deux la limite de vitesse permise sur l'autoroute. Tout ça en une dizaine de secondes seulement, et avec encore trois rapports à passer. S'il s'agit de performances qui sont en retrait par rapport à celles d'une sportive pure d'un litre actuelle, elles suffisent quand même amplement à divertir un pilote habitué aux sensations offertes par ces dernières. Comme le moteur de la FZ1 est une version recalibrée de celui qui animait la YZF-R1 2004-2006, il affiche en gros les mêmes traits de caractère et aime donc tourner assez haut. Il serait injuste d'aller jusqu'à dire qu'il est creux en bas ou au milieu, mais le qualifier d'un peu mou à ces régimes serait toutefois approprié. Cela dit, son rendement entre 8 000 tr/min et la zone rouge de 12 000 tr/min fait vite oublier de cette « mollesse ». Malgré cette fougue, le nez de la FZ1 résiste étonnamment bien au soulèvement. Les similitudes avec la mécanique de la R1 ne s'arrêtent pas là puisqu'on retrouve aussi une transmission fluide très précise dont les rapports sont rapprochés ainsi que des suspensions fermes, mais pas rudes. Le système d'injection se montre un peu abrupt à la réouverture des gaz, ce qui a pour résultat de rendre la conduite saccadée, surtout avec un passager à bord.

L'APPARENCE SOBRE DE LA FZ1 CACHE UN TEMPÉRAMENT CAPABLE DE DISTRAIRE UN PILOTE EXPERT.

La selle est confortable seulement sur des distances courtes ou moyennes tandis que la protection au vent se situe à mi-chemin entre celle d'une sportive et celle d'une standard munie d'un saute-vent, ce qui équivaut à dire qu'elle n'est pas très généreuse. Par rapport au modèle original, le niveau de confort est d'ailleurs en recul. Heureusement, la position de conduite reste relevée et plaisante. Elle est compacte et ressemble à celle d'une R1 sur laquelle on aurait installé un guidon plat surélevé.

Grâce au nombre impressionnant de composantes qu'elle emprunte à sa cousine sportive, la FZ1 affiche une tenue de route de haut niveau. Si sa devancière pouvait occasionnellement jouer les sportives sur un circuit, cette génération se sent tellement chez elle dans cet environnement qu'on croirait avoir affaire à une sportive pure déguisée en routière, une proposition vraiment très rare.

QUOI DE NEUF EN 2011 ?

Aucun changement

Aucune augmentation

PAS MAL

Un niveau de performances de très haut calibre, peut-être pas équivalent à celui d'une R1, mais amplement suffisant pour divertir un pilote expert, même sur circuit

Une tenue de route très relevée et un comportement routier d'une grande rigueur qui trahissent son héritage sportif; la FZ1 peut tourner en piste toute la journée sans jamais sembler ridicule

Le meilleur de deux mondes: performances et tenue de route de très haut niveau, et polyvalence raisonnable et confort décent

BOF

Une mécanique dont la souplesse n'est pas mauvaise, mais sans être exceptionnelle non plus, un facteur surtout dû à l'origine très sportive de ce moteur qui provient de la génération 2004-2006 de la YZF-R1

Un niveau de confort en recul par rapport à la première génération du modèle puisque la selle est ferme et pas vraiment adaptée aux longues distances, et que les suspensions ont presque une fermeté de sportive pure, sans raison valable

Une occasion manquée, d'une certaine manière, de créer une véritable sportive confortable, ce dont était très proche la première version; selon nous, l'idéologie de la FZ1 est extrêmement intéressante, mais elle pourrait être mieux réalisée; nous rêvons, par exemple, d'une nouvelle FZ1 avec le moteur à vilebrequin Crossplane de la R1 actuelle, des suspensions capables de servir sport et confort et une bonne selle

CONCLUSION

Le fait est que le concept original de la FZ1 s'est vu considérablement radicalisé lors de la refonte du modèle en 2006. À ce sujet, nous soupçonnons d'ailleurs les pleurnichages du marché européen où on aime bien se plaindre systématiquement qu'un comportement n'est pas assez sportif, et où les modèles comme la FZ1 sont particulièrement populaires. Dans la transformation, une partie de sa polyvalence fut ainsi sacrifiée au profit d'un comportement nettement plus agressif. Sa puissance et l'intégrité de sa tenue de route la placent dans l'aspiration des sportives pures et en font l'une des rares façons d'avoir accès à de sérieuses performances sans souffrance liée à une position de conduite trop sévère. Autant la FZ1 originale n'était pas la «R1 pour la route» qu'elle avait promis d'être, autant la version actuelle correspond exactement à cette description, pour le meilleur et pour le pire. Ce qui est un peu dommage, c'est qu'il ne lui faudrait décidément pas grand-chose pour réduire le pire à presque rien.

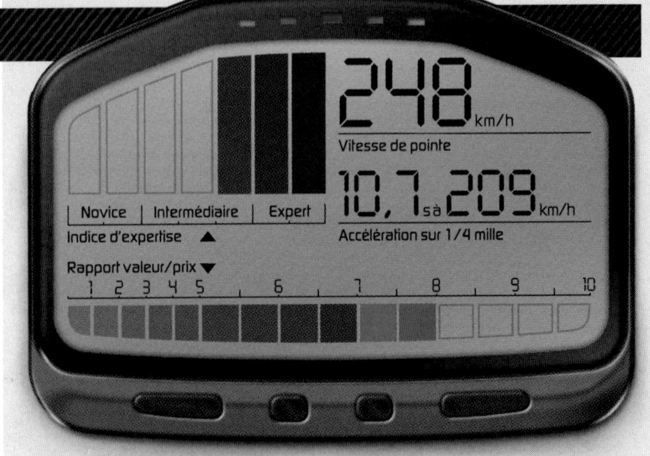

Voir légende en page 16

GÉNÉRAL

Catégorie	Routière Sportive
Prix	13 199 $
Immatriculation 2011	633,55 $
Catégorisation SAAQ 2011	«régulière»
Évolution récente	introduite en 2001 ; revue en 2006
Garantie	1 an/kilométrage illimité
Couleur(s)	argent
Concurrence	Honda CBF1000, Kawasaki Ninja 1000

MOTEUR

Type	4-cylindres en ligne 4-temps, DACT, 5 soupapes par cylindre, refroidissement par liquide
Alimentation	injection à 4 corps de 45 mm
Rapport volumétrique	11,5:1
Cylindrée	998 cc
Alésage et course	77 mm x 53,6 mm
Puissance	150 ch @ 11 000 tr/min
Couple	78,2 lb-pi @ 8 000 tr/min
Boîte de vitesses	6 rapports
Transmission finale	par chaîne
Révolution à 100 km/h	environ 4 000 tr/min
Consommation moyenne	6,8 l/100 km
Autonomie moyenne	264 km

PARTIE CYCLE

Type de cadre	périmétrique, en aluminium
Suspension avant	fourche inversée de 43 mm ajustable en précharge, compression et détente
Suspension arrière	monoamortisseur ajustable en précharge et détente
Freinage avant	2 disques de 320 mm de Ø avec étriers à 4 pistons
Freinage arrière	1 disque de 245 mm de Ø avec étrier à 1 piston
Pneus avant/arrière	120/70 ZR17 & 190/50 ZR17
Empattement	1 460 mm
Hauteur de selle	815 mm
Poids tous pleins faits	220 kg
Réservoir de carburant	18 litres

NOUVEAUTÉ 2011

L'INTÉRESSANTE PETITE SŒUR... // Depuis aussi longtemps qu'une FZ de 600 centimètres cubes a figuré dans le catalogue Yamaha, nous avons dit d'un tel produit qu'il s'agissait d'une excellente valeur, mais que pour le genre d'utilisation quotidienne qu'on en fait, un peu plus de jus n'aurait certainement pas été de refus. Mais la FZ6 était, semble-t-il, liée à la nature pointue du moteur de YZF-R6 qui l'animait. La nouvelle FZ8 n'est pas une FZ6 gonflée, mais plutôt une FZ1 de 800 cc. Littéralement, d'ailleurs, puisqu'à quelques rares millimètres près ici et là, la FZ8 et la FZ1 proposent une partie cycle presque identique. Et lorsque les pièces sont différentes, la monture donneuse est, la plupart du temps, la génération précédente de la YZF-R1. En plus de la FZ8 standard, une version semi-carénée appelée Fazer 8 est aussi offerte.

Voilà maintenant une bonne dizaine d'années au moins que la classe moyenne des motos s'est complètement égarée. La formule était probablement trop simple pour résister à la poussée de « l'extrême » qui a complètement bouleversé plusieurs segments ces dernières années, tout particulièrement chez les motos au caractère sportif. À la place des bonnes vieilles 750 qui faisaient tant de choses quand même très bien, sont apparues des 600 ultra-agiles et des 1000 ultra-puissantes, des montures qui se sont par ailleurs tellement spécialisées qu'elles ont fait de la polyvalence une notion en voie d'extinction. Si cette tendance a fait le bonheur des amateurs de sensations fortes, les simples amateurs de motos, eux, se sont retrouvés avec des choix reflétant de moins en moins leurs besoins. Avec son duo FZ8/Fazer 8, Yamaha rend de nouveau visite à cette classe aujourd'hui presque oubliée.

YAMAHA PRÉSENTE LA FZ8 COMME UN MODÈLE DE PROGRESSION, MAIS ELLE EST SI AMICALE QU'UN NOVICE L'ADORERAIT.

Yamaha ne présente pas la FZ8 comme un modèle destiné à une clientèle débutante ou peu expérimentée, mais plutôt comme une moto de progression, comme une monture qu'on acquiert après sa première moto. Dans les faits, elle est tellement bien maniérée et se montre si amicale à piloter qu'elle pourrait très bien être recommandée à un ou une motocycliste novice. La direction est d'une légèreté extraordinaire, mais ne se montre jamais nerveuse, tandis que les manières du châssis sont très difficiles à prendre en défaut. N'oublions pas que la base sur laquelle la FZ8 est construite est essentiellement celle d'une FZ1 et qu'elle est donc conçue pour encaisser sans broncher une puissance 50 pour cent plus élevée que la centaine de chevaux de ces 800. L'un des rares reproches possibles envers la partie cycle serait un freinage qui n'est pas le plus mordant qui soit. Mais compte tenu de la nature du modèle et de son positionnement, des freins plus abrupts auraient probablement été inappropriés, ce qui donne raison à Yamaha de les avoir calibrés ainsi.

En termes de performances, la FZ8 propose une livrée de puissance à la fois suffisamment douce pour ne pas surprendre une clientèle moyennement expérimentée, et assez vivante pour satisfaire un pilote un peu plus exigeant. À ce chapitre, le rendement de la FZ8 est nettement supérieur à celui d'une 600 comme la FZ6R ou d'une 650 comme la Ninja 650R. Même s'il est pratiquement exempt de caractère, le 4-cylindres en ligne se montre assez souple et décemment puissant, bien que personne ne puisse le confondre avec un 1000. La beauté d'un tel degré de puissance c'est qu'il fait de la FZ8 une machine avec laquelle on pourra passer de nombreuses années parfaitement heureux, ce qui n'est pas nécessairement vrai dans le cas d'une routière sportive de 600 cc.

Les différences entre la FZ8 et la Fazer 8 se limitent au carénage de tête ajouté à cette dernière. La position de conduite est exactement la même. Elle plie les jambes presque autant que sur une sportive, mais garde le dos presque droit et ne met pas de poids sur les mains. La selle est très correcte, les suspensions sont calibrées de manière appropriée pour une utilisation routière et la protection au vent, bien que pas très grande, suffit pour dévier le flot d'air du torse du pilote dans le cas de la Fazer 8.

QUOI DE NEUF EN 2011 ?

Nouveau modèle

PAS MAL

Un concept très intéressant, puisque moins coûteux et moins intimidant qu'une monture d'un litre, et nettement plus plaisant qu'une monture de 600/650 cc

Une partie cycle extrêmement bien maniérée qui se montre à la fois légère, précise et accessible et dont les qualités contribuent beaucoup à mettre le pilote en confiance

Une mécanique qui s'avère agréable en raison d'un niveau de performances plus que correct et d'une souplesse très honnête

BOF

Un prix tout à fait raisonnable, mais qui aurait pu faire des FZ8/Fazer 8 des aubaines s'il avait été juste un peu inférieur; d'un autre côté, il s'agit d'une petite FZ1 et non d'une grosse FZ6, et il est donc logique que le prix soit plus proche de celui de la 1000, puisque la plupart des composantes sont du même calibre

Une mécanique qui accomplit tout ce qu'elle a à faire très bien, mais dont le caractère est pratiquement inexistant; il s'agit d'un banal 4-cylindres en ligne qui monte et descend en régime, ni plus ni moins

Des freins qui ne sont pas impressionnants en termes de puissance ou de mordant instantané, mais qui fonctionnent tout de même très bien

Un système ABS qui existe et qui est offert sur les versions européennes, mais qui ne fait même pas partie des options chez nous

CONCLUSION

Étant de grands fans d'une cylindrée se situant entre 600 et 1000 centimètres cubes, c'est avec beaucoup d'intérêt que nous attendions de découvrir ce qu'a à offrir le duo FZ8/Fazer 8. Nous n'avons pas été déçus. Le niveau de puissance n'est pas extraordinaire, bien entendu, mais on dispose quand même d'une bonne centaine de chevaux pour s'amuser, ce qui correspond à des performances nettement plus intéressantes que celles d'une 600, surtout dans le cas d'un pilote un tant soit peu expérimenté. Le fait que la FZ8 est bâtie sur une base presque identique à celle de la FZ1 garantit par ailleurs un comportement routier exemplaire. L'arrivée de la FZ8 représente un genre de retour de la classe moyenne chez les routières sportives japonaises. Il s'agit d'une très bonne moto avec laquelle une foule d'utilisations sont possibles et dont le prix n'est pas exagéré.

Fazer 8

Voir légende en page 16

GÉNÉRAL

Catégorie	Routière Sportive
Prix	FZ8 : 10 499 $; Fazer 8 : 10 999 $
Immatriculation 2011	NC - probabilité 633,55 $
Catégorisation SAAQ 2011	NC - probabilité « régulière »
Évolution récente	introduite en 2011
Garantie	1 an/kilométrage illimité
Couleur(s)	FZ8 : noir; Fazer 8 : noir, bleu
Concurrence	BMW F800R et ST, Ducati Monster 796, Triumph Street Triple

MOTEUR

Type	4-cylindres en ligne 4-temps, DACT, 4 soupapes par cylindre, refroidissement par liquide
Alimentation	injection à 4 corps de 35 mm
Rapport volumétrique	12,0:1
Cylindrée	779 cc
Alésage et course	68 mm x 53,6 mm
Puissance	106 ch @ 10 000 tr/min
Couple	60,5 lb-pi @ 8 000 tr/min
Boîte de vitesses	6 rapports
Transmission finale	par chaîne
Révolution à 100 km/h	environ 4 700 tr/min
Consommation moyenne	6,2 l/100 km
Autonomie moyenne	274 km

PARTIE CYCLE

Type de cadre	périmétrique, en aluminium
Suspension avant	fourche inversée de 43 mm non ajustable
Suspension arrière	monoamortisseur ajustable en précharge
Freinage avant	2 disques de 310 mm de Ø avec étriers à 4 pistons
Freinage arrière	1 disque de 267 mm de Ø avec étrier à 1 piston
Pneus avant/arrière	120/70 ZR17 & 180/55 ZR17
Empattement	1 460 mm
Hauteur de selle	815 mm
Poids tous pleins faits	FZ8 : 211 kg; Fazer 8 : 215 kg
Réservoir de carburant	17 litres

ACCESSIBILITÉ PURE... // Depuis toujours, tant les amateurs de motos que les autorités tentent de déterminer la formule la plus judicieuse pour régir l'accès au sport. Devrait-on rendre obligatoire l'initiation par une petite cylindrée? Devrait-on forcer une progression douce en termes de cylindrée ensuite? Devrait-on plutôt laisser aux intéressés tous les choix? La réalité c'est qu'en général, les opinions divergent tellement qu'on finit rarement par arriver à un consensus unanime. Construite à partir de composantes simples, mais dont l'efficacité est très élevée, animée par une version adoucie du 4-cylindres qui propulsait jadis la YZF-R6, légère et affichant des dimensions compactes, la FZ6R pourrait facilement convaincre un grand nombre d'intervenants qu'elle représente la solution à toutes ces interrogations. Elle a aujourd'hui pris la place de l'ancienne FZ6 dans la gamme Yamaha.

La FZ6R possède une impressionnante liste de caractéristiques qui la positionnent très bien dans le débat de l'accès à la moto, et l'un de ses arguments les plus importants est sans aucun doute son très intéressant prix qui résiste encore à la barre des 9000$. Mais son argument le plus fort est probablement sa sympathique et racée silhouette.

Des montures offrant plus ou moins les mêmes avantages ont régulièrement été offertes sur le marché, mais elles ont presque toutes été mises de côté par ceux et celles qu'elles auraient pourtant dû attirer, et ce, pour des raisons d'esthétisme avant tout. Souvent très bien construites, celles-ci ont traditionnellement affiché une ligne beaucoup trop retenue, voire carrément laide, comme si une bonne valeur ou des performances modestes devaient absolument rimer avec style anodin.

ELLE EST UNE OPTION VALABLE POUR UNE CLIENTÈLE QUI AURAIT AUTREMENT REGARDÉ VERS DES 600 D'EXPERTS.

La FZ6R change cette situation en se définissant à la fois comme une monture tout particulièrement appropriée pour guider une clientèle jeune, inexpérimentée ou craintive dans l'univers sportif et comme une moto visuellement très attrayante. Équipée d'un carénage plein, dessinée avec goût et agrémentée d'un intéressant traitement graphique, elle représente une option valable pour une clientèle qui se serait autrement dirigée vers de très belles, mais aussi très pointues 600 destinées à des experts.

Bien que techniquement à jour, la FZ6R ne réinvente pas la roue en matière de mécanique. Animée par une version adoucie du 4-cylindres en ligne de la FZ6 — qui était elle-même propulsée par une version adoucie du moteur de la YZF-R6 pré-2006 — et construite autour d'un cadre assez simple en acier tubulaire, elle propose une fiche technique plutôt routinière.

Le résultat ne sent toutefois aucunement la monture économique et se comporte au contraire de manière absolument brillante, particulièrement au chapitre de la tenue de route qui est presque digne de celle d'une véritable sportive. Un pilote le désirant pourrait même l'amener en piste pour s'amuser, une réalité qui illustre bien la compétence, la solidité et la précision de la partie cycle. De plus, au chapitre du comportement routier, la FZ6R définit de manière très élégante la notion d'accessibilité en se montrant d'une extrême facilité à piloter tout en réduisant presque à néant les réactions sèches et parfois même difficiles à gérer des sportives plus pointues de cylindrée semblable.

Il faut toutefois préciser que l'une des raisons principales derrière cette grande accessibilité a trait à un niveau de performances relativement modeste. Avec un peu plus de 75 chevaux et un couple à bas régime plutôt limité en raison de l'origine hypersportive de sa mécanique, même si elle n'a rien d'une tortue, la FZ6R n'offre pas non plus le genre de puissance ou de caractère qui serait d'un grand intérêt pour un pilote avide de chevaux. Mettez-la néanmoins dans les mains d'un motocycliste inexpérimenté ou facilement intimidé par une grande puissance et ce niveau de performances devient non seulement tout à fait adéquat, mais aussi amusant et facilement exploitable. Tous les autres aspects de son pilotage suivent de manière très fidèle cette philosophie d'accessibilité.

QUOI DE NEUF EN 2011 ?

Aucun changement

Aucune augmentation

PAS MAL

Un concept qui répond à un besoin de longue date du motocyclisme pour des sportives tout aussi attrayantes que celles que les constructeurs alignent sur les lignes de départ des pistes de course, mais dont le comportement et le prix sont beaucoup plus accessibles

Un comportement routier qui impressionne par sa qualité puisque la solidité, la précision et l'agilité dont fait preuve la partie cycle permettraient à la FZ6R de franchement s'amuser en piste, même si ce n'est pas du tout sa mission

Une finition impeccable malgré le bas prix

Un niveau de confort très intéressant en raison, entre autres, de suspensions calibrées pour la route et d'une position à saveur sportive, mais aucunement fatigante

BOF

Un niveau de performances modeste surtout approprié pour une clientèle de calibre novice, qui en aura, soit dit en passant, plein les bras avec les 75 chevaux, ou pour une clientèle que le format et le prix intéressent, mais dont la gourmandise en termes de performances est proportionnelle à la puissance du modèle

Un système ABS qui manque non seulement à l'appel, mais qui devrait aussi être offert de série sur une machine destinée à ce type de clientèle

Une mécanique dont le caractère n'est pas le plus excitant qui soit puisqu'elle est creuse en bas et qu'elle n'émet qu'une sonorité générique de 4-cylindres en ligne

CONCLUSION

Il est tout à fait possible, compte tenu du potentiel de vitesse relativement limité et du caractère mécanique plutôt commun de la FZ6R, ses deux plus grandes lacunes, d'en être déçu. Mais cela ne se produirait que si la jolie petite sportive de Yamaha était prise «hors contexte» et pilotée par un motocycliste trop expérimenté et trop exigent en matière de chevaux. Placez-la toutefois dans les mains appropriées, soit celles d'un pilote novice, d'un motocycliste qui progresse après avoir possédé une plus petite cylindrée ou encore tout simplement celles d'un ou d'une motocycliste mature, mais n'ayant pas besoin de plus de puissance, et elle prend tout son sens. La FZ6R est non seulement une excellente machine d'initiation ou de progression, mais elle représente aussi l'une des façons les plus intelligentes d'entrer dans l'univers des motos de nature sportive.

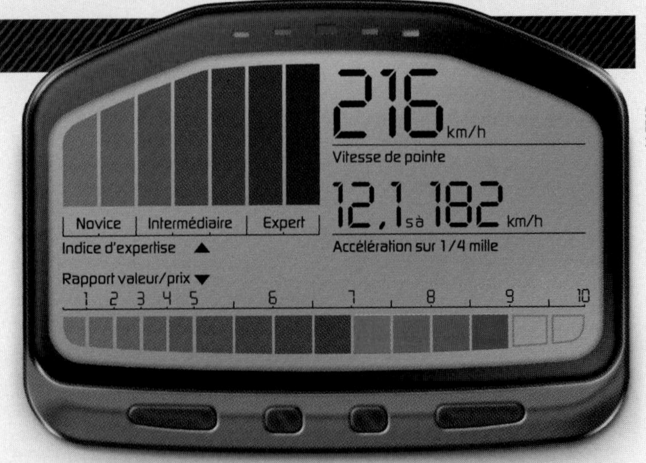

Voir légende en page 16

GÉNÉRAL

Catégorie	Routière Sportive
Prix	8 899 $
Immatriculation 2011	633,55 $
Catégorisation SAAQ 2011	«régulière»
Évolution récente	introduite en 2009
Garantie	1 an/kilométrage illimité
Couleur(s)	orangé, noir
Concurrence	Kawasaki Ninja 650R, Suzuki GSX650F

MOTEUR

Type	4-cylindres en ligne 4-temps, DACT, 4 soupapes par cylindre, refroidissement par liquide
Alimentation	injection à corps de 32 mm
Rapport volumétrique	12,2:1
Cylindrée	599 cc
Alésage et course	65,5 mm x 44,5 mm
Puissance	76,44 ch @ 10 000 tr/min
Couple	44,1 lb-pi @ 8 500 tr/min
Boîte de vitesses	6 rapports
Transmission finale	par chaîne
Révolution à 100 km/h	environ 5 300 tr/min
Consommation moyenne	6,4 l/100 km
Autonomie moyenne	270 km

PARTIE CYCLE

Type de cadre	de type «diamant», en acier tubulaire
Suspension avant	fourche conventionnelle de 41 mm non ajustable
Suspension arrière	monoamortisseur ajustable en précharge
Freinage avant	2 disques de 298 mm de Ø avec étriers à 2 pistons
Freinage arrière	1 disque de 245 mm de Ø avec étrier à 1 piston
Pneus avant/arrière	120/70 ZR17 & 160/60 ZR17
Empattement	1 440 mm
Hauteur de selle	785 mm
Poids tous pleins faits	212 kg
Réservoir de carburant	17 litres

NOUVEAUTÉ 2012

GS NIPPONE... // L'arrivée de la nouvelle Super Ténéré représente une grosse nouvelle. Le modèle, qui est officiellement un 2012 et qui sera mis en vente au début de l'été 2011, s'attaque en effet de manière directe à la reine de cette classe qu'est la vénérable et respectée BMW R1200GS. Il s'agit de la première tentative asiatique aussi sérieuse du genre, puisque la Varadero de Honda, qui ne figure d'ailleurs plus au catalogue canadien cette année, se voulait nettement plus routière qu'aventurière. Afin de mettre toutes les chances de son côté, Yamaha a conçu une moto entièrement nouvelle, puis l'a littéralement bardée de technologie. Un accélérateur électronique, un système ABS combiné à assistance hydraulique géré par ordinateur et même un contrôle de traction à modes multiples font ainsi partie de l'équipement de série tandis qu'une foule d'accessoires «aventure» sont offerts.

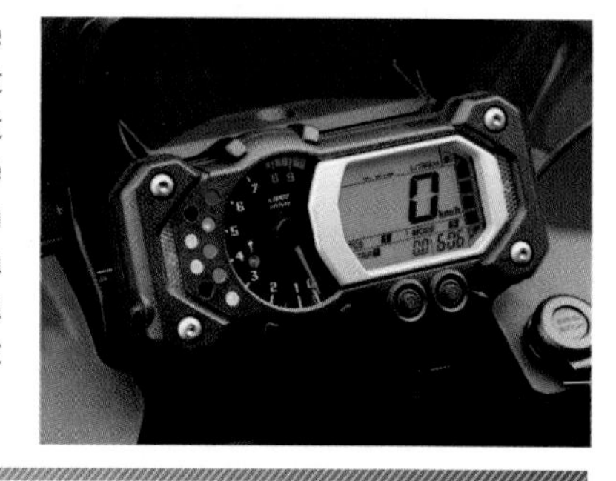

Le succès des BMW GS a poussé bon nombre de constructeurs à tenter leur chance dans le créneau aventure. Compte tenu du long historique de Yamaha en rallye, son arrivée chez les montures de cette classe n'est pas vraiment étonnante, pas plus que le nom du modèle, qui est depuis longtemps utilisé par le manufacturier pour ses double-usage de cylindrées moyennes.

La Super Ténéré 1200 a décidément la gueule de l'emploi et renvoie l'impression, dès le premier coup d'œil, d'être une machine capable de traverser un désert. D'ailleurs, tout est en place techniquement pour le permettre, des suspensions à long débattement jusqu'à la position joliment équilibrée de type aventurière en passant par un système antipatinage multimode permettant d'accélérer sans dérobade de l'arrière sur terrain glissant. Il peut également être désactivé, ce qui, de manière incompréhensible pour une moto de ce genre, est toutefois impossible dans le cas du système ABS combiné. À l'exception de cette caractéristique, que Yamaha défend tantôt par des contraintes légales et tantôt en expliquant que l'ABS est tellement avancé qu'il peut rester enclenché en sentier sans problème, ce système de freinage géré par ordinateur fonctionne de manière efficace et très transparente. Notons que tant l'ABS que le contrôle de traction sont livrés de série.

AVEC SON AIR DE MACHINE DE DÉSERT, LA SUPER TÉNÉRÉ A DÉCIDÉMENT LA GUEULE DE L'EMPLOI.

Le comportement routier de la Super Ténéré s'avère généralement très bon. Un guidon large garantit une direction très légère tandis que la précision et la solidité du châssis en courbe ne sont prises en défaut que lorsque le rythme est élevé et que la chaussée est en mauvais état, une combinaison qui pousse la moto à danser un peu sur ses suspensions. Ces dernières offrent par ailleurs un bon rendement sur la route, peu importe son état. Les chemins non asphaltés sont survolés sans tracas, mais un sentier beaucoup plus abîmé verra les suspensions talonner et cogner si les réglages de la fourche et de l'amortisseur ne sont pas raffermis.

Le tout nouveau bicylindre parallèle de la Super Ténéré propose de bonnes performances. Ses accélérations sont semblables à celle d'une R1200GS, mais sont livrées différemment. Tellement doux qu'il en devient presque anonyme, le Twin ne s'éveille qu'une fois les tout premiers régimes passés, disons au-delà de 2000 tr/min. Les mi-régimes sont bien remplis et un amusant punch survient même entre 6000 tr/min et la zone rouge d'un peu plus de 7500 tr/min. Ce punch est suffisamment fort pour soulever l'avant en première, mais celui-ci est doucement ramené au sol par le contrôle de traction qui agit dans ce cas comme antiwheelie. Un sélecteur de mode permet de limiter la puissance à un niveau très linéaire qui serait possiblement utile sur une surface très glissante.

Le niveau de confort est élevé. Une position de conduite naturelle et dégagée, une bonne selle dont la hauteur s'ajuste facilement, une protection au vent très correcte avec une quantité faible de turbulences, bien que présentes, une mécanique toujours douce et des suspensions souples sont autant de facteurs qui se combinent pour en faire une routière décidément capable de longues distances.

Avec ses suspensions à long débattement et sa généreuse garde au sol, la Super Ténéré arrive à passer partout où ses rivales directes que sont les BMW GS et KTM Adventure le peuvent. Yamaha a par ailleurs choisi de la gaver d'électronique en l'équipant de complexes systèmes multimodes de gestion de la traction et du freinage que l'ordinateur de bord se charge de gérer.

❯ OÙ ALLEZ-VOUS?

Peu importe la destination ou les obstacles à surmonter pour s'y rendre, Yamaha offre l'équipement requis pour accomplir la mission. La marque aux trois diapasons a de toute évidence pris le projet de la Super Ténéré 1200 très au sérieux en prévoyant, dès le départ, une série d'accessoires permettant aux propriétaires de transformer le modèle en véritable globe-trotter. Yamaha a également fait appel à tout son savoir en matière de technologies de pointe pour développer la Super Ténéré 2012. L'acier fut le matériau choisi pour le cadre qui utilise le tout nouveau bicylindre parallèle de 1 199 cc comme élément structural. Extrêmement doux, celui-ci est refroidi par liquide et dispose d'un radiateur installé en position latérale afin d'éviter les perforations dues aux projections de la roue avant. L'entraînement final est confié à un cardan tandis que les roues à rayons bénéficient d'un ingénieux design leur permettant d'accepter des pneus sans tubes. Enfin, des aides électroniques secondent le pilote au niveau de la gestion de la traction et du freinage.

Super Ténéré « First Edition » accessoirisée

QUOI DE NEUF EN 2011 ?

Nouveau modèle

PAS MAL

Un ensemble très impressionnant; de la ligne très évocatrice jusqu'aux multiples technologies de pointe utilisées en passant par l'attention aux détails tels que le radiateur latéral, les roues à rayons sans tubes ou l'impeccable finition, on a affaire à une machine de première classe

Une série d'aides électroniques qui accomplissent chacune de leurs missions de manière irréprochable et surtout complètement transparente

Un prix intéressant compte tenu de toute la technologie embarquée; il s'agit d'un des meilleurs arguments du modèle face à la convoitée BMW R1200GS

Une capacité d'aventurière bel et bien réelle, puisque la Super Ténéré 1200 amènera son pilote au bout du monde s'il le souhaite

BOF

Un système ABS extrêmement sophistiqué, mais qui n'offre pas la possibilité d'être désactivé, ce que les adeptes sérieux de pilotage hors-route risquent de trouver impardonnable

Une mécanique dont la puissance est tout à fait adéquate, mais qui se montre tellement douce qu'elle devient absente; bref, on aurait aimé mieux sentir le Twin

Certains équipements de série comme des poignées chauffantes manquent à l'appel

Un comportement pas toujours parfaitement planté dans les enfilades de virages si le revêtement est abîmé

CONCLUSION

Allons droit au but et répondons tout de suite à la question que la majorité des intéressés se posent. La Super Ténéré 1200 n'est pas l'équivalent d'une R1200GS. Il serait toutefois sage, avant de condamner la Yamaha, de se rappeler que cette affirmation est tout aussi valable dans le cas de n'importe quelle autre aventurière. En fait, si ce n'était de cette fameuse allemande, on pourrait dire de la Super Ténéré qu'elle est franchement impressionnante, puisqu'elle accomplit à peu près tout ce qui est attendu d'une monture de ce genre, et ce, de son style à ses capacités hors-route en passant par ses qualités de routière. Malgré cela, bien qu'elle ne nous ait certainement pas déçus, nous devons l'avouer, elle ne nous a pas emballés non plus. Disons qu'elle est plus que satisfaisante, ce qui, pour une première incursion dans ce créneau, n'est pas mauvais du tout. Lorsqu'un employé de Yamaha nous demanda quel était son problème, la seule réponse que nous avons pu lui donner fut: la R1200GS.

Voir légende en page 16

GÉNÉRAL

Catégorie	Routière Aventurière
Prix	16 499 $
Immatriculation 2011	633,55 $
Catégorisation SAAQ 2011	«régulière»
Évolution récente	introduite en 2012
Garantie	1 an/kilométrage illimité
Couleur(s)	bleu, noir
Concurrence	BMW R1200GS, KTM 990 Adventure Suzuki V-Strom 1000

MOTEUR

Type	bicylindre parallèle 4-temps, DACT, 4 soupapes par cylindre, refroidissement par liquide
Alimentation	injection à deux corps de 46 mm
Rapport volumétrique	11,1:1
Cylindrée	1 199 cc
Alésage et course	98 mm x 79,5 mm
Puissance	110 ch @ 7 250 tr/min
Couple	84 lb-pi @ 6 000 tr/min
Boîte de vitesses	6 rapports
Transmission finale	par chaîne
Révolution à 100 km/h	environ 3 100 tr/min
Consommation moyenne	6,3 l/100 km
Autonomie moyenne	365 km

PARTIE CYCLE

Type de cadre	périmétrique, en acier
Suspension avant	fourche inversée de 43 mm ajustable en précharge, compression et détente
Suspension arrière	monoamortisseur ajustable en précharge et détente
Freinage avant	2 disques «à pétales» de 310 mm de Ø avec étriers à 4 pistons et ABS combiné
Freinage arrière	1 disque «à pétales» de 282 mm de Ø avec étrier à 1 pistons et ABS combiné
Pneus avant/arrière	110/80R19 & 150/70R17
Empattement	1 540 mm
Hauteur de selle	845/870 mm
Poids tous pleins faits	261 kg
Réservoir de carburant	23 litres

MAGIE NOIRE... // En matière de brutalité mécanique et de violence technologique, il n'existe rien, et nous disons bien rien qui n'arrive à la cheville de la Yamaha VMAX. Animée par un V4 fou de 1,7 litre crachant 200 chevaux, plus longue qu'une Gold Wing et bénéficiant d'un degré de technologie digne d'une machine de MotoGP, elle est l'unique descendante du légendaire modèle lancé en 1985. Celui-ci s'étant mérité une réputation peu enviable en matière de comportement, Yamaha insista pour que la très anticipée nouvelle génération soit sans reproche à ce chapitre. Un massif châssis en aluminium coulé, des suspensions surdimensionnées et des freins immenses assurent que de tels écarts de conduite ne puissent plus survenir. Le modèle, qui est livré de série avec l'ABS, n'a pas changé depuis sa refonte en 2009.

La performance pure n'est certes pas une denrée rare dans l'univers du motocyclisme. Elle constitue même une spécialité pour des modèles comme les ZX-14 de Kawasaki ou Hayabusa de Suzuki. Évidemment, d'autres types de sportives comme les BMW S1000RR ou Yamaha YZF-R1 proposent également un degré de performance très élevé. Pourtant, non seulement aucune de ces motos n'arrive à s'approcher de la VMAX lorsqu'il s'agit de puissance crue et immédiate, mais la nature barbare de la Yamaha les fait même presque paraître délicates.

Le déchaînement de puissance découlant de l'ouverture des gaz d'une VMAX définit ce qu'est le chaos contrôlé. Les 200 chevaux de l'immense V4 de 1,7 litre s'emballent alors dans un rugissement fou. Le pneu arrière hurle, patine et fume. La poussée est telle qu'elle catapulte pilote et moto comme s'ils étaient éjectés d'un canon. Heureusement, la VMAX est construite pour répéter ce genre de scène à volonté, sans le moindre tracas. Elle est non seulement très longue et très lourde, mais elle est également construite de manière extraordinairement solide. Malgré l'incroyable furie qui suit chaque ouverture généreuse des gaz, le châssis encaisse l'accélération comme si de rien n'était. Passez la deuxième agressivement tout en gardant l'accélérateur bien enroulé et l'arrière se remettra à patiner. Éventuellement, le pneu mordra à nouveau, ce qui soulèvera l'avant, mais seulement de quelques centimètres. N'importe quelle autre moto se serait renversée — et peut-être même désintégrée... —, mais la longueur et le poids de la VMAX la gardent en parfait équilibre. Aucun autre aspect de son pilotage ne décrit mieux son esprit que ce magique moment de folle accélération et de parfait contrôle. L'exercice se poursuit jusqu'à ce que la limite électronique de 220 km/h soit atteinte, donc quelques misérables instants plus tard, instants durant lesquels le pilote complètement exposé aura constaté un accroissement exponentiel du sifflement et de la force du vent. Peu importe ce que vous avez piloté ou connu avant, vous n'avez jamais fait une telle expérience. Garanti.

LE DÉCHAÎNEMENT DE PUISSANCE SUIVANT L'OUVERTURE DES GAZ DÉFINIT CE QU'EST LE CHAOS CONTRÔLÉ.

Une fois les émotions fortes passées et de retour à une utilisation plus normale, la VMAX se tire plutôt bien d'affaire. La position de conduite relevée est confortable, les suspensions travaillent très correctement, les freins ABS sont excellents et toutes les commandes, incluant l'ensemble embrayage/boîte de vitesses, s'actionnent avec douceur et précision. Bref, on a clairement l'impression d'être aux commandes d'une monture de haute qualité. Par ailleurs, la stabilité est impossible à prendre en faute tandis que la solidité et la précision en courbe sont tout à fait acceptables pour une bête de ce genre.

Cela dit, la VMAX n'est pas sans défauts. Extrêmement longue et dotée d'une géométrie de direction très conservatrice — des caractéristiques nécessaires pour maîtriser une telle débauche de chevaux —, il s'agit d'un véritable mastodonte en termes de masse et de proportions. La VMAX manque clairement d'agilité à basse vitesse dans les situations serrée, pour ne pas dire qu'elle est balourde et maladroite dans ces circonstances. On note également une autonomie beaucoup trop réduite qui limite carrément les déplacements.

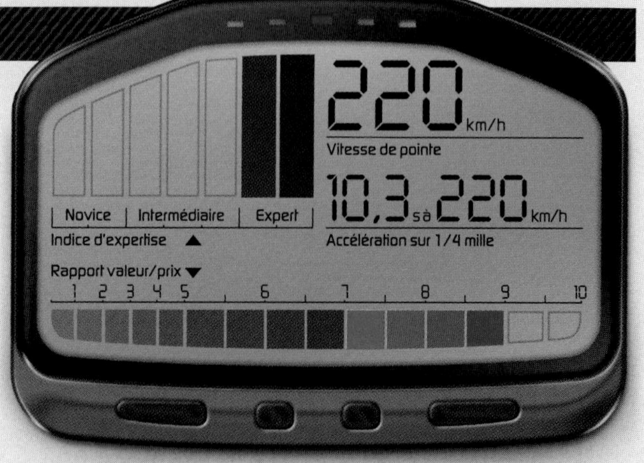

Voir légende en page 16

QUOI DE NEUF EN 2011 ?

Aucun changement

Aucune augmentation

PAS MAL

Un V4 qui crache littéralement le feu puisque ses 200 chevaux sont non seulement bel et bien réels, mais aussi parce qu'ils se manifestent d'une manière tellement immédiate qu'ils arrivent à enfumer le pneu arrière à volonté

Une partie cycle qui, contrairement à celle de la V-Max originale, est parfaitement à la hauteur des incroyables performances de la VMAX et encaisse sans broncher toute la furie du gros V4

Une ligne qui, quoiqu'un peu prévisible puisque fortement inspirée de celle du modèle original, interprète très bien «l'esprit MAX», en plus d'afficher une finition impeccable

BOF

Une livrée de puissance tellement brutale et immédiate qu'elle fait très facilement patiner le pneu arrière; au même titre qu'une sportive pure d'un litre, la VMAX demande beaucoup d'expérience et de respect de la part du pilote qui compte en extraire tout le potentiel

Un prix élevé qui déçoit plusieurs fanatiques du modèle en le mettant hors de leur portée; il reste que même à ce prix, la VMAX vaut absolument le coup

Un accueil peu intéressant réservé au passager

Un poids élevé et des dimensions imposantes qui alourdissent le comportement lors de manœuvres serrées

Un réservoir d'essence bien trop petit compte tenu de la consommation très élevée ayant comme résultat une autonomie minuscule

CONCLUSION

Il existe très peu de montures véritablement uniques. La VMAX, évidemment, l'est. Mais l'intérêt qu'elle suscite va beaucoup plus loin que l'unicité, les performances élevées ou quelque autre caractéristique. La VMAX n'est ni plus ni moins qu'une entité, une force de la nature qui n'est pas sans équivalent, mais plutôt inimitable. La seule raison derrière son existence c'est l'importance du légendaire modèle original pour la marque aux trois diapasons, une importance telle qu'elle a poussé le constructeur à créer un engin presque inimaginable. Il s'agit, mécaniquement, d'une bête au sens le plus barbare du mot, d'un monstre pulvérisateur de pneu arrière. Mais il s'agit aussi d'une machine bénéficiant d'une technologie non seulement extraordinairement poussée, mais aussi carrément développée pour gérer de manière parfaite toute cette folie. Il est vrai qu'à près de 23 000 $, elle ne semble pas donnée. Mais elle l'est. Yamaha en demanderait le double que nous ne trouverions pas le prix injustifié.

GÉNÉRAL

Catégorie	Standard
Prix	22 999 $
Immatriculation 2011	633,55 $
Catégorisation SAAQ 2011	«régulière»
Évolution récente	introduite en 1985 ; nouvelle génération introduite en 2009
Garantie	1 an/kilométrage illimité
Couleur(s)	gris
Concurrence	Ducati Diavel, Triumph Rocket III Roadster

MOTEUR

Type	4-cylindres 4-temps en V à 65 degrés, DACT, 4 soupapes par cylindre, refroidissement par liquide
Alimentation	injection à 4 corps de 48 mm
Rapport volumétrique	11.3:1
Cylindrée	1 679 cc
Alésage et course	90 mm x 66 mm
Puissance	198 ch @ 9 000 tr/min
Couple	123 lb-pi @ 6 500 tr/min
Boîte de vitesses	5 rapports
Transmission finale	par arbre
Révolution à 100 km/h	environ 3 400 tr/min
Consommation moyenne	9,1 l/100 km
Autonomie moyenne	164 km

PARTIE CYCLE

Type de cadre	de type «diamant», en aluminium
Suspension avant	fourche conventionnelle de 52 mm ajustable en précharge, compression et détente
Suspension arrière	monoamortisseur ajustable en précharge, compression et détente
Freinage avant	2 disques de 320 mm de Ø avec étriers radiaux à 6 pistons et système ABS
Freinage arrière	1 disque de 298 mm de Ø avec étrier à 1 piston et système ABS
Pneus avant/arrière	120/70 R18 & 200/50 R18
Empattement	1 700 mm
Hauteur de selle	775 mm
Poids tous pleins faits	310 kg
Réservoir de carburant	15 litres

Raider S

AUTONOMIE STYLISTIQUE... // Le monde du motocyclisme est en pleine mutation. Après une période de prospérité durant laquelle chaque manufacturier trouvait preneur avec une facilité relative pour les modèles qu'il produisait, une clientèle se faisant désormais plus rare et se montrant plus exigeante pousse désormais les constructeurs à innover. Comme les Fury/Sabre de Honda et la propre Stryker de Yamaha, la Raider fait plus que bêtement copier une silhouette piquée dans le catalogue Harley-Davidson et s'inspire plutôt du mouvement chopper. D'un point de vue mécanique, elle se distingue en proposant l'un de ces cadres en aluminium qui sont uniques à Yamaha ainsi que par un impressionnant V-Twin refroidi par air de 1 900 cc. La Roadliner n'étant pas offerte en 2011 chez nous, la Raider et sa version à finition S deviennent donc les seuls modèles animés par cette mécanique.

La plupart, sinon la totalité des constructeurs proposant des customs dans leur gamme n'ont jamais fait bien plus que produire l'équivalent d'une quelconque Harley-Davidson. Comme s'il était impossible d'imaginer d'autres lignes, comme si la formule custom était obligatoirement basée sur le moule d'une Fat Boy. L'un des bons côtés du ralentissement actuel du marché c'est qu'il force ces mêmes constructeurs à enfin mettre leurs stylistes et leurs ingénieurs au travail afin de réaliser des produits plus autonomes. S'il est aussi coupable que n'importe quel autre manufacturier en matière «d'inspiration milwaukienne», Yamaha semble en revanche faire aujourd'hui preuve d'une intéressante créativité, voire d'audace dans ce créneau. La Raider en est peut-être le meilleur exemple.

PUISSANT, COUPLEUX ET MAGNIFIQUEMENT CARACTÉRIEL, CE V-TWIN EST FORT PROBABLEMENT LE PLUS RÉUSSI DE L'UNIVERS CUSTOM.

Affichant une ligne provenant non pas des pages du catalogue Harley-Davidson, mais plutôt inspirée des tendances observées par les mouvements stylistiques populaires, notamment celui des choppers, la Raider propose des proportions très élégantes.

Un reflet d'exhaustives recherches menées par Yamaha sur le phénomène custom, elle représente la combinaison fort réussie d'une position de conduite très particulière, d'un style original et de technologies de pointe. Une combinaison formant par ailleurs un ensemble qu'on pourrait presque qualifier de bouleversant d'un point de vue émotionnel tellement l'expérience que celui-ci fait vivre est forte.

Voilà maintenant quelque temps que Yamaha a saisi l'importance du son et des sensations renvoyées par un V-Twin sur une custom. La Raider démontre que la marque a également compris le pouvoir qu'une position de conduite exerce sur l'expérience de pilotage. Assis très bas sur une selle large et moulante, le pilote de la Raider doit étirer les jambes pour atteindre les repose-pieds et tendre les bras à la hauteur des épaules de manière à ce que ses poings soient positionnés face à la route. Décrire la posture comme macho ou dominante n'aurait rien d'exagéré. Le magnifique V-Twin de la Roadliner et une solide partie cycle bâtie autour d'un cadre en aluminium complètent un ensemble techniquement enviable.

En résistant à la tentation d'installer un gros pneu arrière de 240 mm et en optant plutôt pour une gomme de 210 mm, Yamaha a épargné à la Raider la lourdeur de direction et la maladresse généralement inhérentes à beaucoup de customs équipées d'un pneu arrière très large. Sans toutefois être particulièrement agile dans les manœuvres serrées en raison de sa direction très ouverte, la Raider démontre une stabilité royale, fait preuve d'une direction assez précise et offre un aplomb en virage très correct. Par ailleurs, si le confort offert par la selle est surprenant, et ce, même sur des distances plutôt longues, le passager n'est toutefois pas très gâté et souffre de la sévère sécheresse de la suspension arrière.

Le V-Twin de 1,9 litre compte pour une très importante partie du plaisir de pilotage de la Raider. Puissant et sublimement coupleux à très bas régime, il gronde lourdement sans toutefois trembler outre mesure. On le sent clairement «pulser» en pleine accélération, mais il s'adoucit dès qu'une vitesse de croisière est atteinte. Il s'agit fort probablement du meilleur V-Twin custom qu'on puisse acheter.

QUOI DE NEUF EN 2011 ?

Aucun changement

Aucune augmentation

PAS MAL 

Un véritable joyau de V-Twin gavé de couple lourd et gras dès les tout premiers régimes, doté d'un délicieux grondement sourd et tremblant juste assez, et jamais trop

Une partie cycle étonnamment bien maniérée pour une moto dont la géométrie est aussi extrême

Une selle basse, des repose-pieds avancés et un guidon droit placé bien à l'avant se combinent pour former l'une des positions de conduite les plus cool de l'univers custom

BOF 

Une suspension arrière qui ne donne pas beaucoup de chances au pilote sur des défauts prononcés de la chaussée, où elle peut se montrer très rude

Un niveau de confort très précaire pour le passager, tant au chapitre de la position qu'à celui de la rude suspension arrière

Un style formé d'une foule de petits détails très réussis, mais dont certains ne semblent pas toujours s'agencer de façon homogène avec l'ensemble; la forme des silencieux, par exemple, est souvent critiquée, comme le dessin un peu banal des roues d'ailleurs

CONCLUSION

À l'exception de Victory qui a littéralement tout misé sur le marché custom, Yamaha est le constructeur ayant le plus investi dans ce type de moto, un fait qui devient d'ailleurs évident en jetant un simple coup d'œil à sa gamme. La Raider représente ce que la marque aux trois diapasons fait de mieux en la matière. Il s'agit d'un modèle pour lequel nous avons une profonde affection. La manière dont elle installe le pilote à ses commandes, franchement, le derrière bas, mains et pieds devant, sans offrir d'excuses, est exquise. L'extraordinaire caractère du gros V-Twin qui l'anime est toutefois son plus grand atout. Puissant et coupleux, grondant et pulsant, il est l'incarnation de ce qu'un V-Twin devrait être et de ce qu'il devrait transmettre au pilote en termes de sensations. Très rares sont les moteurs dont la présence dépasse la simple mécanique et pour lesquels nous avons une telle affection. En fait, chez les V-Twin, à part le TC96 installé dans les châssis Dyna du côté de Harley-Davidson, nous ne pouvons penser qu'à celui-ci.

Raider S

197 km/h
Vitesse de pointe

12,6 s à 171 km/h
Accélération sur 1/4 mille

Novice | Intermédiaire | Expert
Indice d'expertise

Rapport valeur/prix
1 2 3 4 5 6 7 8 9 10

Voir légende en page 16

GÉNÉRAL

Catégorie	Custom
Prix	19 599 $ (S: 19 999 $)
Immatriculation 2011	633,55 $
Catégorisation SAAQ 2011	« régulière »
Évolution récente	introduite en 2008
Garantie	1 an/kilométrage illimité
Couleur(s)	rouge (S: bleu, noir)
Concurrence	Harley-Davidson Rocker et Dyna Wide Glide, Victory Vegas Jackpot

MOTEUR

Type	bicylindre 4-temps en V à 48 degrés, culbuté, 4 soupapes par cylindre, refroidissement par air
Alimentation	injection à 2 corps de 43 mm
Rapport volumétrique	9,5:1
Cylindrée	1 854 cc
Alésage et course	100 mm x 118 mm
Puissance	101 ch @ 4 800 tr/min
Couple	124 lb-pi @ 2 200 tr/min
Boîte de vitesses	5 rapports
Transmission finale	par courroie
Révolution à 100 km/h	environ 2 500 tr/min
Consommation moyenne	6,8 l/100 km
Autonomie moyenne	228 km

PARTIE CYCLE

Type de cadre	double berceau, en aluminium
Suspension avant	fourche conventionnelle de 46 mm non ajustable
Suspension arrière	monoamortisseur ajustable en précharge
Freinage avant	2 disques de 298 mm de Ø avec étriers à 4 pistons
Freinage arrière	1 disque de 310 mm de Ø avec étrier à 1 piston
Pneus avant/arrière	120/70-21 & 210/40 R18
Empattement	1 799 mm
Hauteur de selle	695 mm
Poids tous pleins faits	331 kg
Réservoir de carburant	15,5 litres

Road Star S

CHAMPIONNE... // Un courte leçon d'histoire est nécessaire pour comprendre la nature de la Road Star, puisqu'elle fut développée à une époque où plus une custom japonaise ressemblait à une Harley-Davidson, plus elle était considérée une réussite et plus elle se vendait. Présentée en 1999, la version originale, alors une 1600, remporta haut la main ce concours. Personne n'est d'ailleurs allé plus loin que Yamaha à ce chapitre, notamment en ce qui concerne les nombreuses similitudes entre l'architecture de son V-Twin refroidi par air et le V-Twin Evolution de Harley-Davidson. Le modèle, qui est aussi offert en version de tourisme léger Silverado livrée avec pare-brise, valises rigides et dossier de passager, a vu sa cylindrée grimper de 1 600 à 1 700 cc en 2004, année où il bénéficia aussi d'une révision. Yamaha ne lui a apporté aucun changement depuis.

Propulsée par un V-Twin de grosse cylindrée dont les soupapes sont actionnées par culbutage, dont l'angle des cylindres est ouvert à «presque» 45 degrés et dont le refroidissement est par air, la Road Star affiche une élégante ligne classique et propose une généreuse quantité de pièces chromées. Avec chacune de ces caractéristiques, elle tente d'établir une crédibilité basée sur de nombreuses ressemblances avec les customs américaines, notamment des modèles comme la Fat Boy. Une intention qui va d'ailleurs beaucoup plus loin que des données techniques similaires, car celle qui a longtemps été le porte-drapeau de la gamme custom de Yamaha s'éveille en effet en émettant l'un des plus profonds grondements de l'univers custom. Bien qu'il existe désormais des cylindrées plus imposantes que ses 1 700 cc, la Road Star ne s'en trouve pas le moindrement gênée puisque rares sont les customs qui la surpassent en termes de présence mécanique.

ELLE EST L'UNE DES CUSTOMS LES PLUS COMMUNICATIVES DU MARCHÉ EN TERMES DE SENSATIONS MOTEUR.

Yamaha comprend tout autant que Harley-Davidson l'importance de l'expérience sensorielle découlant de la conduite d'une custom et n'a reculé devant aucun effort pour donner vie au moteur de la Road Star. Il s'agit d'une réalité qui devient évidente sitôt la première enfoncée, l'embrayage relâché et les gaz enroulés, et qui est à la fois ressentie sous la forme de pulsations franches et d'un grondement profond. Sur l'autoroute, les tours sont bas et chaque mouvement des deux gros pistons s'avère tout aussi clairement audible que palpable. Cette particularité qu'a la Road Star d'accompagner chaque instant de conduite d'une telle présence mécanique en fait même l'une des customs les plus communicatives sur le marché. Si communicative en fait qu'il vaudrait mieux que les intéressés soient certains de vouloir vivre avec une telle présence de la part du V-Twin puisqu'un comportement de ce genre n'est pas nécessairement considéré par tous comme un point positif.

Malgré des performances mesurées sortant peu de l'ordinaire, la Road Star arrive quand même à satisfaire en ligne droite, mais elle y arrive surtout grâce au caractère fort et à la nature musclée de son V-Twin à bas régime.

Si le comportement routier et le confort proposés par ce modèle ont toujours été très honnêtes, son fabricant est tout de même arrivé à les peaufiner lors de la révision de 2004. La Road Star a toujours été une moto à la direction légère dont le comportement est sain et solide en courbe, dont la position de conduite détendue est bien équilibrée et dont les suspensions se débrouillent de façon correcte sur la route. Le constructeur a toutefois profité de cette révision pour ajouter une selle mieux formée et plus spacieuse ainsi que pour améliorer le freinage, gracieuseté des composantes empruntées à la sportive R1. Les commentaires négatifs au sujet du confort et du comportement routier se résument en trois points : le poids élevé de la moto; les agaçantes turbulences produites par le pare-brise de la version Silverado et le niveau de confort au mieux ordinaire réservé au passager. Les adeptes de longs voyages en duo seraient d'ailleurs bien avisés de sérieusement évaluer les autres choix qui s'offrent à eux avant de s'arrêter sur une Silverado, puisqu'elle n'est pas conçue à cet effet.

QUOI DE NEUF EN 2011 ?

Retrait des versions de base

Aucune augmentation

PAS MAL

Une mécanique extrêmement communicative et excessivement plaisante pour les sens, du moins pour l'amateur de customs qui s'attend à de franches sensations sonores et tactiles d'un gros V-Twin à l'américaine

Un comportement sain provenant d'une bonne stabilité et d'une direction précise et légère, du moins une fois qu'on se met en mouvement

Un niveau de confort appréciable pour le pilote grâce à des suspensions bien calibrées et à une position de conduite dégagée et détendue

BOF

Un poids considérable qui complique autant les opérations quotidiennes telle la sortie du garage que les manœuvres serrées et à basse vitesse

Un pare-brise qui mériterait une attention particulière de Yamaha, sur les Silverado, puisqu'il produit depuis toujours d'agaçantes turbulences au niveau du casque

Une très forte présence mécanique qui ne plaît pas à tous; certains sont surpris de retrouver un niveau de pulsations aussi franc, mais s'y habituent, tandis que d'autres le considèrent simplement comme excessif

Un niveau de confort ordinaire pour le passager, qui ne bénéficie pas du même genre d'accueil que sur certains autres modèles de la classe telle la Kawasaki Nomad

CONCLUSION

La Road Star est probablement la custom poids lourd s'étant le plus librement et le plus fidèlement inspirée de l'expérience proposée par certains modèles Harley-Davidson. Elle le fait tant d'un point de vue technique avec son V-Twin culbuté refroidi par air dont l'architecture est vraiment très proche de celle des moteurs américains qu'à bien d'autres niveaux comme la facilité de personnalisation et la popularité des associations de propriétaires. Les similitudes visuelles sont par ailleurs évidentes. Mais le véritable et le plus intéressant attrait pour une Road Star demeure le caractère fort et franc de son gros bicylindre. Il s'agit d'une particularité qui ne plaît pas nécessairement à tous les motocyclistes, mais qu'adoreront ceux qui apprécient qu'un V-Twin ne fasse pas que propulser la moto, mais qu'il leur fasse aussi vivre une expérience mécanique.

Road Star Silverado S

175 km/h
Vitesse de pointe

14,1 s à 151 km/h
Accélération sur 1/4 mille

Novice | Intermédiaire | Expert
Indice d'expertise

Rapport valeur/prix
1 2 3 4 5 6 7 8 9 10

Voir légende en page 16

GÉNÉRAL

Catégorie	Custom/Tourisme léger
Prix	Road Star S: 16 999 $ Road Star Silverado S: 19 199 $
Immatriculation 2011	633,55 $
Catégorisation SAAQ 2011	« régulière »
Évolution récente	introduite en 1999; revue en 2004
Garantie	1 an/kilométrage illimité
Couleur(s)	Road Star S: noir Road Star Silverado S: rouge
Concurrence	Harley-Davidson Fat Boy, Kawasaki Vulcan 1700 Classic, Victory King Pin

MOTEUR

Type	bicylindre 4-temps en V à 48 degrés, culbuté, 4 soupapes par cylindre, refroidissement par air
Alimentation	injection à deux corps de 40 mm
Rapport volumétrique	8,4:1
Cylindrée	1 670 cc
Alésage et course	97 mm x 113 mm
Puissance	72,3 ch @ 4 000 tr/min
Couple	106,3 lb-pi @ 2 500 tr/min
Boîte de vitesses	5 rapports
Transmission finale	par courroie
Révolution à 100 km/h	environ 2 400 tr/min
Consommation moyenne	6,3 l/100 km
Autonomie moyenne	269 km

PARTIE CYCLE

Type de cadre	double berceau, en acier
Suspension avant	fourche conventionnelle de 43 mm non ajustable
Suspension arrière	monoamortisseur ajustable en précharge
Freinage avant	2 disques de 298 mm de Ø avec étriers à 4 pistons
Freinage arrière	1 disque de 320 mm de Ø avec étrier à 4 pistons
Pneus avant/arrière	130/90-16 & 150/80-16
Empattement	1 688 mm
Hauteur de selle	710 mm
Poids tous pleins faits	337 kg (Silverado : 352 kg)
Réservoir de carburant	17 litres

NOUVEAUTÉ 2011

DÉMOCRATISATION DU CHOPPER... // Ils sont d'abord arrivés dans nos vies grâce à la magie du petit écran. Nous les avons ensuite vus —et entendus— déambuler dans nos rues sous la forme de concepts uniques provenant d'ateliers privés, cette fois, grâce au profond besoin d'attention d'une poignée de clients —généralement mâles et grisonnants— plutôt fortunés. Aujourd'hui, en raison de l'intérêt d'un nombre croissant de constructeurs pour le genre, on peut non seulement les regarder de près et les toucher, mais aussi les acheter et les rouler. Le petit phénomène qu'est le Chopper traverse littéralement une phase de démocratisation, un fait que la nouvelle Stryker de Yamaha illustre parfaitement. Celle-ci démontre aussi que la direction stylistique que sont en train de prendre les constructeurs de customs s'éloigne des lignes de la Harley-Davidson classique.

On pourrait très facilement manquer le point d'intérêt principal de cette nouvelle Stryker de 1 300 cc en concluant qu'elle n'est rien de plus que la petite sœur de la Raider de 1 900 cc. Car si la nouveauté ressemble en effet à s'y méprendre à la grosse cylindrée, une différence majeure les distingue en termes de prix.

Le fait est que la très désirable Raider 1900 est demeurée depuis son lancement une machine relativement exclusive en raison d'une facture frôlant les 20 000 $, une barre que les amateurs de customs acceptent très difficilement de franchir lorsqu'il s'agit d'un produit non milwaukien. Avec un prix de détail de 12 399 $ pour la version noire (200 $ de plus pour la bleue ou la rouge), la Stryker change complètement le niveau d'accessibilité du concept et devient aisément la custom de style chopper la plus abordable du marché.

Une facture alléchante est parfois gage d'une baisse de qualité, mais cela n'est absolument pas le cas de la Stryker. On décèle en la comparant à la Raider une certaine retenue dans l'application de chrome ou dans la finition de certaines pièces, comme les roues, mais dans l'ensemble, l'attention aux détails dont elle a fait l'objet demeure étonnante. Partout où l'on regarde, des pièces dont la forme se marie au thème de la ligne peuvent être aperçues. Le style élégant du réservoir, le degré de finition poussé du moteur, l'entraînement final par courroie et même l'instrumentation numérique sont autant d'éléments qui témoignent du fait que l'attrayante facture qui accompagne la Stryker n'en fait décidément pas une monture de qualité réduite.

L'ATTRAYANTE FACTURE DE LA STRYKER N'EN FAIT DÉCIDÉMENT PAS UNE MONTURE DE QUALITÉ RÉDUITE.

Cette conclusion s'applique d'ailleurs également au pilotage, puisqu'à une ou deux exceptions près, la Stryker se comporte généralement très bien sur la route.

Le V-Twin de 1 304 cc qui l'anime est exactement celui de la V-Star 1300. Bien qu'on ne retrouve évidemment pas le genre de poussée prodigieuse qui suit l'ouverture des gaz d'une Raider, on s'étonne de découvrir en la Stryker une monture dont la rapidité en ligne droite satisfait, puisque les accélérations sont caractérisées par une livrée de couple assez généreuse dans les premiers régimes, ainsi que par une plaisante sonorité. En termes de performances brutes, si les capacités de la Stryker sont ainsi clairement trop limitées pour les amateurs de gros cubage, elles devraient toutefois s'avérer suffisantes pour les autres. Un agaçant jeu dans le rouage d'entraînement provoque toutefois des à-coups à la remise des gaz et représente l'un des rares reproches possibles envers cette mécanique.

C'est avec beaucoup de fierté que Yamaha affirme avoir trouvé le moyen de contourner les problèmes inhérents à une géométrie de direction aussi extrême que celle de la Stryker, dont l'angle d'ouverture de la fourche est nettement très prononcé. Sur la route, il est surprenant de constater que peu importe les circonstances, que ce soit une manœuvre serrée à la sortie d'un stationnement ou une longue courbe rapide, la Stryker se montre posée, précise et très intuitive à piloter. Du moins, jusqu'à ce qu'on croise une section de pavé abîmée et que l'amortisseur arrière beaucoup trop rude ne vienne ternir le tableau autrement presque impeccable de la tenue de route.

QUOI DE NEUF EN 2011 ?

Nouveau modèle

PAS MAL

Une ligne véritablement réussie, autant dans le judicieux choix des proportions qu'au niveau de l'élégance de la vision d'ensemble; après avoir examiné des Harley-Davidson à la loupe durant des années, les stylistes de Yamaha montrent décidément qu'ils possèdent d'autres talents

Un V-Twin dont les performances ne sont pas de l'ordre de celles des très grosses cylindrées, évidemment, mais qui arrive tout de même à satisfaire grâce à une poussée tout à fait correcte à bas et moyen régimes

Un comportement routier d'une surprenante qualité compte tenu de l'agressivité de l'angle de direction; à quelques mineures exceptions près, la Stryker se manie avec la même aisance qu'une custom classique

BOF

Une suspension arrière calibrée de manière beaucoup trop rude, puisqu'elle meurtrit le dos du pilote sur mauvais revêtement

Un agaçant jeu dans le rouage d'entraînement qui provoque des à-coups chaque fois que les gaz sont fermés et ouverts de nouveau

Un comportement généralement très correct pour une monture affichant une telle géométrie, mais qui n'est pas pour autant parfait puisque la direction a une légère tendance à vouloir «tomber» dans l'intérieur du virage lors de manœuvres serrées

CONCLUSION

La nouvelle Stryker semble vouloir répéter l'histoire qu'a écrite la V-Star 1100 avant elle. Grâce à un prix étonnamment bas, une jolie ligne et des manières très correctes, cette dernière s'était en effet hissée tout en haut des palmarès de ventes, et y était même restée un bon moment. Le fait que la Stryker propose non seulement les mêmes arguments, mais qu'elle arrive aussi au moment où la vénérable V-Star s'apprête à tirer sa révérence donne toutes les raisons de croire que la répétition de cette histoire est exactement l'intention de Yamaha. Il est par ailleurs clair que le constructeur s'est donné les outils pour y arriver, notamment un prix décidément très agressif et ce qui est assurément l'une des lignes chopper les plus réussies du moment. Il semble que les seuls facteurs qui jouent contre elle sont le ralentissement du créneau custom et la popularité encore non établie de ce style chez les amateurs.

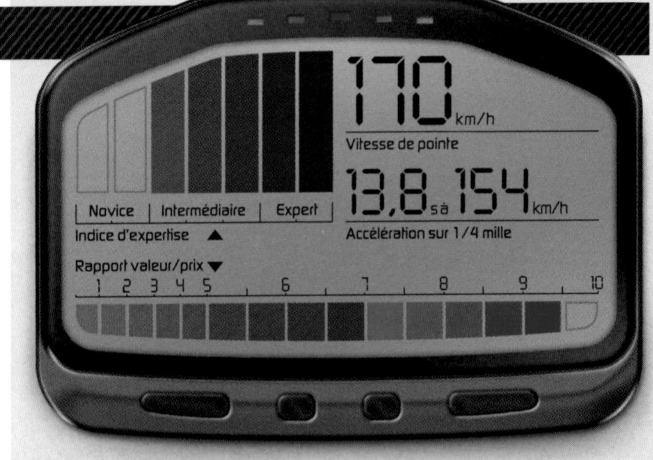

Voir légende en page 16

GÉNÉRAL

Catégorie	Custom
Prix	12399$ (rouge, bleu: 12599$)
Immatriculation 2011	633,55$
Catégorisation SAAQ 2011	«régulière»
Évolution récente	introduite en 2011
Garantie	1 an/kilométrage illimité
Couleur(s)	noir, rouge, bleu
Concurrence	Harley-Davidson Sportster 1200, Honda VT 1300

MOTEUR

Type	bicylindre 4-temps en V à 60 degrés, SACT, 4 soupapes par cylindre, refroidissement par liquide
Alimentation	injection à 2 corps de 40 mm
Rapport volumétrique	9,5:1
Cylindrée	1304 cc
Alésage et course	100 mm x 83 mm
Puissance	76,8 ch @ 5500 tr/min
Couple	78,8 lb-pi @ 3500 tr/min
Boîte de vitesses	5 rapports
Transmission finale	par courroie
Révolution à 100 km/h	environ 3000 tr/min
Consommation moyenne	6,3 l/100 km
Autonomie moyenne	238 km

PARTIE CYCLE

Type de cadre	double berceau, en acier
Suspension avant	fourche conventionnelle de 41 mm non ajustable
Suspension arrière	monoamortisseur ajustable en précharge
Freinage avant	1 disque de 320 mm de Ø avec étrier à 2 pistons
Freinage arrière	1 disque de 310 mm de Ø avec étrier à 1 piston
Pneus avant/arrière	120/70-21 & 210/40R18
Empattement	1750 mm
Hauteur de selle	670 mm
Poids tous pleins faits	293 kg
Réservoir de carburant	15 litres

JUSTE AVANT LES GROSSES FACTURES... // Un simple coup d'œil à la gamme de customs Yamaha suffit pour comprendre l'étendue des choix de cylindrées qui s'offrent à l'acheteur éventuel. Les plus gros cubages sont généralement les plus prisés, mais les factures et le gabarit des modèles augmentent souvent très rapidement lorsqu'on commence à monter l'échelle des catégories. L'attrait de la V-Star 1300 c'est que sa cylindrée constitue le dernier échelon avant qu'on tombe dans une classe de montures considérablement plus coûteuses et plus lourdes. Il s'agit d'un modèle relativement récent, puisqu'il fut introduit en 2007. Notons par ailleurs que depuis que Honda a retiré sa VTX1300 du marché, les seules rivales de la Yamaha affichent une ligne inspirée du mouvement chopper. Une version Tourer livrée avec des équipements de tourisme léger est aussi offerte.

On a, à une certaine époque, estimé que la fragmentation des cylindrées chez les customs était exagérée. Or, on constate aujourd'hui non seulement que les acheteurs préfèrent avoir ce genre choix, mais aussi qu'ils favorisent parfois ces cylindrées mitoyennes par rapport aux anciennes catégories établies. C'est du moins ce qui semble être le cas avec les 1300 comme cette V-Star.

Le but premier des 1300 est, bien entendu, de combler un important écart d'ordre économique entre les cylindrées inférieures et supérieures, mais l'intérêt qu'elles suscitent est également d'ordre physique, puisque leurs proportions représentent un seuil que certains motocyclistes s'avouent peu confortables de dépasser.

LE RENDEMENT DU V-TWIN EST JUSTE ASSEZ INTÉRESSANT POUR QU'UN PILOTE EXPÉRIMENTÉ S'EN DÉCLARE SATISFAIT.

Visuellement, la V-Star 1300 propose une ligne prévisible, mais quand même soignée et réussie. Elle possède une présence physique comparable à celle de modèles plus gros comme une Road Star, mais s'avère presque aussi facile à relever de sa béquille qu'une custom de cylindrée plus faible. Pour un motocycliste que la masse d'une moto de plus gros cubage intimide, il s'agit d'une caractéristique rassurante. Par contre, les plus expérimentés trouveront sur la 1300 l'avantage d'une position plus dégagée que sur une V-Star 1100, qui disparaîtra d'ailleurs sous sa forme actuelle dès l'an prochain.

La V-Star 1300 affiche une stabilité sans faute, même lorsque la vitesse grimpe. La direction se montre exceptionnellement légère puisqu'une simple impulsion sur le large guidon suffit à amorcer un virage. Une fois inclinée, elle fait preuve de manières impeccables et suit la trajectoire choisie proprement et solidement. Les plateformes finissent par frotter, mais pas de manière prématurée. Si les freins sont puissants, surtout à l'avant, une pression importante au levier est tout de même nécessaire pour arriver aux meilleurs résultats.

Le V-Twin qui anime la V-Star 1300 possède une cylindrée juste assez imposante pour éveiller les sens du pilote se trouvant à ses commandes. Chatouillant ce dernier de douces pulsations sur l'autoroute, le bicylindre tremble juste assez à l'accélération pour rendre l'expérience plaisante et ne vibre jamais exagérément. Sa sonorité est propre et pure. Exempte de tout bruit mécanique parasite, elle se caractérise par un profond grondement des silencieux qui varie au rythme des changements de régimes du moteur. Si l'amplitude des sensations n'est pas aussi large que sur la caractérielle Road Star, elle est plus flatteuse que sur la V-Star 1100, et certainement plus intéressante que sur une 900 ou une 950.

Le couple généré par le V-Twin est présent dès le relâchement de l'embrayage, lequel fait preuve d'une belle progressivité. Les accélérations sont franches sur toute la plage de régimes. S'il est clair qu'on n'est pas en présence du genre de couple de tracteur auquel on peut s'attendre de la part d'un gros cubage, ça pousse quand même plus fort qu'une 1100, et juste assez pour qu'un pilote expérimenté puisse s'en déclarer satisfait. La douceur de l'entraînement final par courroie, l'absence de jeu dans le rouage d'entraînement et l'excellente alimentation par injection renvoient par ailleurs une sensation de sophistication et de qualité.

170 km/h
Vitesse de pointe

13,8 sà 154 km/h
Accélération sur 1/4 mille

Novice | Intermédiaire | Expert
Indice d'expertise

Rapport valeur/prix
1 2 3 4 5 6 7 8 9 10

Voir légende en page 16

QUOI DE NEUF EN 2011 ?

Aucun changement

Aucune augmentation

PAS MAL

Un comportement équilibré et sain qui satisfait les pilotes expérimentés et rassure les moins avancés

Une mécanique offrant abondamment de couple que l'on prend plaisir à écouter et à sentir vrombir

Une attention aux détails qui surprend pour une moto de ce prix; la V-Star 1300 abonde en pièces travaillées, bien finies et bien présentées

BOF

Un style classique élégant, mais aussi très prévisible et qui semble petit à petit perdre l'intérêt qu'il suscitait il y a quelques années; la Stryker existe d'ailleurs pour satisfaire ce besoin de nouveauté de plus en plus présent envers le style des custom

Une suspension arrière plutôt ferme, adéquate sur un revêtement de bonne qualité, mais trop rude quand celui-ci se détériore

Un pare-brise haut, sur la version Tourer, qui ne génère pas trop de turbulences, mais qui force le pilote à regarder au travers, ce qui peut devenir embêtant la nuit ou par temps pluvieux

CONCLUSION

Avec l'abandon de la part de Honda d'une présence dans le créneau des custom de style classique de 1 300 cc, une position qu'a occupée durant des années la VTX1300, la V-Star 1300 se retrouve essentiellement dans une situation de monopole, puisqu'elle n'a plus de concurrence directe. La bonne nouvelle, pour les intéressés, c'est que ce seul choix en est un auquel on peut reprocher bien peu de choses. La V-Star 1300 propose de fort respectables performances, démontre un excellent comportement routier et accorde une impressionnante attention aux détails et à la finition. Comme la facture qui l'accompagne est raisonnable, il s'agit d'une excellente manière d'acquérir une custom de bonne cylindrée sans tomber dans les factures d'un niveau beaucoup plus important qu'imposent les modèles plus gros. C'est d'ailleurs là l'attrait majeur des 1300.

V-Star 1300 Tourer

GÉNÉRAL

Catégorie	Custom/Tourisme léger
Prix	V-Star 1300 : 12 599 $ V-Star 1300 Tourer : 14 199 $
Immatriculation 2011	633,55 $
Catégorisation SAAQ 2011	« régulière »
Évolution récente	introduite en 2007
Garantie	1 an/kilométrage illimité
Couleur(s)	noir (Tourer : rouge)
Concurrence	Harley-Davidson Sportster 1200, Honda VT 1300, Yamaha Stryker

MOTEUR

Type	bicylindre 4-temps en V à 60 degrés, SACT, 4 soupapes par cylindre, refroidissement par liquide
Alimentation	injection à 2 corps de 40 mm
Rapport volumétrique	9,5:1
Cylindrée	1 304 cc
Alésage et course	100 mm x 83 mm
Puissance	76,8 ch @ 5 500 tr/min
Couple	81,8 lb-pi @ 4 000 tr/min
Boîte de vitesses	5 rapports
Transmission finale	par courroie
Révolution à 100 km/h	environ 3 000 tr/min
Consommation moyenne	6,3 l/100 km
Autonomie moyenne	293 km

PARTIE CYCLE

Type de cadre	double berceau, en acier
Suspension avant	fourche conventionnelle de 41 mm non ajustable
Suspension arrière	monoamortisseur ajustable en précharge
Freinage avant	2 disques de 298 mm de Ø avec étriers à 2 pistons
Freinage arrière	1 disque de 298 mm de Ø avec étrier à 1 piston
Pneus avant/arrière	130/90-16 & 170/70-16
Empattement	1 690 mm
Hauteur de selle	690 mm
Poids tous pleins faits	303 kg (Tourer : 323 kg)
Réservoir de carburant	18,5 litres

V-Star 950

SATURATION... // Si l'on devait décrire le plan d'affaire de Yamaha en matière de custom, il faudrait probablement parler de saturation. En effet, il n'existe aucune compagnie, pas même Harley-Davidson, possédant une gamme custom plus diversifiée que celle du constructeur. On y trouve des cylindrées de 250, 650, 950, 1100, 1300 — en V-Twin ou V4 —, 1700 et 1900 cc, sans parler de la VMAX et de son moteur 1700 V4 que certains considèrent comme une custom, mais qui n'en est pas une. Le ralentissement du marché dans ce secteur, combiné à la volonté de Yamaha d'offrir une gamme plus verte, pourrait toutefois éliminer certains de ces choix très rapidement, notamment la 650, la 1100 et la Venture. La 950, elle, est là pour rester et continuer de faire la vie dure aux modèles de 750 ou 800 cc dont les factures ne sont pas très inférieures à la sienne. Une version Tourer est toujours offerte.

On jurerait que Yamaha s'est carrément donné la mission de noyer l'univers du chrome et des franges avec ses innombrables modèles custom, puisqu'on ne trouve aujourd'hui plus aucune catégorie, ou même sous-catégorie où la marque n'est pas présente.

La raison d'être de la V-Star 950, qui fut lancée en 2009 et qui est donc toute jeune, n'est toutefois pas seulement de combler l'écart de cylindrée existant entre les 650 et 1100 de la même famille. Compte tenu de l'âge avancé de ces dernières, de leur popularité à la baisse, de leur style retardataire et des nouvelles tendances du marché, la 950 prend leur relève d'une certaine façon. Yamaha devrait d'ailleurs les retirer du marché très prochainement.

À PRÈS D'UN LITRE, LE V-TWIN PEUT SATISFAIRE UN MOTOCYCLISTE RELATIVEMENT EXPÉRIMENTÉ.

La masse et les proportions de la V-Star 950 ont été très habilement déterminées. Elle s'avère ainsi parfaitement accessible pour les motocyclistes novices ou les femmes qui craignent souvent le poids trop élevé des plus grosses cylindrées. Par ailleurs, cette accessibilité n'empêche en rien la V-Star 950, qui est tout de même propulsée par une mécanique de près d'un litre, de satisfaire un motocycliste plus expérimenté, pour autant, évidemment, qu'il ne demande pas la lune en termes de performances.

Si le niveau de puissance offert par la 950 n'est pas exceptionnel, il reste que la quantité de couple produite par le V-Twin est juste assez bonne pour qu'on n'ait pas l'impression d'être aux commandes d'une custom de petite cylindrée. Cette qualité représente un avantage non négligeable puisqu'elle place la 950 du côté favorable de cette fine ligne qui sépare les customs à «petit» V-Twin des modèles bénéficiant d'une cylindrée qu'on peut commencer à qualifier de grosse. Yamaha a de plus déployé des efforts considérables afin de donner au bicylindre de la V-Star 950 une sonorité propre et aussi profonde que possible compte tenu de la cylindrée, ce qui ne fait qu'ajouter à l'agrément de conduite.

S'il est une qualité qui ressort de manière prédominante de la V-Star, c'est l'impression d'harmonie et d'homogénéité que renvoie l'ensemble. Tout, et ce, sans exception, fonctionne bien et de manière transparente.

La selle très basse, le poids étonnamment faible, la position de conduite joliment équilibrée et la direction très légère se combinent pour en faire une custom qu'on semble apprivoiser de manière presque immédiate. L'embrayage progressif et qui demande très peu d'efforts, la transmission douce et précise, les freins assez puissants et les suspensions habilement calibrées sont autant de caractéristiques additionnelles qui ne font que renforcer cette plaisante sensation d'ensemble cohérent et fonctionnel.

Le comportement routier de la V-Star 950 s'avère pratiquement impeccable en proposant une excellente stabilité, une bonne précision en virage et une grande légèreté de direction en entrée de courbe. La seule petite ombre au tableau concerne la garde au sol puisque les plateformes frottent relativement tôt en virage. On ne s'en rend pas compte en conduite normale, mais on doit en être conscient et adapter son pilotage en conséquence.

QUOI DE NEUF EN 2011 ?

Aucun changement

Aucune augmentation

PAS MAL

Une très bonne valeur puisqu'on obtient, pour un prix pas beaucoup plus élevé que celui des modèles rivaux, une mécanique de cylindrée plus forte, ce qui représente un avantage clair chez les customs, surtout dans cette classe

Un comportement absolument impeccable qui se montre à la fois assez relevé pour intéresser les pilotes de longue date et assez facile d'accès pour mettre à l'aise les moins expérimentés

Un V-Twin agréablement coupleux dont la cylindrée est juste assez importante pour qu'il génère un vrombissement plaisant

BOF

Un pare-brise qui provoque une certaine quantité de turbulence à la hauteur du casque sur la version Tourer; on a vu pire, malgré tout

Une faible hauteur de selle dictant un emplacement proportionnellement bas des plateformes qui frottent relativement tôt en virage; il ne s'agit pas d'un défaut majeur, mais plutôt d'un facteur dont il faut tenir compte en s'engageant dans une courbe

Une ligne élégante et propre, mais quand même un peu anonyme; Yamaha tente de faire évoluer le style de ses customs, mais le côté prévisible du style classique persiste

CONCLUSION

Que l'on considère la V-Star 950 comme une «grosse petite cylindrée» ou comme une «petite cylindrée moyenne» importe peu, puisque la réflexion qu'elle oblige les acheteurs à effectuer demeure la même. Celle-ci consiste à analyser la justification du supplément qu'elle commande par rapport aux plus économiques 750 et 800. Le fait est que la classe a changé depuis l'arrivée des Kawasaki Vulcan 900 et de la V-Star 950. L'occasion d'obtenir une cylindrée plus importante et tous les avantages qui l'accompagnent pour quelques centaines de dollars de plus est très difficile à ignorer. Surtout que la Yamaha offre davantage que seulement du cubage additionnel, puisqu'il s'agit aussi d'un ensemble très bien manièré, très accessible et quand même intéressant à piloter.

V-Star 950 Tourer

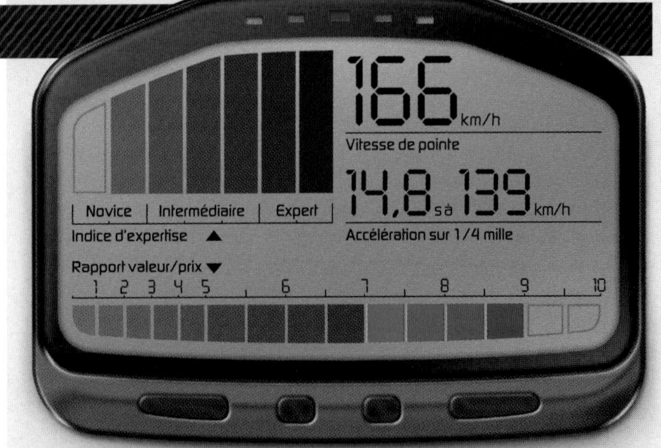

Voir légende en page 16

GÉNÉRAL

Catégorie	Custom/Tourisme léger
Prix	V-Star 950: 10 099 $ V-Star 950 Tourer: 12 099 $
Immatriculation 2011	633,55 $
Catégorisation SAAQ 2011	«régulière»
Évolution récente	introduite en 2009
Garantie	1 an/kilométrage illimité
Couleur(s)	noir, bleu (Tourer: noir, rouge)
Concurrence	Harley-Davidson Sportster 883 Honda Shadow 750 Kawasaki Vulcan 900 Suzuki Boulevard C50

MOTEUR

Type	bicylindre 4-temps en V à 60 degrés SACT, 4 soupapes par cylindre, refroidissement par air
Alimentation	injection à corps unique de 35 mm
Rapport volumétrique	9,0:1
Cylindrée	942 cc
Alésage et course	85mm x 83 mm
Puissance	54 ch @ 6 000 tr/min
Couple	58,2 lb-pi @ 3 500 tr/min
Boîte de vitesses	5 rapports
Transmission finale	par courroie
Révolution à 100 km/h	n/d
Consommation moyenne	5,4 l/100 km
Autonomie moyenne	314 km

PARTIE CYCLE

Type de cadre	double berceau, en acier
Suspension avant	fourche conventionnelle de 41 mm non ajustable
Suspension arrière	monoamortisseur ajustable en précharge
Freinage avant	1 disque de 320 mm de Ø avec étrier à 2 pistons
Freinage arrière	1 disque de 298 mm de Ø avec étrier à 1 piston
Pneus avant/arrière	130/70-18 & 170/70-16
Empattement	1 685 mm
Hauteur de selle	675 mm
Poids tous pleins faits	278 kg (Tourer: 297 kg)
Réservoir de carburant	17 litres

V-STAR 1100

AU REVOIR... //

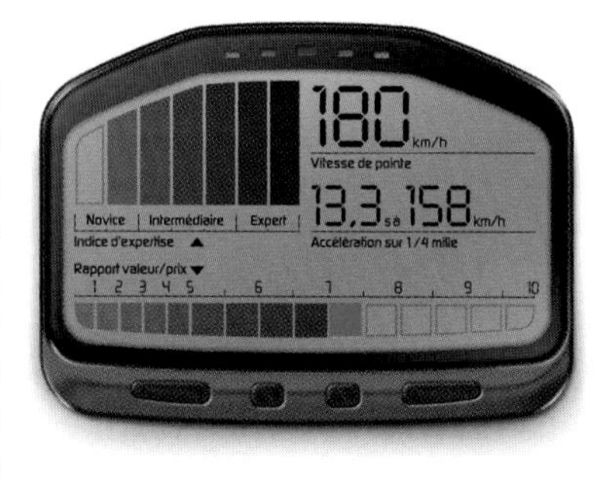

La V-Star 1100 n'a plus besoin d'être présentée, puisqu'il s'agit d'une des customs japonaises les plus populaires de tous les temps, un succès attribuable à l'excellente valeur qu'elle a représenté au fil de sa carrière. Offerte en version Classic, Custom et Silverado de tourisme léger, elle n'a pas vraiment de concurrence directe, si ce n'est d'une autre Yamaha, la V-Star 950, dont la facture est d'ailleurs très similaire à celle de la 1100. 2011 représentera sa dernière année sur le marché, puisque Yamaha compte la retirer ensuite. Personne ne sait si un nouveau modèle la remplacera.

Durant les nombreuses années qui se sont écoulées depuis sa mise en production en 1999, la V-Star 1100 n'a jamais vraiment été menacée, ce qui, compte tenu de son immense popularité, est difficile à croire. La Vulcan 900 fut le premier modèle à s'en approcher un peu, mais c'est surtout aux customs de 750 et 800 cc que la Kawasaki s'attaquait. Toutefois, en rehaussant la mise de la Vulcan avec l'introduction d'une V-Star 950, plusieurs acheteurs se demandent maintenant s'il ne vaut pas mieux sacrifier quelques chevaux pour acquérir une monture plus moderne et dessinée de manière plus actuelle. Très bonne question, à laquelle la réponse n'est d'ailleurs pas évidente. En effet, malgré son âge, la V-Star 1100 ne fait rien de mal et accomplit bien encore presque tout. On pourrait dire que l'un de ses plus gros défauts — qui, il faut le dire, n'est devenu notable qu'après l'arrivée de montures plus dégagées — serait sa position de conduite un tout petit peu compacte, tandis que ses plus belles qualités seraient son excellent moteur — 1 100 cc sont plus plaisants à solliciter que 900 ou même 950 cc, soit dit en passant —, le comportement sain de sa partie cycle et, bien entendu, la bonne valeur qu'elle représente encore.

L'avenir de la V-Star 1100 est maintenant connu, puisque sa production cessera après cette année. Le modèle a fait son temps et son alimentation par carburateur n'est pas assez propre pour satisfaire les exigences vertes que Yamaha s'est lui-même imposées. Une nouvelle 1100 ne serait pas impossible, mais quand même peu probable. Y a-t-il vraiment un besoin d'une cylindrée entre ses 950 et 1300?

GÉNÉRAL

Catégorie	Custom/Tourisme léger
Prix	Custom : 10 499 $, Classic : 11 099 $ Silverado : 12 899 $
Immatriculation 2011	633,55 $
Catégorisation SAAQ 2011	« régulière »
Évolution récente	Custom introduite en 1999, Classic en 2000 et Silverado en 2003
Garantie	1 an/kilométrage illimité
Couleur(s)	noir
Concurrence	Harley-Davidson Sportster 1200, Kawasaki Vulcan 900, Yamaha V-Star 950

MOTEUR

Type	bicylindre 4-temps en V à 75 degrés, SACT, 2 soupapes par cylindre, refroidissement par air
Alimentation	2 carburateurs à corps de 37 mm
Rapport volumétrique	8,3:1
Cylindrée	1 063 cc
Alésage et course	95 mm x 75 mm
Puissance	62 ch @ 5 750 tr/min
Couple	63,6 lb-pi @ 2 500 tr/min
Boîte de vitesses	5 rapports
Transmission finale	par arbre
Révolution à 100 km/h	environ 3 400 tr/min
Consommation moyenne	5,5 l/100 km
Autonomie moyenne	309 km

PARTIE CYCLE

Type de cadre	double berceau, en acier
Suspension avant	fourche conventionnelle de 41 mm non ajustable
Suspension arrière	monoamortisseur ajustable en précharge
Freinage avant	2 disques de 298 mm de Ø avec étriers à 2 pistons
Freinage arrière	1 disque de 282 mm de Ø avec étrier à 2 pistons
Pneus avant/arrière	130/90-16 (Custom : 110/90-18) & 170/80-15
Empattement	1 645 mm (Custom : 1 640 mm)
Hauteur de selle	710 mm (Custom : 690 mm)
Poids tous pleins faits	285 kg (Custom : 275 kg; Silverado : 303 kg)
Réservoir de carburant	17 litres

RETRAITE... // Lancée en 1998, la V-Star 650 fut le premier modèle de la très grande famille de customs V-Star de Yamaha. Grâce à son style sympathique et à son prix intéressant, le modèle a joui d'une bonne popularité durant plusieurs années. Depuis quelques temps les acheteurs favorisent toutefois les cylindrées plus fortes, une tendance qui a transformé le modèle en custom d'initiation, un rôle qui lui va d'ailleurs à merveille. En fait, elle est même unique dans cette position. Il se pourrait très bien que l'édition 2011 soit la dernière, du moins sous cette forme.

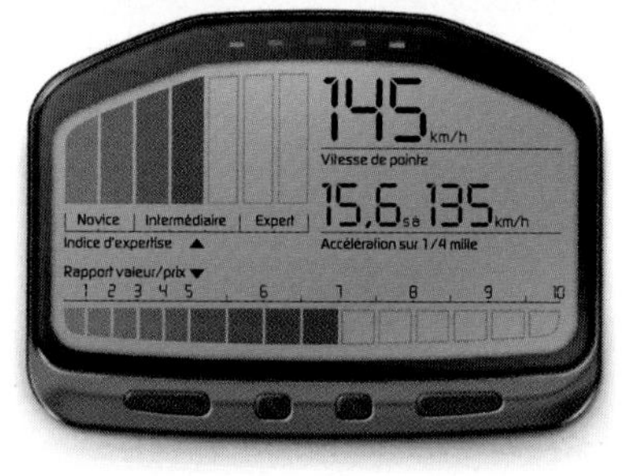

❯ Personne ne connaît les intentions exactes de Yamaha, mais nous ne serions pas du tout étonnés de voir une nouvelle V-Star de petite cylindrée dans un avenir rapproché, puisque sa disparition impliquerait un vide presque total pour le constructeur en dessous de sa V-Star 950.

Malgré son âge avancé et quoique techniquement vieillotte par rapport au reste de la classe, la V-Star 650 demeure recommandable. Bien construite et affichant une finition soignée, proposant un comportement sain, puisque stable, légère à manier, aussi facile d'accès qu'une custom peut l'être et accompagnée d'une facture raisonnable, elle n'est certainement pas à court d'arguments. N'ayant plus aucune concurrente directe sur notre marché — la désuète Suzuki Boulevard S40 n'est qu'une monocylindre alors que la Shadow VLX 600 et la Kawasaki Vulcan 500 LTD ont disparu —, la V-Star 650 se retrouve même aujourd'hui dans une position un peu inespérée. Un motocycliste novice cherchant à faire ses premiers tours de roues sur une custom ayant un minimum d'authenticité visuelle et mécanique n'a donc guère d'autre choix, à moins d'opter pour des modèles un peu plus chers et plus gros. En dépit de sa faible puissance et d'une livrée de couple modeste, la V-Star 650 demeure capable d'affronter les aléas des déplacements quotidiens de manière honnête. On se satisfait des accélérations tant qu'on n'a jamais connu quelque chose de plus rapide et qu'on n'est pas trop gourmand à ce chapitre.

GÉNÉRAL

Catégorie	Custom
Prix	Custom : 8 099 $; Classic : 8 499 $; Silverado : 9 899 $
Immatriculation 2011	633,55 $
Catégorisation SAAQ 2011	« régulière »
Évolution récente	introduite en 1998
Garantie	1 an/kilométrage illimité
Couleur(s)	noir (Classic : bleu, rouge)
Concurrence	Honda Shadow 750

MOTEUR

Type	bicylindre 4-temps en V à 70 degrés, SACT, 2 soupapes par cylindre, refroidissement par air
Alimentation	2 carburateurs à corps de 28 mm
Rapport volumétrique	9,0:1
Cylindrée	649 cc
Alésage et course	81 mm x 63 mm
Puissance	40 ch @ 6 500 tr/min
Couple	37,5 lb-pi @ 3 000 tr/min
Boîte de vitesses	5 rapports
Transmission finale	par arbre
Révolution à 100 km/h	environ 4 300 tr/min
Consommation moyenne	5,0 l/100 km
Autonomie moyenne	320 km

PARTIE CYCLE

Type de cadre	double berceau, en acier
Suspension avant	fourche conventionnelle de 41 mm non ajustable
Suspension arrière	monoamortisseur ajustable en précharge
Freinage avant	1 disque de 298 mm de Ø avec étrier à 2 pistons
Freinage arrière	tambour mécanique
Pneus avant/arrière	130/90-16 (Custom : 100/90-19) & 170/80-15
Empattement	1 625 mm (Custom : 1 610 mm)
Hauteur de selle	710 mm (Custom : 695 mm)
Poids tous pleins faits	247 kg (Custom : 233 kg, Silverado : 265 kg)
Réservoir de carburant	16 litres

V-STAR 250

À L'ÉCHELLE... // La V-Star 250 fait partie de ces modèles qui existent depuis une éternité et qui n'ont jamais évolué, mais qui reviennent quand même année après année. Dans ce cas, le seul «changement» survint en 2008 alors que la toute petite custom qu'on connaissait jusque-là sous le nom de Virago 250 fut rebaptisée V-Star 250. N'ayant pratiquement que la Hyosung Aquila 250 comme concurrente directe, elle partage avec cette dernière l'avantage d'une mécanique en V, ce qu'on s'étonne toujours de retrouver sur des motos si peu chères et de cylindrées aussi faibles. Il s'agit d'une monture d'apprentissage, sans plus.

Retirée du catalogue canadien de Yamaha depuis plusieurs années par manque d'intérêt, la petite Virago 250 fut remise en service en 2003 par le constructeur, un fait surtout attribuable à la volonté de ne pas abandonner la petite et pourtant peu populaire catégorie des customs de très faible cylindrée aux autres manufacturiers. Exhibant fièrement l'écusson V-Star depuis, la petite custom Yamaha demeure par ailleurs identique au modèle inauguré en 1988. Offrant l'avantage d'être propulsée par un V-Twin, la V-Star 250 possède une authenticité tant visuelle que mécanique qui lui a toujours permis de se distinguer des modèles qui l'ont concurrencée au cours des années, soit les Honda Rebel 250 et Suzuki Marauder 250. Ses 21 chevaux lui permettent de suivre la circulation urbaine, voire s'aventurer occasionnellement sur l'autoroute sans problème. Du moins tant qu'on n'est pas pressé... Disons simplement qu'elle s'adresse strictement à une clientèle inexpérimentée et très patiente. Son comportement routier honnête est caractérisé par une grande maniabilité imputable surtout à son poids très peu élevé et à une hauteur de selle très faible. La position de conduite n'est toutefois ni naturelle ni au goût du jour, un fait dont est surtout responsable la hauteur importante du guidon ainsi que son étrange courbure et l'angle de ses poignées. Surtout utilisées par l'école de conduite, les motos de ce type sont relativement peu intéressantes sur la route. Elles peuvent servir durant la période d'apprentissage, mais rares sont les motocyclistes qui ne s'en lassent pas rapidement pour passer à quelque chose de plus sérieux.

GÉNÉRAL

Catégorie	Custom
Prix	5 499 $
Immatriculation 2011	377,55 $
Catégorisation SAAQ 2011	« régulière »
Évolution récente	introduite en 1988
Garantie	1 an/kilométrage illimité
Couleur(s)	noir
Concurrence	Hyosung Aquila 250, Suzuki TU 250

MOTEUR

Type	bicylindre 4-temps en V à 60 degrés, SACT, 2 soupapes par cylindre, refroidissement par air
Alimentation	1 carburateur à corps de 26 mm
Rapport volumétrique	10,0:1
Cylindrée	249 cc
Alésage et course	49 mm x 66 mm
Puissance	21 ch @ 8 000 tr/min
Couple	15,2 lb-pi @ 6 000 tr/min
Boîte de vitesses	5 rapports
Transmission finale	par chaîne

PARTIE CYCLE

Type de cadre	double berceau, en acier
Suspension avant	fourche conventionnelle de 33 mm non ajustable
Suspension arrière	2 amortisseurs ajustables en précharge
Freinage avant	1 disque de 282 mm de Ø avec étrier à 2 pistons
Freinage arrière	tambour mécanique
Pneus avant/arrière	3,00-18 & 130/90-15
Empattement	1 488 mm
Hauteur de selle	685 mm
Poids tous pleins faits	147 kg
Réservoir de carburant	9,5 litres

ÉTONNANT... // Dans le très particulier créneau des megascooters, le Majesty 400 propose un compromis fort intéressant. Profitant d'un moteur assez puissant pour laisser loin derrière les scooters de plus ou moins 250 cc et considérablement plus économique à l'achat que les plus gros modèles comme le Suzuki Burgman 650, il représente l'une des options les plus sensées dans cette classe de véhicules. Il est propulsé par un monocylindre injecté de 395 cc et bénéficie d'un châssis faisant appel à la technologie de coulage d'aluminium dont Yamaha a fait une spécialité.

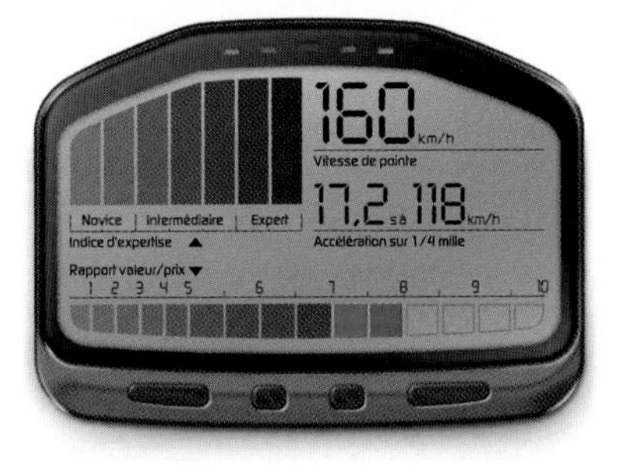

Le Majesty 400 fait partie des véhicules à deux roues les plus faciles à piloter qui soient. Il n'a aucun embrayage à manier ni aucune vitesse à changer. Son côté pratique est l'une de ses caractéristiques prédominantes, un fait facilement démontré par les multiples utilisations possibles du vaste coffre de 60 litres qui se cache sous la selle. Les 34 chevaux générés par le petit moteur sont appréciables, bien que la masse considérable de l'ensemble limite les performances à un niveau qu'on pourrait qualifier d'utile mais timide. L'accélération est amplement suffisante pour suivre une circulation pressée et à part une légère paresse à s'élancer à partir d'un arrêt complet, le monocylindre suffit toujours à la tâche. Plus à l'aise une fois en route, non seulement il passe le cap des 100 km/h sans peiner, mais il est aussi capable d'atteindre et maintenir plus de 140 km/h avec une étonnante facilité. À ces vitesses, l'un de ses plus grands atouts, outre la bonne stabilité, est l'impressionnante efficacité du carénage et du pare-brise ne générant presque aucune turbulence. En plus d'une position de conduite reposante et d'une bonne selle, on a droit à une grande latitude au niveau de la position des jambes. La seule ombre au tableau en termes de confort concerne les suspensions qui sont calibrées fermement, surtout à l'arrière.

Le Majesty est un scooter assez puissant pour affronter toutes les situations quotidiennes, étonnamment confortable sur de longues distances et suffisamment facile d'accès pour qu'à peu près n'importe qui puisse simplement l'enjamber et partir. Il est même assez pratique pour remplacer à l'occasion une voiture.

GÉNÉRAL

Catégorie	Scooter
Prix	8 499 $
Immatriculation 2011	377,55 $
Catégorisation SAAQ 2011	« régulière »
Évolution récente	introduit en 2005
Garantie	1 an/kilométrage illimité
Couleur(s)	gris
Concurrence	Suzuki Burgman 400

MOTEUR

Type	bicylindre 4-temps en V à 60 degrés, SACT, 2 soupapes par cylindre, refroidissement par air
Alimentation	injection à corps unique de 38 mm
Rapport volumétrique	10,6:1
Cylindrée	395 cc
Alésage et course	83 mm x 73 mm
Puissance	34 ch @ 7 250 tr/min
Couple	26,8 lb-pi @ 6 000 tr/min
Boîte de vitesses	automatique
Transmission finale	par courroie

PARTIE CYCLE

Type de cadre	tubulaire, en acier
Suspension avant	fourche conventionnelle de 41 mm non ajustable
Suspension arrière	2 amortisseurs non ajustables
Freinage avant	1 disque de 267 mm de Ø avec étrier à 2 pistons
Freinage arrière	1 disque de 267 mm de Ø avec étrier à 1 piston
Pneus avant/arrière	120/80-14 & 150/70-13
Empattement	1 565 mm
Hauteur de selle	760 mm
Poids tous pleins faits	212 kg
Réservoir de carburant	14 litres

❖ COLORADO NATIONAL MONUMENT

Étrangement, le site qui porte ce nom se trouve à quelques minutes seulement de la ville de Grand Junction, au Colorado. La route qui le sillonne n'a pour seul but que de permettre aux visiteurs d'avoir les meilleurs points de vue sur des paysages véritablement majestueux. Elle se tortille délicieusement à mesure qu'elle grimpe et descend, mais il ne s'agit pas d'un terrain de jeu isolé où l'on peut s'en donner à cœur joie, et ce, en raison du grand nombre de touristes. Cette région du Colorado, qui est d'ailleurs très riche en panoramas de ce type et qui vaut absolument le détour, fut choisie par Victory pour tenir le lancement de sa gamme 2011.

Photo : Bertrand Gahel

MINNESOTA
DMC 3299
DEALER

GATEWAY, COLODARO

Le trajet qui sépare le minuscule village de Gateway de la ville de Grand Junction ne devrait prendre qu'une heure à parcourir, mais il est impossible de ne pas constamment s'arrêter en chemin pour admirer les extraordinaires paysages. En fait, il n'est pas du tout rare de souhaiter être aux commandes d'une aventurière, juste pour aller voir ce qui se trouve au bout de chemins comme celui-ci. Quiconque souhaiterait découvrir le coin doit absolument savoir qu'un superbe complexe hôtelier, le Gateway Canyons, vient récemment d'être construit à Gateway, tout juste au bas de cette très particulière formation.

Photo : Bertrand Gahel

❖ LAC TAHOE, NEVADA

En parcourant certains coins de la région du Lac Tahoe, où Harley-Davidson a présenté sa gamme CVO 2011 à la presse, on jurerait rouler en Europe. En raison de son altitude de presque deux kilomètres au-dessus du niveau de la mer, la neige est encore abondante en plein été, et ce, même si la frontière de la Californie n'est qu'à une heure de route et qu'en descendant au niveau du désert, la température devient torride. Les Américains ont peut-être quelques défauts, mais une chose est sûre, ils savent tirer avantage des panoramas que traversent leurs routes, puisque celles-ci ne manquent jamais d'endroits où l'on peut s'arrêter pour respirer un peu cette grandiose nature.

Photo : Brian J. Nelson

❯ CALIFORNIA STATE ROUTE 1

Lorsque l'auteur du Guide apprit que la flotte de motos utilisées par Harley-Davidson pour la présentation officielle de la gamme régulière des modèles 2011 partait de Portland, en Oregon, où il avait assisté au lancement, pour retourner à Los Angeles, il pointa du doigt une belle Electra Glide Ultra Limited toute neuve et offrit de la ramener lui-même, par la route. Malgré un peu de jalousie et avec la forte envie de le suivre, les gens du constructeur approuvèrent l'idée et lui accordèrent cinq journées pleines pour effectuer le trajet. Ce dernier fut fort simple, puisque Gahel se dirigea vers la côte du Pacifique, puis longea la légendaire Highway 1 jusqu'au bas de la Californie, en s'arrêtant probablement toutes les 5 minutes. Il s'agit d'une route mythique que tout motocycliste devrait absolument expérimenter.
Photo : Bertrand Gahel

❯ TONTO NATIONAL FOREST

L'auteur a beau être beaucoup plus à l'aise sur l'asphalte que dans la poussière, il ne manque jamais une occasion de rouler hors-route. L'une de ces occasions se présenta lors du lancement de la Tiger 800XC, puisque l'itinéraire prévu traversait la Tonto Natural Forest, en Arizona, un parc national d'une beauté éblouissante s'étalant sur trois millions d'acres. Une monture de type aventurière est la machine parfaite pour un tel environnement, puisqu'elle permet de s'approcher de ces fantastiques formations rocheuses, puis de quitter la route pour s'aventurer sur les chemins non pavés qui les traversent. Les paysages que ces derniers révèlent sont simplement féeriques. Photo : Brian J. Nelson.

❖ *TONTO NATIONAL FOREST*

Photo: Brian J. Nelson

❯ TONTO NATIONAL FOREST

Photo : Bertrand Gahel

❯ NEVADA, USA

Les constructeurs tiennent souvent leurs présentations de nouveaux modèles dans l'ouest des États-Unis parce que c'est pratique pour eux qui sont presque tous basés en Californie. La température décente des mois hivernaux joue évidemment un rôle important dans cette décision. Pour nos yeux habitués à la verdure de l'est du continent, l'Ouest américain propose un dépaysement garanti et offre des panoramas que nous percevons comme s'il s'agissait d'une vue lunaire. Ça n'est pas la porte d'à côté et s'y rendre à moto représente un voyage important pour le motocycliste moyen, mais celui-ci devrait tout faire pour en vivre l'expérience, peu importe que ce soit de rouler jusqu'à là, de louer une moto sur place ou même d'avoir recours aux services d'une agence de voyages comme Traditours qui organise justement des circuits dans cette partie du continent.
Photo : Kinney Jones

NEVADA, USA

Photo : Kinney Jones

❯ SAN FRANCISCO, CALIFORNIE

Pour lancer sa nouvelle Ninja 1000 dans des conditions idéales, Kawasaki retourna sans hésiter dans la région de San Francisco, où il a présenté de nombreux modèles à la presse auparavant. Même s'il s'agit d'une destination où *Le Guide de la Moto* se rend régulièrement pour ce type d'événement, jamais la côte, les collines qui la flanquent ou les routes tortueuses qui traversent ces dernières ne deviennent le moindrement redondantes. Un autre de ces endroits garantissant de beaux moments de motos aux chanceux qui s'y rendent.
Photo : Adam Campbell

❯ GUNSKIRCHEN, AUTRICHE

C'est beau, les États-Unis, mais l'Europe, c'est autre chose, surtout à moto. En fait, « moto » n'est peut-être pas le terme exact dans ce cas, puisque l'occasion pour laquelle Le Guide s'est rendu dans ce magnifique pays était un événement organisé par BRP afin de réunir les propriétaires européens de Spyder. Comme la poignée de médias invités le fut surtout pour assister au rassemblement, seule une courte randonnée fut possible, dans notre cas aux commandes d'un modèle RT. Non, ça ne penche pas, mais ça avance, ça grimpe les routes de montagnes et ça permet de vivre certaines des sensations ressenties sur une moto. Comme celle d'arriver juste à l'endroit où la vue est absolument éblouissante.
Photo : Bertrand Gahel

❯ *SIERRA NATIONAL FOREST, CALIFORNIE*

Rouler à moto en Californie est déjà un privilège, mais le faire dans des endroits comme la Sierra National Forest est un véritable cadeau, surtout lorsqu'on se trouve aux commandes d'une monture capable de s'aventurer en-dehors des sentiers battus, ce qui décrit exactement la R1200GS révisée que BMW a présentée à cet endroit. L'itinéraire prévu par le constructeur fut spectaculaire et ne ménagea pas du tout les GS, qu'il avait équipées de pneus à crampons pour l'occasion, puisque les pneus d'origine ne sont pas conçus pour de telles conditions. Encore une fois, la grosse GS a fait la démonstration de sa plus belle qualité, soit celle de s'adapter à l'environnement comme un véritable caméléon. Nous sommes en effet passés de routes sinueuses à d'étroits chemins non pavés gravés dans les collines et à d'abrupts sentiers montagneux sans que l'aventurière allemande semble hors de son élément.
Photo : J.Beck

› *YOSEMITE NATIONAL PARK, CALIFORNIE*

Vous roulez au milieu de collines californiennes, heureux de profiter d'un si beau revêtement et de routes si peu rectilignes, puis, soudainement, se dressent devant vous des dômes de granite presque surnaturels desquels tombent des chutes d'eau vertigineuses. Vous êtes devant l'une des scènes les plus courues des États-Unis : le Yosemite National Park. Le lancement de la BMW R1200GS comptait sur un passage dans ce parc pour éblouir la presse invitée, mais le personnel de BMW n'aurait certainement jamais imaginé qu'une lourde averse de pluie allait venir complètement chambarder leurs plans lorsqu'elle se transforma en épaisse neige... Le résultat à la page suivante.
Photo : Kevin Wing

BMW
AUTHORIZED
PERSONNEL ONLY
KEEP OFF THE
BIKES

INDEX DES CONCESSIONNAIRES

L'index des concessionnaires du Guide de la Moto est un service payant. Seuls les concessionnaires et les manufacturiers participants y figurent.

ABITIBI-TÉMISCAMINGUE

CENTRE A.T.C.
16, rue St-André, Ville-Marie
819 629-3367
www.centreatc.com

A.B. SPORT
840, 10e rue, Senneterre
819 737-2373

BIBEAU MOTO SPORT
1 704, chemin Sullivan, Val-d'Or
819 824-2541

ÉQUIPEMENT R.S. LACROIX
552, rue Principale Sud, Amos
819 732-2177

BLAIS RÉCRÉATIF
280, rue Larivière, Rouyn-Noranda
819 797-1232

MOTO SPORT LA SARRE
427, 2e rue Est, La Sarre
819 333-2249
www.motosportlasarre.com

BAS ST-LAURENT

CENTRE HONDA DEGIRO
496, avenue St-David, Montmagny
418 248-2133
www.degiro.com

JEAN MORNEAU
91, boul. Cartier, Rivière-du-Loup
418 862-4357
www.jeanmorneau.com

JEAN MORNEAU
735, rue Taché, St-Pascal (Kamouraska)
418 492-3632
www.jeanmorneau.com

MINI-MÉCANIK
178, rue Léonidas, Rimouski
418 723-5132
www.minimecanik.com

CHAUDIÈRE-APPALACHES

CENTRE THETFORD HONDA
2319, boul. Frontenac Est,
Thetford Mines
418 338-3558
www.moto.thetfordhonda.com

J.M. JACQUES SPORT
1314, route 277, Lac-Etchemin
418 625-2081
www.jmjacquessport.com

PRESTIGE MOTO SPORT
15655, boul. Lacroix, St-Georges
418 228-6619
www.prestigemotosport.com

BEAUCE SPORTS
610, boul. Vachon Sud, Ste-Marie
418 387-6655
www.beaucesports.com

GARAGE RÉJEAN ROY
2760, rue Laval, Lac-Mégantic-Nantes
819 583-5266
www.garagejeanroy.com

LES P'TITS MOTEURS
359, route Laurier, Ste-Croix
418 926-3960

CÔTE NORD

BENOIT VIGNEAULT
1280, rue de la Digue, Havre-St-Pierre
418 538-2313
www.benoitvigneault.com

CAMIL MOTO SPORT
189, route 138, Forestville
418 587-4566
www.hamiltonbourassa.com

CENTRE HONDA DE CHARLEVOIX
2060, boul. de Comporté, La Malbaie
418 665-6431
www.lecentrehondacharlevoix.com

HAMILTON BOURASSA
305, boul. Lasalle, Baie-Comeau
418 296-9191
www.hamiltonbourassa.com

ESTRIE

CENTRE MAGOG HONDA
2400, rue Sherbrooke, Magog
819 843-0099
www.magoghonda.com

ATELIER MOTOSPORT BEULLAC
1150, chemin Knowlton, West Brome
450 263-6902
www.ateliermotosport.com

LES ENTREPRISES DENIS BOISVERT
2, rue Queen, Sherbrooke
819 565-1376
www.amidenis.com

GASPÉSIE

AMABLE CARON ET FILS (MATANE)
475, rue Phare Est, Matane
418 562-1108

ANDRÉ HALLÉ & FILS
121, boul. St-Benoit, Amqui (Matapédia)
418 629-4111
www.andrehalle.com

SPORT B.G.
148, boul. Perron Est, New-Richmond
418 392-5017
www.sportsbg.com

JAMES LÉVESQUE & FILS
383, route 132, Chandler
418 689-2624

LES ÉQUIPEMENTS MOTORISÉS DE RIVIÈRE-AU-RENARD
110, montée Morris, Rivière-au-Renard (Gaspé)
418 269-3366

LANAUDIÈRE

PINARD AUTO
1193, route 125, Ste-Julienne
450 831-2212
www.pinardmoto.com

J. SICARD SPORT
811, boul. St-Laurent Est,
Louiseville (Maskinongé)
819 228-5803
www.jsicardsport.ca

JOBIDON MARINE SPORTS ST-GABRIEL/J.M.S.
85, rue Cohen, St-Gabriel-de-Brandon
450 835-3407

LOCATION DE MOTONEIGES HAUTE-MATAWINIE
190, rue Brassard, St-Michel-des-Saints
450 833-1355
www.locationhautematawinie.com

MOTO DUCHARME
761, chemin des Prairies, Joliette
450 755-4444
www.motoducharme.com

LAURENTIDES

GOULET MOTO SPORT ST-JÉROME
55, rue Mathilde, St-Jérôme
450 431-6622
www.gouletmoto.com

CENTRE SPORT MOTORISÉ HONDA
1301-B, boul. Albiny-Paquette,
Mont-Laurier
819 623-3252

MOTOROUTE DES LAURENTIDES
444, rue St-Jovite, Mont-Tremblant
819 429-6686

CENTRE DE DISTRIBUTION ROBIDOUX
677, rue l'Annonciation Nord, Rivière-Rouge
819 275-2273

MAURICIE

GARAGE G. CHAMPAGNE
83, rue Principale, Lac-aux-Sables (Portneuf)
418 336-2920
www.gastonchampagne.com

MOTO THIBAULT MAURICIE
205, rue Dessureault, Cap-de-la-Madeleine
819 375-2727
www.motosthibault.ca

NAUTICO LA TUQUE
1041, rue des Érables, La Tuque
819 523-7092
www.nautico.ca

MONTÉRÉGIE

CENTRE CHAMBLY HONDA
840, boul. Périgny, Chambly
450 658-2453
www.centrechamblyhonda.com

MOTO CENTRE ST-HYACINTHE
625, boul. Laurier, Ste-Madeleine
450 774-3133
www.moto-centre.com

LALIBERTÉ MOTO SPORT
1162, route 116, Acton Vale
450 549-4717
www.lalibertemoto.ca

INDEX DES CONCESSIONNAIRES **HONDA**

www.honda.ca

MONTÉRÉGIE

MARINA TRACY SPORTS
3890, chemin St-Roch, Tracy
450 742-1910
www.marina-tracy.com

NOUVEAU QUÉBEC

LA FÉD. DES COOP. DU NOUVEAU-QUÉBEC
19950, avenue Clark-Graham, Baie-D'Urfé
514 457-9371

OUTAOUAIS

LES SPORTS DAULT ET FRÈRES
383, boul. Desjardins, Maniwaki
819 449-1001
www.sportsdault.qc.ca

MOTO GATINEAU
656, boul. Maloney Est, Gatineau
819 663-6162
www.motogatineau.com

RÉGION DE MONTRÉAL

CENTRE HONDA
CENTRE HAMEL HONDA
332, rue Dubois, voie 640
St-Eustache
450 491-0440
www.centrehamelhonda.com

CENTRE HONDA
CENTRE EXCEL HONDA MOTO
5480, rue Paré, Ville Mont-Royal
514 342-6360
www.excelhondamoto.ca

ACTION MOTOSPORT
124, rue Joseph-Carrier, Vaudreuil-Dorion
450 510-5100
www.actionmotosport.com

ALEX BERTHIAUME & FILS
4398, rue De La Roche, Montréal
514 521-0230
www.alexberthiaume.com

MOTO REPENTIGNY
101, rue Grenier, Charlemagne
450 585-5224
www.motorepentigny.ca

NADON SPORT
280, avenue Béthany, Lachute
450 562-2272
www.nadonsportlachute.com

RÉGION DE QUÉBEC

CENTRE HONDA
CENTRE LAVERTU HONDA
4, avenue St-Augustin, Breakeyville
418 832-6143
www.lavertuequipement.com

CENTRE HONDA
CENTRE HONDA DE AUTO FRANK ET MICHEL
5788, boul. Ste-Anne, Boischatel
418 822-2252
www.lecentrehonda.com

CENTRE HONDA
CENTRE HONDA MOTO RIVE-SUD
628-1, route Kennedy, Pintendre
418 837-7170
www.motorivesud.com

DION MOTO
840, côte Joyeuse, St-Raymond
418 337-2776
www.dionmoto.com

RIVE-SUD

PRIDEX SPORTS
239, boul. St-Jean-Baptiste, Mercier
450 691-2931
www.hondago.ca

CLAUDE STE-MARIE SPORT
5925, chemin Chambly, St-Hubert
450 678-4700
www.stemariesport.com

SAGUENAY/LAC ST-JEAN

CAMIL MOTO SPORT
336, route 172, Sacré-Coeur, Saguenay
418 236-4564
www.hamiltonbourassa.com

DANY GIRARD
1101, rue Pelletier, Roberval
418 275-0996

JOS BESSON
66, rue Dequen, Mistassini
418 276-2883

LES ENTREPRISES GERMAIN DALLAIRE
560, rue Melançon, St-Bruno, Lac St-Jean
418 343-3758
www.dallairest-bruno.com

SPORTS PLEIN AIR CHIBOUGAMAU
870, 3e rue, Chibougamau
418 748-3134

VILLENEUVE ÉQUIPEMENT
1178, boul. Ste-Geneviève, Chicoutimi-Nord
418 543-3600
www.equipementsvilleneuve.com

INDEX DES CONCESSIONNAIRES **HARLEY-DAVIDSON**MD

www.harleycanada.com

ATELIER DE MÉCANIQUE PRÉMONT
2495, boul. Wilfrid-Hamel Ouest, Québec
418 683-1340
www.premont-harley.com

BÉCANCOUR HARLEY-DAVIDSONMD
4350, rue Arsenault, Bécancour
819 233-3303
www.harley-blanchette.com

CARRIER HARLEY-DAVIDSONMD
888, route 116 Ouest, Acton Vale
450 549-4341
www.boileauharley.ca

CARRIER HARLEY-DAVIDSONMD DRUMMONDVILLE
176, boul. Industriel, Drummondville
819 395-2464

HARLEY-DAVIDSONMD/BUELLMC LAVAL
4501 autoroute 440 Ouest, Laval
450 973-4501
www.harleylaval.net

HARLEY-DAVIDSONMD CÔTE-NORD
305, boul. Lasalle, Baie Comeau
418 296-9191
www.hamiltonbourassa.com

HARLEY-DAVIDSONMD DE L'OUTAOUAIS
22, boul. Mont-Bleu, Gatineau
819 772-8008
www.hdoutaouais.ca

HARLEY-DAVIDSONMD MONTRÉAL
6695, rue St-Jacques Ouest, Montréal
514 483-6686
www.harleydavidsonmontreal.com

HARLEY-DAVIDSONMD RIMOUSKI
424, Montée Industrielle, Rimouski
418 724-0883

LEO HARLEY-DAVIDSONMD
8705, boul. Taschereau, Brossard
450 443-4488
www.leoharleydavidson.com

MOTO SPORT BIBEAU
1704, chemin Sullivan, Val d'Or
819 824-2541

MOTOSPORTS G.P.
12, boul. Arthabasca, Victoriaville
819 758-8830
www.motosportsgp.com

PRÉMONT BEAUCE HARLEY-DAVIDSONMD
3050, route Kennedy, Notre-Dame-des-Pins
418 774-2453

R.P.M. MOTO PLUS
2510, rue Dubose, Saguenay
418 699-7766

SHAWINIGAN HARLEY-DAVIDSONMD
6033, boul. des Hêtres, Shawinigan
819 539-1450
www.shawiniganharleydavidson.com

SHERBROOKE HARLEY-DAVIDSONMD
4203 King Ouest, Sherbrooke
819 563-0707
www.sherbrookeharley.com

SPORT BOUTIN
2000, boul. Hébert, Valleyfield
450 373-6565
www.sportboutin.com

VISION HARLEY-DAVIDSONMD
515, rue Leclerc, local 104, Repentigny
450 582-2442
www.visionharley.com

VISION HARLEY-DAVIDSONMD LAURENTIDES
131, chemin du lac Millette, suite 102
Saint-Sauveur
450 227-4888
www.visionharley.com

ANDRÉ JOYAL MOTONEIGE
438, rang Thiersant, St-Aimé Massueville
450 788-2289
www.andrejoyal.com

AS MOTO INC.
8940, boul. Ste-Anne, Château-Richer
418 824-5585
www.asmoto.com

ATELIER CSP
505, 2e Rue Est, Rimouski
418 725-4843
www.ateliercsp.com

ATELIER DE RÉPARATION LAFORGE
1167, boul. Laure, Sept-Îles
418 962-6051
www.atelierlaforge.com

BEAUCE SPORT
610, boul. Vachon Sud, Ste-Marie-de-Beauce
418 387-6655
www.beaucesports.com

CENTRE DU SPORT LAC ST JEAN
2500, avenue du Pont Sud, Alma
418 662-6140
www.lecentredusportlacstjean.com

CENTRE MOTO FOLIE
7777, Métropolitain Est, Montréal
514 493-1956

CENTRE SPORT ST-FÉLICIEN
850, boul. Sacré-Coeur, St-Félicien
418 679-3000
www.centredusportlacstjean.com

CLÉMENT MOTOS
630, Grande Carrière, Louiseville
819 228-5267
www.clementmoto.com

DENIS GÉLINAS MOTOS
1430, boul. Ducharme, La Tuque
819 523-8881

DESHAIE'S MOTOSPORT
8568, boul. St-Michel, Montréal
514 593-1950
www.deshaiesmotosport.com

DUFOUR ADRÉNALINE
967, boul. Monseigneur-de-Laval, Baie-St-Paul
418 240-6357

ÉQUIPEMENT DE FERME VILLE MARIE
1132 Route 101 Nord, Duhamel-Ouest
819 629-2393

ÉQUIPEMENTS MOTORISÉS LES CHUTES
975, 5e avenue, Shawinigan Sud
819 537-5136
www.equipementsleschutes.com

ÉQUIPEMENT R.S. LACROIX
552, Principale Sud, Amos
819 732-2177

GAUTHIER MARINE
1 095, rue L'escale, Val-d'Or
819 825-5955

GÉNÉRATION SPORT
945, chemin Rhéaume,
St-Michel-de-Napierville
450 454-9711
www.generation-sport.ca

JAC MOTOS SPORT
855, des Laurentides, St-Antoine
450 431-1911
www.jacmotosport.com

LAVAL MOTO
315, boul. Cartier, Laval
450 662-1919
www.lavalmoto.com

LEHOUX SPORT
1407, Route 277, Lac Etchemin
418 625-3081
www.lehouxsport.com

LOCATION BLAIS INC.
280, avenue Larivière, Rouyn-Noranda
819 797-9292
www.locationblais.com

MATANE MOTOSPORT
1455 Du Phare Ouest, Matane
418 562-3322
www.matanemotosport.ca

MOTO DUCHARME
761, chemin des Prairies, Joliette
450 755-4444
www.motoducharme.com

MOTO EXPERT BAIE COMEAU
1884, Laflèche, Baie Comeau
418 295-3030

MOTO EXPERT STE-ROSALIE
6500, boul. Laurier Est, Sainte-Rosalie
450 799-3000

MOTO FALARDEAU
1670, boul. Paquette, Mont-Laurier
819 440-4500
www.motofalardeau.com

MOTO MAG
2, du Pont, Chicoutimi
418 543-3750

MOTO PERFORMANCE 2000 INC.
1500, Forand, Plessisville
819 362-8505
www.motoperformance2000.com

MOTOPRO GRANBY
564, Dufferin, Granby
450 375-1188
www.motoprogranby.net

MOTOS ILLIMITÉES
3250, des Entreprises, Terrebonne
450 477-4000
www.motosillimitees.com

MOTOSPORT NEWMAN
7308, boul. Newman, LaSalle
514 366-4863
www.motosportnewman.com

MOTOSPORT NEWMAN PIERREFOND
14 400, boul. Pierrefonds, Pierrefonds
514 626-1919
www.motosportnewman.com

MOTOSPORT NEWMAN RIVE-SUD
3259, boul. Taschereau, Greenfield Park
450 656-5006
www.motosportnewman.com

MOTO VANIER QUÉBEC
776, boul. Wilfrid-Hamel, Québec
418 527-6907
www.motovanier.com

NADON SPORT
280, Béthanie, Lachute
450 562-2272
www.nadonsportlachute.com

NADON SPORT
62, St-Louis, St-Eustache
450 473-2381
www.nadonsport.com

NAPA PIÈCES D'AUTO
147, rue St-Benoit Est, Amqui
418 629-4679

PELLETIER MOTOSPORT
356, rue Temiscouata, Rivière-du-Loup
418 867-4611

PRESTIGE MOTOSPORT
15 655, boul. Lacroix, St-Georges
418 228-6619
www.prestigemotosport.com

R-100 SPORTS
512, chemin Chapleau, Bois-des-Filions
450 621-7100
www.r-100sport.com

ROCK MOTO SPORT
989, rue Fortier Sud, Sherbrooke
819 564-8008
www.rockmotosport.com

ROGER A. PELLETIER
6, rue des Érables, Cabano
418 854-2680
www.fautvoirpelletier.ca

R.P.M. RIVE-SUD
226, chemin des Îles, Lévis
418 835-1624
www.rpmrivesud.com

SPORT COLLETTE RIVE-SUD INC.
1233, rue Armand-Frappier, Ste-Julie
450 649-0066
www.sportcollette.com

SPORT PLUS ST-CASMIR
480, Notre-Dame, St-Casimir
418 339-3069
www.sportsplusst-casimir.com

ST-JEAN MOTO
8, route 144, St-Jean-sur-Richelieu
450 347-5999
www.stjeanmoto.ca

TECH MINI-MÉCANIQUE
196, chemin Haut-de-la-Rivière, St-Pacôme
418 852-2922

TRUDEL PERFORMANCE 3-RIVIÈRES
1908, rue St-Phillip, Trois-Rivières
819 376-7436

ACTION MOTOSPORT
124, Joseph-Cartier, Vaudreuil
450 510-5100

CLAUDE STE-MARIE SPORTS
5925, chemin Chambly, St-Hubert
450 678-4700

CLÉMENT MOTOS
630, Grande Carrière, Louiseville
819 228-5267

DION MOTO
840, Côte Joyeuse, St-Raymond (Portneuf)
418 337-2776
www.dionmoto.com

ÉQUIPEMENTS F.L.M.
1 346, boul. St-Antoine, (St-Antoine) St-Jérome
450 436-8838

GAÉTAN MOTO
1 601, boul. Henri-Bourassa, Québec
418 648-0621
www.gaetanmoto.com

GARAGE J-M VILLENEUVE
206, boul. St-Benoit Est, Amqui
418 629-1500

GERMAIN BOUCHER SPORTS
980, boul. Iberville, Iberville
450 347-3457

GRÉGOIRE SPORT
1 291 A, Route 343, St-Ambroise
450 752-2442

HARRICANA AVENTURES
211, Principale Sud, Amos
819 732-4677

MARTIAL GAUTHIER LOISIRS
1 015, boul. Ste-Geneviève, Chicoutimi
418 543-6537
www.martialgauthier.com

M. BROUSSEAU & FILS
163, Principale, Ste-Justine
418 383-3212
www.mbrousseau.com

MINI MOTEUR RG
1012, Bergeron, St-Agapit
418 888-3692
www.minimoteursrg.com

MONT-LAURIER SPORTS
224, boul. des Ruisseaux, Mont-Laurier
819 623-4777

MOTO GATINEAU
666, boul. Maloney, Gatineau
819 663-6162

MOTO JMF
842, boul. Frontenac Ouest, Thetford Mines
418 335-6226
www.motojmf.com

MOTO REPENTIGNY
101, rue Grenier, Charlemagne
450 585-5224

MOTOS ILLIMITÉES
3 250, boul de L'Entreprise, Terrebonne
450 477-4000

MOTO THIBAULT MAURICIE
205, Dessurault, Trois-Rivières
819 375-2727

MOTOS THIBAULT SHERBROOKE
3750, du Blanc-Côteau, Sherbrooke
819 569-1155
www.motosthibault.com

PERFORMANCE GP MONTMAGNY
230, chemin des Poiriers, Montmagny
418 248-9555
www.performancegp.com

PICOTTE MOTOSPORT
1257, rue Principale, Granby
450 777-5486
www.picottemotosport.com

PRESTIGE MOTOSPORT
15 655, boul. Lacroix Est, St-Georges (Beauce)
418 228-6619
www.prestigemotosport.com

PRO-PERFORMANCE GPL
5 750, boul. Ste-Anne, Boischatel
418 822-3838
www.properformance.ca

PULSION SUZUKI
150 D, Route 122, (St-Germain) Drummondville
819 395-4040
www.pulsionsuzuki.com

RMB RÉCRÉATIF
458, rue Vanier, Aylmer
819 682-6686

RM MOTOSPORT
22, boul. Arthabasca (Route 116), Victoriaville
819 752-6427
www.rmmotosport.com

ROLAND SPENCE & FILS
4 364, boul. du Royaume, Jonquière
418 542-4456

RPM RIVE-SUD
226, chemin des Îles, Lévis
418 835-1624
www.rpmrive-sud.com

SM SPORT
11 337, boul. Valcartier, (Loretteville) Québec
418 842-2703
www.smsport.ca

SPORT BELLEVUE
1 395, Sacré-Coeur, St-Félicien
418 679-1005

SPORT D.R.C. (1991)
3 055, avenue du Pont, Alma
418 668-7389

SPORT PATOINE
1431, Route Kennedy, Scott
418 387-5574
www.sportspatoine.com

SUPER MOTO DESCHAILLONS
1 101, Marie-Victorin, Deschaillons
819 292-3438

SUZUKI AUTO & MOTO RC
688, boul. du Rivage, Rimouski
418 723-2233
www.suzukiautorc.com

www.yamaha-motor.ca

ABITIBI-TÉMISCAMINGUE

DIMENSION SPORT
208, route 393 Sud, La Sarre
819 333-3030
www.dimensionsport.com

HARRICANA AVENTURES
211, rue Principale Sud, Amos
819 732-4677
www.harricanaaventures.com

HARRICANA AVENTURES VAL-D'OR
1601, 3e avenue, Val-d'Or
819 874-2233
www.harricanaaventures.com

MOTO SPORT DU CUIVRE
175, boul. Évain Est, Évain (via Rouyn)
819 768-5611
www.motosportducuivre.com

SCIE ET MARINE FERRON
7, rue Principale Nord, Béarn
819 726-3231
www.scieetmarineferron.com

BAS ST-LAURENT

GARAGE GHISLAIN ST-PIERRE
1207 Route 185 Sud, Dégelis
418 853-2310

LIONEL CHAREST & FILS
472, rue Principale, Pohénégamook
418 893-5334
www.lcharest.com

PELLETIER MOTO SPORT
356, rue Témiscouata, Rivière-du-Loup
418 867-4611

P. LABONTÉ ET FILS
1255, rue Industrielle, Mont-Joli
418 775-5877
www.plabonte.com

CENTRE DU QUÉBEC

EUGÈNE FORTIER & FILS
100, boul. Baril, Princeville
819 364-5339
www.eugenefortier.com

LE DOCTEUR DE LA MOTO
4919, rang St-Joseph, Ste-Perpétue
819 336-6307
www.docteurdelamoto.qc.ca

SPORT 100 LIMITES
825, rue St-Joseph, Drummondville
819 445-6686

CHAUDIÈRE-APPALACHES

MINI MOTEURS R.G.
1012, avenue Bergeron, St-Agapit
418 888-3692

MOTO JMF
842, boul. Frontenac Ouest, Thetford Mines
418 335-6226
www.motojmf.com

MOTO PRO
6685, 127e rue, St-Georges-Est (Beauce)
418 228-7574
www.equipemotopro.com

N.D.B. SPORT
309, rue St-Louis, Warwick
819-358-2275
www.ndbsports.com

PERFORMANCE G.P. MONTMAGNY
230, chemin des Poirier, Montmagny
418 248-9555
www.promoto.qc.ca

SPORT TARDIF
428, rue Principale, Vallée-Jonction
418 253-6164
www.sporttardif.com

CÔTE NORD

BAIE-COMEAU MOTORSPORTS
2633, boul. La Flèche, Baie-Comeau
418 589-2012

XTREM MOTOSPORTS
487, avenue du Québec, Sept-Iles
418 961-2111

ESTRIE

GAGNÉ-LESSARD SPORTS
16, route 147, Coaticook
819 849-4849
www.gagnelessard.com

GARAGE RÉJEAN ROY
2760, rue Laval, Lac Mégantic
819 583-5266
www.garagerejeanroy.com

MOTOPRO GRANBY
564, rue Dufferin, Granby
450 375-1188
www.motoprogranby.net

MOTOS THIBAULT SHERBROOKE
3750, Du Blanc-Coteau, Sherbrooke
819 569-1155
www.motosthibault.com

PICOTTE MOTOSPORT
1257, rue Principale, Granby
450 777-5486
www.picottemotosport.com

GASPÉSIE

ABEL-DENIS HUARD MARINE ET MOTO
12, route Leblanc, Pabos
418 689-6283
www.abeldenishuard.com

AVENTURES SPORT MAX
161, Perron Ouest, Caplan
418 388-2231
www.sportsmax.ca

AVENTURES SPORT MAX
141, boul. Interprovincial, Pointe-à-la-Croix
418 788-5666
www.sportsmax.ca

BOUTIQUE DE LA MOTO (MATANE)
1416, avenue du Phare Ouest, Matane
418 562-5528
www.boutiquedelamoto.com

GARAGE LÉON COULOMBE ET FILS
40, rue Prudent-Cloutier, Mont-St-Pierre
418 797-2103

MINI MÉCANIQUE GASPÉ
5, rue des Lilas (Parc Industriel), Gaspé
418 368-5733
www.minimecaniquegaspe.com

LANAUDIÈRE

GRÉGOIRE SPORT
1291, route 343, St-Ambroise-de-Kildaire
(comté Joliette)
450 752-2442
www.gregoiresport.com

GRÉGOIRE SPORT
2061, boul. Barrette (route 131),
Notre-Dame-de-Lourdes
450 752-2201
www.gregoiresport.com

MOTOS ILLIMITÉES
3250, boul. des Entreprises, Terrebonne
450 477-4000
www.motosillimitees.com

LAURENTIDES

CENTRE DU SPORT ALARY
1324, route 158 (boul. St-Antoine), St-Jérôme
450 436-2242
www.sportalary.com

DESJARDINS STE-ADÈLE MARINE
1961, boul. Ste-Adèle, Ste-Adèle
450 229-2946
www.desjardinsmarine.com

GÉRALD COLLIN SPORTS
1664, route 335, St-Lin-des-Laurentides
450 439-2769
www.geraldcollinsport.com

MONT-LAURIER SPORTS
224, boul. des Ruisseaux, Mont-Laurier
819 623-4777
www.mont-laurier-sports.com

NADON SPORT LACHUTE
280, avenue Béthany, Lachute
450 562-2272
www.nadonsportlachute.com

XTREME MILLER SPORT
175 Route 117, Mont-Tremblant
819 681-6686
www.xtrememillersport.com

MAURICIE

DENIS GÉLINAS MOTOS
1430, boul. Ducharme, La Tuque
819 523-8881

J. SICARD SPORT
811, boul. St-Laurent Est, Louiseville
819 228-5803
www.jsicardsport.com

MOTOS THIBAULT MAURICIE
205, rue Dessureault, Trois-Rivières
819 375-2222
www.motosthibault.ca

PRO SPORTS MAURICIE
645, route 153, St-Tite
418 365-3223

SPORTS PLUS ST-CASIMIR
480, rue Notre-Dame, St-Casimir
418 339-3069
www.sportsplusst-casimir.com

MONTÉRÉGIE

JASMIN PÉLOQUIN SPORTS
1210, boul. Fiset, Sorel-Tracy
450 742-7173
www.jasminpeloquinsport.com

MOTO EXPERT
6500, boul. Laurier Est, St-Hyacinthe
450 799-3000
www.moto-expert.ca

MOTO R.L. LAPIERRE
1307, rue St-Édouard, St-Jude
450 792-2366
www.motorl.com

MOTO SPORT NEWMAN RIVE-SUD
3259, boul. Taschereau, Greenfield Park
450 656-5006
www.motosportnewman.com

SÉGUIN SPORT
5, rue St-Jean-Baptiste Est, Rigaud
450 451-5745
www.seguinsport.ca

www.yamaha-motor.ca

SPORT COLLETTE RIVE-SUD
1233, boul. Armand-Frappier, Ste-Julie
450 649-0066
www.sportcollette.com

MONTÉRÉGIE

SUPER MOTO ST-HILAIRE
581, boul. Laurier, St-Hilaire
450 467-1521
www.super-moto.ca

VARIN YAMAHA
245, rue St-Jacques, Napierville
450 245-3663

OUTAOUAIS

CHARTRAND YAMAHA
1087, chemin de Montréal, Gatineau
819 986-3595
www.chartrandyamaha.com

EARL LÉPINE GARAGE
1235, Chapeau Waltham Road, Chapeau
819 689-2972

LES SPORTS DAULT ET FRÈRES
383, boul. Desjardins, Maniwaki
819 449-1001
www.sportsdault.qc.ca

MOTO GATINEAU
656, boul. Maloney Est, Gatineau
819 663-6162
www.motogatineau.com

RÉCRÉATIF RMB
458, rue Vanier, Gatineau
819 682-6686
www.rmbmoto.com

RÉGION DE MONTRÉAL

ALEX BERTHIAUME & FILS
4398, rue De la Roche, Montréal
514 521-0230
www.alexberthiaume.com

CENTRE MOTO FOLIE
7777, boul. Métropolitain Est, Montréal
514 352-9999

DESHAIES MOTOS
8568, boul. St-Michel, Montréal
514 593-1950
www.deshaiesmotosport.com

MOTOSPORT NEWMAN LASALLE
7308, boul. Newman, LaSalle
514 366-4863
www.motosportnewman.com

MOTOSPORT NEWMAN PIERREFONDS
1440, boul. Pierrefonds, Pierrefonds
514 626-1919
www.motosportnewman.com

NADON SPORT ST-EUSTACHE
62, rue St-Louis, St-Eustache
450 473-2381
www.nadonsport.com

RÉGION DE QUÉBEC

G.L. SPORT
94, rue Principale
Saint-Gervais-de-Bellechasse
418 887-3691

PERFORMANCE VOYER
125, Grande Ligne, St-Raymond-de-Portneuf
418 337-8744
www.performancevoyer.com

PRO-PERFORMANCE
5750, boul. Ste-Anne, Boischatel
418 822-3838
www.properformance.ca

RPM RIVE-SUD
226, chemin des Îles, Lévis
418 835-1624
www.rpmrivesud.com

S.M. SPORT
113, boul. Valcartier, Loretteville
418 842-2703
www.smsport.ca

SAGUENAY/LAC ST-JEAN

CENTRE DU SPORT LAC ST-JEAN
1454, rue Principale, Chambord (Lac St-Jean)
418 342-6202
www.centredusportlacstjean.com

CENTRE DU SPORT LAC ST-JEAN
2500, ave. du Pont Sud, Alma
418 662-6140
www.centredusportlacstjean.com

CENTRE DU SPORT LAC ST-JEAN
850, boul. Sacré-Coeur, St-Félicien
418 679-3000
www.centredusportlacstjean.com

ÉVASION SPORT D.R.
2639, route 170, Laterrière
418 678-2481
www.evasion-sport.com

GAUDREAULT YAMAHA
2872, boul. Wallberg, Dolbeau-Mistassini
418 276-2393

MARTIAL GAUTHIER LOISIRS
1015, boul. Ste-Geneviève, Chicoutimi-Nord
418 543-6537
www.martialgauthier.com

SAGUENAY MARINE
1911, rue Sainte-Famille, Jonquière
418 547-2022
www.saguenaymarine.com

SPORTS PLEIN-AIR GAGNON
870, 3e Rue, Chibougamau
418 748-3134

INDEX DES CONCESSIONNAIRES VICTORY

www.victorymotorcycles.com

ATELIER CSP
505, 2e rue Est, Rimouski
418 725-4843
www.ateliercsp.com

GOBEIL ÉQUIPEMENT
2138, boul. Saint-Jean-Baptiste, Chicoutimi
418-549-3956
www.gobeilequipement.ca

MALTAIS PERFORMANCE
190, boul. Gérard D. Lévesque Est, Paspébiac
418 752-7000
www.maltaisperformance.com

MARTIN AUTO CENTRE
1832, 3e avenue, Val-d'Or
819 824-4575

MOTO DUCHARME
761 chemin des Prairies, Joliette
450 755-4444
www.motoducharme.com

MOTOS ILLIMITÉES
3250, boul. des Entreprises, Terrebonne
450-477-4000
www.motosillimitees.com

MOTOSPORT NEWMAN PIERREFONDS
14 400, boul Pierrefonds, Pierrefonds
514 626-1919
www.motosportnewman

NOR-SPORT
25, boul. des Hauteurs, St-Jérôme
450 436-2070
www.nor-sport.com

PASSION SPORT
731, boul. Saint-Laurent Est, Louiseville
819 228-2066
www.passionsport.ca

PINARD MOTO
1193, route 125, Ste-Julienne
450-831-2212
www.pinardmoto.com

RM MOTOSPORT
22, boul. Arthabasca Est, Victoriaville
819 752-6427
www.rmmotosport.com

RPM RIVE-SUD
226, chemin des îles, Lévis
418 835-1624
www.rpmrivesud.com

SPORT 100 LIMITES
825, boul. St-Joseph, Drummondville
819-445-6686

INDEX DES CONCESSIONNAIRES **BMW**

www.bmw-motorrad.ca

ÉVASION BMW
5020, boul. Industriel, Sherbrooke
819 821-3595

MONETTE SPORTS
251, boul. des Laurentides, Laval
450 668-6466
www.monettesports.com

MOTO INTERNATIONALE
6695, rue St-Jacques Ouest, Montréal
514 483-6686
www.motointer.com

MOTO VANIER QUÉBEC
776, boul. Wilfrid-Hamel, Québec
418 527-6907
www.motovanier.ca

INDEX DES CONCESSIONNAIRES **BRP**

www.can-am.brp.com

ACCENT PLEIN AIR
171, rue Prinicipale Sud, Amos
819-732-5995
www.accentpleinair.com

ADRÉNALINE SPORTS EXTRÊMES
6280, boul. Wilfrid-Hamel, Ancienne-Lorette
418-687-0383
www.adrenalinesports.ca

ANDRÉ HALLÉ & FILS
121, rue St-Benoit Est, Amqui
418-629-4111
www.andrehalle.com

BLAIS RÉCRÉATIF
280, avenue Larivière, Rouyn-Noranda
819-797-1232
www.blaisrecreatif.com

CENTRE DE LA MOTONEIGE
9060, rue de la Montagne, Valcourt
450-532-2262
www.centredelamotoneige.com

CLAUDE STE-MARIE SPORT
5925, chemin Chambly, St-Hubert
450-678-4700
www.stemariesport.com

CONTANT LAVAL
6310, boul. des Mille-Îles, Laval
450-666-6676
www.contant.ca

CONTANT MIRABEL
18 000, rue J.A. Bombardier, Mirabel
450-434-6676
www.contant.ca

CONTANT STE-AGATHE
1 300, chemin Impasse de la Tourbière, Ste-Agathe-des-Monts
819-326-6626
www.contant.ca

DION MOTO
840, côte Joyeuse, St-Raymond
418-337-2776
dionmoto.com

ELITECH SPORTS ÉVASION
1695, rue St-Maurice, Trois-Rivières
819-691-1773
www.elitechsportevasion.com

ÉQUIPEMENTS VILLENEUVE
1178, boul. Ste-Geneviève, Chicoutimi Nord
418-543-3600
www.equipementsvilleneuve.com

LAPOINTE SPORTS
576, route 131, Joliette (Notre-Dame-des-Prairies)
450-752-1224
www.lapointesports.com

MERCIER MARINE
3670, boul. Frontenac Ouest, Thetford Mines
418-423-5517
www.merciermarine.com

PERFORMANCE N.C. – GRANBY
125, rue Pierre-Paradis
St-Alphonse-de-Granby
450-360-3888
www.performancenc.ca

PERFORMANCE N.C. – PRINCEVILLE
780, boul. Baril Ouest (Route 116), Princeville
819-362-2926
www.performancenc.ca

PERFORMANCE N.C. – ST-GERMAIN
176, boul. Industriel, St-Germain-de-Grantham
819-395-2464
www.performancenc.ca

PERFORMANCE N.C. – SHERBROOKE
5020, boul. Industriel, Sherbrooke
819-821-3595
www.performancenc.ca

RIENDEAU SPORTS
2109, chemin de l'Industrie, St-Mathieu-Beloeil
450-446-9109
www.riendeausports.com

SPORTS D.R.C.
3055, rue du Pont Sud, Alma
418-668-7389

SUMMUM SPORT
625, rue Dubois, St-Eustache
450-974-0404
www.summumsport.com

T.Y. MOTEURS
1091, rue Commercial, Saint-Jean-Chrysostome
418-833-0500
www.tymoteurs.com

INDEX DES CONCESSIONNAIRES **DUCATI**

www.ducati.com

DUCATI MONTRÉAL
6816, boul. St-Laurent, Montréal
514 658-0610
www.ducatimontreal.com

MONETTE SPORTS
251, boul. des Laurentides, Laval
450 668-6466
1 800 263-6466
www.monettesports.com

MOTOS THIBAULT SHERBROOKE
3750, rue du Blanc-Coteau, Sherbrooke
819 569-1155
www.motosthibault.com

MOTO VANIER QUÉBEC
776, boul. Wilfrid-Hamel, Québec
418 527-6907
1 888 527-6907
www.motovanier.ca

INDEX DES CONCESSIONNAIRES **TRIUMPH**

www.triumphmotorcycles.com

MONETTE SPORTS
251, boul des Laurentides, Laval
450 668-6466
www.monettesports.com

MOTO MONTRÉAL
1601, Wellington, Montréal
514 932-9718
www.motomontreal.com

MOTO VANIER QUÉBEC
776, boul. Wilfrid-Hamel, Québec
418 527-6907 • 1 888 527-6907
www.motovanier.ca

NOTES

NOTES

NOTES

SYSTÈME ÉLECTRONIQUE DE STABILITÉ
Inspiré des technologies automobiles, ce système intègre les fonctions de freinage antiblocage, d'antipatinage et de contrôle de la stabilité pour une conduite des plus rassurantes.

SYSTÈME DE SERVODIRECTION DYNAMIQUE
Le système de servodirection à contrôle électronique fournit plus de confort au conducteur grâce à une aide à l'effort de braquage.

TRANSMISSION SEMI-AUTOMATIQUE
Plus d'embrayage. Passez à un rappor supérieur avec le pouce et rétrogradez avec l'index. Avec marche arrière. (Transmission manuelle disponible)